主なオピオイドの投与経路別の換算比(メサドンを除く*1)

内服薬・経皮吸収型製剤・坐薬	モルヒネ経口(mg/日)	15	30	60	120	240
	モルヒネ坐薬(mg/日)	10	20	40	80	160
	オキシコドン経口(mg/日)	10	20	40	80	160
	ヒドロモルフォン経口(mg/日)	3	6	12	24	48
	タペンタドール経口(mg/日)*2	50	100	200	400	—
	フェンタニルパッチ(mcg/h)*3	6.25	12.5	25	50	100
	コデインリン酸塩経口(mg/日)	90	180	—	—	—
	トラマドール経口(mg/日)*4	75	150	300	—	—
	ブプレノルフィン坐薬(mg/日)	0.3	0.6	1.2	—	—
(皮下・静脈内)注射薬	モルヒネ注(mg/日)	7.5	15	30	60	120
	オキシコドン注(mg/日)	7.5	15	30	60	120
	ヒドロモルフォン注(mg/日)*5 ヒドロモルフォン注への変更	0.6	1.2	2.4	4.8	9.6
	ヒドロモルフォン注(mg/日)*5 ヒドロモルフォン注から変更	1.2	2.4	4.8	9.6	19.2
	フェンタニル注(mg/日)	0.15	0.3	0.6	1.2	2.4
	ブプレノルフィン注(mg/日)	0.3	0.6	1.2	—	—
(硬膜外・くも膜下)注射薬	モルヒネ注(mg/日) 硬膜外	0.75	1.5	3	6	12
	モルヒネ注(mg/日) くも膜下	0.075	0.15	0.3	0.6	1.2
	フェンタニル注(mg/日) 硬膜外	—	0.075~0.15	0.15~0.3	0.3~0.6	0.6~1.2
	フェンタニル注(mg/日) くも膜下	—	0.0075~0.015	0.015~0.03	0.03~0.06	0.06~0.12

*1:メサドンへの換算比は幅が大きいため,インタビューフォームなどを参照すること.

*2:タペンタドールの日本における1日処方量は400 mgまで.

*3:フェンタニルパッチの放出速度を記載している.

*4:トラマドールは1日400 mg以上の増量の効果は認められていない.

*5:ヒドロモルフォン注射薬への換算比と,注射薬からの換算比では異なる見解がされている(Reddy A, et al: The conversion ratio from intravenous hydromorphone to oral opioids in cancer patients. J Pain Symptom Manage 54: 280-288, 2017. PMID: 28711751).

〔服部政治,他:がん性疼痛に対するくも膜下鎮痛法.日緩和医療薬誌3:31-36, 2010/日本緩和医療学会(編):専門家をめざす人のための緩和医療学 改訂第2版.南江堂,2019より作成〕

緩和ケア
レジデントマニュアル

第2版

監修
森田達也 聖隷三方原病院 副院長・緩和支持治療科
木澤義之 筑波大学医学医療系 緩和医療学 教授

編集
西 智弘 川崎市立井田病院腫瘍内科 部長
松本禎久 がん研究会有明病院緩和治療科 部長
森 雅紀 聖隷三方原病院緩和支持治療科 部長
山口 崇 神戸大学医学部附属病院緩和支持治療科 特命教授

医学書院

謹告 本書に記載されている事項が，最新かつ正確な情報であるよう，監修者，編集者，著者ならびに出版社は最善の努力をしております．しかし，薬の用法・用量・注意事項等は，基礎研究や臨床データの蓄積により変更されることがあります．したがって，特に新薬などの使い慣れない薬の使用に際しましては，読者ご自身で十分に注意を払われることを要望いたします．本書記載の治療法，医薬品がその後の医学・医療の進歩により，本書発行後に変更された場合，従来の治療法，医薬品による不測の事故に対して，監修者，編集者，著者ならびに出版社は，その責を負いかねます．

株式会社 医学書院

緩和ケアレジデントマニュアル

発　行　2016年 7 月 15 日　第 1 版第 1 刷
　　　　2021年 2 月 1 日　　第 1 版第 7 刷
　　　　2022年 5 月 1 日　　第 2 版第 1 刷Ⓒ
　　　　2023年 5 月 1 日　　第 2 版第 2 刷

監　修　森田達也・木澤義之

編　集　西　智弘・松本禎久・森　雅紀・山口　崇

発行者　株式会社 医学書院
　　　　代表取締役　金原　俊
　　　　〒113-8719　東京都文京区本郷 1-28-23
　　　　電話　03-3817-5600（社内案内）

印刷・製本　三報社印刷

本書の複製権・翻訳権・上映権・譲渡権・貸与権・公衆送信権（送信可能化権を含む）は株式会社医学書院が保有します．

ISBN978-4-260-04907-8

本書を無断で複製する行為（複写，スキャン，デジタルデータ化など）は，「私的使用のための複製」など著作権法上の限られた例外を除き禁じられています．大学，病院，診療所，企業などにおいて，業務上使用する目的（診療，研究活動を含む）で上記の行為を行うことは，その使用範囲が内部的であっても，私的使用には該当せず，違法です．また私的使用に該当する場合であっても，代行業者等の第三者に依頼して上記の行為を行うことは違法となります．

JCOPY　〈出版者著作権管理機構　委託出版物〉
本書の無断複製は著作権法上での例外を除き禁じられています．複製される場合は，そのつど事前に，出版者著作権管理機構（電話 03-5244-5088，FAX 03-5244-5089，info@jcopy.or.jp）の許諾を得てください．

＊「レジデントマニュアル」は株式会社医学書院の登録商標です．

執筆者一覧（本文執筆順）

平原佐斗司	東京ふれあい医療生活協同組合 研修・研究センター長	
井上　綾子	大分県立病院精神医療センター 主任医師	
馬場　美華	吹田徳洲会病院緩和医療科 部長	
阿部　泰之	Ai クリニック 院長 / 旭川医科大学 客員教授	
森　　雅紀	聖隷三方原病院緩和支持治療科 部長	
野里　洵子	東京医科歯科大学病院緩和ケア科 特任助教	
西　　智弘	川崎市立井田病院腫瘍内科 部長	
田上　恵太	東北大学大学院医学系研究科緩和医療学分野 講師	
松岡　弘道	国立がん研究センター中央病院精神腫瘍科 科長 / 支持療法開発センター	
大西　良佳	京都大学大学院医学研究科社会健康医学系専攻薬剤疫学分野 後期博士課程	
小田切拓也	JA 岐阜厚生連揖斐厚生病院緩和ケア科	
川島　夏希	筑波大学附属病院緩和支持治療科緩和ケアセンター	
東端　孝博	筑波大学附属病院緩和支持治療科緩和ケアセンター	
鷹津　　英	医療法人社団清水メディカルクリニック	
小杉　和博	国立がん研究センター東病院緩和医療科 医員	
松本　禎久	がん研究会有明病院緩和治療科 部長	
上原　優子	順天堂大学医学部附属浦安病院がん治療センター緩和ケアチーム / 同大学緩和医療学研究室	
山口　　崇	神戸大学医学部附属病院緩和支持治療科 特命教授	
山内　敏宏	聖隷三方原病院ホスピス科 医長	
大野　友久	浜松市リハビリテーション病院歯科 部長	
長岡　広香	筑波大学附属病院緩和支持治療科緩和ケアセンター	
横道　直佑	聖隷三方原病院緩和支持治療科 医長	
松田　能宣	国立病院機構近畿中央呼吸器センター心療内科 医長	
松沼　　亮	甲南医療センター緩和ケア内科 医長	
鈴木　　梢	がん・感染症センター都立駒込病院緩和ケア科 医長	
田中佑加子	甲南医療センター緩和ケア内科 医員	
白石　龍人	神戸大学医学部附属病院緩和支持治療科	
神谷　浩平	一般社団法人 MY wells 地域ケア工房 代表	

執筆者一覧

櫻井　宏樹	虎の門病院緩和医療科 部長
三浦　剛史	セコメディック病院泌尿器科 / 緩和ケア外科 部長
山本　昌市	聖隷三方原病院緩和放射線科 部長
荒井　保典	国立がん研究センター東病院放射線診断科 医長
谷向　　仁	京都大学大学院医学研究科人間健康科学系専攻 / 同大学医学部附属病院緩和医療科 准教授
藤澤　大介	慶應義塾大学医学部医療安全管理部 准教授
小川　朝生	国立がん研究センター東病院精神腫瘍科 科長
上村　恵一	斗南病院精神科 科長
廣橋　　猛	永寿総合病院がん診療支援・緩和ケアセンター センター長
大石　　愛	横浜市立大学大学院データサイエンス研究科ヘルスデータサイエンス専攻 特任助教
大石　醒悟	真星病院循環器内科 部長
村瀬樹太郎	東京慈恵会医科大学附属第三病院総合診療部 助教
大武　陽一	今井病院 副院長
池田　哲彦	国立病院機構新潟病院脳神経内科 医長
中島　　孝	国立病院機構新潟病院 院長
余谷　暢之	国立成育医療研究センター総合診療部緩和ケア科 診療部長
大沢かおり	東京共済病院乳がん相談支援センター
佐藤　恭子	川崎市立井田病院在宅・緩和ケアセンター センター長 / リハビリテーション科
松本　衣里	医療法人社団孔和会松本内科・眼科
林　ゑり子	横浜市立大学医学部看護学科がん看護学 がん看護専門看護師
福島　沙紀	一般社団法人プラスケア
大前　隆仁	市立芦屋病院緩和ケア内科 医長
浜野　　淳	筑波大学医学医療系
石木　寛人	国立がん研究センター中央病院緩和医療科 医長

第 2 版　監修の序

順調に改訂される─ 2022 年

　順調に改訂された．

　医学の知識のターンオーバーは年々早くなっている．緩和医学は比較的スパンは長いほうだが，それでも，数年すると新規薬剤が登場し，新しく有効なことが示される治療が登場し，一方で，それまで有効だったはずの薬剤の有効性に疑問を投げかける比較試験が出る(この数年はこちらのほうが多かったかもしれない)．初版発行の 2016 年から 2022 年にかけても，国内外での検証試験の報告とガイドラインの改訂がさかんに行われた．新規薬剤としては，ヒドロモルフォン，タペンタドール，ミロガバリン，アナモレリン，ナルデメジン，リナクロチドなどが国内では登場した．日本緩和医療学会や日本がんサポーティブケア学会からのガイドライン/手引きの発刊も相次いだ．本書の改訂はこれら知見を整理して update したものである．エビデンス時代を反映して，初版で使用していたエビデンスレベルの★について，★が「根拠はないが一般的に行われている」から「観察研究」に変更され，★★が「質の低い比較試験か観察研究」から「1 つ以上のランダム化試験」に変更された．WHO のがん疼痛ガイドラインにもメタ分析が採用されるなど，蓄積する科学的知見を臨床に生かすものである．

　内容としては，初版をおおむね引き継ぎながら改訂を行った．新しく消化管閉塞，食欲不振，咳嗽，悪性胸水，IVR の項目を追加している．

　執筆体制としては，編集 4 名(西，松本，森，山口)は変わりないが，50 超の項目のうち半数で書き手が交代した．レジデントに向けて若手が書くという本書の構想に沿ったものである．本書がさらに，次の世代へと書き手が変わり，執筆者が編集者に，編集者が監修になることを願いたい．第 3 版の時には筆者の名前はなくなっていることが緩和医学が順調に進展しているということである．本書を読まれ

るレジデント，若手医師，若手でなくても新規に緩和医学に参入する医師が，いまだ未知のことの多いこの領域に明かりを灯すひとりになってくれることを期待したい．

2022 年 3 月

森田達也

第2版　編集の序

　『緩和ケアレジデントマニュアル』の初版が発刊されて5年．多くの研修医たちのポケットに本書が入っているのを見かけ，また病棟でページを繰り，にらめっこしている若手医師の姿を見てきた．この5年の間に，少なくない医師たちの臨床の一助となれたとしたら，それは編集者として喜ばしいことであり，そしてその知識が生かされて多くの患者さんや家族の苦痛緩和に寄与したなら本望である．

　しかし，この5年の間に緩和ケアの領域はどんどん発展してきた．2013年の欧州緩和ケア学会にて「すべての，苦痛がある患者へ緩和ケアが提供されることは『基本的人権』である」と宣言したプラハ憲章が採択されて以来，各国が取り組む政策としての緩和ケアおよび研究，また公衆衛生分野の関与なども進み，緩和ケアが取り扱う領域は医療面にとどまらず地域社会との連携が求められるようになってきている．研究についても，ランダム化比較試験だけではなく，質の高い観察研究や質的研究も多数発表され，また「適切な対象に適切な時期に緩和ケアを効率よく届ける」ための緩和ケアシステムに関する研究や議論も成熟してきた．

　一方で，抗がん治療の急速な進歩に緩和ケアが対応していくことも求められてきた．ゲノム医療の発展や免疫チェックポイント阻害薬の登場により，がん治療がより個別化し，また performance status が多少低下していたり，高齢であったりしても，大きな有害事象なく治療が継続できるようになってきた．この時代に，昔ながらの「緩和ケアは抗がん治療をあきらめてから」を続けていては，「緩和ケアは本当に終末期だけ」の固定観念は払拭されず，苦痛にさいなまれる患者さん・家族へ適切な時期に緩和ケアを届けられない．よって，これからの時代は抗がん治療を継続しながらも，苦痛に対しては適切な緩和ケアが届くことを第一に考えるべきであり，その担い手が治療医か緩和ケア専門医であるべきかという議論はあるにしても，外来診療の現場の傍らで本書がお役に立てる場面は多いのではないかと考えている．

　また，がん以外の緩和ケアに関する研究も世界的に進み，日本にお

いても非がん疾患の緩和ケアに対する政策的進展もあり，緩和ケアを専門とする若手はもとより循環器科や呼吸器科，腎臓内科などの各科で診療にあたる諸氏にとっても，基本的な緩和ケアの知識や技術を身につけることは必須といえるだろう．本書は，初版の編集方針を引き継ぎ，がんを中心にしながらも非がん疾患にも応用できることを念頭に置いた．

　病棟でも外来でも，すべての患者さんたちに対して，その苦痛の緩和に，本書が寄与できることを期待している．

2022 年 3 月

編集者一同

初版　監修の序

緩和ケアの世代交代を告げる――2016年

　伝統ある『レジデントマニュアル』シリーズに緩和ケアが加わった．多くの医師が緩和ケアに関心をもってローテーション（研修）してくれるようになったことを反映しており，とてもうれしい．筆者が緩和ケア医（当時はホスピス医）を念頭に臨床研修病院を探した1992年には，事実上，淀川キリスト教病院と聖隷三方原病院しか選択肢はなかった．いまや，多くの臨床研修病院には緩和ケア科や緩和ケアチームがある時代を迎えている．

　さて，緩和ケアに関するマニュアルは数多くあるが，本書の価値を一言でいえば，世代交代を告げる1冊である．筆者と木澤義之が監修を務めてはいるものの，本書はステアリングチームの若手（というほど若手でもない人もいるが）が全面的に企画から執筆，調整までを担当した．ありきたりではない序文として，本書の編集者の紹介をしてみたい．筆者が知り合った順に書く．

　山口崇は筆者の机の左横に座って研修していた時期があるが，所属する病院や住んでいる地域の枠にとどまることなく自分でするべきことを探して自主的にさくさくと自ら学びを深めていた．短時間に要点をついて理解していく能力には驚くものがある．

　松本禎久は丁寧である．金沢から東京に出ておそらくは本人の意図していたわけではないめぐりあわせから，マネジメントもする立場となった．超多忙な日々を送っているが，年長者・後輩を問わず丁寧なやり取りを欠かさない．人として見習うべきものである．

　森雅紀は天性か周りにいる人たちに元気を注入する．臨床も研究も，研修医を教えるのも子ども会の役員も精一杯楽しんでやる．ドーパミンが枯渇しないかと心配するが，「子どもの時からこんな感じだから大丈夫」らしい．その調子でみなに笑顔と和を伝えてほしい．

　西智弘は社会派である．医学的治療のみならず，どうして若手医師

が緩和ケアで行き詰まるのかと思索を巡らし，東京に林立するタワーマンションが20年後には独居高齢者ばかりになることを考える．医学にとどまらない幅広い視野を今後も展開させてほしい．

執筆者は，編集を担当した4名がよく知る現場の最前線にいる若手医師が中心である．1つの病院，1つの医局にとどまらず，多様な個性を認め合う新しい世代のネットワークが集結した．担当者が書いた内容を peer review を何度も繰り返して完成させた．自己流になりやすい緩和ケア領域において，流派が違っても認め合えるマニュアルを作りあげた．

20年前，緩和ケア領域は人材も少なかったが，多彩な人材が順調に育っている．5年，10年後，読者の中からさらに後継者が生まれ，本書をどんどん改訂していってほしい．レジデントマニュアルは，"少し上のお兄さん・お姉さんが困ったことを後輩に伝えていく"というところに価値がある．読者諸氏がまたお兄さん・お姉さんになって，日本中の緩和ケアを担っている最前線に本書を新しくして届けていってほしい．

以下に，本書の特徴を簡単に示す．

緩和ケアの各領域のガイドラインはすでに多く出版されているが，かなりの分量があり通読する余裕は通常ない．一方，マニュアルもこれまたいっぱいあるが，著者の経験で書かれていることが多く，どうしてそう考えるのか，国際的にみてどの程度標準的なことなのかがわからない．

本書は，"エビデンス時代"の若手が作成しただけのことあって，ガイドラインと従来のマニュアルの隙間を埋めるものである．つまり，1冊を通して読むことで，どの領域にどういうガイドラインがあるのか，オーバービューを素早く把握することができる．知っておくべき系統的レビューやガイドラインの要点を解説してくれているので，"もっと知りたい"項目はちゃんと「これを読めばいいよ」と示してくれる．「どうしてそれでいいのか？」の考え方の記載ももれなくあり，きちんと応用が利くように書いてある．

痛みだけではなく，おおよそ緩和ケアの臨床をするうえで出会うだ

ろうすべての事柄について網羅されている．しゃっくりが止まらない，むくんできた，血が止まらない，かゆい……マイナーではあるが対応の迫られる状況での医師としてとるべきボトムラインが明示されている．経験の少ない医師が躓きやすい点や社会的側面(若年がん患者への対応，チームビルディングなど)の記載も「ああそうか」と思わせる．1冊あれば通常の臨床で当面困ることはないだろう．

　これからの緩和ケアという点では，非がんの緩和ケアや慢性疼痛についても記載しており，呼吸器科・循環器科といった各科で緩和ケアを行う医師のよりどころになる．もちろん若手医師だけでなく，他科から緩和治療をめざす医師，認定・専門看護師，薬剤師など，緩和に携わるすべてのスタッフにおすすめである．

2016年6月

森田達也

初版 編集の序

　われわれが緩和ケア医を目指した数年前は，緩和ケアに関する日本語の教科書はまだまだ少なく，海外の教科書やその訳本数冊，あとは指導医の"口伝"で患者さんの治療にあたっていたことが思い出される．

　この数年の間で，著名な先生方による緩和ケアの教科書が数多く出版され，これから緩和ケアを目指す医療者や学生にとっては，とてもいい時代になってきたのではないかと思う．

　しかし，それでもなお若手が抱える悩みは深い．緩和ケアが扱う領域はどんどん広くなり，疾患としてもがんだけでなく非がんの緩和ケアへの対応が求められ，"早期からの緩和ケア"の有用性が示されたことで，終末期のみならず診断時から関わることが求められる．そして，単なる医療の提供にとどまらず意思決定支援や就労・経済的問題など，疾患を抱えて"生きること"を支えることが求められてきている．

　そうした現状の中，若手がこれから歩むための道標となる本が欲しい，と感じていたところで「伝統ある『レジデントマニュアル』シリーズに緩和ケアを加えたい」とのお話を医学書院からいただいた．しかし，「緩和ケアにおけるバイブルとなる本を」と出発した，若手4名を編集の中心とした本作りは難航を極めた．企画立案から数年の間に，「よりよい本を！」「もっと役に立つ本を！」と幾度も編集会議を重ね，数え切れないほどのメールをやり取りしながら本書はようやく誕生の時を迎えた．難産にお付き合いいただいた執筆陣の先生方，また監修の森田達也先生，木澤義之先生には多大なる感謝を申し上げたい．

　本書は，若手の執筆者を中心に，エビデンスに十分に基づきながらも，実際に病棟や在宅などでどのように症状をマネジメントしていくかというテクニック的な部分も盛り込んでご執筆いただいた．緩和ケアの現場で悩む部分，知っておいて欲しいことなど，エッセンスを盛り込んだ本に仕上がったと自負している．本書は，当初かかげた編集目標に向かい，関係者一同力の限り取り組んできたつもりであるが，

今後，本書をよりよいものにしていくために，読者のみなさんから忌憚ないご意見・ご感想，ご批判をお寄せいただければと思う．

　本書の内容がひとりでも多くの患者さん，ご家族の助けになることを願っている．

2016 年 6 月

編集者一同

目次

略語一覧 xix

第1章 緩和ケアの基礎知識 1

1 がん/非がんの緩和ケアの特徴 .... 平原佐斗司 2
2 Bad News Breaking .... 井上綾子 8
3 予後の判定 .... 馬場美華 13
4 Advance Care Planning .... 阿部泰之 22

第2章 症状の緩和 33

【痛みの緩和】

1 痛みの診断と評価 .... 森 雅紀 34
2 痛みの治療総論 .... 野里洵子 50
3 NSAIDs・アセトアミノフェン .... 西 智弘 60
4 オピオイド .... 田上恵太・森 雅紀 68
5 鎮痛補助薬 .... 松岡弘道・西 智弘 103
6 神経ブロック .... 大西良佳 116

【身体症状の緩和】

7 体温上昇(発熱・高体温) .... 小田切拓也 124
8 悪心・嘔吐 .... 川島夏希 133
9 消化管閉塞 .... 東端孝博 142
10 食欲不振 .... 鷹津 英 148
11 悪液質 .... 小杉和博・松本禎久 155
12 輸液 .... 上原優子・松本禎久 160
13 吃逆 .... 山口 崇 165
14 便秘・下痢 .... 山内敏宏 170
15 口腔に関する問題 .... 大野友久 183
16 浮腫 .... 長岡広香 190
17 悪性腹水 .... 横道直佑 199
18 呼吸困難 .... 松田能宣 207
19 咳嗽 .... 松沼 亮 215

20	悪性胸水	山口　崇　222
21	死前喘鳴	鈴木　梢　226
22	出血	田中佑加子　230
23	代謝の異常（進行悪性疾患に関連するもの）	白石龍人・山口　崇　237
24	倦怠感	神谷浩平　247
25	骨転移・病的骨折・脊髄圧迫	櫻井宏樹　254
26	神経・筋の異常	松本禎久　266
27	泌尿器科的症状	三浦剛史　278
28	皮膚の問題	西　智弘　289
29	瘙痒感	田中佑加子　294
30	緩和的放射線療法	山本昌市　298
31	Interventional Radiology（IVR）	荒井保典　303

【精神症状の緩和】

32	不眠	谷向　仁　310
33	不安	藤澤大介　321
34	せん妄	小川朝生　329
35	抑うつ	上村恵一　338

【鎮静】

36	苦痛緩和のための鎮静	廣橋　猛　345

第3章 非がんの緩和ケア　359

1	高齢者 / 認知症の緩和ケア	大石　愛　360
2	心不全の緩和ケア	大石醒悟　367
3	肝不全の緩和ケア	村瀬樹太郎　375
4	慢性腎臓病の緩和ケア	大武陽一　384
5	神経難病の緩和ケア	池田哲彦・中島　孝　396
6	慢性呼吸器疾患の緩和ケア	松田能宣　407

第4章 様々な状況での緩和ケア　417

1	小児の緩和ケア	余谷暢之　418
2	がんの親をもつ子どものサポート	大沢かおり　429
3	リハビリテーション	佐藤恭子　436

4	スピリチュアルケア	松本衣里	443
5	看取り	林 ゑり子	452
6	ビリーブメント（死別）	福島沙紀	465

付録 ··················· 475

1. palliative performance scale (PPS) ··············· 476
2. palliative prognostic index (PPI) ··············· 477
3. Karnofsky performance status ··············· 478
4. palliative prognostic score (PaP score) ··············· 479
5. 痛みの強さの評価スケール ··············· 480
6. STAS-J ··············· 481
7. STAS-J 症状版 ··············· 484
8. IPOS 患者用 3 日間版 ··············· 485
9. エドモントン症状評価システム改訂版日本語版 (ESAS-r-J) ··············· 487
10. 代表的なオピオイドとその特徴 ··············· 489
11. コルチコステロイドの比較 ··············· 493

索引 ··················· 494

コラム

①	家族にがんの病状を伝える時	井上綾子	31
②	内科的治療をどこまで行うか？	小田切拓也	102
③	溢流性下痢	山内敏宏	182
④	コンサルテーション	村瀬樹太郎	356
⑤	漢方	大前隆仁	395
⑥	在宅医療	浜野 淳	412
⑦	代替療法についての考え方	西 智弘	416
⑧	AYA 世代のがん患者	石木寛人	428

凡例

本書中，治療やケアなどのエビデンスについては★の数で表記した．
★：観察研究などがある
★★：RCT が 1 つある
★★★：メタアナリシスまたは複数の RCT がある

略語一覧

略語	スペルアウト	和文
ACE	angiotensin converting enzyme	アンギオテンシン変換酵素
ACP	advance care planning	アドバンス・ケア・プランニング
ACTH	adrenocorticotropic hormone	副腎皮質刺激ホルモン
AD	Alzheimer's disease	アルツハイマー病
ADH	antidiuretic hormone	抗利尿ホルモン
ADL	activities of daily living	日常生活動作
AIH	autoimmune hepatitis	自己免疫性肝炎
ALS	amyotrophic lateral sclerosis	筋萎縮性側索硬化症
ARDS	acute respiratory distress syndrome	急性呼吸窮迫症候群
ATL	adult T-cell leukemia/lymphoma	成人T細胞白血病・リンパ腫
AYA	adolescent and young adult	思春期・若年成人
BCAA	branched chain amino acid	分岐鎖アミノ酸
BMI	body mass index	
BPSD	behavioral and psychological symptoms of dementia	認知症に伴う行動・心理症状
BZP	benzodiazepine	ベンゾジアゼピン
CART	cell-free and concentrated ascites reinfusion therapy	腹水濾過濃縮再静注法
C. difficile	*Clostridioides difficile*	―
CGA	comprehensive geriatric assessment	包括的高齢者評価
cGMP	cyclic guanosine monophosphate	サイクリックGMP
CKD	chronic kidney disease	慢性腎臓病
COPD	chronic obstructive pulmonary disease	慢性閉塞性肺疾患
COX	cyclooxygenase	シクロオキシゲナーゼ
CPS	clinical prediction of survival	医師の経験に基づく予後の予測
CRF	cancer-related fatigue	がんに伴う倦怠感
CRP	C-reactive protein	C反応性蛋白
CYP	cytochrome P450	シトクロムP450
DIC	disseminated intravascular coagulation	播種性血管内凝固
DNAR	do not attempt resuscitation	蘇生処置拒否
DVT	deep vein thrombosis	深部静脈血栓症
FPS	faces pain scale	
GABA	γ-aminobutyric acid	γアミノ酪酸
hCG	human chorionic gonadotropin	ヒト絨毛性ゴナドトロピン
HFS	hand-foot syndrome	手足症候群

略語	スペルアウト	和文
HIV	human immunodeficiency virus	ヒト免疫不全ウイルス
IGF	insulin-like growth factor	インスリン様成長因子
IL	interleukin	インターロイキン
IVC	inferior vena cava	下大静脈
IVR	interventional radiology	——
KPS	Karnofsky performance status	——
LAMA	long acting muscarinic antagonist	長時間作用性抗コリン薬
MAO	monoamine oxidase	モノアミン酸化酵素
MMP	matrix metalloproteinase	マトリックスメタロプロテアーゼ
MMSE	mini-mental state examination	ミニメンタルステート検査
MMT	manual muscle testing	徒手筋力検査
NASH	nonalcoholic steatohepatitis	非アルコール性脂肪性肝炎
NMDA	N-methyl-D-aspartate	N-メチル-D-アスパラギン酸
NPPV	non-invasive positive pressure ventilation	非侵襲的陽圧換気
NRS	numerical rating scale	——
NSAIDs	non-steroidal anti-inflammatory drugs	非ステロイド性抗炎症薬
OT	occupational therapy	作業療法
OXR	orexin receptor	オレキシン受容体
PaP score	palliative prognostic score	——
PBC	primary biliary cholangitis	原発性胆汁性胆管炎
PEG	percutaneous endoscopic gastrostomy	経皮内視鏡的胃瘻造設術
PG	prostaglandin	プロスタグランジン
PPI	palliative prognostic index	——
PPI	proton pump inhibitor	プロトンポンプ阻害薬
PPS	palliative performance scale	——
PS	performance status	全身状態
PSC	primary sclerosing cholangitis	原発性硬化性胆管炎
PT	physical therapy	理学療法
PTEG	percutaneous trans-esophageal gastro-tubing	経皮経食道胃管挿入術
PTH	parathyroid hormone	副甲状腺ホルモン
PTHrP	parathyroid hormone-related protein	副甲状腺ホルモン関連蛋白
PTSD	post traumatic stress disorder	心的外傷後ストレス障害
PVS	peritoneovenous shunt	腹腔静脈シャント
QOL	quality of life	生活の質

略語	スペルアウト	和文
RAA	renin-angiotensin-aldosterone	レニン・アンギオテンシン・アルドステロン
RANKL	receptor activator of nuclear factor kappa(κ) B ligand	——
RCT	randomized controlled trial	ランダム化比較試験
SAAG	serum-ascites albumin gradient	血清腹水アルブミン勾配
SBP	spontaneous bacterial peritonitis	特発性細菌性腹膜炎
SDM	shared decision making	共同意思決定
SGA	subjective global assessment	主観的包括的アセスメント
SIADH	syndrome of inappropriate secretion of antidiuretic hormone	抗利尿ホルモン不適合分泌症候群
SNRI	serotonin-noradrenalin reuptake inhibitors	セロトニン・ノルアドレナリン再取り込み阻害薬
SRE	skeletal related event	骨関連事象
SSRI	selective serotonin reuptake inhibitor	選択的セロトニン再取り込み阻害薬
ST	speech therapy	言語聴覚療法
SVC	superior vena cava	上大静脈
TGF	transforming growth factor	トランスフォーミング増殖因子
TNF	tumor necrosis factor	腫瘍壊死因子
VAS	visual analogue scale	
VEGF	vascular endothelial growth factor	血管内皮増殖因子
VIP	vasoactive intestinal polypeptide	血管作動性腸管ポリペプチド
VRS	verbal rating scale	——

第1章

緩和ケアの基礎知識

1 がん/非がんの緩和ケアの特徴

診療のコツ

❶適切な緩和ケアを届けるには,医療者が緩和ケアを必要としている人に気づくこと,患者が疾患の軌跡のどこにいるのかを知ろうとすることが大切である.
❷苦痛の種類や強さ,その緩和法は疾患によって相違がある.がんでは痛みが課題となりやすく,非がん疾患では呼吸困難や摂食嚥下障害が課題となりやすい.
❸非がん疾患は,疾患の軌跡が複雑で予後予測が困難なこと,認知機能の低下を伴う例が多いことから,予後予測や苦痛の評価,意思決定支援が困難な事例が多い.

　今世紀に入り,緩和ケアはがんだけでなく非がん疾患を含むあらゆる疾患へ,そして小児から高齢者まで,また緩和ケア病棟だけでなく,地域・在宅を中心として,急性期病院や施設など様々な場で提供されるべき包括的なケアへと広がりをみせている.そんななかで,緩和ケアはあらゆる人を対象とする,より普遍的で基本的なケアであると認識されるようになった.

　苦悩から解き放たれることは人としての基本的権利であり,必要な場所で,患者中心の緩和ケアを受けられるように健康政策と社会保障政策を確立し,人々を苦悩から解放する施策を実行することは国の責務である.そして,苦痛を取り除くことは医療者の基本的役割であり,様々な医療の場面において緩和ケアの実践が求められている.

緩和ケアニーズの変化

　『Global atlas of palliative care at the end of life』(WHO/WPCA)によると,先進国においては,死にゆく人の約6割に緩和ケアニーズがある.また,緩和ケアの必要な人の3人に1人ががん,3人に2人が非がん疾患である.世界の緩和ケアのニーズを疾患別にみる

と，第1位は心臓血管系の疾患(脳血管障害含む)であり，第2位はがん，第3位がCOPDである[1]．

Lancet委員会による「緩和ケアニーズと直結する健康関連苦悩の将来予測」では，先進国では2016年から2060年までの間にがんは1.38倍，認知症は3.07倍，非がん性呼吸器疾患(non-malignant respiratory disease：NMRD)は1.74倍，脳血管障害は1.12倍，神経疾患は1.88倍，肝疾患は1.11倍，腎不全は2.15倍，非虚血性心疾患は1.21倍に増加すると報告されている．また，今後緩和ケアニーズが急増するのは70歳以上の高齢者[2]であり，超高齢社会のなかでは，多疾患併存状態(multimorbidity)にある高齢者が緩和ケアの最大のターゲットになると考えられている．

終末期の疾患の軌跡

Lynnらは終末期の疾患の軌跡を，「がんなどのモデル」「心肺疾患などの臓器不全モデル」「認知症・老衰モデル」の3つに分類[3]した．

がんの軌跡の特徴は，亡くなる1〜2か月前までは全般的機能は保たれ，最期の1〜2か月になると悪液質による食欲不振，痩せ，倦怠感，ADLの低下，意識レベルの低下などの全身症状が出現し，急速に全般的機能が低下することである．このような疾患の軌跡の特徴をとらえた予後予測指標が複数開発されている．しかし，高齢がん患者ではおよそ半分の人が亡くなる数か月以上前から緩やかに機能が低下する軌跡をたどる[4]．

緩和ケアが必要な非がん疾患の多くは慢性疾患の軌跡の下降期から看取り期にある．しかし，非がん疾患の終末期の軌跡は多様であり共通性は乏しく，複雑である．そのため，がんのような月単位，週単位の予後予測は困難であり，共通した予後予測ツールは存在しない．

非がん疾患の軌跡は臓器不全群と認知症・老衰群に分けられる．COPDなどのNMRDや心不全などの臓器不全群では，急性増悪と改善を繰り返しながら，徐々に悪化する軌跡をたどる．この群では，全般的ADLは末期まで比較的保たれるが，終末期と急性増悪の区別が容易ではなく，最期は急に訪れることが多い．一方，認知

症・老衰群では，緩やかにスロープを下るように機能が低下する．高齢者では約半数でこの軌跡をたどる．

がんと非がんの末期の症状の違い

がん末期の症状の特徴

　がんは，原発巣や種類が違っても，臨床経過や出現する症状において一定の共通性・法則性が認められる．がんの基本的病態が，自律増殖と浸潤・転移であり，進行したがんでは早くから浸潤による痛みが出現し，病状の進行（原発巣と転移臓器での腫瘍の増大）とともに痛みは増大する．痛みは患者を長く，強く苦しめる症状であり，そのためがんの身体的苦痛の緩和では痛みの緩和が重要になる．また，がんは原発巣や転移臓器の機能不全を起こすため，呼吸困難や腸閉塞，肝不全，麻痺などの臓器症状が出現する．がんの種類によって出現しやすい症状は，それぞれの腫瘍がもつ臓器との親和性と原発・転移巣の血流などの解剖学的位置関係とによって特徴付けられる．

　がんが進行し予後1～2か月以内となると，がんの種類にかかわらず，食欲不振，痩せ，ADL低下，倦怠感，呼吸困難，意識レベルの低下など全身の衰弱がみられるようになる．

非がん疾患末期の症状の特徴

　非がん疾患は，細胞壊死や退行性変化によって衰弱していく病態が基本であることが多い．最終的には，生体保持に必要な呼吸機能や嚥下機能が侵され，終末期の苦痛としては呼吸困難や嚥下障害・食欲不振が出現することが多い．加えて，終末期の肺炎に伴う発熱，喀痰などの分泌物の管理，褥瘡の痛みなどの苦痛の緩和が求められる．

　COPDなどのNMRDおよび心不全などの臓器不全群の最大の苦痛は呼吸困難である．とりわけ，NMRDの呼吸困難はがんに匹敵するといわれており，十分な緩和ケアが提供されなくてはならない．

　認知症や神経疾患などの変性疾患では，嚥下障害の進行に伴う苦痛が出現しやすい．嚥下反射は，咽頭・喉頭を取りまく多数の筋群による最も精緻な不随意運動の1つで，嚥下中枢（延髄孤束核など

を中心とする神経回路）によって制御されている．神経疾患や認知症など脳の機能が進行性に障害される疾患群では，準備期から口腔期＊の嚥下における随意筋の運動の制御が障害されたり，最期には大脳基底核からのドパミンの放出の低下により嚥下反射が惹起されなくなることが多い．さらに，急性あるいは慢性の栄養障害による全身のサルコペニアに付随するサルコペニア嚥下障害も加わり，終末期には摂食嚥下障害と繰り返す肺炎のなかで最期を迎えることが多いため，終末期には食支援と繰り返す肺炎に対する緩和ケアが重要になる．

がんと非がんの緩和ケアの特徴

がんと非がん疾患には，疾患の軌跡や緩和すべき症状の他にも，以下のようにいくつかの異なる点がある．

①がん患者に比べ，非がん疾患の緩和ケアの対象者のほうがより高齢であるという点がある．国内の在宅での多施設共同研究では，非がん疾患の在宅死亡例の死亡時平均年齢は 84.5±11.3 歳（N＝242）で，特に慢性心不全では 90.3±7.8 歳（N＝14）と死亡時の平均年齢は高かった[5]．

②緩和ケアの対象となる非がん疾患のほとんどは，がんと比較して慢性疾患として長い闘病の経過をもっており，ケアが必要な長い慢性期を経て終末期を迎えることが多いという点がある．慢性疾患では，同じ医療者が長期に関わることにより，医療者が疾患の自然経過を理解しやすくなり，予後予測や意思決定支援が容易となる．

③非がん疾患では，がんと比較して，予後予測がより困難であるという点がある．非がん疾患では，疾患ごとに軌跡が異なり，疾患の軌跡に影響する因子が複雑であるため，予後予測は困難であり，一部の疾患を除いて，信頼に足る予後予測法はない[6]．また，非がん疾患では死が間近にならないと予後予測が困難なことが多く，また，最期まで改善の可能性がゼロにはならない．

④臓器不全群の緩和ケアにおいては，疾患に対してスタンダード

＊ 摂食嚥下の 5 期：摂食嚥下は，①先行期，②準備期，③口腔期，④咽頭期，⑤食道期の 5 つに分けられる．

な治療やケアを最期まで行うことが基本である．症状緩和のためにも標準的な疾患の治療とケアの継続が必須であり，そこにオピオイドなどの緩和ケア手技を加えていくことが基本となる．具体的にはNMRDの呼吸困難の緩和のためには，LAMAなどの基本的薬物療法や酸素療法などの基本的治療を継続しながら，気道クリアランスやリラクセーションなど呼吸リハビリテーション，とりわけコンディショニングの要素と換気や送風などの緩和ケアを継続しつつ，そこにモルヒネなど薬物療法を加えていく[7]．末期心不全でも呼吸困難は最大の課題であるが，症状緩和のためにも利尿薬など積極的な心不全の治療の継続が必要である．

⑤非がん疾患患者はより高齢であったり，認知症などの併存も少なくないため，自律が損なわれたり，医療同意能力が疑われたりする患者が少なくない点がある．非がん疾患の高齢者は，治療やケアの選択を迫られる機会が多いにもかかわらず，主体的に選択することが難しい状態にある人が多い．そのため，可能な限り早期から意思決定を支援する取り組みが重要であり，本人の意向を中心に代弁者を含めたチームの支援が重要になる．

⑥非がん疾患の苦痛に対しては主観的評価が困難なことが多く，しばしば代理評価や客観的評価法が必要になる点がある．非がん疾患者の多くが超高齢者であり，認知症の合併も多く，苦痛を自己報告することが困難となることが少なくない．痛みを自己報告できない患者の苦痛を早期にみつけるために，苦痛の客観的評価が用いられる．苦痛の客観的評価法としては，DOLOPLUS 2, pain assessment in advanced dementia(PAINAD)scale, Abbey pain scaleなど28の客観的評価法[8]が開発されている．また，心不全やNMRDの終末期の最大の苦痛である呼吸困難の客観的評価法としては，respiratory distress observation scale(RDOS)が有用[9]である．

■参考文献

1) WHO/WPCA：Global atlas of palliative care at the end of life. WPCA, 2014.（https://www.who.int/nmh/Global_Atlas_of_Palliative_Care.pdf）（最終アクセス：2022年3月）
2) Sleeman KE, et al：The escalating global burden of serious health-related suffering：

projections to 2060 by world regions, age groups, and health conditions. Lancet Glob Health 7：e883-e892, 2019.（PMID：31129125）

3) Lynn J：Perspectives on care at the close of life. Serving patients who may die soon and their families：the role of hospice and other services. JAMA 285：925-932, 2001.（PMID：11180736）

4) Gill TM, et al：Trajectories of disability in the last year of life. N Engl J Med 362：1173-1180, 2010.（PMID：20357280）

5) 平原佐斗司，他：非がん疾患の在宅ホスピスケアの方法の確立のための研究．2006年度後期在宅医療助成・勇美記念財団助成．
(http://www.zaitakuiryo-yuumizaidan.com/data/file/data1_20100507092236.pdf)（最終アクセス：2022年3月）

6) Coventry PA, et al：Prediction of appropriate timing of palliative care for older adults with non-malignant life-threatening disease：a systematic review. Age Ageing 34：218-227, 2005.（PMID：15863407）

7) 日本呼吸器学会，日本呼吸ケア・リハビリテーション学会(編)：非がん性呼吸器疾患緩和ケア指針．メディカルレビュー社，2021．

8) Lichtner V, et al：Pain assessment for people with dementia：a systematic review of systematic reviews of pain assessment tools. BMC Geriatr 14：138, 2014.（PMID：25519741）

9) Campbell ML, et al：A Respiratory Distress Observation Scale for patients unable to self-report dyspnea. J Palliat Med 13：285-290, 2010.（PMID：20078243）

（平原佐斗司）

2 Bad News Breaking

診療のコツ

❶悪い知らせは,伝えられる側の患者・家族に多大な精神的負担をかけるため,特段の配慮が必要であり,医師はコミュニケーション・スキルの向上に努める必要がある.
❷基本のコミュニケーション・スキルを使用するうえでは,言語的コミュニケーションだけにとらわれず,身振り・手振り・姿勢などの非言語的コミュニケーションにも留意する必要がある.
❸コミュニケーション・スキルをさらに向上させるためには,コミュニケーション・スキル・トレーニングに参加すると効果的である.
❹悪い知らせを伝える前後から看護師が患者・家族に関わることが有用である.看護師の役割を患者・家族に説明し了承を得たうえで,悪い知らせを伝える場面で看護師に同席してもらうとよい.

悪い知らせとは

　悪い知らせを伝えられることは,患者・家族に多大な精神的な負担をかける.そのため治療の選択などの重要な決定において冷静な判断が難しくなってしまうこともある.伝える側にとっても,その後の治療関係に大きな影響を与えうる「悪い知らせ」をどのように伝えるかは,ストレスや悩みになっているであろう.

　悪い知らせは,「患者の将来への見通しを根底から否定的に変えてしまう知らせ」と定義されている.がん医療では,①難治がんの診断,②がんの再発,③抗がん治療の中止,などが含まれる.悪い知らせがもたらす衝撃は計り知れないが,その後の治療・療養プランを患者・家族・医療者がともに考えていくために避けては通れないのである.

表 1 基本のコミュニケーション・スキル

スキル		具体的行動
環境設定のスキル		身だしなみを整える
		時間を守る
		座る位置に配慮する
		挨拶をする
		名前を確認する
話を聞くスキル		目や顔を見る
		相槌を打つ
質問するスキル		開かれた質問をする
共感するスキル	共感	患者の気持ちを繰り返す 例「…（沈黙）…死にたいくらいつらいと感じておられるのですね」
		沈黙を積極的に使う 例「…（沈黙）…」（患者が目を上げ，発言するのを待つ）
	承認	患者の気持ちはもっともなことだと正当性を伝える 例「このような症状のなかでお仕事をされて，さぞつらかったでしょう」 「多くの患者さんも同じように悩んでおられます」
	探索	患者の気持ちや気がかりを探索し，理解する 例「ご心配の内容について教えていただけますか？」

基本のコミュニケーション・スキル

　悪い知らせを伝える際のコミュニケーションは困難なコミュニケーションに該当し，このようなコミュニケーション・スキルの学習は，通常の診療における医師-患者間の基本的コミュニケーション・スキルを習得していることを前提として行う．基本のコミュニケーション・スキルを**表 1**にまとめた．

　基本のコミュニケーション・スキルを使用するうえで特に意識しなければならないのは，非言語的コミュニケーションである．どのような言葉で伝えるかということにとらわれてしまいがちだが，患者は医療者のふるまいをとてもよく見ている．身振り，表情，姿勢などの非言語的メッセージは，時に言語的メッセージを上回る強さで患者に届くことを意識しておく必要がある．

SHARE(悪い知らせを伝えるコミュニケーション)

医師の効果的なコミュニケーションは，面接に対する患者の満足度，治療順守，伝えられる情報の想起や理解の促進に関係し，悪い知らせを伝える際のコミュニケーションは患者のストレスと関連する．そこで，患者や家族を十分にケアするために，欧米を中心に，医師が悪い知らせを伝える際のコミュニケーションに関するガイドラインが作成されている．

米国では2000年にSPIKES*が開発され，米国臨床腫瘍学会で推奨されている．しかしコミュニケーションに関する患者の意向には文化差があり，SPIKESをそのまま日本で適用するのは難しい．そこで日本人のがん患者が悪い知らせを伝えられる際に，医師にどのようなコミュニケーションを望んでいるかを明らかにする研究が行われた[1]．結果は，①Supportive environment(支持的な環境設定)，②How to deliver the bad news(悪い知らせの伝え方)，③Additional information(付加的な情報)，④Reassurance and Emotional support(安心感と情緒的サポート)，の4つのカテゴリー(SHARE)にまとめられた．このSHAREは，がん医療において，医師が患者に悪い知らせを伝える際に効果的な態度や行動を示している．患者が望む内容を抜粋して**表2**に示す．

多くの患者が望むことでも全員が同様に望むとは限らないことは念頭に置く必要がある．しかしながら多くの患者は家族とともに話を聞くことを望み，悪い知らせだけでなくその後の治療方針を示してほしいと考え，さらに主治医にできるだけ最後まで寄り添ってほしいと考えている．そのことを頭に入れておくだけで，伝える時の心構えは大きく変わるだろう．

コミュニケーション・スキル・トレーニング(CST)

一般的にコミュニケーションの能力と聞くと，生まれついての資質が重要であると考える人は少なくない．しかし研究が進むにつれ

---

* SPIKES：①setting(場の設定)，②perception(病状認識)，③invitation(患者からの招待)，④knowledge(情報の共有)，⑤emotion(感情への対応)，⑥strategy/summary(戦略・要約)の6段階で悪い知らせを伝える．

表2　悪い知らせを伝える際に患者が望むこと

supportive environment （支持的な環境設定）	十分な時間をとる
	信頼する医師が伝える
	プライバシーの保たれた場所で伝える
how to deliver the bad news （悪い知らせの伝え方）	わかりやすく伝える
	質問や相談があるかどうか確認しながら説明する
additional information （付加的な情報）	今後の治療方針を伝える
	最新の治療について伝える
	これからの日常生活や仕事について話し合う
reassurance and emotional support （安心感と情緒的サポート）	最後まで責任をもって診療にあたることを伝える
	患者と同じように家族にも配慮する
	患者が希望を持てるように伝える

て，能動的な学習によって変容が可能であり，身に着けることができる技能（スキル）であることがわかってきた．このコミュニケーション・スキルを学習する方法として，医療者を対象としたコミュニケーション・スキル・トレーニング（communication skills training：CST）が開発された．現在では，がん診療に従事する医療者を対象としたCSTは世界各地で実施されており，それらの有効性について報告されている．CSTは医療者のコミュニケーション・スキルを向上させることが可能な効果的な方法である★★[2]．

日本でも欧米のプログラムを参考に，SHAREの各スキルの獲得を目標としたCSTプログラム（SHARE-CST）が開発されている[3]．これはがん臨床3年以上の医師4名とファシリテーター（進行役）2名を1グループとし，講義2時間とロールプレイ8時間からなる2日間（計10時間）の参加者中心型プログラムである．ロールプレイでは，模擬患者を相手に模擬面接を行う．その後，医師役が難しいと感じた点について，参加者とともにディスカッションを行い，SHAREに基づいた問題解決をめざす．SHARE-CSTを受講した医師が面談を行うと，より自信をもった面談を行うことができ，また面談を受けた患者には抑うつが少なかった★★[4]．

患者・家族に悪い知らせを伝える際の看護師の役割

 悪い知らせを能動的に伝えることは医師の役割であるが,その前後を通して看護師が患者・家族にサポートを行うと,不安の軽減のみならず,その後の円滑なコミュニケーションにつながるケースも多い.悪い知らせを伝える際の看護師の役割として,①患者・家族の情報やニーズ,気がかりを把握し,医師や医療スタッフに伝える代弁者としての役割,②患者や家族に対し,情緒的サポートを提供する役割,③患者や家族に対する情報提供者としての役割,④医師へのサポートを提供する役割,の4つが挙げられている[5].

 この看護師への期待は診療報酬にも表れており,2021年現在では,医師と専任の看護師らが共同で説明および相談を行った場合に「がん患者指導管理料イ」の加算がある.しかし突然の看護師の同席に驚く家族も少なくない.上記の役割について患者・家族に十分説明し,納得いただいたうえでの同席を心がけたい.

■ 参考文献

1) Fujimori M, et al：Good communication with patients receiving bad news about cancer in Japan. Psychooncology 14：1043-1051, 2005.(PMID：15818592)
2) Barth J, et al：Efficacy of communication skills training courses in oncology：a systematic review and meta-analysis. Ann Oncol 22：1030-1040, 2011.(PMID：20974653)
3) Fujimori M, et al：Development and preliminary evaluation of communication skills training program for oncologists based on patient preferences for communicating bad news. Palliat Support Care 12：379-386, 2014.(PMID：24182602)
4) Fujimori M, et al：Effect of communication skills training program for oncologists based on patient preferences for communication when receiving bad news：a randomized controlled trial. J Clin Oncol 32：2166-2172, 2014.(PMID：24912901)
5) Radziewicz R, et al：Communication skills：breaking bad news in the clinical setting. Oncol Nurs Forum 28：951-953, 2001.(PMID：11475881)

〈井上綾子〉

3 予後の判定

診療のコツ

① 予後の判定を行う際には，死を迎えるまでの経過の特徴を疾患別に理解しておく．
② 予後の予測は，患者の希望を最大限取り入れた意思決定支援を行うために重要である．
③ 医師の経験による予後の予測は，実際の予後より長く見積もられる傾向がある．
④ 代表的な予測指標は，進行がん患者では，PPI，PaP score，PiPS models，fractional polynomials model，決定木モデル，非がん患者では，心疾患に対するシアトル心不全モデルがある．
⑤ 予測した予後の情報を臨床現場でどのように扱うかについては課題が多い．研究結果を踏まえて慎重な対応を行う．

疾患群別の経過の違い

患者が死を迎えるまでにどのような経過でその生活機能が失われていくかは，その患者が患っている疾患によって異なる(「がん/非がんの緩和ケアの特徴」参照➡2頁)．予後の判定を行う際には，疾患別の経過の特徴を理解しておくことが重要である．

予後を判定することの重要性

WHO による緩和ケアの定義において，緩和ケアの対象となるのは「生命を脅かす病いに関連する問題に直面している患者とその家族」であり，がんだけでなく心不全，慢性閉塞性肺疾患(COPD)，神経疾患，後天性免疫不全症候群などが含まれる．ケアの一環として行われるアドバンス・ケア・プランニング(ACP：人生の最終段階の医療・ケアについて，患者が家族や医療・ケアチームと事前に繰り返し話し合うプロセス➡22頁)を行う際には，医療者と患者・家族との間でこれまでの治療経過，現在の病状，そして今後の病状

の見通し(予後)について共通の認識をもつ必要がある.

　適切に予後を予測することにより，①患者と家族が治療目標を設定し今後の優先事項を決めることができる，②将来起こるであろうことに備えた対応をすることができる，③医師が治療方針を決定する助けとなる，および，④患者に携わる医療者がお互いに同じ認識をもつことに役立つ.

予後の判定方法

　がんでは，診断時の病期分類やがん種，各種抗がん治療の成績から予後を判定することが一般的であるが，治癒を目的とすることが難しい進行がん患者においては，それらとは異なる方法で予後を判定し，適切な緩和ケアを提供できるように古くから工夫されてきた.「医師の経験に基づく予後の予測」(clinical prediction of survival：CPS)はしばしば用いられてきた予後の予測方法であるが，医師の経験による予測は実際の予後より長く(楽観的に)見積もられる傾向があることが多くの研究で確認されている[1].よって，より適切な予後の予測を行うために，これまで多くの予測指標が開発されてきた.2000年頃に開発され，その後多くの検証により有用性が確認されてきた指標は，palliative prognostic index(PPI)[2]とpalliative prognostic score(PaP score)[3]である.PPIは呼吸困難などの主観症状に高い配点があり，PaP scoreには尺度得点にCPSが含まれていることから，評価する医療者によって結果にばらつきが生じることが問題点として挙げられる.それらを改善するため，客観的な評価項目の比重を高めたprognosis in palliative care study predictor models(PiPS models)[4]や完全に客観的指標のみで構成されたfractional polynomials model[5]が開発された.これらの指標はいずれも，生命予後が7〜90日までのどの時点かを予測する指標である.より短い予後(3日以内)を予測するモデルとしては，Huiらが発表したアルゴリズム(決定木モデル)[6]がある.

　一方，心疾患，COPD，神経疾患，後天性免疫不全症候群などのがん以外の疾患では，寛解と増悪を繰り返しながら病気が進行し，併存する疾患の状態や最期まで継続されることの多い病態改善薬など複数の因子が病状の変化に影響することから，CPSによる予測

や予測指標の開発が難しい．そのなかで，日本人のデータでも再現性の検証が行われたシアトル心不全モデル[7]は比較的広く使用されている．ただし，予測されるのは年単位の生命予後であり，進行がん患者の予測指標とは性質が異なる．

予後の判定で用いる指標

まず，がんの緩和領域で主に用いられる PPI，PaP score，D-PaP score，PiPS models，fractional polynomials model，決定木モデルについて順に説明する．

がん患者では，最後の2か月でADLを含む全身状態が変化することが多い．がんの緩和領域で用いられる多くの指標は，予後が7～90日のどの時点か，すなわちADLが低下し病状が急速に悪化する時期に入っているかどうかを判定することができるように作られている．一方，決定木モデルでは，看取りの時期をどのようにケアしていくか(例えば，今日家族の付き添いは必要だろうか)といった，より臨終に近い時期の問題に対応できるように作られている．

1) palliative prognostic index (PPI) (付録2➡477頁)

PPIは，palliative performance scale (PPS) (付録1➡476頁)，経口摂取量の低下，浮腫，安静時呼吸困難，せん妄から得点を算出する，身体所見や症状のみで評価できる指標である．合計得点が6より大きい場合(>6)，患者が3週間以内に死亡する確率の感度，特異度は83％および85％である．陽性的中率，陰性的中率は80％および87％である．

入院環境でホスピスケアを受けている患者を対象として開発された(単施設研究)．その後の再現性の検証試験の結果から，緩和ケアチームに紹介された患者，急性期病院に入院している患者でも一定の精度をもつことが示されている．

PPIの問題点は，経口摂取の低下やせん妄の原因を評価する必要があり，せん妄の診断にはDSM-5を使用することから医師以外の医療者の使用が難しいことや，これらの主観症状の評価は評価者によってばらつきが出やすいことなどが挙げられる．PPIの改良版として，医師以外が使用しやすいようにせん妄の診断をcommunication capacity scaleに置き換えたsimplified PPI[8]が開発され，精度

はPPIと同等であると報告されている．

2) palliative prognostic score（PaP score）（付録4➡ 479頁）

CPS，Karnofsky performance status（付録3➡ 478頁），食欲不振，呼吸困難，白血球数，リンパ球の割合から得点を算出する．合計得点が0〜5.5，5.6〜11.0，11.1〜17.5であった時の30日生存率は，それぞれ70%超，30〜70%，30%未満と予測できる．

PaP scoreは82%が在宅でのホスピスケアを受けた患者を対象として開発された（多施設共同研究）．その後の再現性の検証試験から，緩和ケアチームに紹介された患者，入院中の患者，化学療法を受けている患者，小児患者でも一定の精度をもつことが示されている．

PaP scoreの問題点は，他の研究で予後因子として抽出されているせん妄が含まれていないこと，CPSが得点の大きな部分を占めるため医師による予測の影響を受けること（医師でなければ利用できないこと），血液検査が必要なことが挙げられる．

3) delirium-palliative prognostic score（D-PaP score）[9]

PaP scoreの予後因子にD（delirium，せん妄）を加えて改良した指標であり，せん妄の評価にはconfusion assessment method（CAM）を使用する．せん妄を認める場合に2.0点を加え，合計得点が0〜7.0，7.1〜12.5，12.6〜19.5であった時の30日生存率は，それぞれ70%超，30〜70%，30%未満と予測できる．

4) prognosis in palliative care study predictor models（PiPS models）

PiPS modelsは，原発，いずれかの遠隔転移，肝転移，骨転移，認知機能（mental test score），脈拍数，食欲不振，倦怠感，呼吸困難，嚥下困難，体重減少，ECOGのperformance status（PS），global health，白血球数，好中球数，リンパ球数，血小板数，尿素窒素，ALT，ALP，アルブミン，CRPから得点を算出し，14日以下（日単位），15〜55日（週単位），56日以上（月/年単位）を予測する[1]．PiPS modelsは，血液検査の結果を必要としないPiPS-Aと，血液検査の結果を必要とするPiPS-Bに分かれている．

PiPS modelsは，評価された項目を，専用のweb画面（https://

表1 fractional polynomials modelで開発された計算式およびAUC

生命予後(日)	計算式(回帰係数は省略)	AUC
7	Y＝心拍数＋尿素窒素＋アルブミン	0.765
14	Y＝心拍数＋尿素窒素＋アルブミン＋呼吸回数＋クレアチニン＋CRP^{-1}	0.806
30	Y＝心拍数＋(尿素窒素)$^{-1}$＋(尿素窒素)$^{-2}$＋アルブミン＋(リンパ球%)$^{-0.5}$＋(総ビリルビン)$^{-0.5}$＋(PLR)$^{-2}$	0.894
56	Y＝心拍数＋($\log_{尿素窒素}$$^{-2}$)＋(尿素窒素)$^{-2}$＋アルブミン＋リンパ球%＋(総ビリルビン)$^{-1}$＋(PLR)^{3}＋LDH	0.897
90	Y＝心拍数＋($\log_{尿素窒素}$$^{-2}$)＋(尿素窒素)$^{-2}$＋アルブミン＋好中球数＋(総ビリルビン)$^{-0.5}$＋(PLR)$^{-2}$＋LDH	0.923

AUC：area under the curve．予測精度を示す．1に近いほど精度が高い．
PLR：血小板とリンパ球数の比(血小板数÷リンパ球数)．
LDH：乳酸脱水素酵素．
(Hamano J, et al：A combination of routine laboratory findings and vital signs can predict survival of advanced cancer patients without physician evaluation：a fractional polynomial model. Eur J Cancer 105：50-60, 2018 より一部改変)

www.pips.sgul.ac.uk/)に入力すると自動的に予測された予後が提示される．

＊

　上記1)〜4)の指標は，日本人2,000人以上を対象とした観察研究において，緩和ケアを提供する様々な環境(緩和ケア病棟，緩和ケアチームが介入している一般病棟，在宅，緩和ケアの介入があり，かつ化学療法を行っている場合)においても再現性が得られている[10]．

5) fractional polynomials model(表1)[5]

　fractional polynomials modelは，バイタルサインとして心拍数，呼吸回数，血液検査としてリンパ球(数，割合)，血小板(数)，尿素窒素，アルブミン，総ビリルビン，乳酸脱水素酵素(LDH)，クレアチニン，CRPの客観的指標のみを組み合わせた計算式で，予後が7，14，30，56，90日のいずれかを予測する．予測精度を示すarea under the curve(AUC)をできるだけ高くする(＝1に近づける)ことを目標に考案された計算式であり，特に開発研究の結果では予後が30，56，90日を予測する計算式のAUCは，0.894，0.897，

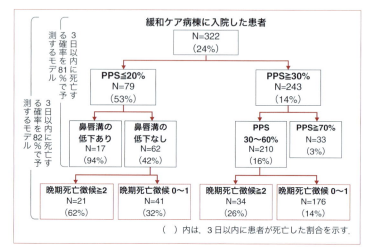

図1 決定木モデル

PPS：palliative performance scale（**付録1**），晩期死亡徴候：死前喘鳴，下顎呼吸，末梢チアノーゼ，チェーンストークス呼吸，橈骨動脈触知不能，言語刺激に対する反応の低下，視覚刺激に対する反応の低下，瞳孔反射の消失，鼻唇溝の低下，首の過伸展，まぶたを閉じることができない，呻吟，上部消化管出血．
(Hui D, et al：Bedside clinical signs associated with impending death in patients with advanced cancer：preliminary findings of a prospective, longitudinal cohort study. Cancer 121：960-967, 2015 より)

0.923 とこれまでの指標に比べて高い．日本人を対象とした観察研究のデータをもとに再現性の検証が進行中である．

6）決定木モデル（図1）[6]

PPS 20 以下で，鼻唇溝の低下があれば3日以内に死亡する確率は94％，鼻唇溝の低下がなければ42％と診断される．この指標の特徴は，診断学で古くから用いられてきた決定木モデルを生命予後の予測に使用したこと，3日以内の死亡について作成されたことである．このモデルを使用する際には，日本人においては鼻唇溝の低下を正確に評価できるかが問題となっていた．

日本人を対象とした観察研究では，PPS 20 以下で鼻唇溝の低下があった場合に3日以内に死亡する確率は50.7％と報告され，日本人では鼻唇溝の低下を用いた決定木モデルは十分な再現性が得ら

れなかった．同研究では，PPS 20以下で1日尿量200 mL以下，かつ言語刺激に対する反応の低下があった場合，3日以内に死亡する確率は80.3％と報告しており，1日尿量，言語刺激に対する反応，RASSを用いた決定木モデルが示されている[11]．

*

次に，非がん患者で用いられる予後予測の指標として，心疾患に対する予測モデルを示す．

病気を患っている人に対してのACPは，その疾患によって1年以内に亡くなる可能性が高くなるタイミングで始めることが一般的に提案される．年単位の予後を予測するこのモデルは，ACPを開始するタイミングを判断することに使用できる．

7) シアトル心不全モデル(Seattle heart failure model)

年齢，性別，心不全の状態などの基礎情報，血液検査，投薬状況，デバイス治療の有無を専用のweb画面(https://depts.washington.edu/shfm/app.php)に入力すると，心不全患者の1，2，3年後の予後を予測する結果が自動的に提示される．日本人の心不全患者において再現性が検証され，このモデルの日本人患者対応版がwebサイト上で提供されている(https://jcvsd.org/WET2_SHFM/WET2_SHFM)．

予測した予後の情報を臨床現場でどう扱うか

これまで示したように様々な予測指標を用いれば，患者の余命をより正確に予測することができる．また将来的に人工知能などを利用すればさらに正確な予測ができるかもしれない．しかし，臨床現場でより問題になるのは，予測された予後をどのように患者，家族のケアやACPに活かすかということである．50％程度の日本人は，「完治することが難しい疾患にかかった時には自分の余命を知っておきたい」と答える[12]が，海外では実際にがん終末期の患者が正確に予後を把握している割合は5％程度と少なく[13]，さらに予後を把握している群のほうが抑うつの患者の割合は高いとする報告がある[14]．単に予後を伝えるか否かといった問題だけでなく，患者とのコミュニケーションの取り方についても慎重な対応が必要である．日本人を対象とした研究では，予測された予後はある程度幅を

もたせた「期間」として説明し，平均的な余命よりよい結果になるように最善を尽くすことを保証し，最良を期待し最悪に備える（"hope for the best and prepare for the worst"）ことを踏まえて，ともに考えていくことを伝える方法がより患者に好まれると報告されている★15)．

■ 参考文献

1) Glare P, et al：A systematic review of physicians' survival predictions in terminally ill cancer patients. BMJ 327：195-198, 2003.（PMID：12881260）
2) Morita T, et al：The Palliative Prognostic Index：a scoring system for survival prediction of terminally ill cancer patients. Support Care Cancer 7：128-133, 1999.（PMID：10335930）
3) Maltoni M, et al：Successful validation of the palliative prognostic score in terminally ill cancer patients. Italian Multicenter Study Group on Palliative Care. J Pain Symptom Manage 17：240-247, 1999.（PMID：10203876）
4) Gwilliam B, et al：Development of prognosis in palliative care study（PiPS）predictor models to improve prognostication in advanced cancer：prospective cohort study. BMJ 343：d4920, 2011.（PMID：21868477）
5) Hamano J, et al：A combination of routine laboratory findings and vital signs can predict survival of advanced cancer patients without physician evaluation：a fractional polynomial model. Eur J Cancer 105：50-60, 2018.（PMID：30391780）
6) Hui D, et al：Bedside clinical signs associated with impending death in patients with advanced cancer：preliminary findings of a prospective, longitudinal cohort study. Cancer 121：960-967, 2015.（PMID：25676895）
7) Levy WC, et al：The Seattle Heart Failure Model：prediction of survival in heart failure. Circulation 113：1424-1433, 2006.（PMID：16534009）
8) Hamano J, et al：Validation of the Simplified Palliative Prognostic Index using a single item from the Communication Capacity Scale. J Pain Symptom Manage 50：542-547, 2015.（PMID：26048734）
9) Scarpi E, et al：Survival prediction for terminally ill cancer patients：revision of the palliative prognostic score with incorporation of delirium. Oncologist 16：1793-1799, 2011.（PMID：22042788）
10) Baba M, et al：Survival prediction for advanced cancer patients in the real world：a comparison of the Palliative Prognostic Score, Delirium-Palliative Prognostic Score, Palliative Prognostic Index and modified Prognosis in Palliative Care Study predictor model. Eur J Cancer 51：1618-1629, 2015.（PMID：26074396）
11) Mori M, et al：Diagnostic models for impending death in terminally ill cancer patients：a multicenter cohort study. Cancer Med 10：7988-7995, 2021.（PMID：34586714）
12) Sanjo M, et al：Preferences regarding end-of-life cancer care and associations with good-death concepts：a population-based survey in Japan. Ann Oncol 18：1539-1547, 2007.（PMID：17660496）

13) Epstein AS, et al：Discussions of life expectancy and changes in illness understanding in patients with advanced cancer. J Clin Oncol 34：2398-2403, 2016.(PMID：27217454)

14) Nipp RD, et al：Coping and prognostic awareness in patients with advanced cancer. J Clin Oncol 35：2551-2557, 2017.(PMID：28574777)

15) Mori M, et al：The effects of adding reassurance statements：cancer patients' preferences for phrases in end-of-life discussions. J Pain Symptom Manage 57：1121-1129, 2019.(PMID：30818028)

(馬場美華)

Advance Care Planning

診療のコツ

❶ACPは，将来の医療に関する個人の価値観，人生の目標，選好を理解し共有することで，あらゆる年齢または健康段階の成人をサポートするプロセスである．

❷よいACPを実践するためには，話し合いの産物としての指示書に焦点を当てるのではなく「いかに話し合うか」を考えることが必要である．

❸話し合うなかで，その人の価値観，選択の意味，周囲との関係性などを含む複雑な構造としての意思が共有される．そのような話し合いを創っていく(＝意思決定の支援)技術が求められている．

人生の最終段階を前にして，患者・家族は今後の医療やケアについてはもちろん，生活や人生について選択を迫られることになる．なかでも病気の進行や急変により，患者自身の意思決定能力が低下した時の選択をどうするかは，個人の自律(＝自己決定)が優先される現代において，患者自身が自分の生命についての意思決定に関われないという点で生命倫理上の難題の1つとなっている．本項では人生最終段階の意思決定支援の取り組みであるアドバンス・ケア・プランニング(advance care planning：ACP)を取り上げる．

Advance Care Planning とは

ACPという言葉自体は，1995年にEmanuelらが提唱したが[1]，ACPの先駆けは，Respecting Choices® プログラムにみることができる．これは1991年から米国ウィスコンシン州ラクロス地域で開発，取り組みが始まった意思決定支援の包括的アプローチである．このプログラムでは，事前指示書を取得していく話し合いのプロセスを通して，人々の意向をあらかじめ聞き理解しておくことで，人々が自身の意向に即した医療やケアを受けられる地域社会の形成

が目標となっていた[2]．

その後，ACP は世界中に広がり，各国の法律や医療制度，文化の影響を受けてそれぞれに発展してきた．英国の National Health Service のガイドラインにおいては ACP を「個人およびそのケア提供者との間で行われる自発的な話し合いのプロセスである」としており，医療における"通常の"話し合いとの違いは「個人(患者)の希望を明らかにする意図があること」そして「自分の意思や希望を伝えられなくなるような病状の悪化が予想された時に行われること」であるとしている．

近年 ACP を国際的に定義することが行われている．2018 年に Sudore らはデルファイ法を用いて ACP を以下のように定義した．「将来の医療に関する個人の価値観，人生の目標，選好を理解し共有することで，あらゆる年齢または健康段階の成人をサポートするプロセスである．ACP の目標は，重篤な疾患や慢性疾患の患者が，価値観や目標，希望に沿った医療を確実に受けられるようにすることである．多くの患者にとってこのプロセスは，患者自身が意思決定できなくなった時に備えて，代わりに意思決定を行う信頼できる人々を選び準備しておくことが含まれる」[3]．すなわち，ACP はより早い段階(終末期になってからではない)，より広い健康段階の人たちに対象が広がっているといえよう．

Advance Directive(事前指示)推進の失敗

米国ではおおよそ 1970 年代以降に事前指示(advance directive：AD)，つまり自分が意思決定できなくなった時の医療行為と，代理意思決定者が誰かを文書によって表明しておくこと[4]，を推進してきた．当時，米国では各種の当事者の権利運動の流れを受けて，医師のパターナリズムに基づいた医療への批判から，患者の自律を尊重する患者中心の医療へパラダイムが移りはじめていた．自分の意識がなくなったような時，つまり意思決定能力が低下した時の医療についても例外ではなく，自然の経過にまかせ"自分で選んだ"尊厳ある死を望む人たちが増加した．この頃から「リビング・ウィル(living will：LW)」という言葉が使われはじめたと考えられる．カリフォルニア州では，1976 年に世界で初めて「自然死法」を制定し，

患者本人や代理意思決定者の記載によって，終末期の生命維持療法を中止するルールが確立した．

その後1990年には連邦法として「患者自己決定法」(patient self-determination act：PSDA)が制定された．本法律の制定に伴ってADが広く認識されるようになった．現在では米国のほとんどの州でADは法的効力をもっており，基本的に書面でないと無効である．

しかし，ADの取り組みは基本的に失敗している．ADの有効性をみた研究に，通称SUPPORT study(Study to Understand Prognosis and Preferences for Outcomes and Risks of Treatments)と呼ばれるものがある．9,000人以上の入院患者を対象とした大規模な研究である．この研究では，熟練の看護師が，患者の病状認識を確認したうえで，事前指示を聞き取り，それを医師に伝達するということが行われた．"事前に""患者本人が"意向を表明したということになる．しかし，その結果，終末期患者の50％が心肺蘇生や人工呼吸器の使用など望まない治療を受けていたり[5]，終末期患者の希望を医療の内容に十分に反映できなかったり[6]していたことが判明した．また，医療コストについても有意差はなかった．

この研究の結果が大きなきっかけとなり，ADではない意思決定支援の方法が模索され，ACPが議論されるようになったという経緯は知っておく必要がある．

人生最終段階の意思決定(支援)に関わるフレームワークの整理

人生最終段階の意思決定に関わる用語はいくつかあるが，それぞれ関連している．ACP，AD，LW，代理意思決定者の選定，そしてDNAR(後述)の関係について**図1**に示す．

ADには2つの指示が含まれる．代理人指示(proxy directive)と内容的指示(substantive directive)であり[7]，通常セットで指示する．代理人は代理の意思決定者，つまり患者本人の意思決定能力が低下，もしくは消失した時に，患者本人の意思決定を代行する存在である．代理人はその権利を振りかざすのではなく，「本人であったらどう考えるか」を推定する態度が望まれる．内容的指示が一般でいうところのLWであり，その内容は，生命維持治療を含む医療

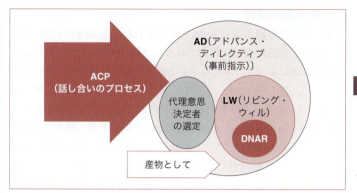

図1 ACP，AD，DNAR の関係図

図の矢印は，ACP が話し合いのプロセス全体であり，AD，つまり事前指示（書）という産物を作ることとイコールではないことを示している．AD は，①代理意思決定者の選定，②LW（将来の医療・ケアや療養環境の希望，死後家族に伝えたいことなど）で成り立つ．DNAR は LW のごく一部であり，蘇生に関する方針のみを指す．

行為にとどまらず，希望する療養環境や周囲からの配慮，死後の家族に望むことなども含まれる[8]．

"Do not attempt resuscitation"（DNAR）は心肺蘇生を試みないでほしいという患者（健常者の場合もある）の意向であり，LW の一部として位置付けられる．それを受けて，医師が協働するスタッフに向けて出す指示は DNR オーダーという．DNAR は，LW のなかの，あくまで蘇生措置の部分だけの意向であるという理解が重要である．その他の医療行為や，苦痛の緩和，環境の快適さなどについての意向とは別に判断されなければならない．

AD，そしてそれに含まれる LW や DNAR などは，もともと文書として表されることを目的としている．もしくは文書そのものを指す言葉である．それと比較して ACP はそれらを話し合うプロセス自体を指している．ACP の内容は AD のそれと大きくは変わらない．話し合いの産物としての指示書に焦点を当てるのではなく，いかに話し合うかを考えることが，よき ACP を実践するためには必要である．

ACP の臨床研究

ADの限界を超えるべくACPが生まれたことはすでに述べた．事前指示書の完成だけが目的ではないACPのような話し合いが行われることによって，もたらされる結果が臨床研究で明らかになりつつある．2010年には，オーストラリアにおいて，ACPに関するRCTが行われた[9]．ACPの介入群で終末期における患者と家族の満足度が上昇すること，また患者死後の家族の不安，抑うつが軽減されることが示された★★．その後も，通称CanCORSと呼ばれる大規模ながん医療調査に伴う前向き観察研究[10]においても，end-of-life discussionが死亡前30日より以前に行われていた患者では，侵襲的な医療(ICU入室，緊急入院，死亡前14日以内の抗がん剤治療)を受けることが少なかったと報告された★．これら臨床研究の結果が示していることは，ACPが行われることで，人生最終段階にある患者が望みに近い医療やケアを受けられるようになるという可能性である．

日本における ACP の取り組み

日本においてもACPの取り組みが始まっている．2014年から国立長寿医療研究センターを中心に「患者の意向を尊重した意思決定のための研修会 E-FIELD(education for implementing end-of life discussion)」が行われるようになった．これは事実上，日本で初めてのACPに関する教育プログラムである．2016年からは神戸大学がそのマネジメントを引き継いで，指導者研修会，エンドユーザー研修会，市民公開講座が実施されている．厚生労働省も，ACPを積極的に推進していこうというスタンスであり，2018年にACPが国民の生活に浸透することを期待して愛称を募集した．その結果が「人生会議」となったことは記憶に新しい．少なくとも医療者には，ACPという言葉が知られるようにはなってきた．

しかし，その"知られ方"が問題である．新聞やインターネットのニュースで，「アドバンス・ケア・プランニング」の文字を見ることも多くなった．「アドバンス・ケア・プランニングの取り組み始まる―○○病院」のような見出しが多い．院長が写っており，彼が高々と掲げているのは，事前指示書，これがACPの紹介記事のデ

フォルトである．これは，ACPを完全に誤解した取り組みであり，記事である．どこが誤解なのかわからない人は，以降をよく読んでいただきたい．

ACPの限界と，その克服

ACPの倫理的限界

　ACPは，今後医療における意思決定支援の重要なフレームワークとなっていく可能性が高いが，倫理的な限界を持ち合わせていることに留意する必要がある．ACPは話し合いのプロセスを大事にしているとはいえ，最終的には患者の自己決定を重視する考え方，つまり自律尊重原則に大きく依存したものである．もちろん，患者の決定権は尊重される必要があるが，これが絶対化してしまうと，「本人に決めてもらうしかない」「本人が決めたのだから（責任は本人にある）」という患者側への決定の丸投げを生むことになる．

　そもそも自律尊重原則は，今現在，意思決定能力のある患者の決定を尊重することを命じたものであって，ACPのように，将来意思決定能力を失うことを見越して，現在の決定を採用することは，自律尊重原則をかなり拡大解釈したものだとみるべきである．決定とは常に揺らぎ続けるものである．いま行った決定が将来にわたって変化しないとは誰も言い切ることはできない．ACPが，このように倫理的に不安定・不確実なものであるという認識は必要であろう．

いかに話し合うべきか

　そのうえで，どのようにACPを行っていけばよいのかを考えてみたい．人の心は移ろいゆくものであり，また医療も本来不確実なものである．この不確実性のなか，それでもわれわれは目の前のこと，もしくは将来起こりうることを選択していかなければならない．

　いくら詳細に事前指示書を作成したとしても，医療技術の進歩は速く，病状や人間関係は複雑に変化し，当人の心情も変わっていくため，患者本人が将来直面する状況を正確に，そしてすべてを想定することは困難である．可能性すべてにマッチするような事前指示書は作成不可能なのである．ACPは話し合いそのものである．話

し合いで生み出されるものは産物としての書面だけではない．相手のいる話し合いのなかで，書面には表すことができないその人の価値観，選択の意味，周囲との関係性，そうした複雑な構造としての意思が共有される．そのような話し合いを創っていく（＝意思決定の支援）技術がいま求められている．

何を話し合うべきか

では，どんなことを話し合えばよいのだろうか．繰り返すが，ACPは話し合うこと自体が目的であり，事前指示書の内容を話すこと，事前指示書を完成させることが目的ではない．しかし，ACPで話し合うことは，"蘇生処置をどうするか"だと思っている医療者はまだまだ多い．ACPで話し合ってほしいことは，もっと別のこと，患者の考え方，価値観，希望などである．それらを話し合うことで，患者と家族，医療者や介護福祉従事者との間に，ある種の信頼関係（患者が「自分の意識がなくなっても，この人たちなら大丈夫だ」と思えるような）がつくられることがACPの目的である．であるから，本質的には，これとこれは話さなければいけないというフォーマットはない．極論を言えば，その患者にとって，信頼感が高まるようなら何を話してもいいということになる．しかし，それだと，何を話していいかわからないというのも正直なところであろうから，筆者がACPの話し合いを行う際に，頭に思い浮かべている10個のテーマを示しておく（**表1**）．

*

ACPで話し合われることはシビアな内容である．時には腰が引けてしまうこともあるだろう．しかしシビアであるからこそ，人間としてないがしろにできないことでもある．そのような話題について，真剣に話し合われた結果生まれるもの，それは事前指示書ではなく，相互理解と信頼関係に他ならない．それが医療に対する安心感，患者や家族の満足度に影響を与えているということは，言い過ぎではないだろう．ACPを行う際に最も重要なのは，こうした患者固有の考え方や背景を重視しようとする医師の姿勢なのである．

表1　10 key themes

1. **今後の見通しについての共有**
   ACP の前提．今後の見通しの理解にギャップがないかどうか
   すべての患者に対して予測予後をそのまま伝えればいいわけではない
2. **現在の気がかり，心配ごと**
   事前指示書の作成を目的としない話し合いのいいところ
   いま抱えている気がかりや心配ごとを聞く場になる
3. **心の支えになっていること，希望となっていること**
   苦痛や問題点，弱点にばかり焦点を当てず，喜びや強みを引き出す
   「これをしていると・この人といると気持ちが安らぐということは？」
   「思い出すと力が湧いてくる，そういうものは何かありませんか？」
4. **大切にしていること，大切に思っている人**
   何を大切にしたいか，人生で何を大切にしてきたかを聞く
   「人生でゆずれないと思うことはありますか？」
   「生活のなかでいま一番重要性が高いことはなんですか？」
5. **いのちに対しての考え方**
   いわゆる死生観，何を尊厳と考えているかなど
   これを聞くことでその人の生き方，人生観を知ることができる
6. **今後（医療として）してほしいこと，してほしくないこと**
   してほしいことと，してほしくないことをセットで尋ねる
   前者が positive rights（正の意向），後者が negative rights（負の意向）
7. **家族へ遺したいメッセージ（私的遺言）**
   家族への愛あふれるメッセージは多くの場合，人生最終段階の話し合いの場を和ませ，関係性を深めるよいきっかけとなる
8. **療養場所の選好**
   人生の最終段階には，どこでどう過ごすかが QOL を大きく左右する
9. **蘇生についての意向（DNAR）**
   ストレスがかかる話題だが，これを聞くことで関係性が深まることがある
   いつでも変更可能であることを伝えるのは重要
10. **代理意思決定者**
    ACP をともに行っていく人になるため早めの選定が望ましい
    一般的には家族がなるが，患者本人の推定意思を導ける人が望ましい

参考文献

1) Emanuel LL, et al：Advance care planning as a process：structuring the discussions in practice. J Am Geriatr Soc 43：440-446, 1995.（PMID：7706637）
2) Hammes BJ, et al：A comparative, retrospective, observational study of the prevalence, availability, and specificity of advance care plans in a county that implemented an advance care planning microsystem. J Am Geriatr Soc 58：1249-1255, 2010.（PMID：20649688）
3) Sudore RL, et al：Outcomes that define successful advance care planning：a Delphi panel consensus. J Pain Symptom Manage 55：245-255, 2018.（PMID：28865870）
4) 酒井明夫，他（編）：生命倫理事典，pp6-7, 太陽出版，2010.
5) A controlled trial to improve care for seriously ill hospitalized patients. The study to

understand prognoses and preferences for outcomes and risks of treatments(SUPPORT). The SUPPORT Principal Investigators. JAMA 274：1591-1598, 1995.(PMID：7474243)

6) Covinsky KE, et al：Communication and decision-making in seriously ill patients：findings of the SUPPORT project. The Study to Understand Prognoses and Preferences for Outcomes and Risks of Treatments. J Am Geriatr Soc 48：S187-S193, 2000.（PMID：10809474）

7) 赤林朗(編)：入門・医療倫理Ⅰ．p162，勁草書房，2005．

8) 長寿科学振興財団 web サイト：健康長寿ネット．5 つの願い．
(https://www.tyojyu.or.jp/net/kenkou-tyoju/tyojyu-shakai/pdf/fivewishesjapanese.pdf)
(最終アクセス：2022 年 3 月)

9) Detering KM, et al：The impact of advance care planning on end of life care in elderly patients：randomised controlled trial. BMJ 340：c1345, 2010.(PMID：20332506)

10) Mack JW, et al：Associations between end-of-life discussion characteristics and care received near death：a prospective cohort study. J Clin Oncol 30：4387-4395, 2012.（PMID：23150700）

11) 阿部泰之：正解を目指さない!? 意思決定⇔支援―人生最終段階の話し合い．pp204-220，南江堂，2019．

〔阿部泰之〕

コラム ❶ 家族にがんの病状を伝える時

　本来医療とは侵襲的なものであり，治療の目的であっても患者の同意があってはじめて医療としてみなされる．過去には患者の意向は関係なく医師が最善と考える治療を提供し，その治療プランに患者らは「はい」というだけであった．その後，治療について知る権利が叫ばれるようになり，インフォームド・コンセントの考え方が進んだ．

　さらに最近では，治療方針を一緒に決定していく共同意思決定（SDM）が提唱されている．1つの治療プランを聞いて「はい」か「いいえ」で答えるだけでなく，他にどのような治療プランがあって，どんなメリットがあるかを話し合い，医療者と患者らが共同で治療プランを決定していく意思決定の方法である．しかしどれだけ時間をかけて患者と主治医が一緒に悩んで治療方針を決めても，次の日に家族が方針をひっくり返すこともあるだろう．そうならないためには家族に対してもしっかり情報提供をしておくことが必須である．

　昨今ではチーム医療が叫ばれているが，そのチームのなかに患者本人だけでなく家族も含まれると考えるべきである．何故ならば，治療を開始して患者の体調が悪化してしまった際には，誰かが患者を支えていかなければならない．治療の継続において家族というサポーターはチームになくてはならない存在なのである．誰がどのように支えていく必要があるのか，あらかじめ知っておかなければ対応するのも難しい．できるだけ治療開始の時点から患者と家族は同じ方向を向いておくことが，治療を継続していくために重要である．だからといって家族の意向を大事にしすぎて，患者の意思を無視した治療計画を立ててはいけない．あくまでも患者を治療の中心に置きつつ，サポーターである家族をないがしろにしない姿勢が大事になる．

　一方で，命に関わる決定を自分で行いたくないと思っている患者・家族も少なくはない．特に，がんの診断から抗がん治療中止までの期間が短い患者は，患者の気持ちに共感を示しながら，患者の立場に立ったうえで最善と思われる現実的・具体的な方向性を主治医から提案されることを望んでいるという研究結果も出ている[1]．最終決定を主治医に委ねたいというのも患者・家族らの1つの意向であるととらえることができる．いずれにしても患者・家族の意向をしっかりと聞くことが重要となる．

▌参考文献
1) Umezawa S, et al：Preferences of advanced cancer patients for communication on anticancer treatment cessation and the transition to palliative care. Cancer 121：4240-4249, 2015.（PMID：26308376）

（井上綾子）

第 2 章

症状の緩和

痛みの緩和 ・・・・・・・・・・・・ 34
身体症状の緩和 ・・・・・・・・ 124
精神症状の緩和 ・・・・・・・・ 310
鎮静 ・・・・・・・・・・・・・・・・・・・ 345

1 【痛みの緩和】
痛みの診断と評価

診療のコツ

❶ がん疼痛,非がん性慢性疼痛を問わず,詳細な病歴聴取と身体所見,検査所見により病態を把握することで,個々の患者にとって最適な治療方針が立てられる.
❷ 難治性疼痛の危険因子として,神経障害性疼痛,突出痛,心理社会的苦痛,嗜癖,認知機能の異常が挙げられる.
❸ がん患者が抱える心理社会的な苦痛も評価し,"total pain"として患者のつらさをとらえることで,より有効な多職種アプローチが可能になる.

定義

痛みは,国際疼痛学会により「実際の組織損傷もしくは組織損傷が起こりうる状態に付随する,あるいはそれに似た,感覚かつ情動の不快な体験」と定義されている[1,2].

がん疼痛

がん患者は身体的な痛みだけではなく,心理的,社会的,スピリチュアルな苦痛を複合的に感じることが多い〔トータルペイン(全人的苦痛)〕.これらの要素が互いに影響しあい,全体として苦しみを形成している可能性を念頭に,多職種による包括的な評価とケアを行うことが不可欠である.初診のがん患者の約 1/4,治療中のがん患者の約 1/2,治療終了後のがん患者の約 1/2,進行期がん患者の約 3/4 にがん疼痛が認められる.痛みの分類を評価する際の目標は,正確に病態を把握し,適切な疼痛治療を行うことである.

痛みの分類

病因による分類

1)がんによる痛み

がんによる痛みには,非オピオイド,オピオイド,鎮痛補助薬を含め,積極的に鎮痛薬を使用する.特に突然の痛みの出現や増悪を認めた場合,オンコロジー・エマージェンシーの診断・除外が必須である.オンコロジー・エマージェンシーとは腫瘍学的に緊急的な処置の必要な病態で,痛みを伴うものとしては,体重支持骨の骨折・切迫骨折,脳転移・髄膜転移・硬膜外転移や付随する脊髄圧迫症候群,感染症,消化管の閉塞,穿孔,出血などが挙げられる.これらが同定された場合は,症状緩和とともに,治療目標に沿って迅速な原因への治療を検討する.

2)がん治療による痛み

開胸術後疼痛症候群(開胸術後に生じる肋間神経領域の痛み),化学療法後神経障害性疼痛(タキサン系薬剤,プラチナ系薬剤,ビンカアルカロイドなどでみられる手袋靴下型に分布する神経障害性疼痛),放射線照射後疼痛症候群などがある.鎮痛補助薬を考慮し,オピオイドは慎重に使用する.

3)がん・がん治療と直接関連のない痛み

脊柱管狭窄症,帯状疱疹,廃用症候群による筋肉痛などがある.オピオイドは基本的に使用せず,鎮痛補助薬やリハビリテーションなどの非薬物療法を優先する.

性質による分類(表1)

1)侵害受容性疼痛

1体性痛:体性組織(皮膚や骨,関節,筋肉,結合組織)への切る,刺すなどの機械的刺激が原因で発生する痛みで,Aδ線維(鋭い局在明瞭な痛みを伝導),C線維(鈍い局在不明瞭な痛みを伝導)を通じ脊髄に伝えられる.NSAIDsを含む鎮痛薬が効きやすい.体動時痛の場合にはレスキュー薬の使用が重要である.

2内臓痛:管腔臓器の炎症や閉塞,肝臓や腎臓,膵臓などの炎症や腫瘍による圧迫などが原因で発生する痛みで,C線維中心に複数の脊髄レベルに分散して伝えられる.オピオイドが効きやすい.

表1 痛みの神経学的分類

分類	侵害受容性疼痛 体性痛	侵害受容性疼痛 内臓痛	神経障害性疼痛
障害部位	・皮膚,骨,関節,筋肉,結合組織などの体性組織	・管腔臓器(消化管)や固形臓器(肝臓,腎臓など)	・末梢神経,脊髄神経,視床,大脳などの痛みの伝達路
例	・骨転移の痛み ・術後早期の創部痛 ・筋膜や筋骨格の炎症に伴う痛み	・消化管閉塞に伴う腹痛 ・肝臓腫瘍内出血に伴う上腹部痛,側腹部痛 ・膵臓がんに伴う上腹部痛,背部痛	・がんの腕神経叢浸潤に伴う上肢のしびれ感を伴う痛み ・脊椎転移の硬膜外浸潤,脊髄圧迫症候群に伴う背部痛 ・化学療法後の有痛性末梢神経障害
痛みの特徴	・局在が明瞭な持続痛 ・体動にて増悪 例:「刺しこまれるような」	・局在が不明瞭 例:「深く絞られるような」「押されるような」	・障害神経支配領域のしびれ感を伴う痛み 例:「灼けるような」「ピリピリ,ピリピリする」「電気が走るような」
随伴症状	・頭蓋骨,脊椎転移などでは病巣から離れた場所に関連痛あり	・悪心・嘔吐,発汗 ・病巣から離れた場所に関連痛あり	・知覚低下,感覚異常,運動障害を伴う
関連痛・放散痛(病変→疼痛部位の関連)	・上位頸椎→後頭部,頭頂部 ・下位頸椎→肩甲背部 ・腰椎→仙腸関節,腸骨 ・仙骨→大腿後面	・横隔膜浸潤→肩 ・上腹部内臓腫瘍→肩,背中 ・尿路腫瘍→鼠径部,会陰部 ・骨盤内腫瘍→腰,会陰部	・末梢神経,神経叢→末梢神経の分布部位 ・神経根→対応するデルマトーム ・中枢神経→障害神経支配領域
治療における特徴	・突出痛に対するレスキュー薬の使用が重要	・オピオイドが効きやすい	・難治性,鎮痛補助薬が必要になることが多い

〔日本緩和医療学会(編):がん疼痛の薬物療法に関するガイドライン2020年版,p23,金原出版,2020/日本緩和医療薬学会(編):緩和医療薬学,p15,南江堂,2013より作成〕

2) 神経障害性疼痛

　末梢・中枢神経の直接的損傷に伴って発生する痛み.末梢感覚神経の障害局所や脊髄後根神経節にNa^+チャネルが過剰発現し,持続的に神経を刺激することで興奮閾値が低下(末梢性感作)する.ま

た，末梢性感作の形成により，脊髄後角の NMDA 受容体が活性化することで脊髄神経が異常に興奮し，痛み刺激ではない弱い刺激に対しても刺激が伝達された時と同様の反応をきたす(中枢性感作)．それに伴い，障害された神経の支配領域に，持続性の自発痛(灼熱痛・電撃痛)，痛覚過敏(痛みの閾値低下)，アロディニア(触刺激など非侵害刺激による痛みの誘発)，疼痛部位の皮膚温低下などが生じる．また，中脳水道灰白質を起始とする下行抑制路は，大部分が青斑核と吻側延髄腹側部を経由して，後角に終止するため，下行抑制系の機能低下が神経障害性疼痛を増幅する原因となる．

　神経障害性疼痛の代表的な原因として，開胸術後疼痛症候群，悪性腸腰筋症候群(腸腰筋内の悪性疾患の存在により，股関節伸展にて痛みが増強する．大腸がん，婦人科がんに多い)．神経障害性疼痛にはオピオイドは効きにくく，鎮痛補助薬を考慮する．

持続時間による分類

1) 持続痛

　1日のうち 12 時間以上持続する痛み．持続痛がある場合は定時鎮痛薬の増量を検討する．定期的に用いる鎮痛薬の効果の切れ目の痛みがある場合は，定時鎮痛薬の増量や投与間隔の短縮が有用である．

2) 突出痛(表 2)

　定期的に投与されている鎮痛薬により持続痛が良好にコントロールされている場合に生じる，短時間で悪化し自然消失する一過性の痛みである．様々な定義があるが，一般的にがん患者の突出痛は，発症からピークに達するまでが急速で(10 分以内)，持続時間が短く(30 分前後)，1 時間以内に自然軽快することが多い．

痛みの評価

詳細な痛みの評価を行う目的

①原因・病態生理，痛みの臨床的症候群の把握(**表 3**)．
②患者の目標の同定(痛みの程度，安楽，機能)．
③適切な薬物的・非薬物的治療の選択．

　痛みの臨床的症候群として，炎症，骨転移，神経に伴う痛みや内臓痛(**表 3**)などが挙げられ，これらに対しては特異的な鎮痛レジメ

表2 突出痛の分類

	体性痛	内臓痛	神経障害性疼痛	対応
予測できる	歩行,立位,座位保持,寝返りなどに伴う痛み(体動時痛)	排尿,排便,嚥下などに伴う痛み	姿勢の変化による神経圧迫などの刺激に伴う痛み	誘因となる行為を回避.誘因が避けられない場合は30〜60分前にレスキュー薬の予防的使用
予測できない(誘因あり)	ミオクローヌス,咳など不随意な動きに伴う痛み	消化管や膀胱の攣縮などに伴う痛み(蠕動痛など)	咳,くしゃみなどに伴う痛み(脳脊髄圧の上昇や,不随意な動きによる神経の圧迫が誘因)	迅速なレスキュー薬の使用.誘因の頻度を減少させるような病態へのアプローチ
予測できない(誘因なし)	特定できる誘因がなく生じる突出痛			迅速なレスキュー薬の使用.神経障害性疼痛では鎮痛補助薬を検討

〔日本緩和医療学会(編):がん疼痛の薬物療法に関するガイドライン2020年版,p29,金原出版,2020に一部加筆〕

ンを検討する.痛みを含む症状アセスメントを通して患者・家族の価値観や病状認識,今後の希望を知ることができ,信頼関係を構築することができる.その信頼関係が今後のアドバンス・ケア・プランニング(ACP ➡ 22頁)や終末期についての話し合いにつながりうる.痛みへの対応は緩和ケアに携わる医師だけでなく多職種にとって大切なプロセスである.

医療面接

痛みに関する詳細な医療面接により,以下のポイントを把握する.

1)部位

2)強さ(付録5 ➡ 480頁)

診察時の痛みの強さだけでなく,直近1週間や24時間での最も強い痛み,最も弱い痛み,平均的な痛み,安静時や体動時の痛みについても評価する.

❶numerical rating scale(NRS):痛みを自己申告できる患者が対象.「痛みが全くない状態を0,これ以上考えられないほどつらい痛み

表3 特徴的な内臓痛

	原因	痛みの特徴	治療選択*
肝被膜伸展痛	・がんの増大による肝被膜伸展	・右季肋部, 側腹部, 背部痛 ・関連痛:右頸部・右肩甲背部	・コルチコステロイド
正中後腹膜症候群	・膵臓がん, 後腹膜・腹腔リンパ節転移, 腹腔神経叢浸潤	・上腹部・背部の局在不明瞭な鈍痛 ・仰臥位で増悪, 座位で改善	・神経ブロック(腹腔神経叢ブロックなど)
がん性腹膜炎	・腹部・骨盤腫瘍の播種 ・腹水や消化管閉塞を伴うことがある	・腹部膨満感を伴う痛み ・消化管閉塞では腹部疝痛	・疝痛にはブチルスコポラミンなど ・消化管閉塞ではコルチコステロイド, H_2受容体拮抗薬に加えて, オクトレオチドも検討 ・腸管内圧減圧(胃管など) ・排便コントロール
悪性会陰部痛	・大腸・直腸・泌尿生殖器系のがんの骨盤底浸潤, 深部筋層への浸潤	・うずくような持続痛が座位や立位で増強 ・直腸テネスムス ・膀胱攣縮に伴う頻尿	・神経ブロック(サドルブロックなど)
尿管閉塞	・骨盤・後腹膜内の腫瘍・リンパ節の圧迫や浸潤	・側腹部の鈍痛 ・鼠径部・性器に関連痛 ・腎盂腎炎併発で下腹部や排尿時の痛み	・感染症に対する治療 ・神経ブロック

*すべての場合で, 非オピオイド, オピオイド, 鎮痛補助薬の使用を考慮する.
〔日本緩和医療学会(編):がん疼痛の薬物療法に関するガイドライン2020年版. p31, 金原出版, 2020を参考に作成〕

を10とした時, あなたの痛みは0から10でいくつになりますか」と尋ねる.

❷verbal rating scale(VRS):3〜5段階の痛みの強さを表す言葉(痛みなし, 少し痛い, 痛い, かなり痛い, 耐えられないくらい痛い)を順に並べ, 痛みを評価する.

❸faces pain scale(FPS):現在の自分の痛みに一番合う顔のイラストを選んでもらう. 痛み以外の症状や気分を反映する可能性があ

表4 FLACC scale

基準	0	1	2
顔	異常のない表情、または笑っている	時折険しい表情をする、顔をしかめる、視線をそらす、興味がない	あごが常に震えている、歯を食いしばる
足	いつもの姿勢、またはリラックスしている	不安定、じっとしていられない、緊張している	蹴る、足を上げる
活動性	おとなしく横になっている、またはいつもの体勢で簡単に動く	じっとできない、前後に動く、緊張している	眉を吊り上げる、硬直している、けいれんを起こしている
啼泣	泣いていない	うめく、すすり泣く、時折不満を訴える	常に泣き、叫ぶ、泣きじゃくる、常に不満を訴えている
精神的安定	満足、リラックスしている	時折触れたり、抱いたり、話しかけられたりすると安心する、ぼーっとしている	慰めたり、落ち着かせたりするのが難しい

るというデメリットがある.

4 FLACC scale[3,4]（**表4**）：生後2か月〜7歳までの乳幼児・小児だけでなく、痛みを自己申告できない成人に対しても用いられる.

3) 性状

- 患者の表現を参考に、体性痛、内臓痛、神経障害性疼痛を判断する.
- 「狂いそうな」「死にたくなるような」といった表現からは、痛みの程度とともに心理社会的な苦しみの関与が示唆される.

4) 出現時期と経時的変化

いつから出現し、安定・増悪・軽快しているか（新たな痛みの出現や増悪は、原疾患の再発・進行や、感染症・骨折などの合併症の出現を示唆することがあるため画像的精査が必要な場合がある）.

5) パターン

1日の持続痛・突出痛のパターンを知ることが、定時鎮痛薬やレスキュー薬の調整の参考になる.

6) 放散

痛みの放散の有無や部位から，痛みの原因やその範囲を知ることができる．

7) 増悪因子・軽快因子

1 増悪因子：体動，姿勢，排泄，不安，夜間など．
2 軽快因子：安静，姿勢，排泄，免荷，保温，冷却，マッサージなど．

増悪・軽快因子の同定により，増悪につながる刺激を避け，痛みを緩和する方法を取り入れることができる．

8) 随伴症状

痛みの原因や病態を同定する参考になる．

9) 日常生活への影響

- 痛みは軽度で生活に支障のない程度か(薬物治療追加・変更不要か)，睡眠や日常動作に支障をきたす程度か(新たな介入が必要か)．睡眠や日常生活への支障の程度も NRS(0〜10)で尋ねると，生活への影響が評価しやすくなる．
- 全般的な活動，感情，歩行，仕事，他人との関係，食欲，生活の楽しみが妨げられていないか．
- 身体機能，日常生活，精神状態，社会機能的に，どの程度の痛みなら「許容範囲」か，個別的な鎮痛目標はどのあたりか．NRS(0〜10)を用いて「どの程度であれば，痛みがあっても穏やかに過ごせると思いますか」と患者に質問することで，目標となる痛みの程度(personalized pain goal：PPG)を設定することも薬物調整において有用である．

10) 現行治療への反応

開始時期，種類，投与量，理由，期間，反応，レスキュー薬の使用頻度，最近の増減・中止の有無とその理由，副作用，コンプライアンスなど．

11) 痛みに関する特別な問題

- 患者・家族にとっての痛みの意味や痛みに関する苦しみ．
- 痛みや鎮痛薬に関する患者・家族の知識や考え．
- 痛みの表出に関する考え．

- スピリチュアルな考察や存続的な苦痛.
- 代替医療へのアクセスや薬物相互作用の可能性.

12) 心理社会的側面
- 家族のサポート(家族への影響や負担を評価し,適切な社会資源を導入する).
- 薬物への精神依存を含む精神疾患の既往歴や家族歴.
- 薬物不正使用の危険因子の同定(「オピオイド」参照 ➡ 68頁).

身体所見

痛みの診断・評価に関連して包括的な診察を行う.

1) バイタルサイン

バイタルサインの異常は,迅速な対応を要する病態が発症している可能性を示唆する.血圧低下は大量出血などオンコロジー・エマージェンシーの可能性を示唆する.頻脈では急性疼痛・出血などの除外が必要であり,呼吸数低下や無呼吸などの呼吸抑制を認めればオピオイド過量を疑う必要がある.また,発熱や低体温を認めれば,痛みの原因として感染症も考慮する.

2) 全身状態

急性の苦痛の有無,意識レベル(オピオイド過量では傾眠やせん妄に注意)を評価する.

3) 頭頸部

顔面浮腫では,上大静脈症候群の除外が必要である.縮瞳(オピオイド過量の可能性)や瞳孔不同(頭蓋内病変,Horner症候群の可能性)の有無も評価する.眼底の診察で乳頭浮腫があれば頭蓋内圧亢進を疑う.口腔内で白苔を認めれば嚥下時痛の原因としてカンジダ食道炎も疑われる.

4) 胸部

胸膜痛を認めれば,胸膜播種,肺梗塞,肺炎などに伴う胸膜刺激の可能性があり,湿性ラ音や呼吸音減弱を聴取すれば,肺炎,心不全,胸水,肺転移増大などを考慮する.心音減弱時は心タンポナーデ,Ⅲ/Ⅳ音を聴取すれば心不全の可能性があるため,循環動態に留意したオピオイドの使用が必要となる.

5）腹部

視診では腹部膨満（イレウス，腹水を示唆）や両側側腹部膨満（腹水を示唆）に注意する．聴診では腸蠕動音亢進（イレウスの可能性があり腸蠕動を抑える薬物が奏効する可能性）や減弱（麻痺性イレウスやオピオイドなどによる副作用の可能性）を判断する．腹部全体の打診により，便塊の貯留位置，ガスの貯留，肝脾腫の程度を推測できる．触診上の波動，打診上の flank dullness（側腹部濁音），濁音界移動があれば腹水の可能性を考慮する．また，触診にて圧痛部位（肝腫大部に一致した痛みの有無など）や腹膜刺激症状を確認する．

6）腰背部

costovertebral angle（CVA）の叩打痛（腎盂腎炎，水腎症の可能性），脊椎や腸骨棘の叩打痛，傍脊椎の圧痛（骨転移や局所浸潤の可能性）の有無により，圧痛部位の骨転移による痛みか内臓痛や他の骨病変からの関連痛かが示唆される[5]．オステオトーム（骨格が侵害刺激を入力する脊髄レベル，**図1**）を念頭に置いた診察により，関連痛の診断に役立てられる．

7）四肢

上肢では，浮腫の有無〔上大静脈症候群，リンパ浮腫，深部静脈血栓症（DVT）の可能性〕，羽ばたき振戦・ミオクローヌスの有無（傾眠やせん妄などを伴っている場合は肝性脳症やオピオイド過量の可能性）を確認する．

下肢では，浮腫の有無（リンパ浮腫や DVT の可能性）に注意する．股関節屈曲位保持や股関節伸展による痛みの増悪など，特徴的な肢位を認めれば悪性腸腰筋症候群の可能性が考えられる．

8）神経

痛みの責任病変同定のために，脳神経，四肢筋力，深部腱反射（「骨転移・病的骨折・脊髄圧迫」**表5** 参照 ➡ 262頁），デルマトーム（**図2**）に沿った感覚鈍麻・感覚異常・痛覚過敏・アロディニアの有無も確認する．また，指鼻指試験，Romberg 徴候，diadochokinesis など包括的に評価する．

9）皮膚

帯状疱疹，薬疹，色調変化の有無などに注意する．出血斑が著明

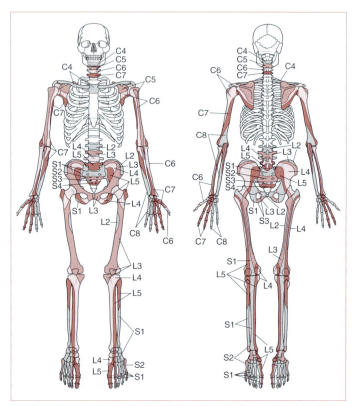

図1　オステオトーム

であれば凝固異常の可能性があり，鎮痛薬の皮下注や筋注は困難になる．腫脹，発赤，熱感，あるいは圧痛などがある場合は，蜂窩織炎や深部静脈血栓症の可能性も念頭に置く．

10) リンパ系

頸部，腋窩，鼠径部などのリンパ節の腫大，表面の自壊の有無などを確認する．

画像所見

病歴・身体所見とあわせて解釈し，痛みの原因の同定に努める．

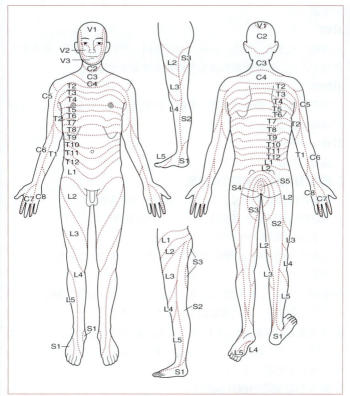

図2 デルマトーム

1)単純X線

胸部X線では，胸膜肥厚，浸潤影(→肺炎，がん性リンパ管症)，胸水，肺うっ血(→心不全)などが評価できる．腹部X線では腸管ガスの程度やair-fluid levelの有無だけでなく，便塊の分布も痛みの原因の同定や緩下薬選択の参考になる．骨のX線では骨折の評価などが可能である．

2)超音波

腹部超音波はベッドサイドで簡便に施行でき，腹水，腸管浮腫，水腎症などの有無や程度が評価できる．下肢超音波ではDVTの有

無を調べる．

3）CT
腫瘍の大きさ，部位，神経叢など周囲への浸潤の程度，膿瘍の有無など，骨，軟部組織の詳細な情報が評価できる．

4）MRI
頭蓋内病変，頭蓋底浸潤，脊髄・硬膜外病変，脊髄圧迫など詳細に評価できる．

5）骨シンチグラフィ
造骨性骨転移が同定できる．

難治性疼痛の危険因子の同定
難治性疼痛の危険因子として，以下が挙げられる[5]．
① 神経障害性疼痛（一般的にオピオイドが奏効しにくい）．
② 突出痛（骨転移の体動時痛が典型的）．
③ 心理社会的苦痛（心理的な苦痛の身体化に注意．コーピングに悪影響）．
④ 嗜癖（アルコールや物質乱用の既往・家族歴の有無．慢性的，多面的，強迫性，有害事象が生じても継続使用）．
⑤ 認知機能の異常（せん妄により表現の脱抑制をきたし，痛みや他の症状を強く訴えることがある．またせん妄により，オピオイドの増量が困難になる）．

全人的な痛み（total pain）
痛みは身体的な苦痛だけでなく，社会的な苦痛，心理的な苦痛，スピリチュアルな苦痛が相まって全人的な痛み（total pain）となりうる．身体的な痛みに対応するだけでなく，心理社会的・スピリチュアルな苦痛の同定と対応も同時並行で行うことが必須である．

また，進行がん患者が痛みによりつらさを抱えているのと同等，あるいはそれ以上に家族もつらさを抱えている．痛みの緩和の目標が患者と家族で異なる場合もある．患者だけでなく，家族の痛みや病状に対する認識，苦しみへの対応も必要である．これらを叶えるためには，多職種が密に連携をとりながら，それぞれの専門性を発揮して介入するチーム医療が重要になる．

非がん性慢性疼痛

定義

慢性疼痛は国際疼痛学会によって「3 か月以上持続または再発する痛み」と定義されている[6].

非がん性慢性疼痛の分類と特徴

侵害受容性疼痛,神経障害性疼痛,心理社会的疼痛,の3つに分けられる.これらは複雑に絡み合い混合性疼痛になっていることが多く,完全に区別することは難しい[7].国際疼痛学会は,慢性疼痛を一次性(chronic primary pain)と二次性に分類している.二次性の慢性疼痛として,がん関連以外では 5 つの分類がある(chronic neuropathic pain, chronic secondary visceral pain, chronic posttraumatic and postsurgical pain, chronic secondary headache and orofacial pain, and chronic secondary musculoskeletal pain).

慢性疼痛患者では,痛み以外にも身体面(睡眠障害,ADL 低下など),認知・感情面(抑うつ,不安,破局的思考など),社会面(社会活動性の低下,家族関係の変化など),スピリチュアル面(自己価値観・自己効力感の低下など)を含む多様な症状や困難を伴っていることが多い.包括的な評価により,それらに対処することで痛みの軽減や ADL の向上につながる可能性がある.

慢性疼痛では器質的要因以外の要素が大きいため,治療目標を痛みの消失に据えるのは現実的ではない.治療の副作用を最小限にとどめながら痛みの軽減を図り,薬物療法,インターベンショナル療法,心理療法,運動療法などを適宜統合することで,機能回復や QOL 向上を目標とする.

非がん性慢性疼痛の評価

医療面接

がん疼痛と同様の項目に加え,医療面接では痛みのきっかけとなった事象(疾病や外傷など)や既存の神経疾患(帯状疱疹,脳卒中,神経障害など),精神科領域の疾患や病態(身体化障害,気分変調性障害など)についても聴取する.また,慢性疼痛では心理社会的要因の影響が大きいため,包括的な病歴聴取が必要である.特にうつ

状態,不安感,破局化,恐怖心,怒り,自己効力感の低下や不信感の有無,家族構成とその状況,職歴,アルコール嗜好や依存症の有無などの生活歴についても留意する.日常生活にどの程度支障をきたしているかを評価することも治療選択やケアを考えるうえで重要である.

アルコール依存症のスクリーニングは CAGE にて簡便に行える.「飲酒量を減らさなければならないと感じたことがありますか(cut down)」「他人があなたの飲酒を非難するので気にさわったことがありますか(annoyed by criticism)」「自分の飲酒について悪いとか申し訳ないと感じたことがありますか(guilty feeling)」「神経を落ち着かせたり,二日酔いを治すために,『迎え酒』をしたことがありますか(eye-opener)」のうち,2項目以上当てはまる場合,アルコール依存症の可能性がある.

身体所見

がんによる痛みで挙げた項目に加えて,より詳細な皮膚系,神経系,筋骨格系の診察が必要とされる.

皮膚の色調変化,浮腫,皮膚の萎縮,皮膚温,発汗異常,爪の変化,筋萎縮,骨や関節可動域の変化などがあれば,複合性局所疼痛症候群の可能性も念頭に置く.自発痛,異常感覚の有無や部位,アロディニアや痛覚過敏,感覚低下の有無など,神経学的所見も重要である.

評価には,綿毛や刷毛などで触覚を,爪楊枝などで痛覚を,冷水・温水を入れた試験管や袋などで温度覚を,それぞれ確認できる.痛みの程度はがん疼痛と同様の尺度が有用である.

検査

単純X線で骨変化の有無,CTやMRIで中枢神経系や末梢神経系の器質的な病変が評価できる.その他,皮膚温測定(サーモグラフィ)など詳細な生理学的検査が必要な場合は神経内科など専門科へのコンサルトも考慮する.

*

詳細な問診と身体診察,検査により慢性疼痛の病態の把握に努め,重篤な転帰につながる可能性のある病態を見逃さないように留

意する．非がん性慢性疼痛をきたす様々な疼痛疾患の診断基準に関しては，各種診療ガイドラインを参照する．

■参考文献

1) Raja SN, et al：The revised International Association for the Study of Pain definition of pain：concepts, challenges, and compromises. Pain 161：1976-1982, 2020.(PMID：32694387)
2) 日本疼痛学会理事会：改定版「痛みの定義：IASP」の意義とその日本語訳について．2020．(https://plaza.umin.ac.jp/~jaspain/pdf/notice_20200818.pdf)（最終アクセス：2022年3月）
3) Merkel SI, et al：The FLACC：a behavioral scale for scoring postoperative pain in young children. Pediatr Nurs 23：293-297, 1997.(PMID：9220806)
4) Herr K, et al：Tools for assessment of pain in nonverbal older adults with dementia：a state-of-the-science review. J Pain Symptom Manage 31：170-192, 2006.(PMID：16488350)
5) 日本緩和医療学会(編)：がん疼痛の薬物療法に関するガイドライン2020年版．金原出版，2020．
6) Treede RD, et al：Chronic pain as a symptom or a disease：the IASP Classification of Chronic Pain for the International Classification of Diseases(ICD-11). Pain 160：19-27, 2019.(PMID：30586067)
7) 慢性疼痛治療ガイドライン作成ワーキンググループ(編)：慢性疼痛治療ガイドライン．真興交易医書出版部，2018．
8) Fainsinger RL, et al：A"TNM"classification system for cancer pain：the Edmonton Classification System for Cancer Pain(ECS-CP). Support Care Cancer 16：547-555, 2008.(PMID：18320239)
9) 日本緩和医療薬学会(編)：緩和医療薬学．南江堂，2013．
10) NCCN Guidelines. Adult Cancer Pain, Version 1. 2021.
11) 日本神経治療学会(編)：標準的神経治療：慢性疼痛．神経治療 27：593-622, 2010．

〔森　雅紀〕

2 【痛みの緩和】痛みの治療総論

診療のコツ

❶治療を選択するうえで，非侵襲性・確実性は重要な要素である．

❷薬物療法，非薬物療法ともにそのメリット・デメリットを把握し，原因・病態に応じた治療選択を行うことが重要となる．

❸がん疼痛の治療を行う際には，段階的で個々に応じた現実的な目標設定が大切である．

❹非がん性慢性疼痛はがん疼痛マネジメントと全く異なるアプローチとなる．理学療法を含めた非薬物療法が中心となる．

❺がん疼痛・非がん性慢性疼痛ともに，各職種の役割を理解し，多職種と家族を巻き込んだ組織的な取り組みを行うことで疼痛マネジメントの向上を図る．

がん疼痛，非がん性慢性疼痛治療総論

がん疼痛の治療の概要[1〜5]（図1）

オンコロジー・エマージェンシーかどうかを評価し，原因・病態に応じた治療を選択する．目標非達成の場合は，痛みを再評価したうえで薬物療法の強化，緩和ケアチームへのコンサルテーション，非薬物療法の検討も行う．

1) 薬物療法

WHO方式がん疼痛治療法に従う（後述➡ 52頁）．

2) 非薬物療法

①神経ブロック（➡ 116頁）．

②放射線照射（➡ 298頁）．

③interventional radiology（IVR）（➡ 303頁）．

④リハビリテーション（➡ 436頁）．

⑤認知行動療法を含めた心理社会的・行動学的アプローチ（後述➡ 55頁）．

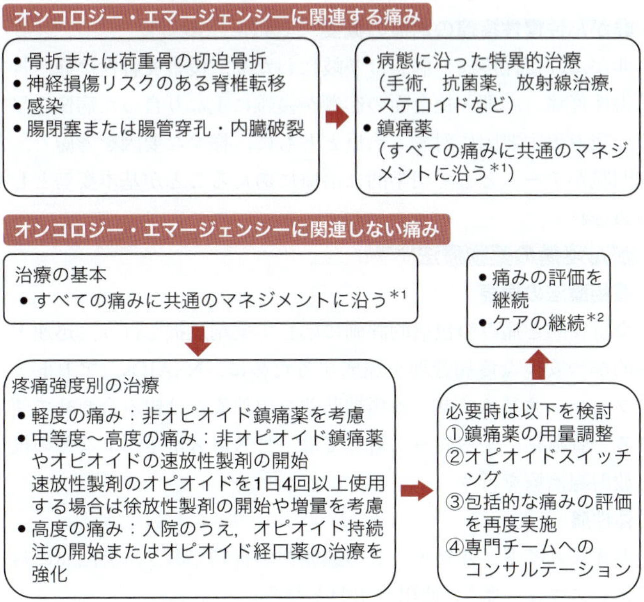

オンコロジー・エマージェンシーに関連する痛み

- 骨折または荷重骨の切迫骨折
- 神経損傷リスクのある脊椎転移
- 感染
- 腸閉塞または腸管穿孔・内臓破裂

- 病態に沿った特異的治療（手術，抗菌薬，放射線治療，ステロイドなど）
- 鎮痛薬（すべての痛みに共通のマネジメントに沿う*1）

オンコロジー・エマージェンシーに関連しない痛み

治療の基本
- すべての痛みに共通のマネジメントに沿う*1

疼痛強度別の治療
- 軽度の痛み：非オピオイド鎮痛薬を考慮
- 中等度〜高度の痛み：非オピオイド鎮痛薬やオピオイドの速放性製剤の開始
速放性製剤のオピオイドを1日4回以上使用する場合は徐放性製剤の開始や増量を考慮
- 高度の痛み：入院のうえ，オピオイド持続注の開始またはオピオイド経口薬の治療を強化

- 痛みの評価を継続
- ケアの継続*2

必要時は以下を検討
① 鎮痛薬の用量調整
② オピオイドスイッチング
③ 包括的な痛みの評価を再度実施
④ 専門チームへのコンサルテーション

＊1：すべての痛みに共通のマネジメント
- 痛みの診断，合併症，薬物相互作用などに基づいた治療を選択
- 鎮痛薬の選択肢：アセトアミノフェン・NSAIDs・オピオイド・鎮痛補助薬
- 鎮痛薬使用時は，副作用対策を行う
- 心理社会的側面の支援
- 患者・家族教育
- 非薬物療法についての検討（神経ブロック，放射線治療，生活上のケアなど）

＊2：ケアの継続に関する具体的内容
- オピオイドの用法：可能であれば，経口や貼付へ変更
- 定期的なフォローアップ：治療効果，副作用，全身状態，ケア（患者中心の目標）の継続
- 鎮痛薬の使用をモニター：特に，乱用・転用のリスクファクターや認知障害のある患者
- コミュニケーションの維持，痛み・緩和の専門家への紹介について考慮

図1　がん疼痛治療の概要

（NCCN clinical practice guidelines in oncology. Adult cancer pain, version 2. 2021：PAIN 1-6 をもとに作成）

⑥日常のケア(後述➡ 55 頁).

非がん性慢性疼痛の治療の概要[6,7]（後述➡ 58 頁）

非がん性慢性疼痛の病態は多岐にわたり，侵害受容性疼痛，神経障害性疼痛，心理・社会面の影響が複雑に重なり合った病像を呈する．痛みの主要因に対する治療とともに，様々な要因を考慮し，各専門職がチームとして集学的に治療にあたることが基本姿勢として求められる．

がん疼痛の薬物療法[1〜5]

薬物療法の概要

全身状態と痛みの包括的評価に応じて薬剤選択を行う．迅速・効果的かつ安全な疼痛管理を達成するために，NSAIDs，アセトアミノフェン，オピオイド，鎮痛補助薬を単独または組み合わせて使用する．骨転移による痛みに対しては，ビスホスホネートなどの投与と放射線治療を行う．

1) 体性痛

非オピオイド，オピオイドの鎮痛薬が有効であり，突出痛に対してはレスキュー薬*の使用が重要となる．

2) 内臓痛

非オピオイドに加え，オピオイドの効果が期待される．また内臓痛においても，症候群を呈するものに関しては，それぞれ病態の改善に適した薬剤・非薬物療法を選択する．

3) 神経障害性疼痛

非オピオイド，オピオイドの効果が乏しいことがあり，鎮痛補助薬の併用を考慮する．

WHO 方式がん疼痛治療法

7 つの基本原則と推奨で構成されている．

1) 疼痛治療の目標

患者にとって許容可能な QOL を維持できるレベルまで痛みを軽減する．

---

* レスキュー薬とは，疼痛時に臨時で追加する薬のことを指す．

2）包括的な評価

包括的な評価をもとにがん疼痛治療を行う．詳細な病歴・身体診察・心理的状況・測定ツールを用いた痛みの重症度などを評価し，再評価を定期的に行う．

3）安全性の保障

オピオイドは適切かつ効果的に管理し，患者の安全を確保し薬物の転用リスクを減らす．

4）心理社会的ケア，スピリチュアルなケアの実践

がん疼痛治療は薬物療法が主体であるが，心理社会的ケア，スピリチュアルなケアも包括的な治療のなかで必須の要素である．

5）鎮痛薬の普及

オピオイドを含む鎮痛薬は，いずれの国・地域でも使用できるべきである．

6）鎮痛薬使用の原則

❶経口的に（by mouth）

簡便で，用量調節が容易で，安定した血中濃度が得られる経口投与とする．

経口摂取困難時また腸閉塞など吸収が不安定な場合は，経口以外の投与経路を選択する．例：直腸内投与（坐薬），経皮投与（貼付薬），持続皮下/静注による投与．

❷時刻を決めて（by the clock）

持続性の痛みに対しては，血中濃度が安定するよう，鎮痛効果持続時間を考慮して投与時刻を決め，一定間隔で投与する．投与量は，痛みに対する感受性が個々で大きく異なるため，患者と意思疎通を図り適切な用量設定をする．鎮痛薬は徐放性製剤，速放性製剤，貼付薬，注射薬など製剤の種類により投与間隔が異なる．患者に合った投与スケジュールを決める．投与時刻は正確に把握する．

突出痛に対しては，レスキュー薬を使用する．突出痛のパターンが明らかである場合は，突出痛の出現が予測される前にレスキュー薬を内服することも方法の１つである．

定時鎮痛薬の切れ目の痛み（end of dose failure）のように血中濃度が低下する時間帯に痛みが生じることがある．基本は現在の定期投

与量を増量する.十分な増量後も切れ目の痛みが残る場合は,1日2回投与を1日3回投与にするなど投与間隔を短縮する場合もある.

❸患者ごとに(for the individual)

痛みの包括的評価と治療反応の個別性に応じて,鎮痛薬の種類・用法・用量を決定する.適切な投与量は患者が納得するレベルまで痛みがとれる量である.突出痛や痛みの増強に対してはレスキュー薬を使用する.患者の病状に応じて再評価を行い,効果が十分得られ,眠気などの副作用が問題とならない定期投与量(1日の定期投与量,レスキュー薬の量)を決定する.

❹細かい配慮をもって(with attention to detail)

 患者とのコミュニケーションにより互いの信頼関係を構築することで,痛みからの解放の第1歩を踏み出すことができる.がん疼痛の原因について,わかりやすい言葉でよく説明し,それぞれの鎮痛薬の鎮痛機序や用法・用量,予想される副作用と対策について理解できるよう,あらかじめ説明する.また,患者の病状変化による鎮痛効果の減弱や副作用に注意し,その都度適切な鎮痛薬への変更や鎮痛補助薬の追加を検討する.例えば外科的治療・放射線治療・化学療法などにより痛みが減弱した場合は,オピオイドの漸減を行う.神経ブロックなどにより痛みが急激に軽減した場合には,投与量の減量が必要であるが,その際には離脱症候群に留意して計画的な漸減を行う.また,高齢者や肝腎機能障害患者においては,代謝・排泄の障害や低アルブミン血症などにより,効果が強く発現することがあるため,少量から投与する.

7)がん疼痛治療は,がん治療の一部である

 終末期であるか否かにかかわらず,がん治療の一部として,抗がん治療と同時に疼痛治療を行う.

■13段階鎮痛ラダー

 痛みの強度(軽度の痛み,軽度〜中等度の痛み,中等度〜高度の痛み)に応じた3ステップにより非オピオイド(「NSAIDs・アセトアミノフェン」➡ **60頁**)から弱オピオイド・強オピオイド(➡ **68頁**)の使用に関する治療のストラテジーを示したものが3段階鎮痛ラ

ダーである.痛みの性状に応じて,鎮痛補助薬の併用も考慮する(➡ 103 頁).

2018 年の WHO ガイドラインの改訂では,3 段階鎮痛ラダーはあくまで疼痛マネジメントの一般的な目安であり,個々の患者に対する個別化された治療が主軸であるとされている.

がん疼痛の非薬物療法[5]

神経ブロック(➡ 116 頁),放射線照射(➡ 298 頁),IVR(➡ 303 頁),リハビリテーション(➡ 436 頁)は,それぞれの項を参照のこと.本項ではその他の非薬物療法について述べる.

日常のケア

日常生活を送るうえでリラックスでき,快適で安心できる環境を整えるケアも非常に重要である.具体的には,①温罨法,②マッサージ,③アロマテラピー,④ポジショニング,⑤リラクセーションなどが挙げられる.

①温罨法:温湿布,湯たんぽ,カイロなど.温熱による末梢神経線維の刺激・血管拡張・皮膚や組織の血流増加により,快適さを提供する.

②マッサージ:経皮的に皮下組織や軟部組織への機械的刺激を与えることで,静脈還流・リンパ循環・筋緊張などを改善させる.痛みだけでなく,筋緊張や凝りを和らげる.

③アロマテラピー:芳香物質を用いて心身をリラックスさせたり,気分を改善したり,鎮痛・鎮静効果を発現させたりする.

④ポジショニング:マットレスやベッド,ログロール技術の適切な使用,体位・四肢の保持など身体の位置を適切に保つ.痛みの軽減,安楽肢位,皮膚損傷のリスク減少に役立つ.

⑤リラクセーション:種々の方法があるが,いずれも意図的に心身の本来の調整力に働きかけて内面からのリラックス状態を導き,副交感神経の働きを優位にし,痛みを軽減させる.

認知行動療法を含めた心理社会的・行動学的アプローチ

情緒的苦痛,抑うつ,不安,疑念,失望感は痛みとの関連がある.精神科的治療・認知行動療法は,疾患の状態や治療結果などに対する不正確な認知を同定し,結果として生じる行動を修正しよう

とするものである．そのことにより，痛みの程度を下げ，身体機能面にも関与する．

治療は患者の特性やニーズに合うよう，注意深い心理社会的評価のもと，心理学的介入（がん疼痛教育，支持的精神療法，認知行動療法など）を組み合わせる．

がん疼痛の治療目標設定[5]

がん疼痛の治療目標は，ただ単に痛みだけを改善させることではない．痛みを軽減し患者・家族が望む日常生活の過ごし方を叶えることにある．患者・家族の希望を十分に把握したうえで，現実的かつ段階的な目標を設定することが大切である．痛み自体の治療目標として，段階的には下記の3つの順に達成できるようにしていく．

- 第1目標「痛みに妨げられずに夜間の睡眠時間が確保できること」
- 第2目標「日中の安静時に痛みが軽減した状態で過ごせること」
- 第3目標「体動時の痛みが軽減すること」

なお，病状や価値観など個々によって希望は異なるため，患者自身にとって意味のある疼痛緩和となる目標設定が必要である．また，痛みをゼロにすることが必ずしも目標ではない．身体的苦痛だけではなく，精神的・社会的・スピリチュアルペインを含めた痛み・苦痛の評価を繰り返しながら目標の見直しを行う．目標を患者・家族と適*切*共有し，現状と今後の見通しをともに考えられると，漠然としたイメージから客観的なとらえ方に変化し，安心感・コンプライアンスが得られやすい．評価に関しては，support team assessment schedule の日本語版（STAS-J，**付録6, 7➡481頁**）や integrated palliative care outcome scale（IPOS，**付録8➡485頁**），エドモントン症状評価システム改訂版日本語版（ESAS-r-J，**付録9➡487頁**）など，包括的な緩和ケアの評価指標の他，QOLや満足度を明らかにするような指標を用いてもよい〔痛みや苦痛の評価については「痛みの診断と評価」参照（**➡34頁**）．患者・家族への説明については後述の組織的な取り組み，および「オピオイド」参照（**➡68頁**）〕．

■ 個々の患者に応じた目標設定例
- 少しの体動時痛は残ってもいいから,日中の仕事で眠気が出ない程度に安静時痛をコントロールして早く退院したい.
- 痛くなっても最大 NRS 5 未満の痛みで経過するようにしたい.

がん疼痛マネジメントを改善するための組織的な取り組み[5]

がん疼痛マネジメントの向上には,基本的な知識・技術に加えて,それらを効果的に活用できるような組織的な取り組みが不可欠である.患者・家族・医療者が共有した目標に向かって,医療者は各職種の役割を理解し連携していく.主に以下の役割を担う職種ががん疼痛マネジメントに関わる.

医師

主治医は適切に病態や予後を予測したうえで,薬物療法・非薬物療法による治療方針を決定し,患者・家族へ説明を行う.主治医,緩和ケアチームの身体/精神担当医師,放射線治療医など,疼痛治療に関わる各科で活発に意見交換をし,適切な選択を重ねていく.

看護師

医学的視点に加え,日常生活の視点からケアする立場にある.例えばレスキュー薬使用後,看護師が適切なタイミングで効果を評価することが速やかな症状コントロールにつながる.非薬物療法としては,症状の閾値を上げるケア,すなわちマッサージ・加温,気分転換・リラクセーションなどを取り入れていくことが患者の症状緩和に寄与する.

薬剤師

薬物療法の適切性を判断し,その効果や副作用をモニタリングし,包括的な視点で患者・家族・各職種へフィードバックするなど教育的な役割も担う.家族の薬剤管理状況も把握し,患者の自己管理が困難な時はキーパーソンへの指導を行う.

リハビリテーションスタッフ

がん治療の過程すべてが対象となり,身体の基本動作を可能な限り維持すべく関わる.痛みを有する際には,痛みが出にくい動作の習得や自助具・福祉用具を使用した ADL の改善・維持をめざす.

心理職

患者・家族の心理社会的苦痛・課題を理解する．カウンセリングや心理学的手法(認知行動療法を含む)を用いて，精神的苦痛を緩和し，自己決定・悲嘆への対応を行いながら，自己コントロール感の向上に寄与する．

*

なお，がん疼痛マネジメントについて患者教育を行うことで痛みが改善することが示されている★★★[8,9]．ただし，患者教育をどのように行うべきかについての具体的な方法は確立していない(心理社会的介入については「がん疼痛の非薬物療法」参照➡ 55 頁)．有効性が実証された教育プログラムを用い，家族を含めて，患者の個別性に応じて，継続して教育を行う．教育内容としては，痛みとオピオイドに関する正しい知識，痛みの治療計画と具体的な使用方法，医療者への痛みの伝え方，非薬物療法と生活の工夫，セルフコントロールなどを含めることが望まれる．

非がん性慢性疼痛の治療[6,7]

器質的原因よりも非器質的原因(神経系の中枢感作や認知など)がその痛みの構成要素として大きい場合もあり，治療に難渋することも多い．痛みのない状態にすることを第 1 目標とせず，患者とともに現実的に達成可能な治療目標(例：強い痛みを中程度レベルに軽減する，夜間覚醒回数を減少させる，できる家事を増やすなど)や治療方針を定め，治療による副作用をできるだけ少なくしながら QOL や ADL の向上をめざす．痛みの軽減よりも機能改善が先行し，時間経過や環境因子により痛みの訴えが刻々と変化する点も注意深く観察する．

非がん性慢性疼痛の集学的治療は，以下の介入的アプローチを例に行われ，薬物療法が主軸ではないことが特徴である．

① 身体的アプローチ(体力，生活習慣を改善し，QOL や健康全般を高めることを目的として，痛みなどに伴うネガティブな身体行動パターンを変えていく)．

② 心理的アプローチ(痛みに対する患者の反応に悪影響を及ぼす思考パターンを変えていく)．

③薬物療法．
④その他(神経ブロック，鍼灸，手術など)．
⑤インターベンショナル治療

　非がん性慢性疼痛の薬物療法においては，筋骨格系の痛みであればNSAIDsやアセトアミノフェンを使用する．それ以外では，神経障害性疼痛であれば，ガバペンチノイドやSNRI，三環系抗うつ薬などの鎮痛補助薬などを考慮する．

　非がん性慢性疼痛に対するオピオイド治療については，第1選択薬ではなく，また心因性の要素が大きな痛みには絶対に用いるべきではない．開始にあたっての注意点は，「オピオイド」の項(➡ **68頁**)を参照のこと．

参考文献

1) 日本緩和医療学会(編)：がん疼痛の薬物療法に関するガイドライン2020年版．pp39-52, 金原出版, 2020.
2) National Comprehensive Cancer Network(NCCN)：NCCN clinical practice guidelines in oncology. Adult cancer pain, version 2. 2021.(https://www.nccn.org/guidelines/guidelines-detail?category=3&id=1413) (最終アクセス：2021年6月)
3) World Health Organization：WHO guidelines for the pharmacological and radiotherapeutic management of cancer pain in adults and adolescents. pp21-24, pp70-76, 2018. (https://www.who.int/publications/i/item/9789241550390) (最終アクセス：2022年3月)
4) 木澤義之，他(監訳)：WHOガイドライン 成人・青年における薬物療法・放射線治療によるがん疼痛マネジメント．pp17-20, pp58-59, 金原出版, 2021.
5) 日本緩和医療薬学会(編)：緩和医療薬学．pp8-9, pp150-155, pp156-159, 南江堂, 2013.
6) 慢性疼痛診療ガイドライン作成ワーキンググループ(編)：慢性疼痛診療ガイドライン．pp22-28, pp148-155, 真興交易医書出版部, 2021.
7) 日本ペインクリニック学会非がん性慢性疼痛に対するオピオイド鎮痛薬処方ガイドライン作成ワーキンググループ(編)：非がん性慢性疼痛に対するオピオイド鎮痛薬処方ガイドライン 改訂第2版．pp10-11, pp28-68, 真興交易医書出版部, 2017.
8) Bennett MI, et al：How effective are patient-based educational interventions in the management of cancer pain? Systematic review and meta-analysis. Pain 143：192-199, 2009.(PMID：19285376)
9) Oldenmenger WH, et al：A systematic review of the effectiveness of patient-based educational interventions to improve cancer-related pain. Cancer Treat Rev 63：96-103, 2018.(PMID：29272781)

(野里洵子)

3 【痛みの緩和】
NSAIDs・アセトアミノフェン

使い方のコツ

❶ NSAIDs は，単独投与およびオピオイドとの併用で鎮痛効果が認められている．
❷ 炎症に関連した痛みや，骨転移に伴う体性痛などへの鎮痛効果が高いと考えられている．
❸ NSAIDs の胃腸障害，腎機能障害のリスク評価および予防を怠らないこと．
❹ 副作用や合併症などで NSAIDs が使用しにくい時はアセトアミノフェンが有用．十分量をしっかり使うことが大事．

NSAIDs

定義・総論

NSAIDs は抗炎症・解熱・鎮痛作用をもつステロイド薬以外の薬物の総称である．**表1**に代表的な薬剤を挙げる．

作用機序

組織に対する刺激により細胞膜リン脂質からアラキドン酸が遊離すると，これを基質としプロスタグランジン（PG）類が合成されることで，炎症性の痛みが発生する．この代謝経路に関わる酵素がシクロオキシゲナーゼ（COX）であるが，NSAIDs はこの COX 活性の阻害を行うことで鎮痛・抗炎症作用を発揮する．また，視床下部にある体温調節中枢で PGE_2 合成を阻害し，解熱作用を発揮する．

COX には主に COX-1，COX-2 の2つのアイソザイムがある（**図1**）．COX-1 は胃粘膜，腎臓，血小板などに常時発現し，胃粘膜保護・腎血流維持など恒常性維持に関与しているのに対し，COX-2 は炎症性サイトカインの刺激により発現し，炎症に関する PG を産生する．そのため，NSAIDs の COX-1 阻害作用は胃腸障害や腎機能障害などの副作用につながる．

表1 主なNSAIDsとアセトアミノフェン

化学構造	一般名(代表的な商品名)	T1/2(時間)	用法(回投与/日)
酸性	ロキソプロフェン(ロキソニン)	1.3	3〜4
	イブプロフェン(ブルフェン)	1.8	3〜4
	ナプロキセン(ナイキサン)	14	2〜3
	フルルビプロフェンアキセチル(ロピオン)	5.8	3
	メロキシカム(モービック)	18.7	1
	セレコキシブ(セレコックス)	5〜9	2
	スリンダク(クリノリル)	3, 11〜15*	2
	エトドラク(ハイペン)	6	2
	ジクロフェナク(ボルタレン SR)	1.5	2
塩基性	チアラミド(ソランタール)	1.6	3
	アセトアミノフェン(カロナール)	2.4	4

T1/2:血中濃度半減期.
*:スリンダクの半減期は2相性を示す.

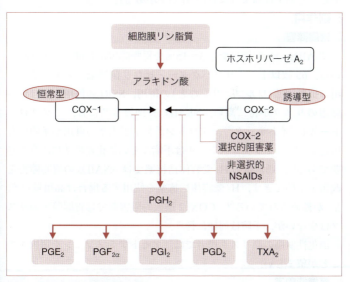

図1 アラキドン酸の代謝経路

適応

侵害受容性疼痛，特に炎症に関連した痛みや，骨転移に伴う体性痛などへの鎮痛効果が高いと考えられている．

効果

NSAIDs は RCT を含む系統的レビューにおいて，プラセボと比べて疼痛緩和に有効と結論付けられている★★★ 1~4)．オピオイドとの併用でも鎮痛効果の上乗せが期待できる★★★ 1~4)．オピオイド投与時，NSAIDs を併用することでオピオイドの使用量を減らせることが知られており，これを opioid sparing effect という．

がん疼痛に対し，第1選択となる NSAID は明確ではない★★★ 5)．個々の患者の状態で有効かつ忍容性の高い薬剤を適宜選択する．なお，1種類の NSAID で効果が乏しい場合に，他の NSAID へ変更することへの高いエビデンスはない．

短時間作用型 NSAIDs の毎食後投与は，夜間～朝方の痛みが生じることがあるので注意する．なお，ある一定量以上に投与量を増やしても効果は高まらない（天井効果がある）．

副作用

胃腸障害

NSAIDs の長期投与では3~15％で胃腸障害が合併するとされている．65歳以上，ヘリコバクター・ピロリ菌感染，ステロイド併用，抗凝固薬（ワルファリンなど）の併用，SSRI の併用などは胃腸障害のリスクが特に高い．NSAIDs 長期投与時には，ミソプロストール（サイトテック®），プロトンポンプ阻害薬の併用が予防に有用だが★★★，ミソプロストールは下痢などの消化器症状に注意が必要である 6)．通常量の H_2 受容体拮抗薬では NSAIDs の胃腸障害を改善・予防できず，H_2 受容体拮抗薬を使用する場合は高用量（2倍量）が勧められている 6)．COX-2 選択的阻害薬では胃腸障害のリスクは少ないが，予防は同様に行う．

消化性潰瘍の高リスク患者では，アセトアミノフェンを選択することが望ましい．

腎機能障害

COX 阻害による PGE_2 産生抑制により，腎血流低下から腎機能

障害をきたす場合がある．したがって，重篤な腎機能障害ではNSAIDsの使用自体を避け，アセトアミノフェンを使用するかオピオイドなどの調整で鎮痛を図る．なお，COX-2阻害薬でも腎機能障害は減らないといわれている．

出血傾向

COX-1によりトロンボキサン(TX)A_2が産生され，血小板が凝集して止血する．NSAIDsによってCOX-1が阻害されると，この凝集が抑制されるが，COX-2阻害薬ではこの阻害の程度は少ない．ただし，出血傾向下でCOX-2阻害薬が絶対安全に使用できるわけではない．

心血管リスク

COX-2阻害薬の長期使用では，COX-2を阻害することでPGI_2の産生を抑制し，血栓形成を促進する一方，TXA_2は阻害されないため血栓塞栓症が増加する．ただし同様のリスクはCOX非選択阻害薬のジクロフェナクなどでも報告されている．

その他

アスピリン喘息患者には，すべての酸性NSAIDsは禁忌とされている．塩基性のチアラミド(ソランタール®)などは比較的安全に使用できるが基本的には避け，アセトアミノフェンを使用する．

また，高齢者や衰弱している患者では，NSAIDs投与で血圧低下が起こることがある[7]．

薬剤ごとの特徴

ナプロキセン

消炎・鎮痛・解熱効果は平均的である．副作用が比較的少なく半減期が長いので，定時薬として第1選択とされることも多い．粉砕すると口腔内での刺激感が強い．腫瘍熱に対する効果が高いという特徴をもつ[8]．

ロキソプロフェン

半減期が1.3時間と短く，1日3回の使用では夜間〜朝方の痛みが出現する場合もある．逆に投与発現は早いため，頓用投与に向く可能性はある．

ジクロフェナク

胃腸障害，腎機能障害が比較的多いとされるが，比較試験では胃腸障害はコキシブ系薬剤と比較しても多くはなかった．ただし血栓形成のリスクもコキシブ系と同等である[9]．

もともと半減期は短く，定時薬としては向かないが，効果時間を長くするため徐放性製剤のボルタレン® SR が開発されている．また，経皮吸収型製剤としてジクトル®テープも開発され，使用範囲が広がった．

膀胱浸潤の痛みや膀胱留置カテーテルの刺激痛などに，ボルタレン®坐薬が有効な場合がある．

スリンダク

腎組織において再度非活性型に変換されるため，腎機能障害が比較的少ないとされる．

フルルビプロフェンアキセチル

がん疼痛治療に使う NSAIDs のなかで，唯一の注射薬である．ただし，皮下投与はできない．

リポ化することで炎症部位に高い親和性をもたせ，病変部位で作用が増強する．

メロキシカム（COX-2 阻害）

COX-2/COX-1 比が比較的高いオキシカム系に分類される薬剤である．半減期が長く 1 日 1 回投与ですむ．

ピロキシカム（同じオキシカム系に分類される NSAID）やジクロフェナクとの比較試験で，消化管の有害事象が有意に少ないとの結果であった．しかしながら，鎮痛効果としては 2 剤よりも劣っているとの報告もある[10,11]．

セレコキシブ（COX-2 阻害）

コキシブ系に分類される NSAID で，COX-2 阻害薬のなかでも高い COX-2 選択性をもつ．

胃腸障害のリスクは低いが，心血管系のリスクを 200 mg の 1 日 2 回投与で 2 倍増加させると報告されている[12]．

> **処方例** 下記を適宜用いる.内服困難時は 3)または 4)を用いる.
> 1) ナプロキセン(ナイキサン®) 1回 200〜300 mg 1日 2〜3回(600 mg/日) 内服
> 2) セレコキシブ(セレコックス®) 1回 200 mg 1日 2回(400 mg/日) 内服
> 3) フルルビプロフェンアキセチル(ロピオン®) 1回 50 mg を生理食塩液 100 mL に混合 1日 3回 点滴静注
> 4) ジクロフェナク経皮吸収型製剤(ジクトル®テープ)75 mg 2枚 1日 1回 貼付

アセトアミノフェン

定義・総論

NSAIDs と同程度の鎮痛効果をもち,副作用が少ないため全世界的に頻用されている鎮痛薬である.

作用機序

詳細な作用機序は不明であるが,肝臓で脱アセチル化されたアセトアミノフェンが中枢に移行し,脂肪酸アミドヒドラーゼによって生じる代謝物が薬理作用を発揮すると考えられている[13].解熱,鎮痛作用はあるが末梢での抗炎症作用は小さい.

消化管から速やかに吸収され,肝臓にてグルクロン酸抱合・硫酸抱合を受け,尿中に排泄される.ごく一部が,反応性に富む N-アセチルベンゾキノンイミンとなるが,これも肝細胞内でグルタチオン抱合を受け排泄される.

適応

基本的には NSAIDs と同様の適応である.腎機能障害や胃腸障害の高リスクなどで NSAIDs が使いにくい時に特に有用である.ただし,肝機能障害合併例での使用は投与量を減量するなど注意が必要である.

内服には錠剤・粉末・シロップ剤があり,他にも坐薬(アンヒバ®),静脈内注射薬(アセリオ®)と剤形が豊富なため,患者の状態により使い分けがしやすい.

効果

がん疼痛(軽度)のある患者に対して,アセトアミノフェンの投与が推奨されている★★[4,14]．600～1,000 mg/回程度の十分量を使用することで鎮痛効果が期待できる．1回投与量は1,000 mg未満とし,1日4,000 mgを超えないこと．内服量も多くなるため,患者に十分に説明する．

オピオイドに対する上乗せ効果としては,あるという報告と,ないという報告があり,評価は定まっていない[3,15～17]．

NSAIDsへの併用効果についても,根拠は不十分である．

副作用

NSAIDsと異なり,消化管,腎機能,血小板機能への影響は少ない．

肝細胞壊死は150～250 mg/kg以上の内服で生じるといわれ,アルコール常用者はそのリスクが高まる[14]．市販薬の一部やトラムセット®などにも配合されているため,過量投与にならないよう,服薬管理が重要である．

肝細胞内グルタチオンが枯渇するような状況(アルコール常用や過量投与時など)では,N-アセチルベンゾキノンイミンが肝内に蓄積し,肝細胞壊死が起きる．過量投与時は,10時間以内にN-アセチルベンゾキノンイミンと結合可能なN-アセチルシステイン(ムコフィリン®)の投与を行う．

処方例

アセトアミノフェン(カロナール®)　1回600～800 mg　1日4回(2,400～3,200 mg/日)　内服薬,坐薬,注射薬のいずれか

■参考文献

1) McNicol E, et al:Nonsteroidal anti-inflammatory drugs, alone or combined with opioids, for cancer pain:a systematic review. J Clin Oncol 22:1975-1992, 2004.(PMID:15143091)

2) Mercadante S, et al:A randomised controlled study on the use of anti-inflammatory drugs in patients with cancer pain on morphine therapy:effects on dose-escalation and a pharmacoeconomic analysis. Eur J Cancer 38:1358-1363, 2002.(PMID:12091067)

3) Nabal M, et al:The role of paracetamol and nonsteroidal anti-inflammatory drugs in addition to WHO Step III opioids in the control of pain in advanced cancer. a systemat-

ic review of the literature. Palliat Med 26：305-312, 2012.（PMID：22126843）

4) Fallon M, et al：Management of cancer pain in adult patients：ESMO Clinical Practice Guidelines. Ann Oncol 29(Suppl 4)：iv166-iv191, 2018.（PMID：30052758）

5) Derry S, et al：Oral nonsteroidal anti-inflammatory drugs(NSAIDs) for cancer pain in adults. Cochrane Database Syst Rev 7：CD012638, 2017.（PMID：28700091）

6) Rostom A, et al：Prevention of NSAID-induced gastroduodenal ulcers. Cochrane Database Syst Rev：CD002296, 2002.（PMID：12519573）

7) Maxwell EN, et al：Intravenous acetaminophen-induced hypotension：a review of the current literature. Ann Pharmacother 53：1033-1041, 2019.（PMID：31046402）

8) Alsirafy SA, et al：Naproxen test for neoplastic fever may reduce suffering. J Palliat Med 14：665-667, 2011.（PMID：21291328）

9) Bhala N, et al：Vascular and upper gastrointestinal effects of non-steroidal anti-inflammatory drugs：meta-analyses of individual participant data from randomised trials. Lancet 382：769-779, 2013.（PMID：23726390）

10) Dequeker J, et al：Improvement in gastrointestinal tolerability of the selective cyclooxygenase(COX)-2 inhibitor, meloxicam, compared with piroxicam：results of the Safety and Efficacy Large-scale Evaluation of COX-inhibiting Therapies(SELECT) trial in osteoarthritis. Br J Rheumatol 37：946-951, 1998.（PMID：9783758）

11) Hawkey C, et al：Gastrointestinal tolerability of meloxicam compared to diclofenac in osteoarthritis patients. International MELISSA Study Group. Meloxicam Large-scale International Study Safety Assessment. Br J Rheumatol 37：937-945, 1998.（PMID：9783757）

12) Solomon SD, et al：Cardiovascular risk of celecoxib in 6 randomized placebo-controlled trials：the cross trial safety analysis. Circulation 117：2104-2113, 2008.（PMID：18378608）

13) Högestätt ED, et al：Conversion of acetaminophen to the bioactive N-acylphenolamine AM404 via fatty acid amide hydrolase-dependent arachidonic acid conjugation in the nervous system. J Biol Chem 280：31405-31412, 2005.（PMID：15987694）

14) 日本緩和医療学会(編)：がん疼痛の薬物療法に関するガイドライン 2020 年版．金原出版，2020．

15) Stockler M, et al：Acetaminophen(paracetamol) improves pain and well-being in people with advanced cancer already receiving a strong opioid regimen：a randomized, double-blind, placebo-controlled cross-over trial. J Clin Oncol 22：3389-3394, 2004.（PMID：15310785）

16) Israel FJ, et al：Lack of benefit from paracetamol(acetaminophen) for palliative cancer patients requiring high-dose strong opioids：a randomized, double-blind, placebo-controlled, crossover trial. J Pain Symptom Manage 39：548-554, 2010.（PMID：20083373）

17) Wiffen PJ, et al：Oral paracetamol(acetaminophen) for cancer pain. Cochrane Database Syst Rev 7：CD012637, 2017.（PMID：2870092）

〔西　智弘〕

【痛みの緩和】
オピオイド

使い方のコツ

❶患者の全身状態に沿った，適切なオピオイドの種類，投与経路を選択する．
❷がんによる強い痛みには強オピオイドを開始し，副作用に留意しながら患者にとってQOLを維持できるレベルまで痛みを軽減する．
❸鎮痛効果が不十分にもかかわらず副作用のためオピオイドを増量できない時は，非オピオイド・鎮痛補助薬（➡ 60, 103 頁）の併用，オピオイドスイッチング〔神経ブロック（➡ 116 頁），緩和的放射線療法（➡ 298 頁），免荷・コルセットなど〕，痛みの再評価，心理社会的側面の再評価などを行う．
❹非がん性の慢性疼痛ではオピオイドの安易な使用を控える．

オピオイドの概要

　オピオイドとは，アヘンやその関連合成鎮痛薬などのアルカロイド，およびモルヒネ様活性を有する内因性または合成ペプチド類の総称である．オピオイドは全世界でがん疼痛治療の中心的役割を果たしている．オピオイド受容体には，μ，δ，κ の3種類が存在し，オピオイドは主に μ 受容体に結合し活性化することで鎮痛効果が惹起される．オピオイド受容体を介した鎮痛作用には，脊髄の後角や視床・大脳皮質知覚領域などを介した上行性痛覚情報伝達の抑制，中脳水道周囲灰白質，延髄網様体細胞，大縫線核を介した下行性抑制系の賦活化などが関与するといわれている．また，いわゆる弱オピオイド（コデイン，トラマドール，ブプレノルフィン）と強オピオイド（中等度以上の強さの痛みに用いるオピオイド）は，日本において麻薬処方箋や管理体制に違いはあるが，いずれも未変化体や代謝物がオピオイド受容体に作用して鎮痛効果を生じる．
　2018年に改訂された「WHOガイドライン 成人・青年における

薬物療法・放射線治療によるがん疼痛マネジメント」では，QOLを維持できるレベルまで痛みを軽減することを目標に，オピオイドを用いて痛みの症状緩和を行うように言及されている．また薬剤の反応(効果・副作用)は患者ごと，薬剤ごとに異なり，患者の価値観も異なることに留意する．

☑ **人によって痛みの感じ方や表現は異なることを認識し，治療の方針を決定する**
・十分に患者の状態評価を行い，アセスメントは繰り返し行う
・痛みの原因を十分にわかりやすく説明してから開始する

☑ **患者，家族，医療者，地域社会の安全を確保する**
・服薬状況や管理，心理的な問題や物質依存歴の聴取を行い，鎮痛薬を安全に使用する

☑ **痛みの治療計画には薬物治療，および心理社会的，スピリチュアル面のケアを含む**
・痛みに影響を与える因子は多面的であり，包括的な痛みのアセスメントと治療計画が必要である

実臨床における投与経路選択のポイント

また，WHOガイドラインでは，鎮痛薬の投薬方法に留意するよう記載されている(「痛みの治療総論」参照➡ **50頁**)．

①経口的に(by mouth)
②時刻を決めて(by the clock)
③患者ごとに(for the individual)
④細かい配慮をもって(with attention to detail)

経口投与が基本だが，代替経路として，直腸内，経皮，皮下，静脈内が多く使用される．投与経路によって鎮痛効果や用量調整のスピードが変わるだけではなく，副作用の発生リスクも変わってくるため，痛みが強い場合や消化管毒性を回避したい場合，経口摂取困難時には，持続静脈内投与/皮下投与を検討する．難治性疼痛には脊髄内投与(硬膜外・くも膜下)を行うこともある(「神経ブロック」参照➡ **116頁**)．

オピオイド間の用量換算は確立されており，投与するオピオイドの投与経路や種類を変更する場合には換算表(➡ 表紙裏参照)を参

考に調整を行う(後述➡93頁).なお皮下-静脈内投与間では用量を変更する必要はないが,同じ種類のオピオイドであっても生体内利用率の関係で投与経路によって用量の調整が必要になる.

1)経口投与

侵襲がなく簡便で,基本的な投与経路である.腸管の酵素による代謝,肝初回通過効果を受けるため,他の投与経路より投与量は多く必要となる.

経口投与が適さない例としては,口内炎,嚥下障害,消化管閉塞,悪心・嘔吐,せん妄,オピオイドの高用量投与や急速なオピオイド増量が必要な時などが挙げられる.

2)直腸内投与

比較的簡便で吸収も速やかだが,投与に不快感を伴うため長期使用には不適である.

直腸内投与が適さない例は,直腸炎,下痢,肛門・直腸の創部,重度の血小板減少症・好中球減少症などがある場合である.また,人工肛門や旧肛門では吸収が不安定なため原則的に直腸内投与は行わない.

3)経皮投与(貼付薬)

嚥下困難や消化管障害などで内服が困難な場合,内服薬のアドヒアランスが悪い場合に貼付薬を検討する.前胸部,腹部,上腕部,左右腰背部,大腿部など皮下脂肪が多く動きが少ない健常な皮膚に貼付する.年齢や貼付部位により吸収率が変わることはないとされるが,個体差は大きく,発熱時や入浴後など体温上昇時は皮膚透過性が亢進し吸収が速くなる可能性がある.

貼付開始/用量調整後の効果発現や血中濃度の安定には半日〜日単位の時間を要する(各オピオイド貼付薬の頁参照)ため,意識状態・呼吸抑制など副作用が生じていないか慎重にモニタリングする.副作用などに応じて用量は適宜増減するが,一般的には開始・調整後少なくとも72時間は増量しない.

上記より,迅速な投与量の変更が困難なため,原則としてオピオイド注射薬や内服薬で用量調整を行い安定した鎮痛効果が得られたあと,鎮痛効果が良好な際に貼付薬への変更を行うことが推奨され

る．また突出痛に対しては他のオピオイド経路を必要とする．

4)注射薬(静脈内・皮下・筋肉内)

調整後数時間(4〜12時間)で血中濃度が安定することから，細かい用量調整，迅速なタイトレーション，確実な投与が可能で，血中動態の安定が早く得られやすい．そのため，痛みが強い場合や内服が困難な場合，高齢者，臓器障害など全身状態が不安定な際(副作用リスクが高い場合)には，持続皮下投与あるいは持続静脈内投与を開始する．また早送りによるレスキュー薬の最大効果は5(静脈内投与)〜15(皮下投与)分と早急に得られる．ただし筋肉内投与は吸収が不安定で，かつ投与時の痛みも強いため，緊急時の投与経路以外には使用しない．

持続静脈内・皮下投与の用量の調整は，効果や副作用を評価しながら20〜30%を1回調整幅の目安に増減する．調整後の血中濃度の安定は他の投与経路に比べて早いものの数時間を要することに留意し，血中濃度が安定するまではレスキュー薬で対応する．

皮下投与は侵襲が少なく安全で簡便であり，オピオイド注射薬の投与経路として世界中で頻用されている．使用する際には，皮膚からの吸収の上限は約1 mL/時と考えられていること，漸増・漸減など微調節の必要性に鑑みて，組成・希釈率を検討する(生理食塩液にて2〜8倍希釈など)．高用量のオピオイド投与が必要な際など，レスキュー薬を含め1 mL/時を超える投与量が必要な場合は，濃度を上げるなど組成を調整するか，持続静脈内投与への変更を検討する．レスキュー薬として皮下に早送りした場合に痛みを生じる場合や局所の痛み・発赤・腫脹・硬結を生じた場合は刺入部を交換するか，静脈内投与に変更する．皮下投与が適さない例としては，浮腫，凝固異常，末梢循環血流の低下，多量投与が必要な場合などが挙げられる．

開始時のポイント，薬剤選択時のポイント

これまでWHOガイドラインにおいては，痛みに応じた鎮痛薬の選択ならびに鎮痛薬の段階的な使用法を示した3段階鎮痛ラダー〔第1段階が非オピオイド鎮痛薬，第2段階が軽度〜中等度の痛みに用いるオピオイド(いわゆる弱オピオイドなど)，第3段階が中

等度〜高度の痛みに用いるオピオイド〕が提言されていたが，2018年の改訂で削除された．現在は，早急かつ安全に痛みを緩和することを念頭に，「痛みの強さに応じて，非オピオイド鎮痛薬やオピオイドを単独もしくは併用する」と言及されている．また日本緩和医療学会の「がん疼痛の薬物療法に関するガイドライン」においても，有効性と安全性に鑑みて，中等度以上の痛みには強オピオイドで対応することを推奨している．

> ☑ **軽度の痛み(NRS 1〜3/10)（NRS, 付録5➡ 480頁）：非オピオイド鎮痛薬**
> ☑ **中等度以上の痛み(NRS 4/10 以上)：低用量の強オピオイド**
> - 中等度以上の痛みの時は少量の強オピオイドから開始する．いずれで開始しても有効性に差はない[1〜3]．
> - トラマドールやコデインといった弱オピオイドは，非オピオイドでは十分な鎮痛が得られず，患者の選好，医療者の判断，医療現場の状況で強オピオイドが投与できない時に使用する．

なお肝機能障害や腎機能障害・透析患者など臓器障害を有する患者はオピオイドの代謝能の低下や排泄の遅延が生じる．オピオイドや代謝物の血中濃度上昇が生じるため，減量や投与間隔を延ばすなど，使用には細心の注意を払い，臓器障害の状況によっては特定のオピオイドを避けるのが望ましい場合がある[4,5]．また薬剤選択時には全身状態とオピオイドによる副作用(➡ 77頁)を考慮する必要がある．フェンタニルは貼付薬を用いた場合には用量調整に時間がかかるものの，消化管毒性や中枢神経毒性をはじめとした副作用が生じにくいなどの特徴があり[6]，便秘，サブイレウスなど消化器症状の強い患者や眠気・せん妄が問題になる患者ではフェンタニル製剤(開始する場合は持続静脈内・皮下投与から)を選択するとよい．

1) 速放性製剤での開始

疼痛時に速放性製剤〔モルヒネ塩酸塩(オプソ®)1回5 mg，オキシコドン(オキノーム®)1回2.5 mg，ヒドロモルフォン(ナルラピド®)1回1 mg など〕内服からはじめ，1日のオピオイド必要量がわかればそれを2〜3分割して徐放性製剤〔モルヒネ硫酸塩(MSコンチン®)，オキシコドン(オキシコンチン®)，ヒドロモルフォン(ナ

ルサス®),タペンタドール(タペンタ®)など〕を12〜24時間ごとで内服を開始する.もしくは,各速放性製剤の最小用量を1日4〜6回(5回以下にする場合,眠前には2倍量を内服)使用する方法もある.なお徐放性製剤で開始する場合と速放性製剤で開始する場合とでは,望ましい鎮痛効果が得られるまでの時間や副作用に大きな差はない★★ 2,7).

2)徐放性製剤での開始

各徐放性製剤の最小用量を1日1〜2回〔ヒドロモルフォン(ナルサス®)は1日1回,モルヒネ,オキシコドンは1日2回〕内服で開始する.併せて疼痛時のレスキュー薬としてオピオイド徐放性製剤1日量の10〜20%の速放性製剤を処方する.また日本では,メサドンは他の強オピオイドで鎮痛効果が得られない場合にのみ使用することになっており,オピオイドの第1選択薬とはならない.

3)注射薬での開始(モルヒネ,オキシコドン,フェンタニル,ヒドロモルフォン,ブプレノルフィン,トラマドール)(➡71頁)

前述のように痛みが強い場合や内服が困難な場合,高齢者,臓器障害など全身状態が不安定な際(副作用リスクが高い場合)には,持続静脈内投与/皮下投与でオピオイドの投与を開始する.開始用量はオピオイド用量換算表(➡表紙裏参照)を参考に,各薬剤の徐放性製剤の最小用量と等価換算の用量から開始するが,全身状態が悪い場合や臓器障害がある場合には3〜5割減量した換算用量で開始する(例:オキシコドン注射薬で開始する場合,オキシコドン徐放性製剤の最小用量1日10 mgを開始用量の目安とし換算を行うと,1日約7.5 mgの持続静脈内投与/皮下投与での開始となる.ただし,全身状態不良や臓器障害(肝・腎)の場合には1日3〜5 mgまで減量して開始する).

4)貼付薬での開始(フェンタニル,ブプレノルフィン)(➡70頁)

貼付開始後の血中濃度の安定までに日単位の時間がかかること,また血中濃度半減期が長く副作用が生じた際のマネジメントが難しいことから,調節性に優れないため,強オピオイドの初回導入には向かない.ただし諸事情により貼付薬でオピオイドを開始しなければならない際には,最小用量〔フェンタニル(フェントス®)0.5 mg〕

から開始すること，開始後の増量は上記から2〜3日おきに行うこと(その間の疼痛時にはレスキュー薬を使用する)とし，傾眠・呼吸抑制の重篤な有害事象の有無を継続してモニタリングする．

5)オピオイド開始時の患者・家族への説明
■1 説明の概要

オピオイド(医療用麻薬)をはじめとした痛みの治療に対して抵抗感・誤解があることや，医療者に言っても仕方がないと思い，痛みを我慢し医療者に申告していない患者は一定数いることに留意する．症状の現状を適切にスクリーニングすること，患者・家族の認識に沿って痛みの原因や治療方針を説明し，適宜修正・保証を行うことがオピオイドのアドヒアランス向上に有用である．その際には鎮痛効果や副作用の評価タイミング，痛みが持続する時の対応など，症状緩和の見通しをあらかじめ患者・家族に伝える．

■2 オピオイドに対する誤解

「医療用麻薬」と聞くと，「末期の患者に使う薬」「すぐ死んでしまうのではないか」「中毒になってしまうのではないか」と不安や抵抗感を覚える患者・家族は多い．まずは懸念やその背景を知り，そのうえで医師の管理のもと症状緩和を目的に使用すると，寿命が縮むことや精神依存をきたすことはないこと[8,9](➡ 93頁)，痛みが緩和されることで普段どおりの日常生活を送れることを説明する．

■3 自動車の運転

道路交通法第66条第1項には，「過労，病気，薬物の影響その他の理由により，正常な運転ができないおそれがある状態で車両等を運転してはならない」とある．オピオイド開始時や増量時は眠気が強くなる可能性が高い．身体状態が良好でモルヒネの投与量が安定しており，眠気のないがん患者では運転能力への影響は最小限にとどまるが[10]，緩和ケアを受ける患者では投与量の変更や病状の変化が予想されることも多い．したがって，オピオイド使用中は原則的には運転を差し控えるように説明する．

突出痛への対応

突出痛は，発生からピークに達するまでの時間の多くは5〜10分程度と短く，また持続時間は30分前後と短いため，短時間作用

表1 レスキュー薬の効果発現時間

薬剤	効果発現時間	消失時間
強オピオイド注射薬ボーラス	2.5〜5分（静脈内投与） 5〜15分（皮下投与）	約2〜5時間
フェンタニル口腔粘膜吸収錠	10〜15分	約4〜12時間
経口短時間作用型オピオイド	20〜30分	約3〜5時間
モルヒネ坐薬	30〜60分	約8時間
ロキソプロフェン錠	30〜60分	約6時間
トラマドール（速放性製剤，アセトアミノフェン含有製剤を含む）	30〜60分	約6時間

〔田上恵太：レスキュー薬のアドバンス的な使い方・考え方．倉田宝保（監）：がん治療医が本当に知りたかった緩和ケアのレシピ．pp261-264，メジカルビュー社，2020を一部修正〕

型オピオイド（short-acting opioid：SAO）が効果発現する頃には突出痛は自然に消失し，眠気や悪心といった鎮痛薬の副作用のみが出現する可能性もある[11]．薬剤の効果発現時間を念頭に置く必要があり，突出痛のレスキュー薬として使用される短時間作用型の鎮痛薬の効果発現時間を**表1**[12]に記載した．

レスキュー薬の効果判定を行う際には，有効性とともに効果発現時間や持続時間を聴取し，突出痛の病態と薬剤の作用が理論的に並行しているかを確認する．痛みが悪化する動作をとることがあらかじめわかっているのであれば，そのタイミングに合わせて前もって予防的にレスキュー薬を使用することで，強い痛みを回避しうる[3]．ただし，トイレ歩行時などの突発的な短時間の随伴痛には，注射薬の早送りを除いてレスキュー薬を予防投薬しても効果発現を待てないことが多いため，免荷など痛みを軽減する非薬物療法での対処を行いながら，放射線治療など痛みの誘因の頻度を減少させるような病態へのアプローチを検討すること，さらには副作用が問題にならない範囲で定期的に投与している鎮痛薬・鎮痛補助薬を開始・増量することでカバーできないかも検討する．背景の持続痛がコントロールされておらず突出痛が生じている場合は，オピオイドの速放性製剤内服（60分以上あける）や注射薬持続投与の1〜2時間量のボーラス投与（レスキュー薬のための早送り，15〜30分以上あけ

る)を適切に使用しながら,定期に投与しているオピオイドを増量する★★3,13).

1) 短時間作用型オピオイド(内服薬)

短時間作用型オピオイドをレスキュー薬として用いる際の用量設定は,1日量の1/6程度を目安に突出痛への効果や副作用に応じて適宜漸減する.再使用には前に投薬したレスキュー薬の効果発現時間を待ってから行うべきであり,(30分〜)1時間間隔をあける.繰り返し使用することで鎮痛効果が得られることもあるが,蓄積が生じて副作用も出現しやすくなる.

2) 即効性オピオイド

短時間作用型オピオイドは内服後血中濃度が有効域に達するまでに1時間近くかかるため,突出痛の出現に鎮痛効果の発現が遅れ,突出痛が軽快してからも効果が持続して眠気などの副作用を長引かせる場合もある.そのような場合は即効性オピオイド製剤(rapid-onset opioid:ROO)であるフェンタニル口腔粘膜吸収型製剤(➡ 83頁)の使用を検討する.日本では,舌下錠(アブストラル®舌下錠)と頰粘膜吸収型製剤(イーフェン®バッカル錠)のフェンタニル製剤が使用可能である.

用量依存性に血中濃度半減期が延長するため,反復投与による呼吸抑制のリスクが高まることから,対象は強オピオイドを定時投与中で服薬を遵守できて,かつ持続痛がコントロールされている患者に限られる.効果発現時間が早く持続時間が短いという特徴が突出痛の性質に適している反面,高い価格や乱用・精神依存形成の可能性に懸念を示す意見もある14).

3) 注射薬,自己調節鎮痛法(patient-controlled analgesia:PCA)

患者が痛みを感じた時に注射用鎮痛薬を自己注入できる方法である.メリットとして,①突出痛に対し遅延なくオピオイドが投与できること,②傾眠時は患者がPCAボタンを押さないため極端な過量投与を予防しうること,③患者による疼痛コントロールへの参画によりセルフケア能力が維持できること,などがある.

1日用量の1/24(1時間量)〜1/12(2時間量)を目安に投与量を設定し,効果発現時間(皮下投与で15分程度かかるという報告もあ

表2 オピオイドの主な副作用

消化器系	悪心・嘔吐,便秘
中枢神経系	眠気,ふらつき・めまい,せん妄(認知機能障害,幻覚,幻聴),呼吸抑制,ミオクローヌス,けいれん,痛覚過敏
自律神経系	口渇,排尿障害,起立性低血圧
皮膚	瘙痒感,発汗

〔Fallon M, et al:Opioid therapy:optimizing analgesic outcomes. Cherny N, et al(eds):Oxford textbook of palliative medicine, 5th ed. pp525-559, Oxford University Press, 2015 より〕

る)を加味して投与間隔を設定する(15～30分おきに使用できるように設定することが多い).

また PCA の機器によっては,持続投与速度,ボーラス投与量,ロックアウト(PCA ボタンを押しても早送りされない)時間の設定がそれぞれ可能なポンプや,麻酔後の術後鎮痛にも使用されるディスポーザブル型のポンプなどがある.

オピオイドの副作用とその対策

オピオイドの主な副作用を**表2**[15]に挙げる.各オピオイド受容体(μ,δ,κ)はリガンドにより活性化することで鎮痛効果を発揮する一方で,受容体ごとに特徴が異なること,各オピオイドで各受容体への親和性が異なることにより,副作用をはじめ薬理作用には差が生じる.ここでは代表的な副作用と対処について述べる.

副作用出現時の全般的な対策と患者への説明のポイント

対症療法を策定する前に,オピオイドの副作用を含めた鑑別・評価(全身状態,器質的な問題,代謝・排泄・電解質異常,併用薬剤の影響など)を行う.オピオイドの副作用が強く疑われて対応が必要な場合には対症療法とともに,オピオイドの減量や投与経路の変更(経口投与から持続静脈内投与・持続皮下投与への変更),オピオイドスイッチングを検討する.

患者・家族にはオピオイドを使用するにあたって代表的な副作用(悪心・嘔吐,便秘,眠気)とその対応をあらかじめ説明するとともに,自然軽快・対応可能であることを保証する.

- 悪心・嘔吐は耐性が生じるので3～7日で改善することも多い.

制吐薬で対応可能である.
- 眠気は耐性が生じるので3〜5日で改善することも多い.
- 便秘は耐性が生じないが,緩下薬を予防的に内服しておくことで対応可能である.

便秘

便秘は最も頻度が高い副作用であり,オピオイドの用量に関係なく発生する.オピオイドによる腸管のμ受容体活性化が腸管神経叢のアセチルコリン遊離を抑制し,腸管分泌を抑制するために便が硬くなること,セロトニン遊離による腸管平滑筋の緊張から蠕動低下が発生すること,肛門括約筋の緊張亢進といった機序が関与すると考えられている.また他の副作用と違い耐性がほとんど形成されないため,適切なマネジメントを継続する必要がある.

■ 対策

可能な範囲で離床・運動や水分摂取を励行し,緩下薬の予防投薬を行う.患者の排便状況に応じて緩下薬を選択,適宜組み合わせて使用する[3](「便秘・下痢」参照➡ **170頁**).

悪心・嘔吐

約30%の患者でオピオイド投与開始後・増量後に悪心が出現し,通常数日から1週間で軽減する.オピオイドにより延髄化学受容器引金帯(chemoreceptor trigger zone:CTZ)や前庭器のμ受容体が刺激され催吐作用が生じ,末梢では腸間膜神経叢でのアセチルコリン遊離抑制を介して消化管運動抑制作用が誘発されることで悪心・嘔吐が惹起される.

■ 対策

オピオイドの投与経路変更,オピオイドスイッチング,便秘の鑑別,悪心・嘔吐の病態生理に応じた制吐薬の使用を検討する[16](「悪心・嘔吐」参照➡ **133頁**).制吐薬の予防的併用に関しては,全例では行わないが,オピオイドによる悪心の既往のある患者,すでに悪心の強い患者などで選択的に検討し,開始後1週間前後で継続か中止かを検討する[17].

眠気

投与開始後や増量後に出現し,数日から1週間ほどで耐性を生

じることが多い．オピオイドによる眠気に対して確立された薬物療法はない[18]．

■ 対策

不快な眠気ではなく，安全が担保される程度であれば耐性が生じるのを待つ．痛みがない場合はオピオイド減量を，痛みが持続している場合は非オピオイドや非薬物療法の追加，またはオピオイドスイッチングを検討する．

せん妄・幻覚

オピオイドはせん妄の直接因子となるため，高齢などの準備因子や，入院中・強い痛み・睡眠障害といった誘発因子がある場合は，オピオイド投与開始後や増量する際には慎重に観察や用量の調整を行う．

■ 対策

せん妄の他の要因への対処と並行しながら，オピオイドの減量・変更を考慮する．せん妄に対する抗精神病薬〔ハロペリドール（セレネース®），リスペリドン（リスパダール®），クエチアピン（セロクエル®）など〕の投与による対症療法の他にも環境調整など誘発因子の排除を検討する[3]（「せん妄」参照➡ 329 頁）．

呼吸抑制

延髄呼吸中枢の直接抑制作用により呼吸抑制（呼吸数低下，無呼吸など）が起こりうるが，がんの痛みに適正にオピオイドを使用している場合は生じにくい．多くはオピオイドの過量投与（急速な増量，神経ブロック・放射線治療・IVR・外科的治療・安静・免荷など痛みの著減に伴うオピオイドの相対的過量）や肝・腎機能障害による代謝・排泄障害（オピオイドや代謝物の血中濃度の上昇），ベンゾジアゼピン系薬といった呼吸抑制リスクが高い薬剤の併用などの要因から生じる．通常，呼吸抑制が生じる前に眠気が出現するため，眠気が強い場合はオピオイドの投与量や他の原因の評価を行う．

■ 対策

呼吸数低下（8〜10 回/分が目安）が生じても酸素飽和度低下を伴わない場合や呼名などにより呼吸・意識が回復する場合，終末期で

患者の苦痛につながっていない場合は,経過観察するかオピオイド用量を漸減するなど,厳重なモニタリングを行いながら状況に合わせて対処する.酸素飽和度が低下している場合は,酸素投与を検討する.

また,患者がほとんど覚醒せず呼吸数の低下や持続的な SpO_2 低下,CO_2 ナルコーシスのリスクがある場合は,オピオイドを減量あるいは中止したうえでオピオイド μ 受容体拮抗薬であるナロキソンを投与する.ナロキソンは痛みの悪化や離脱症状(退薬症状.不安,発汗,あくび,流涙,鼻漏,散瞳,胃けいれんといった交感神経症状や,振戦,筋攣縮,頻脈,高血圧,発熱,悪寒,悪心・嘔吐,下痢など),せん妄を誘発させる危険性があるので慎重に少量ずつ投与する必要がある.

> **処方例**
> ナロキソン　1回0.4 mg/2 mL/2 A を生食 8 mL に加え 1～2 mL ずつ静脈内投与.症状に合わせて 2～3 分間隔で覚醒度や呼吸状態が安定するまで反復投与
> ＊ブプレノルフィンやフェンタニル,メサドンといった,オピオイド受容体への親和性が高く血中濃度半減期が長い薬剤を使用していた場合は,ナロキソンの必要量が多い可能性(効果が乏しい際には投与量を増量する)や呼吸抑制が再燃し再投与が必要な可能性(ナロキソンの半減期は1時間と短い)があるため,モニタリングが重要である.

代表的なオピオイドの特徴と持続痛のマネジメント方法
モルヒネ(付録10➡ 489頁) ★★★

1)作用機序・代謝

豊富な使用経験のため強オピオイドの第1選択薬とされる[19].グルクロン酸抱合により,約50％がモルヒネ-3-グルクロニド(M3G,非活性代謝物)に,約10％がモルヒネ-6-グルクロニド(M6G,活性代謝物)に代謝され,鎮痛作用は未変化体とM6Gが発揮する.また未変化体,M6G,M3Gすべてが尿中排泄されるため,腎機能低下時はこれらの代謝物が蓄積する.M3Gは痛覚過敏やアロディニア,ミオクローヌスなど神経毒性を,M6Gは傾眠,呼吸抑制を惹起しうる.

2)投与方法

内服薬,注射薬(静脈・皮下・脊髄内投与),坐薬と様々な投与経路の選択が可能である.内服薬は主に小腸で吸収され生物学的利用率は約30%であり,内服薬から注射薬に投与経路を変更する際には内服薬用量の1/2〜1/3に減量する(→ 表紙裏参照).

❶モルヒネ速放性製剤で開始する場合

処方例 1)2)のいずれかを用いる.疼痛時には3)を併用する.
1) モルヒネ塩酸塩(オプソ®) 1回5 mg 4時間ごと内服(日中計4回) 眠前は1回10 mg
2) モルヒネ塩酸塩(錠) 1回5〜10 mg 4〜6時間ごと内服(日中計4回) 眠前は1回10 mg
3)【疼痛時】オプソ® 1回5 mg,またはモルヒネ塩酸塩(錠) 1回10 mg 1時間以上あけて内服

❷モルヒネ徐放性製剤で開始する場合

処方例 1)2)のいずれかを用いる.疼痛時には3)を併用する.
1) モルヒネ硫酸塩(MSコンチン®) 1回10 mg 1日2回 12時間ごと 内服
2) モルヒネ塩酸塩(アンペック®坐薬) 1回10 mg 1日2〜4回 6〜12時間ごと 挿肛
3)【疼痛時】モルヒネ塩酸塩(オプソ®) 1回5 mg 1時間以上あけて内服

❸モルヒネ持続皮下投与・持続静脈内投与で開始する場合

処方例

モルヒネ塩酸塩 5〜10 mg/日 持続皮下投与・持続静脈内投与
＊用量調整やレスキュー薬の設定は,オピオイドの「実臨床における投与経路選択のポイント」の「注射薬(静脈内・皮下・筋肉内)」(→ 71頁),および「突出痛への対応」(→ 74頁)を参照.

また内服薬のモルヒネ塩酸塩水和物やモルヒネ塩酸塩錠,注射薬は非がん患者にも使用可能である.

オキシコドン(付録10→ 489頁) ★★★

1)作用機序・代謝

鎮痛効果や副作用はモルヒネとほぼ同様である[1].肝臓で主にシトクロムP450(CYP)3A4によりノルオキシコドン(非活性代謝物)に,CYP2D6により10%がオキシモルフォン(活性代謝物)に代謝

される.活性代謝物であるオキシモルフォンの量が少ないため,肝・腎機能障害時にも比較的安全に使用できるとされているが,肝・腎機能障害時は血中濃度半減期が延長するため減量して投与する.

2)投与方法

内服薬と注射薬(静脈内・皮下投与)がある.内服薬の生物学的利用率は60〜90%であり,内服薬から注射薬に投与経路を変更する際には内服薬用量の3/4に減量する(➡ 表紙裏参照).

低用量の速放性製剤や徐放性製剤があるためオピオイドナイーブ(オピオイド未使用)の患者や高齢者,腎機能障害を有する患者でも比較的使いやすい.

1 オキシコドン速放性製剤で開始する場合

> **処方例** 1)を用い,疼痛時は2)を併用する.
> 1)オキシコドン(オキノーム®) 1回2.5 mg 4時間ごと内服(日中計4回) 眠前は1回5 mg
> 2)【疼痛時】オキノーム® 1回2.5 mg 1時間以上あけて内服

2 オキシコドン徐放性製剤で開始する場合

> **処方例** 1)を用い,疼痛時は2)を併用する.
> 1)オキシコドン(オキシコンチン®) 1回5〜10 mg 1日2回 12時間ごと内服
> 2)【疼痛時】オキシコドン(オキノーム®) 1回2.5 mg 1時間以上あけて内服

3 オキシコドン持続皮下投与・持続静脈内投与で開始する場合

> **処方例**
> オキシコドン(オキファスト®) 5〜10 mg/日 持続皮下投与・持続静脈内投与
> *用量調整やレスキュー薬の設定は,オピオイドの「実臨床における投与経路選択のポイント」の「注射薬(静脈内・皮下・筋肉内)」(➡ 71頁),および「突出痛への対応」(➡ 74頁)を参照.

フェンタニル(付録10➡ 489頁) ★★★

1)作用機序・代謝

鎮痛効果はモルヒネとほぼ同様である[20].フェンタニル貼付薬は他のオピオイドに比べ消化管毒性や眠気のリスクが少ないため,

他のオピオイドからフェンタニルに変更する際には対症療法薬の調整が必要になる場合がある[20,21].

肝臓で主に CYP3A4 により代謝され，非活性のノルフェンタニルになり尿中に排泄されるため，腎機能低下や透析による影響を受けにくい．

2)投与方法

◼︎1 貼付薬（適応患者や注意点は「実臨床における投与経路選択のポイント」参照➡ 70 頁）

最高血中濃度(Tmax)が 17〜48 時間，剥離後の半減期も 17〜45 時間と用量調節による血中濃度の安定までに非常に時間がかかるため，痛みの強い患者において第 1 選択とはならない[22]．

初回投与量は，先行オピオイドの 1 日量から換算表(➡ 表紙裏参照)を用いて決める．フェンタニル貼付薬からオピオイドを開始する際には 6.25 μg/時から開始するが，あらかじめオピオイド速放性製剤や注射薬をレスキュー薬として投与し，オピオイドの効果と安全性を確認してから使用する．レスキュー薬の設定は，変更前のオピオイドの用量，もしくは換算表を参考にして，1 日の定時投与用量の約 1/6(経口薬・坐薬)または 1/24〜1/6(注射薬)を使用する．

◼︎2 注射薬

フェンタニル注射液 0.1〜0.2 mg/日程度の少量から開始し，症状に応じて適宜増減する．臓器障害時にも比較的安全に使用できるが，全身状態が不安定な場合には 20〜50％程度減量してから開始する．

> **処方例**
>
> フェンタニル　0.1〜0.2 mg/日　持続静脈内投与
> ＊用量調整やレスキュー薬の設定は，オピオイドの「実臨床における投与経路選択のポイント」の「注射薬(静脈内・皮下・筋肉内)」(➡ 71 頁)，および「突出痛への対応」(➡ 74 頁)を参照．

◼︎3 経口腔粘膜吸収型製剤

日本では，舌下錠と頬粘膜吸収型製剤が使用可能であるが，各製剤の薬物動態には差があり，互換性は確立されていない．生体内利用率は約 70％，Tmax 約 0.5〜1 時間であり，効果発現が約 10 分と

早く,経口オピオイド速放性製剤に比べて突出痛の緩和に優れている[23]. 舌下錠[24], 頬粘膜吸収型製剤[25]とも,突出痛の改善や長期投与時の安全性が示されている[24,25]が,血中濃度半減期は約3～14時間と投与量が増えると半減期が延長することから,呼吸抑制などの副作用のモニタリングやアドヒアランスが必須である.

投与量は持続痛に使用される強オピオイドの用量を問わず,少量から開始し,症状に応じて1段階ずつ漸増し至適用量を決定する. 1日に4回を超える突出痛の発現が続く場合は,定時の強オピオイドの増量を検討し,前述のように呼吸抑制などの重篤な副作用のリスクがあるため,規定以上の投与回数の設定は行わない. アブストラル® およびイーフェン® の使い方を**表3**に示す.

ヒドロモルフォン(付録10➡ 489頁) ★★★

1)作用機序・代謝

鎮痛効果や副作用はオキシコドンとほぼ同様である[26,27].

ヒドロモルフォンは未変化体が鎮痛効果を発揮し腎排泄されるが,約30％はグルクロン酸抱合によりヒドロモルフォン-3-グルクロニド(H3G)に代謝され腎排泄される. H3Gは前述のM3Gと同様に鎮痛効果がほとんどないが,神経毒性はM3Gより2.5倍強く,肝・腎機能障害時には他のオピオイドを使用するか50～75％減量して使用する必要がある.

2)投与方法

内服薬と注射薬(静脈内・皮下投与)がある. ヒドロモルフォンはモルヒネに比べて高力価であり,ヒドロモルフォン内服薬1 mgはモルヒネ内服薬用量換算5 mgである. またヒドロモルフォン内服薬の生体内利用率は低く,ばらつきがあるため内服薬から注射薬に投与経路を変更する際には注意が必要である(➡ 表紙裏参照). 内服薬には徐放性製剤と速放性製剤があり,徐放性製剤の血中濃度半減期は8～17時間と長く,1日1回投与が可能である. また徐放性製剤は最小用量が1回2 mgのため,他のオピオイドと比べて少量からの導入が可能である.

表3 フェンタニル経口腔粘膜吸収型製剤

	アブストラル® 舌下錠	イーフェン® バッカル錠
投与経路	舌下	上顎臼歯の歯茎と頬の間で溶解
1回の突出痛に対する開始用量	100 μg	50〜100 μg
用量調節期	・症状に応じて，1回100，200，300，400，600，800 μg の順に1段階ずつ適宜調節 ・1回100〜600 μg のいずれかの段階にて十分な鎮痛効果が得られない場合には，投与から30分以降に同一用量までの本剤を1回のみ追加投与できる	・症状に応じて，1回50，100，200，400，600，800 μg の順に1段階ずつ適宜調節 ・1回50〜600 μg のいずれかの段階にて十分な鎮痛効果が得られない場合には，投与から30分以降に同一用量までの本剤を1回のみ追加投与できる
維持期	・1回の突出痛に対して至適用量を1回投与 ・1回用量の上限：800 μg ・投与間隔：2時間以上 ・1日上限：4回	・1回の突出痛に対して至適用量を1回投与 ・1回用量の上限：800 μg ・投与間隔：4時間以上 ・1日上限：4回

1 ヒドロモルフォン速放性製剤で開始する場合

処方例 1)を用い，疼痛時は2)を併用する．
1) ヒドロモルフォン（ナルラピド®）　1回1 mg　4時間ごと内服（日中計4回）　眠前は1回2 mg
2)【疼痛時】ヒドロモルフォン（ナルラピド®）　1回1 mg　1時間以上あけて内服

2 ヒドロモルフォン徐放性製剤で開始する場合

処方例 1)を用い，疼痛時は2)を併用する．
1) ヒドロモルフォン（ナルサス®）　1回2〜4 mg　1日1回　内服
2)【疼痛時】ヒドロモルフォン（ナルラピド®）　1回1 mg　1時間以上あけて内服

❸ヒドロモルフォン持続皮下投与・持続静脈内投与で開始する場合

> **処方例**
>
> ヒドロモルフォン(ナルベイン®)　0.4〜0.8 mg/日　持続皮下投与・持続静脈内投与
> ＊用量調整やレスキュー薬の設定は，オピオイドの「実臨床における投与経路選択のポイント」の「注射薬(静脈内・皮下・筋肉内)」(→ 71頁)，および「突出痛への対応」(→ 74頁)を参照．

▌タペンタドール(付録10 → 489頁) ★★

1) 作用機序・代謝

　鎮痛効果や副作用はオキシコドンとほぼ同様である[28]．タペンタドールは未変化体が鎮痛効果を発揮し，肝臓でグルクロン酸抱合により不活性代謝物に代謝されるため，薬物相互作用や腎機能障害による影響を受けにくく，比較的安全に使用可能ではあるが，臓器障害時には血中濃度半減期が延長するため減量する必要はある．また日本で行われた臨床試験においては，オキシコドン徐放性製剤と比べて便秘や悪心・嘔吐を多少生じにくい可能性を示唆している．

　オピオイドとしての性質に加え，ノルアドレナリンおよびセロトニン再取り込み阻害作用を併せ持つことが知られており，鎮痛補助薬としての作用を期待されている．ただし MAO 阻害薬，SSRI や SNRI との併用によりセロトニン症候群(ミオクローヌス，興奮，発汗，振戦，頻脈，血圧上昇，腱反射亢進など)が発生する可能性があるため注意が必要である．

2) 投与方法

　徐放性製剤があり，タペンタドール 50 mg はオキシコドン内服薬用量換算で 10 mg である．同薬の速放性製剤は日本では発売されていない．不正使用防止を目的に改変防止技術が施されており，粉砕は不可能である．また水性溶媒中は粘性のゲルとなり溶媒中に溶質が放出しないため，溶け出しや剤中からの抜き取りは困難である．

■ タペンタドール徐放性製剤を処方する場合

> **処方例** 下記を用い,疼痛時は他のオピオイドの速放性製剤を併用する.
> タペンタドール(タペンタ®)　1回25 mg　1日2回　12時間おきに内服

メサドン(付録10→ 489頁) ★★

1)作用機序・代謝

鎮痛効果はモルヒネと同程度である[29].メサドンはμオピオイド受容体とδオピオイド受容体作動薬であり,同時に N-methyl-D-aspartate(NMDA)受容体拮抗作用やセロトニン再取り込み阻害作用ももつ.他のオピオイドとの交差耐性がないため,他のオピオイドで治療困難な中等度から重度の痛みを伴う各種がんにおける鎮痛目的で使用されることが多い.また眠気・せん妄や便秘・悪心といった副作用が少ない.

経口投与後速やかに消化管にて吸収され,生体内利用率は約80%と他のオピオイドより高い.塩基性・脂溶性であり,速やかに組織への再分布が起こる.肝臓で主にCYP3A4, CYP2B6にて非活性体に代謝され,ほとんどが便中に排泄される.そのため,腎機能障害時でも血中に蓄積することなく安全に使用できる.

注意点として,①血中濃度半減期は長く非常に幅広い個人差があること(4.2〜130時間),②他のオピオイドとの換算比が未確立なこと(先行オピオイドの用量が多いほどメサドンの力価は高くなる),③他のオピオイドとの交差耐性が不完全であること,④多くの薬物相互作用があること,⑤QT延長や致命的な心室頻拍(Torsades de pointsを含む)など不整脈のリスクがあること,⑥重篤な呼吸抑制が生じるリスクがあることなどが挙げられる.慎重な使用が求められるため,講習を修了し使用上の注意点を十分に理解した医師のみが処方できる.

2)投与方法

上記のとおり他のオピオイドが無効な際に使用されることが多く,先行オピオイドから一度に変更する方法と,3日間かけて緩徐に変更する方法がある[30]が,先行オピオイドが高用量の場合,後

者が推奨される[30]．鎮痛効果から遅れて過量投与の症状（傾眠，呼吸抑制など）が生じたり[29]，不整脈をきたしたりする可能性があるため，慎重にモニタリングする．

メサドン開始前には心電図をとり，QTc 延長（0.45 秒以上が目安）がないか確認する．QTc 延長を直接的，間接的に起こしうる薬物（抗不整脈薬，キノロン系の抗菌薬，利尿薬，コルチコステロイドなど）との併用や，QTc 延長をきたしうる病態がある時は，細心の注意を払う．

メサドンの初回投与量は以下を目安に行うが，初回は 45 mg/日を超えないようにする．血中メサドン濃度は徐々に上昇し，定常状態に達するまで約 1 週間を要するため，初回投与後 1 週間は増量を行わず，突出痛に対しては他のオピオイドのレスキュー薬で対応する．

> **処方例** モルヒネからメサドン（メサペイン®）への変更例．
> 1) モルヒネ経口薬 60 mg/日以下→メサペイン® は推奨されない
> 2) モルヒネ経口薬 60〜160 mg/日→メサペイン® 15 mg/日（1 回 5 mg 1 日 3 回）
> 3) モルヒネ経口薬 160〜390 mg/日→メサペイン® 30 mg/日（1 回 10 mg 1 日 3 回）
> 4) モルヒネ経口薬 390 mg〜/日→メサペイン® 45 mg/日（1 回 15 mg 1 日 3 回）

■ メサドン使用中の患者が経口摂取困難になった時の対応

メサドンから他のオピオイドの非経口薬に変更する．その際に目安とする経口メサドンと経口モルヒネとの力価の換算比は個人差が大きく（文献的にも約 4〜9：1 と幅が広い[31]），変更により気分不快が生じることや十分な鎮痛効果が得られないこともある．メサドン中止後数日はメサドンの血中濃度が高いため，変更先のオピオイドは少量から開始し，メサドン以外のオピオイドの速放性製剤をレスキュー薬として使用しながら慎重に投与量を調節する．

コデイン（付録 10 ➡ 489 頁）

1) 作用機序・代謝

μオピオイド受容体に対する弱い親和性を有する弱オピオイド

(鎮咳作用や止瀉作用ももつ)である．主な代謝産物はコデイン-6-グルクロニドだが(80%)，肝臓で CYP2D6 により約 10% がモルヒネに代謝され鎮痛効果を発揮する．CYP2D6 阻害薬(パロキセチンなど)との併用にて，モルヒネの生成量が減少し鎮痛作用が減弱することがある．経口投与後の生体内利用率は個人差が大きい(12〜84%)．

2)投与方法(→ 69 頁)

錠剤と散剤があり，10% 散剤は麻薬処方箋が必要である．内服した場合の Tmax は 1 時間，血中濃度半減期は約 4 時間であり，他のオピオイド速放性製剤と同様に頓用や 1 日 4〜6 回から開始する．モルヒネの約 1/10〜1/6 の鎮痛作用を有するため，コデインリン酸塩 120 mg/日でも鎮痛不十分なら，モルヒネ 20 mg へ変更・増量を検討する．ジヒドロコデインの鎮痛作用はコデインとほぼ同等といわれている．

> **処方例** 1)を用い，疼痛時は 2)を併用する．
> 1)コデインリン酸塩(錠・散) 1 回 20 mg 1 日 4 回，もしくは 4 時間ごと内服(日中計 4 回) 眠前は 1 回 40 mg
> 2)【疼痛時】コデインリン酸塩(錠・散) 1 回 20 mg 1 時間以上あけて内服

■ トラマドール(付録 10 → 489 頁)

1)作用機序・代謝

トラマドール自体の鎮痛効果は弱いが，CYP2D6 および CYP3A4 において代謝され，μオピオイド受容体に対し高い親和性を有するモノ-O-脱メチル体(M1)に変換され，鎮痛効果に寄与する．肝機能障害時や腎機能障害時には血中濃度半減期が延長するため，軽度の障害においても通常の 25〜50% まで減量して使用する．

オピオイドとしての性質に加え，ノルアドレナリンおよびセロトニン再取り込み阻害作用を併せ持つことが知られており，鎮痛補助薬としての作用を期待されている．ただし MAO 阻害薬，SSRI や SNRI との併用によりセロトニン症候群が発生する可能性がある他，CYP2D6 阻害薬(パロキセチンなど)との併用にて，トラマドールの鎮痛効果が減弱するため留意する．

2)投与方法

がん疼痛における有効性は実証されているが，近年行われたがん疼痛のあるオピオイドナイーブの患者を対象にした低用量モルヒネ製剤(1日30 mg以下)とトラマドール，トラマドール・アセトアミノフェン合剤(およびコデイン)のRCTにおいては，低用量のモルヒネで鎮痛や生活の質の改善が得られた[32]．「WHOガイドライン成人・青年における薬物療法・放射線治療によるがん疼痛マネジメント」，日本で刊行された「がん疼痛の薬物療法に関するガイドライン(2020年版)」においても，中等度以上の強さのがん疼痛には少量の強オピオイドから対応することが明記されているので，トラマドールの使用が優先されるわけではない(→ 72頁)．ただし，患者の選好，医療者の判断，医療現場の状況で，強オピオイドが投与できない時には，トラマドールから開始することも検討に入れる．

トラマドールの適切な用量調整で鎮痛効果が得られない場合は，強オピオイドに変更する．

様々な種類の内服薬が製造され，アセトアミノフェンとの合剤，徐放性製剤，注射薬(静脈内・皮下・筋肉内投与)がある(**付録10→ 489頁**)．トラマドールの生体内利用率は約75％とされるため，注射薬を使用する際は内服薬の用量の3/4に減量する．またトラマドールは天井効果(増量による鎮痛効果が乏しく副作用が増大する有効限界の用量)があり，定時投与量が400 mgで症状緩和が不十分な場合には，強オピオイドに切り替える．

> **処方例** 下記のいずれかを用いる．
> 1) トラマドール(トラマール® OD錠) 1回25 mg 1日4回 毎食後・眠前 内服
> 2) トラマドール(ワントラム®) 1回100 mg 1日1回 夕食後 内服
> 3) 【疼痛時】トラマドール 1回25 mg 2時間以上あけて内服

ブプレノルフィン(付録10→ 489頁)

1)作用機序・代謝

μオピオイド受容体には部分作動薬として，σ，κオピオイド受容体には拮抗作用を示す半合成オピオイドであり，μオピオイド受

容体に親和性が非常に高いため，大量に他のオピオイドを投与している患者にブプレノルフィンを投与すると，μオピオイドと競合し鎮痛効果が弱まる可能性がある．受容体に対する親和性が高いため，ナロキソンによる作用が完全には拮抗しにくい．このμオピオイド受容体への結合力の高さや緩やかな薬物動態を経る(後述)ことから，メサドンと同様にオピオイド依存の治療薬としても全世界で使用されている．

CYP3A4により弱い薬理活性しかもたないノルブプレノルフィンに代謝され，グルクロン酸抱合により不活性化され糞便中に排泄されるため，腎機能障害患者でも使用可能である．

2)投与方法

坐薬，注射薬，貼付薬(適応は一部の慢性疼痛)があり，強オピオイドと同等のがん疼痛に対する有効性は実証されている[33]．レペタン® 0.2 mg 筋肉内投与がモルヒネ 10 mg 筋肉内投与とほぼ同等の鎮痛効果を有し，トラマドールと同様に天井効果がある．オピオイド受容体の解離が緩やかであり，約6〜9時間効果が続くため，副作用が遷延することに注意する．

> **処方例** 下記のいずれかを用いる．
> 1) ブプレノルフィン(レペタン®坐薬) 1回 0.2〜0.4 mg 直腸内投与 必要に応じて約8〜12時間ごとに反復投与
> 2) ブプレノルフィン(レペタン®注) 1回 0.1〜0.2 mg 点滴静脈内投与・筋肉内投与・皮下投与．必要に応じて約6〜8時間ごとに投与する
> ＊生理食塩水に溶解して30分〜1時間で点滴(静脈内・皮下)することも可能である．
> ＊心筋梗塞の場合は1回 0.2 mg，徐々に静脈内投与し適宜増減する．
> 3) ブプレノルフィン(ノルスパン®) 初回投与量 5 mg 前胸部，上背部，上腕外部，側胸部のいずれかに貼付．7日ごとに貼り替える．症状に応じて適宜増減．最大量は 20 mg
> ＊ノルスパン®の適応：変形性関節症および腰痛症に伴う慢性疼痛．

ペンタゾシン(付録10➡ 489頁)

1)作用機序・代謝

κ，μオピオイド受容体の部分作動薬であり，δ受容体の拮抗薬

である．μオピオイド受容体には拮抗薬としても作用するため，他の強オピオイドを長期投与されている患者にペンタゾシンを投与すると鎮痛効果減弱や離脱症状をきたすこと，また不安，離人感，悪夢，幻覚などの副作用や精神依存を惹起する可能性があるため，積極的な使用は推奨されていない．

肝臓で主にグルクロン酸抱合を受け，代謝物は活性を有さない．

2)投与方法

鎮痛力価はモルヒネの約1/6〜1/3である．鎮痛効果に天井効果がある．錠剤には不適切な使用法を防止するためにナロキソン(麻薬拮抗薬)が添加されている．

オピオイドスイッチング ★

オピオイドスイッチングとは，オピオイドの副作用が強くオピオイド投与の継続や増量が困難な時や，現行のオピオイドを十分量使用していても鎮痛効果が不十分な時に，投与中のオピオイド(先行オピオイド)から他のオピオイド(新規オピオイド)に変更することである．

オピオイドスイッチングにより，先行オピオイドやその代謝物により引き起こされている副作用が改善することがある[34]．また異なるオピオイド間での交差耐性が不完全なことにより，新規オピオイドにて鎮痛効果の改善やオピオイドの投与量の減少が認められることがある[34]．各オピオイド間の用量換算(→ 表紙裏参照)を参考にしながら，先行オピオイドから新規オピオイドに一度に変更する方法と，段階的に変更する方法がある(**表4**)[35]．

オピオイドスイッチングによる有効性と注意点

❶モルヒネ，オキシコドン → フェンタニル：眠気，悪心，便秘が改善する場合がある．

❷フェンタニル → モルヒネ，オキシコドン：耐性がついていることが多く，やや低用量からの開始で奏効する場合が多い．

❸メサドンへのスイッチング：メサドンの血中濃度半減期が長いため，はじめの1週間はメサドンの増量を行わず，突出痛にはレスキュー薬で対応しながら眠気の出現に留意する．

❹腎機能悪化時：モルヒネへの変更は避けるか，少量から行う．

オピオイドスイッチングの手順

①先行オピオイドの1日投与量を求め,経口モルヒネ1日量に換算する.
②換算表(→表紙裏参照)に基づき,新規オピオイドの1日投与量を概算する.スイッチングの主目的が疼痛緩和の場合は1:1で換算する.臓器障害があったり全身状態が不安定な場合,副作用軽減を主目的とする場合は,換算比より約30〜50%減量して開始する.換算表はあくまで目安である.
③鎮痛効果の発現時間,最大効果の時間,持続時間を考慮して,新規オピオイドの投与開始時間,投与間隔を決める(**表4**,付録10 → **489頁**).レスキュー薬の指示も行う.先行オピオイドが多量である場合やオピオイドによる痛覚過敏が混在している場合は,換算時の誤差が大きくなる.安全のため数回に分けて段階的にスイッチングを行うこともあるが,先行オピオイドの代謝物が一掃されないため副作用が改善しづらいというデメリットもある.
④スイッチング後は鎮痛効果と副作用を慎重にモニタリングする.オピオイド間の不完全交差耐性や,オピオイドに対する反応の個体差によって左右されるため,有効性と副作用は個別に評価する[36].過少投与による痛みの増悪や離脱症状の出現,過量投与による副作用の出現のリスクは常に伴う.過少投与や離脱症状をきたした時はレスキュー薬にて対処し,その頻度に応じて定時薬の増量を行う.過量投与が疑われる場合は痛みが許容できる範囲でオピオイド総投与量を2/3〜1/2量に減量する.

精神依存,身体依存,鎮痛耐性,ケミカルコーピング

精神依存

次のいずれか1つを含む行動によって特徴付けられる一次性の慢性神経生物学的疾患である.

①自己制御できずに薬物を使用する.
②症状(痛み)がないにもかかわらず強迫的に薬物を使用する.
③有害な影響があるにもかかわらず持続して使用する.
④薬物に対する強度の欲求がある.

表4 オピオイドスイッチングのタイミング

先行オピオイド	新規オピオイド	タイミング
1日2回のオピオイド徐放性製剤(MSコンチン®など)	フェンタニル貼付薬	先行オピオイドの最終投与と同時に貼付
	オピオイド持続投与	先行オピオイドの投与時刻に新規オピオイドを開始(または半分の流速で開始,6～12時間後に換算量とする)
1日1回のオピオイド徐放性製剤(パシーフ®など)	フェンタニル貼付薬	最終の先行オピオイド投与12時間後に貼付
	オピオイド持続投与	先行オピオイドの投与時刻に新規オピオイドを開始
オピオイド持続投与	オピオイド徐放性製剤	先行オピオイド中止と同時に新規オピオイドを開始
	オピオイド持続投与	先行オピオイド中止と同時に新規オピオイドを開始
	フェンタニル貼付薬	貼付開始後6～12時間は継続して持続投与する(例:貼付後約6時間後に先行薬を半減,約12時間後に先行薬を中止)
フェンタニル貼付薬	オピオイド徐放性製剤	先行オピオイドを剥離後6～12時間後に新規オピオイド開始
	オピオイド持続投与	先行オピオイドを剥離後6～12時間後に新規オピオイド開始(または約6時間後に半分の流速で開始,約12時間後に換算量に増量)

〔日本緩和医療薬学会(編):緩和医療薬学.p60,南江堂,2013よりフェンタニル貼付薬のタイミングを改変〕

臨床上のポイント

 がんによる痛みの治療でオピオイドを適切に使用すれば,精神依存はほとんど問題にならない.ただしペンタゾシンは精神依存リスクが高いこと,そして他のオピオイドも精神依存の危険因子・危険徴候(表5)[37～39]は常に念頭に置いておく.精神依存が疑われた時は,オピオイド継続の妥当性やオピオイド以外の鎮痛方法を考慮するとともに,オピオイドの要求に対して限界設定を行うなど,多職種で統一したアプローチが求められる.

身体依存

 突然の薬物中止,急速な投与量減少,血中濃度低下,および拮抗薬投与により,その薬物に特徴的な離脱症候群が生じることで明らかになる,身体の薬物に対する生理学的順応状態を指す.

表5 オピオイドの乱用・依存の危険因子と早期発見のための危険徴候

a. 危険因子	b. 軽微な危険徴候
▪ 物質乱用の既往 ▪ 物質乱用の家族歴 ▪ 若年者(45歳未満) ▪ 若年時の性行為依存 ▪ 精神疾患 ▪ 薬物使用の一般化 ▪ 心理的ストレス ▪ 多数の物質の乱用 ▪ 生活環境が不良(家族の支援が弱い) ▪ 禁煙困難 ▪ 物質やアルコール依存のリハビリテーション歴 ▪ オピオイドへの関心 ▪ 痛みによる機能障害 ▪ 痛みの過度の訴え ▪ 原因不明の痛みの訴え	▪ 高用量のオピオイド処方への欲求 ▪ 激しい痛みがないにもかかわらず薬を貯める ▪ 特定の薬物の処方を希望 ▪ 他の医療機関から同様の薬物の入手 ▪ 許容を超える量への増量 ▪ 痛み以外の症状の緩和のための不適正使用 ▪ 処方医の予測に反した薬の精神効果の出現
	c. 重篤な危険徴候
	▪ 処方薬の転売 ▪ 処方箋の偽造 ▪ 他人からの薬物の入手 ▪ 経口薬の注射のための液状化 ▪ 医療機関以外からの処方薬物の入手 ▪ 紛失のエピソードの多発 ▪ 違法薬物の同時使用 ▪ 指導にもかかわらず,度重なる内服量の増加 ▪ 風貌の変化

〔日本ペインクリニック学会(編):非がん性慢性疼痛に対するオピオイド鎮痛薬処方ガイドライン 改訂第2版, p59, 真興交易医書出版部, 2017/Webster LR, et al:Avoiding opioid abuse while managing pain. Sunrise River Press, 2007/Passik SD, et al:Pain clinicians' rankings of aberrant drug-taking behaviors. J Pain Palliat Care Pharmacother 16:39-49, 2002 より一部改変〕

臨床上のポイント

- 身体依存形成は,離脱症状の出現によりはじめて確認される.
- 離脱症状として,眠気,あくび,全身違和感,発汗,流涙,流涎,鼻漏,倦怠感,ふるえ,不眠,食欲不振,不安,神経痛様の痛み,原疾患の痛みの再現,鳥肌,悪寒,戦慄,悪心・嘔吐,腹痛・下痢,ミオクローヌス,皮膚の違和感,苦悶,もうろう感,興奮,失神,けいれんなどが挙げられる.
- 医師によるオピオイドの減量・中止やオピオイドスイッチング,患者の服薬アドヒアランスの低下,内服困難,貼付薬の貼り忘れや発汗・入浴などによる剥離などに伴い離脱症状が生じることがある.
- オピオイドの離脱症状に対しては,投与されていたオピオイドを少量投与することで改善する.フェンタニル貼付薬による離脱症

状に関しては，貼付薬の増量が奏効してくるまで，フェンタニル持続静脈内投与・皮下投与の使用や他のオピオイドの速放性製剤の頓用を検討する．
- 身体依存はオピオイドの長期投与患者ではよくみられるもので，精神依存とは異なること，生理的な順応状態であり身体への害はないことを患者・家族に説明し，服薬アドヒアランスの向上を図る．

鎮痛耐性

初期に投与されていた薬物の用量で得られていた薬理学的効果が，時間経過とともに減退し，同じ効果を得るためにより多くの用量が必要になる，身体の薬物に対する生理的順応状態である．

臨床上のポイント

- オピオイド増量にて予想される効果が得られなくなることで判断する．
- 鎮痛耐性形成と鑑別が必要な病態として，原疾患の増悪あるいは鎮痛部位での新たな合併症(圧迫骨折，脊髄圧迫症候群など)の出現による痛み刺激自体の増悪に注意する．
- 鎮痛耐性形成が疑われ，望ましい鎮痛効果が得られない場合は，オピオイドスイッチングや他のオピオイドの追加投与，非オピオイドや鎮痛補助薬の追加，非薬物療法を検討する．

ケミカルコーピング

オピオイドを痛みや呼吸困難といった身体症状以外の症状や気持ちのつらさに使用することで，処方された目的とは異なる方法で使用している場合を指す．薬物乱用やアルコール依存症の既往，うつ病，対処されていないつらさがある患者に生じやすく，スクリーニングが肝要である．

臨床上のポイント

不十分な身体症状の緩和や対処されていないつらさや苦悩が潜在しているにもかかわらず，痛みへのレスキュー薬の使用以外に，症状緩和が不十分な症状(不眠なども含む)への対処が設定されていない場合に生じることが多い．オピオイドが有効でないのにレスキュー薬を不適切に使用している場合には，特に注意を払う必要が

ある.

> ☑ 心理的なストレスや精神的なストレス(不安軽減, 精神的な苦悩, 不快な気分, 気分の落ち込み, 焦燥感)に対する使用
> ☑ 倦怠感や不眠に対して, 気分の高揚や眠気, 睡眠, 鎮静を得るための使用
> ☑ 痛みの強さや日常生活動作上からは了解できないようなオピオイドのレスキュー薬の過剰な使用
> ☑ 痛みを訴える場所に器質的な要因がみつからない場合や, 不安・ストレスの身体化(somatization)に対する使用
> ☑ 不適切な使用により, たびたびオピオイドの離脱症状(下痢, 鼻漏, 発汗, 身震いなど)を認める場合

非がん性慢性疼痛でオピオイドを使用する時の注意点

「非がん性慢性疼痛に対するオピオイド鎮痛薬処方ガイドライン改訂第2版」に基づいてオピオイドを使用する.

非がん性慢性疼痛に使用可能なオピオイドの種類

コデインリン酸塩(錠・末), トラマドール(トラマール® OD錠・注), トラマドール/アセトアミノフェン合剤(トラムセット®錠), ブプレノルフィン貼付薬(ノルスパン®テープ), モルヒネ塩酸塩(錠・末), フェンタニル貼付薬(デュロテップ® MTパッチ, フェントス®テープ), オキシコドン徐放性製剤(オキシコンチン® TR錠)がある. 強オピオイドの処方に際しては決められたe-learningを受講する必要がある.

非がん性慢性疼痛患者におけるオピオイドの使い方

非がん性慢性疼痛は, がん疼痛と比較し効果が得られにくい反面, 投与期間が長期になり, また高用量になりやすい. 前述したオピオイドによる一般的な副作用以外に, オピオイド誘発性腸機能障害, 性腺機能障害, 痛覚過敏などを生じやすい.

オピオイド開始に先立って, 患者の精神疾患の既往やアルコールを含めた物質依存の有無, 心理社会的背景について, 慎重に評価する必要がある. そのうえで患者に与える長期的な恩恵と弊害を考慮し, 最終的にオピオイドの使用の可否を判断する.

オピオイドを考慮する条件として, ①持続する痛みの器質的原因

が明白なこと，②オピオイド以外に有効な鎮痛手段がないこと，③オピオイド治療の目的を患者が理解できていること，④薬のアドヒアランスが良好であること，⑤物質/アルコール依存の既往がないこと，⑥心因性疼痛および精神心理的な問題や疾患が否定されていること，などが挙げられる．

特に，オピオイドへの精神依存，乱用の危険因子や早期発見のための徴候を念頭に置いた，慎重なオピオイドの使用が求められる（**表5**）．

以下にオピオイド治療に関するポイントを列挙する．

1) 同意書の作成

オピオイドの長期使用に伴う様々な問題点を予防し，患者のアドヒアランスを維持するため，同意書を用いてオピオイドの使用目的や患者の責任を明確化させておくことが肝要である．特に強調すべき点として，①オピオイド処方の開始・用量調節・中止などの決定は医師が行うこと，②オピオイド治療の治療目標の設定（最終的な目的は痛みの消失ではなくQOLの改善であること），③オピオイド治療中は医師が設定した定期的な診療を受けること，④複数の医療施設でのオピオイド処方を受けないこと，⑤長期のオピオイド処方によって様々な副作用の出現が考えられること，⑥オピオイド処方の中止もありうること，⑦オピオイドを絶対に他人に譲渡しないこと，などが挙げられる．

2) オピオイドの開始と用量調整

副作用が忍容できる最小用量からオピオイドを開始する．短期間の増量で生じる急性耐性形成とそれによる依存の予防のため，すぐに効果が認められなくても十分な観察期間を設けて漸増する．

3) オピオイド増量のタイミング

基本的には，病態の変化に伴って痛みが増強した場合以外は，投与量を変更しない．個々の患者で設定した適切な用量にて日常生活を立て直し，QOL向上を図る．

4) オピオイド減量・中止のタイミング

服薬を遵守できない場合や忍容できない副作用が持続する場合，中止や減量を検討する．中止を検討する場合としては，①心因性疼

痛があることが明らかとなった時，②十分な痛みの緩和が得られなかった時，③副作用が忍容できなかった時，④乱用・精神依存などを含め薬物/医療アドヒアランスが破綻した時，⑤QOLやADLが悪化した時，⑥痛みの受容によってオピオイドの必要性がなくなった時，などが挙げられる．減量・中止は慎重に行い，離脱症状に注意する．

5) 突出痛に対するレスキュー薬としての使用

突出痛に対するオピオイドの速放性製剤の投与は，乱用・精神依存を惹起しうるため，推奨されないので，設定を行わない．突出痛には，非オピオイド鎮痛薬の投与，非薬物療法，患者の自己対応能力の促進などにより対応する．

6) オピオイド治療の評価

オピオイド開始・増量時は1週間以上あける，安定期には2〜4週間以上あけるなど，ある程度頻繁に診察する．内服状況，鎮痛効果や副作用の程度，日常生活，精神状態，環境変化，治療意義についての患者の認識，長期処方に伴う副作用などを確認する．

■参考文献

1) King SJ, et al：A systematic review of oxycodone in the management of cancer pain. Palliat Med 25：454-470, 2011.(PMID：21708852)
2) Caraceni A, et al：Is oral morphine still the first choice opioid for moderate to severe cancer pain? A systematic review within the European Palliative Care Research Collaborative guidelines project. Palliat Med 25：402-409, 2011.(PMID：21708848)
3) Caraceni A, et al：Use of opioid analgesics in the treatment of cancer pain：evidence-based recommendations from the EAPC. Lancet Oncol 13：e58-e68, 2012.(PMID：22300860)
4) King S, et al：A systematic review of the use of opioid medication for those with moderate to severe cancer pain and renal impairment：a European Palliative Care Research Collaborative opioid guidelines project. Palliat Med 25：525-552, 2011.(PMID：21708859)
5) Hanna M：The effects of liver impairment on opioids used to relieve pain in cancer patients. Palliat Med 25：604-605, 2011.(PMID：21708863)
6) Radbruch L, et al：Systematic review of the role of alternative application routes for opioid treatment for moderate to severe cancer pain：an EPCRC opioid guidelines project. Palliat Med 25：578-596, 2011.(PMID：21708861)
7) Klepstad P, et al：Immediate- or sustained-release morphine for dose finding during start of morphine to cancer patients：a randomized, double-blind trial. Pain 101：193-

198, 2003.(PMID：12507714)

8) Morita T, et al：Effects of high dose opioids and sedatives on survival in terminally ill cancer patients. J Pain Symptom Manage 21：282-289, 2001.(PMID：11312042)
9) Højsted J, et al：Addiction to opioids in chronic pain patients：a literature review. Eur J Pain 11：490-518, 2007.(PMID：17070082)
10) Vainio A, et al：Driving ability in cancer patients receiving long-term morphine analgesia. Lancet 346：667-670, 1995.(PMID：7658820)
11) Tagami K, et al：Breakthrough cancer pain influences general activities and pain management：a comparison of patients with and without breakthrough cancer pain. J Palliat Med 21：1636-1640, 2018.(PMID：29975582)
12) 田上恵太：レスキュー薬のアドバンス的な使い方・考え方. 倉田宝保(監)：がん治療医が本当に知りたかった緩和ケアのレシピ. pp261-264, メジカルビュー社, 2020.
13) Zeppetella G：Opioids for the management of breakthrough cancer pain in adults：a systematic review undertaken as part of an EPCRC opioid guidelines project. Palliat Med 25：516-524, 2011.(PMID：21708858)
14) von Gunten CF, et al：New opioids：expensive distractions or important additions to practice? J Palliat Med 13：505-511, 2010.(PMID：20406105)
15) Fallon M, et al：Opioid therapy：optimizing analgesic outcomes. Cherny N, et al(eds)：Oxford textbook of palliative medicine, 5th ed. pp525-559, Oxford University Press, 2015.
16) Laugsand EA, et al：Management of opioid-induced nausea and vomiting in cancer patients：systematic review and evidence-based recommendations. Palliat Med 25：442-453, 2011.(PMID：21708851)
17) Tsukuura H, et al：Efficacy of prophylactic treatment for oxycodone-induced nausea and vomiting among patients with cancer pain(POINT)：a randomized, placebo-controlled, double-blind trial. Oncologist 23：367-374, 2018.(PMID：29038236)
18) Stone P, et al：European Palliative Care Research collaborative pain guidelines. Central side-effects management：what is the evidence to support best practice in the management of sedation, cognitive impairment and myoclonus? Palliat Med 25：431-441, 2011.(PMID：20870687)
19) Wiffen PJ, et al：Oral morphine for cancer pain. Cochrane Database Syst Rev：CD003868, 2013.(PMID：23881654)
20) Hadley G, et al：Transdermal fentanyl for cancer pain. Cochrane Database Syst Rev：CD010270, 2013.(PMID：24096644)
21) Tassinari D, et al：Adverse effects of transdermal opiates treating moderate-severe cancer pain in comparison to long-acting morphine：a meta-analysis and systematic review of the literature. J Palliat Med 11：492-501, 2008.(PMID：18363493)
22) Tassinari D, et al：Transdermal opioids as front line treatment of moderate to severe cancer pain：a systemic review. Palliat Med 25：478-487, 2011.(PMID：21708854)
23) Zeppetella G, et al：Opioids for the management of breakthrough pain in cancer patients. Cochrane Database Syst Rev：CD004311, 2013.(PMID：24142465)
24) Rauck RL, et al：Efficacy and long-term tolerability of sublingual fentanyl orally disintegrating tablet in the treatment of breakthrough cancer pain. Curr Med Res Opin 25：

2877-2885, 2009.(PMID：19814586)

25) Portenoy RK, et al：A randomized, placebo-controlled study of fentanyl buccal tablet for breakthrough pain in opioid-treated patients with cancer. Clin J Pain 22：805-811, 2006.(PMID：17057563)

26) Inoue S, et al：A randomized, double-blind, non-inferiority study of hydromorphone hydrochloride immediate-release tablets versus oxycodone hydrochloride immediate-release powder for cancer pain：efficacy and safety in Japanese cancer patients. Jpn J Clin Oncol 48：542-547, 2018.(PMID：29659913)

27) Inoue S, et al：A randomized, double-blind study of hydromorphone hydrochloride extended-release tablets versus oxycodone hydrochloride extended-release tablets for cancer pain：efficacy and safety in Japanese cancer patients(EXHEAL：a Phase III study of EXtended-release HydromorphonE for cAncer pain reLief). J Pain Res 10：1953-1962, 2017.(PMID：28860850)

28) Imanaka K, et al：Efficacy and safety of oral tapentadol extended release in Japanese and Korean patients with moderate to severe, chronic malignant tumor-related pain. Curr Med Res Opin 29：1399-1409, 2013.(PMID：23937387)

29) Bruera E, et al：Methadone versus morphine as a first-line strong opioid for cancer pain：a randomized, double-blind study. J Clin Oncol 22：185-192, 2004.(PMID：14701781)

30) Moksnes K, et al：How to switch from morphine or oxycodone to methadone in cancer patients? A randomised clinical phase II trial. Eur J Cancer 47：2463-2470, 2011. (PMID：21775131)

31) Walker PW, et al：Switching from methadone to a different opioid：what is the equianalgesic dose ratio? J Palliat Med 11：1103-1108, 2008.(PMID：18980450)

32) Bandieri E, et al：Randomized trial of low-dose morphine versus weak opioids in moderate cancer pain. J Clin Oncol 34：436-442, 2016.(PMID：26644526)

33) Corli O, et al：Are strong opioids equally effective and safe in the treatment of chronic cancer pain? A multicenter randomized phase IV 'real life' trial on the variability of response to opioids. Ann Oncol 27：1107-1115, 2016.(PMID：26940689)

34) Dale O, et al：European Palliative Care Research collaborative pain guidelines：opioid switching to improve analgesia or reduce side effects. A systematic review. Palliat Med 25：494-503, 2011.(PMID：21708856)

35) 日本緩和医療薬学会(編)：緩和医療薬学．p60，南江堂，2013．

36) Mercadante S, et al：Conversion ratios for opioid switching in the treatment of cancer pain：a systematic review. Palliat Med 25：504-515, 2011.(PMID：21708857)

37) 日本ペインクリニック学会(編)：非がん性慢性疼痛に対するオピオイド鎮痛薬処方ガイドライン 改訂第2版．pp46-77，真興交易医書出版部，2017．

38) Webster LR, et al：Avoiding opioid abuse while managing pain. Sunrise River Press, 2007.

39) Passik SD, et al：Pain clinicians' rankings of aberrant drug-taking behaviors. J Pain Palliat Care Pharmacother 16：39-49, 2002.(PMID: 14635824)

（田上恵太・森　雅紀）

> **コラム ❷　内科的治療をどこまで行うか？**

　緩和医療の現場では，内科的治療（血糖降下薬，抗菌薬，輸血，抗凝固療法など）を継続，あるいは開始・中止するか，逡巡する場面が多い．全く迷わずに，緩和ケアに専念している患者だから内科的治療を行わない，あるいはどんな病状でも内科的治療をすべて行う，というのは誤った態度だろう．このように治療適応に悩む場合は，背景に倫理的問題が内包されている，と考えて検討するとよい．

　倫理的問題を検討する場合に，医療倫理の4原則（善行，無害，自己決定，公平）に基づいた以下の方法がある[1]．

■step 1：医学的観点に基づき事例を整理して選択肢を列挙し，各選択肢のメリットとデメリットを挙げる．治療の目標や治療効果の見通し，QOLも検討する．

■step 2：どの選択肢が最も患者の意向に適ったものであるかを評価する．患者の意思決定能力，十分かつ正確な情報が伝えられているか，意向が自発的に表明されているか，意思決定能力が低下している場合は事前意思や推定意思，代理意思決定者を検討する．

■step 3：家族，医療者など他の関係者の状況，社会的公平性から各選択肢を評価する．ただしstep 2の内容は原則としてstep 3の内容に優先する．

■step 4：各原則に基づく評価を統合する．どうしても評価が一致しない場合には，関連するルールやガイドラインなどを確認する．

■step 5：反省．

　特に緩和医療では，予後予測や治療全体の目標の見極め，治療を継続することによる苦痛や家族にとっての治療のメリットなどの検討も重要である．また期間を定めた治療（time-limited trial）を行い，短期間で効果を評価して治療の継続を判断したり[2]，無治療で経過をみて治療適応を判断したりする（例：活動性出血が治まるか見定めて輸血適応を判断する）ことがよくある．

　これらの判断を医師単独で行わず，医療チーム全体および患者・家族と問題点を共有し，話し合って方針を定めることが重要である．

▌参考文献

1) 堂囿俊彦（編）：倫理コンサルテーションハンドブック．pp 37-60，医歯薬出版，2019.
2) Quill TE, et al：Time-limited trials near the end of life. JAMA 306：1483-1484, 2011.（PMID：21972312）

（小田切拓也）

5 【痛みの緩和】 鎮痛補助薬

使い方のコツ

❶ 主たる薬理作用は鎮痛ではなく，オピオイドなどと併用することで効果を高める薬剤であり，保険適用外使用となることも多い．

❷ がんによる神経障害性疼痛の知見は限られているため，糖尿病性末梢神経障害，帯状疱疹後神経痛などの非がん性神経障害性疼痛の知見に基づいて使用される．

❸ 痛みの伝達経路と各種薬剤の作用機序を理解し，薬剤を選択する．

❹ 代表的な薬剤としてプレガバリンなどの抗けいれん薬（ビーンと走るなど電撃性の強い痛み），デュロキセチンや三環系抗うつ薬などの抗うつ薬（チクチクした痛みなど電撃性の弱い痛み）が勧められる．比較的質の高い研究で効果が示されており，副作用やコストなどを考慮して適切なものから選択する．

❺ 鎮痛補助薬は副作用も多い．禁忌や相互作用，臓器機能によって調整の必要な薬剤も多く，効果を盲目的に信じるのではなく，投与による利益が害を上回っているかを常に評価する．WHOガイドラインでは「臨床試験が推奨されているレベル」であることを忘れず，有害な場合はすぐに減量，中止するという心構えで処方する．

定義

主たる薬理作用には鎮痛作用を有しないが，鎮痛薬と併用することにより鎮痛効果を高め，特定の状況下で鎮痛効果を示す薬物である．

作用機序

痛みの伝達経路と各種薬剤の作用機序を理解し，薬剤を選択する

(「痛みの診断と評価」参照➡ 34 頁).鎮痛補助薬は,神経障害性疼痛における以下のような痛みの伝達を抑制することで鎮痛効果を発揮する.

1. 下行性疼痛抑制系賦活：三環系抗うつ薬,デュロキセチン.
2. Ca^{2+} チャネル抑制：プレガバリン,ガバペンチン,ミロガバリン.
3. 抗炎症作用と抗浮腫作用：デキサメタゾン,ベタメタゾン.
4. Na^+ チャネル抑制：リドカイン,メキシレチン,カルバマゼピン,バルプロ酸.
5. NMDA 受容体拮抗：ケタミン.
6. GABA 抑制系の活性化：クロナゼパム,バクロフェン,バルプロ酸.

1 つの痛みの伝達経路の抑制で効果がみられなかった場合,他の経路に作用する薬剤を選択(上乗せまたは置き換え)することを試みる.

適応

痛みの評価を行い,神経障害性疼痛と考えられる場合に使用を検討する.特にがん患者においては,オピオイドの補助的な意味合いが強いため,十分量のオピオイドが使用されているかを確認後,鎮痛補助薬の併用を検討する.

各鎮痛補助薬の効果・特徴・使い方

質の高い臨床試験が少なく,がん領域に関しては特に少ないため,糖尿病性末梢神経障害,帯状疱疹後神経痛などの知見を外挿して使用している場合も多い.非がん疼痛よりもがん疼痛に対する使用のほうが効果の幅が小さいとの報告もある[1]).

WHO ガイドラインでは「臨床試験が推奨されているレベル」であることを忘れず,有害な場合はすぐに減量,中止するという心構えで処方する.

また,眠気やふらつきといった副作用が出やすい薬剤が多いため,少量から開始し,副作用と効果のバランスをみながら投与量を調整する(**表 1**).

表1 鎮痛補助薬一覧(処方例)

	一般名(代表的な商品名)	開始量(/日)	維持(/日)
ガバペンチノイド	プレガバリン(リリカ)	25～75 mg 眠前 分割(1～2回)	150～300 mg(600 mg) 眠前 分割(1～2回)
	ガバペンチン(ガバペン)	200 mg 眠前	600～2,400 mg 分割
	ミロガバリン(タリージェ)	2.5～5 mg 眠前	10～30 mg 分割
その他の抗けいれん薬	クロナゼパム(リボトリール,ランドセン)	0.25～0.5 mg 眠前	1～2 mg 眠前 分割(1～2回)
	カルバマゼピン(テグレトール)	100～200 mg 眠前	～600 mg
	バルプロ酸(デパケン,セレニカ)	200～400 mg 眠前 分割(1～2回)	400～1,200 mg 分割
三環系抗うつ薬	アミトリプチリン(トリプタノール)	10 mg 眠前	40～60 mg 分割
	ノルトリプチリン(ノリトレン)	10 mg 眠前	30～75 mg 分割
	アモキサピン(アモキサン)	10 mg 眠前	30～75 mg 分割
SNRI	デュロキセチン(サインバルタ)	20 mg 朝	20～60 mg 朝
その他	バクロフェン(ギャバロン,リオレサール)	10～15 mg 分割	15～30 mg 分割
	リドカイン(キシロカイン)	5 mg/kg 持続静注・皮下注	5～20 mg/kg 持続静注・皮下注
	メキシレチン(メキシチール)	150 mg 分割	150～450 mg 分割
	ケタミン(ケタラール)	0.5～1 mg/kg 持続静注・皮下注	100～500 mg 持続静注・皮下注

「分割」とあるものは,提示量を1日2～3回に分けて用いる.

Ca^{2+}チャネル$\alpha_2\delta$リガンド(ガバペンチノイド)

がん患者へのRCTが存在するのは,プレガバリン,ガバペンチンのみである.実際はミロガバリンも使用される.

1)プレガバリン

- 作用機序:脊髄後角の電位依存性Ca^{2+}チャネルの$\alpha_2\delta$サブユニットに結合し,痛覚情報神経伝達物質の遊離に必要な前シナプスでのCa流入を抑制する.

- 神経障害性疼痛に対して保険適用と有効性を示すエビデンスがあり,しばしば第1選択とされる.NNT(number need to treat)は8程度である★★[2)].
- がん患者における有用性がRCTで示されている★★★[3~5)].
- 肝臓で代謝を受けない.未変化体として尿中へ排泄される.
- 腎機能低下では減量が必要である(例:CCr 30〜60 mL/分では少量から開始する.25〜50 mg/日程度からが無難).透析で除去されるため,透析直後には補充が必要.
- 副作用としては,眠気,ふらつき,めまい,浮腫などがあり,高齢者や全身機能が低下している患者でも少量から開始するのが無難である.
- 鎮痛補助薬は,可能な限り増量したほうが鎮痛効果は得られやすいが,緩和治療セッティングの患者を対象にした研究では,300 mg/日以上への増量は困難なことも多い★[6)].

2)ガバペンチン

- 作用機序はプレガバリンと同様である.
- 神経障害性疼痛に対して有効性を示すエビデンスがあり,しばしば第1選択として推奨される.NNTは7程度である[2)].
- がん患者における有用性がRCTで示されている★★★[7~9)].
- 腎機能低下では減量が必要である(例:CCr 30〜60 mL/分では少量から開始する.400 mg/日程度からが無難).
- 副作用としては,眠気,ふらつき,めまいなどがあり,高齢者や全身機能が低下している患者では少量から開始するのが無難である.
- プレガバリンとは1:6程度で換算されることもある★[10)](プレガバリン 300 mg=ガバペンチン 1,800 mg).

3)ミロガバリン

- 作用機序はプレガバリンと同様である.
- 保険適用は末梢神経障害性疼痛に限定されている(参考:プレガバリンは中枢性・末梢性の神経障害性疼痛に保険適用あり).
- 糖尿病性末梢神経障害[11)],帯状疱疹後神経痛[12)]などの非がん性神経障害性疼痛への効果がRCTで示されている★★★が,がん患者

への質の高いRCTはない.
- 腎機能低下では減量が必要である(例：CCr 30〜60 mL/分では少量から開始する．2.5 mg/日程度からが無難).
- 副作用としては，眠気，ふらつき，めまい，浮腫などがあり，高齢者や全身機能が低下している患者では少量から開始するのが無難である．併用注意薬は少ない.
- プレガバリンと比較して，副作用が少ない可能性がある.
- プレガバリンとは17：1程度の換算比といわれているが★ 13)，実際は15：1程度で換算されることもある(プレガバリン300 mg/日＝ミロガバリン17.7〜20 mg/日).
- ミロガバリンの最大用量(30 mg/日)の力価は，プレガバリンの最大用量(600 mg/日)の力価より弱い.

抗うつ薬

がん患者へのRCTが存在するのは，アミトリプチリン，デュロキセチン，イミプラミン，フルボキサミンであり，前2剤が頻用される．副作用の少ない三環系抗うつ薬である，ノルトリプチリン，アモキサピンが使用されることもある．

1) 三環系抗うつ薬 (tricyclic antidepressant：TCA)★★ 2)

- ノルアドレナリンおよびセロトニン再取り込み阻害作用にて下行性疼痛抑制系を賦活させ，効果を発揮する.
- がん・非がんそれぞれにおいて有効性を示すエビデンスがあり，NNTは4程度で，しばしば第1選択とされる.
- がん患者における有用性がRCTで示されている★★★ 14〜16)が，副作用も多い.
- 抗うつ薬としての気分の改善効果とは関係なく鎮痛効果が認められる17).
- 効果発現は抗うつ作用よりも早く，少ない投与量でも有効な場合がある.
- 副作用として抗コリン作用があり，口渇・排尿困難・便秘などが多い.
- 全身状態が著しく低下している患者や高齢者では，眠気やせん妄，見当識障害が出やすく注意が必要である.

❶アミトリプチリン:第1世代のTCAだが、3級アミンであり、抗コリン作用や鎮静作用が強く、忍容性の問題がある.
❷ノルトリプチリン:第1世代のTCAだが、2級アミンであり、抗コリン作用や鎮静作用が弱く、忍容性に優れる.
❸アモキサピン:第2世代のTCAであり、抗コリン作用や鎮静作用が弱く、忍容性に優れる.

2) セロトニン・ノルアドレナリン再取り込み阻害薬(SNRI)(デュロキセチン)★★[2]

- ノルアドレナリンおよびセロトニン再取り込み阻害作用にて下行性疼痛抑制系を賦活させ、効果を発揮する.
- 神経障害性疼痛に対して有効性を示すエビデンスがあり、NNTは6程度でしばしば第1選択とされる.
- 抗がん剤(特にプラチナ製剤)による神経障害性疼痛への有効性が示されている★★[18].
- オピオイド+ガバペンチノイドを使用しているがん患者へのデュロキセチンの上乗せ効果は、20〜40 mg/日の低用量でNNTは3.4であり★★[19]、特にチクチクした痛み(電撃性の弱い痛み)に有効である★[20].
- 投与初期の消化器症状(悪心・食欲不振)があるため制吐薬を併用することもある.その他に、傾眠、尿閉、便秘、めまいなどの副作用がある.
- 他の抗うつ薬やトラマドール、タペンタドールなどとの併用でセロトニン症候群*を発症することがあるため注意が必要である.

Na$^+$チャネルブロッカー

がん患者へのRCTが存在するのは、リドカインのみである.効果や副作用の面から第1選択薬とはいえず、他の薬剤での効果が乏しい時に試みる.

---

* セロトニン症候群:脳内のセロトニン濃度過剰による症状である.軽度から重度のものまで様々であり、精神症状(気分高揚、頭痛、半昏睡)、自律神経症状(発熱、発汗、悪心、下痢、脈拍増加など)、神経学的症状(ミオクローヌス、筋強剛、振戦、反射亢進など)がみられる.治療は原因薬物の中止、補液、体温冷却であり、発熱がある場合は、横紋筋融解症、腎不全に至り、死に至ることもある.

1) リドカイン★

- Na$^+$チャネルに作用し,神経細胞膜の安定化によって興奮性を抑制し,鎮痛効果を得る.
- 持続静注や皮下注の他に2～5 mg/kgを生理食塩液などで溶解し,30分程度で滴下する投与法もある[21].
- がんにおいては有効[22, 23]とも無効[24, 25]とも報告されており,評価は定まっていない.10%リドカイン軟膏製剤のアロディニアへの有効性も報告されている[22].
- 肝転移などの被膜伸展痛,がん性腹膜炎の痛み,腕神経叢浸潤による痛みに効果を認めた経験がある.
- 眠気の頻度は比較的少ない.
- 副作用としては,(高度の)徐脈,血圧低下,口唇のしびれ・中枢神経系の症状(眠気,けいれん,不安,興奮,振戦など)などのリドカイン中毒症状がある(認めた場合は直ちに減量し,厳重に経過観察する).
- 重篤な刺激伝導障害のある患者には禁忌であり,事前に必ず,局所麻酔アレルギー,心疾患の既往(特に徐脈や心停止など)と,心電図の確認を行い,投与後は血中濃度を測定し,有効域で維持する.

2) カルバマゼピン★

- Na$^+$チャネル再分極阻害により神経の異常興奮を抑える.
- 三叉神経痛,帯状疱疹後神経痛,糖尿病性神経障害などで有効性が示されている★★★[26].
- 骨髄抑制,皮疹は時に重篤となることがある.めまい,刺激伝導抑制などの副作用がある.重篤な心障害(第II度以上の房室ブロック,高度の徐脈)では禁忌である.
- CYP3A4などを誘導することにより,多くの薬物相互作用が起きるため使用しにくい.
- 錠剤が大きく飲みにくい.細粒製剤がある.

NMDA受容体拮抗薬

がん患者へのRCTが存在するが,効果や副作用の面から第1選択薬とはいえず,他の薬剤での効果が乏しい時に試みる.

1) ケタミン★★

- 脊髄後角ニューロンの NMDA 受容体の拮抗薬である.
- 中枢性感作を減弱させるケタミンは，難治性神経障害性疼痛やオピオイド鎮痛耐性の回復に効果がある可能性がある.
- がん患者に有効性を示す報告はあるものの相反する結果も示されており，鎮痛薬としての有効性のエビデンスは高くない★★[27, 28]．
- RCT でがん疼痛への効果はプラセボと差がない★★[28]ため，ルーチンに投与することは推奨できないが[29]，中枢性感作が関与した神経障害性疼痛を対象とした臨床試験はなく[30]，益と害を評価するためのエビデンスが十分ではない[31]．
- オピオイドの増量や他の方法などで十分な鎮痛効果が得られない難治性の痛みに，副作用のリスクと効果の可能性を考えたうえで投与を決定する.
- 持続静注，皮下注での投与が可能だが，皮下注では刺激性があるため，適宜希釈して投与する.
- 副作用として精神症状(悪夢，せん妄，眠気，異常感覚)，頭痛，悪心，めまい，血圧上昇がある．脳圧亢進患者には禁忌である.

2) その他の NMDA 受容体拮抗薬(イフェンプロジル，アマンタジン，メマンチン)

エビデンスが十分ではなく，積極的な使用は推奨しない.

GABA 受容体作動薬

1) クロナゼパム★

- $GABA_A$ 受容体に結合し GABA 神経伝達を上昇させることで鎮痛効果を発揮する.
- がん患者を対象とした研究では，小規模な前後比較研究がある[32]．エビデンスレベルは低いが経験的に頻用される.
- ベンゾジアゼピン系抗てんかん薬であり抗不安作用が期待できるため，不安が併存している場合に考慮される.
- 副作用として眠気，ふらつき，せん妄に注意する．作用時間が長いため 4〜5 日は注意が必要である.
- 細粒製剤もあり，錠剤やカプセルが内服できない場合にも使用できるため，便利である.

2)バクロフェン★

- $GABA_B$ 受容体に結合し，$GABA_B$ 受容体の活性化により Ca 濃度を低下させることで，興奮性アミノ酸の放出を減少させる．
- シナプス後では K 濃度を上昇させて過分極の状態を作り，発火頻度を抑えることで神経伝導を抑制し，鎮痛効果を発揮する．
- がん患者を対象とした小規模な観察研究がある★[33]．
- 悪性腸腰筋症候群の治療では，ジアゼパムなどとともに選択肢に入る★[34]．
- 服用を急に中止することで離脱症状(幻覚，せん妄，錯乱，興奮状態，けいれん発作など)が出現することがあるため，漸減中止する．
- 腎機能障害がある場合は減量を考慮する．
- 副作用として眠気，ふらつき，消化器症状，意識障害，呼吸抑制に注意する．

その他の薬剤

1)バルプロ酸★

- 脳内の GABA の神経伝達促進作用と電位依存性 Na^+ チャネル阻害作用など多様な作用機序をもつ．
- がんに対する小規模な比較試験でも有効性が示されているが，大規模な試験での結果はない★★[35]．
- 非がん疼痛での NNT は 2.8 である．
- 眠気が問題となりやすい鎮痛補助薬が多いなかで，鎮静作用が比較的弱い．
- 抗躁作用を有するため双極性障害が併存する場合には，精神腫瘍医と相談して考慮する．
- 副作用として，肝機能障害，高アンモニア血症に注意する．
- 細粒，シロップなど剤型が豊富である．

2)ステロイド(デキサメタゾン，ベタメタゾン)

- 他の鎮痛補助薬よりも効果がある症例を経験することも多い．
- 主な作用機序は抗炎症作用と抗浮腫作用である．
- がんにおいては有効とも無効とも報告されており，評価は定まっていない．

- ①しびれや筋力低下，膀胱直腸障害を伴う脊髄圧迫症状，②腫瘍の神経叢浸潤などによる神経障害性疼痛，③脳腫瘍などの頭蓋内圧亢進，④非オピオイド，オピオイド鎮痛薬の効果が低い骨転移痛，⑤放射線照射開始後のフレア現象，⑥悪性消化管閉塞で侵襲的治療が不可能な場合，⑦がん性胸膜炎や腹膜炎などで有用という意見もあるが，エビデンスは乏しい．
- 予後予測が短い場合は(月単位以下)，積極的に使用の可能性を検討する．
- 投与後あるいは漸増後1週間継続的に評価して，効果がなければ中止する．
- 緊急性の高い痛みの時(上記①など)は，高用量からの漸減法(4〜8 mg/日から漸減し，0.5〜4 mg/日で維持)，緊急性の低い痛みの時は低用量からの漸増法(0.5〜2 mg/日から漸増し，0.5〜4 mg/日で維持)を使用する．
- デキサメタゾン，ベタメタゾンは長時間作用型のため，朝1回(または朝昼2回)投与にする(不眠やせん妄になるのを防ぐため)．
- 詳細は，「倦怠感」(➡ 247頁)のステロイド使用方法を参考に使用する．

患者・家族への説明

「抗うつ薬」と聞くだけで怖い薬と思うことや，薬の手渡し時の口頭説明や説明書きをみて，「私はうつ病ではない」と思う患者は多い．また鎮痛補助薬には保険適用外の薬剤も多い．これらの不安に対応するため，「うつ病と診断して出しているわけではないこと」「○○(患者の痛み)には有効である研究結果があること」の2点を明確に説明し，患者・家族の不安をなくすことが重要である．

注意

鎮痛補助薬は副作用も多い．効果を盲目的に信じるのではなく，WHOガイドラインでは「臨床試験が推奨されているレベル」であることを医療者が認識し，慎重に適応を検討し，有害な場合はすぐに減量，中止するという心構えで処方することが重要である．

■参考文献

1) Bennett MI：Effectiveness of antiepileptic or antidepressant drugs when added to opioids for cancer pain：systematic review. Palliat Med 25：553-559, 2011.（PMID：20671006）
2) Finnerup NB, et al：Pharmacotherapy for neuropathic pain in adults：a systematic review and meta-analysis. Lancet Neurol 14：162-173, 2015.（PMID：25575710）
3) Dou Z, et al：Efficacy and safety of pregabalin in patients with neuropathic cancer pain undergoing morphine therapy. Asia Pac J Clin Oncol 13：e57-e64, 2017.（PMID：25530068）
4) Garassino MC, et al：Randomised phase Ⅱ trial（NCT00637975）evaluating activity and toxicity of two different escalating strategies for pregabalin and oxycodone combination therapy for neuropathic pain in cancer patients. PLoS One 8：e59981, 2013.（PMID：23577077）
5) Sjölund KF, et al：Randomized study of pregabalin in patients with cancer-induced bone pain. Pain Ther 2：37-48, 2013.（PMID：25135035）
6) Sanderson C, et al：Pharmacovigilance in hospice/palliative care：net effect of pregabalin for neuropathic pain. BMJ Support Palliat Care 6：323-330, 2016.（PMID：26908535）
7) Caraceni A, et al：Gabapentin for neuropathic cancer pain：a randomized controlled trial from the Gabapentin Cancer Pain Study Group. J Clin Oncol 22：2909-2917, 2004.（PMID：15254060）
8) Keskinbora K, et al：Gabapentin and an opioid combination versus opioid alone for the management of neuropathic cancer pain：a randomized open trial. J Pain Symptom Manage 34：183-189, 2007.（PMID：17604592）
9) Chen DL, et al：The research on long-term clinical effects and patients' satisfaction of gabapentin combined with oxycontin in treatment of severe cancer pain. Medicine（Baltimore）95：e5144, 2016.（PMID：27759644）
10) Toth C：Substitution of gabapentin therapy with pregabalin therapy in neuropathic pain due to peripheral neuropathy. Pain Med 11：456-465, 2010.（PMID：20113408）
11) Baba M, et al：Mirogabalin for the treatment of diabetic peripheral neuropathic pain：a randomized, double-blind, placebo-controlled phase Ⅲ study in Asian patients. J Diabetes Investig 10：1299-1306, 2019.（PMID：30672128）
12) Kato J, et al：Mirogabalin for the management of postherpetic neuralgia：a randomized, double-blind, placebo-controlled phase 3 study in Asian patients. Pain 160：1175-1185, 2019.（PMID：30913164）
13) Hutmacher MM, et al：Exposure-response modeling of average daily pain score, and dizziness and somnolence, for mirogabalin（DS-5565）in patients with diabetic peripheral neuropathic pain. J Clin Pharmacol 56：67-77, 2016.（PMID：26073181）
14) Kalso E, et al：Amitriptyline effectively relieves neuropathic pain following treatment of breast cancer. Pain 64：293-302, 1996.（PMID：8740607）
15) Mercadante S, et al：Amitriptyline in neuropathic cancer pain in patients on morphine therapy：a randomized placebo-controlled, double-blind crossover study. Tumori 88：239-242, 2002.（PMID：12195763）

16) Mishra S, et al：A comparative efficacy of amitriptyline, gabapentin, and pregabalin in neuropathic cancer pain：a prospective randomized double-blind placebo-controlled study. Am J Hosp Palliat Care 29：177-182, 2012.（PMID：21745832）

17) Max MB, et al：Amitriptyline relieves diabetic neuropathy pain in patients with normal or depressed mood. Neurology 37：589-596, 1987.（PMID：2436092）

18) Smith EM, et al：Effect of duloxetine on pain, function, and quality of life among patients with chemotherapy-induced painful peripheral neuropathy：a randomized clinical trial. JAMA 309：1359-1367, 2013.（PMID：23549581）

19) Matsuoka H, et al：Additive duloxetine for cancer-related neuropathic pain nonresponsive or intolerant to opioid-pregabalin therapy：a randomized controlled trial（JORTC-PAL08）. J Pain Symptom Manage 58：645-653, 2019.（PMID：31254640）

20) Matsuoka H, et al：Predictors of duloxetine response in patients with neuropathic cancer pain：a secondary analysis of a randomized controlled trial—JORTC-PAL08（DIRECT）study. Support Care Cancer 28：2931-2939, 2020.（PMID：31761974）

21) Backonja M, et al：Response of central pain syndromes to intravenous lidocaine. J Pain Symptom Manage 7：172-178, 1992.（PMID：16967586）

22) Hasuo H, et al：Short-term effects of 10% lidocaine ointment on allodynia in cancer pain：a randomized, double-blind, placebo-controlled crossover study. J Palliat Med 22：1364-1369, 2019.（PMID：31120313）

23) Sharma S, et al：A phase Ⅱ pilot study to evaluate use of intravenous lidocaine for opioid-refractory pain in cancer patients. J Pain Symptom Manage 37：85-93, 2009.（PMID：18599258）

24) Bruera E, et al：A randomized double-blind crossover trial of intravenous lidocaine in the treatment of neuropathic cancer pain. J Pain Symptom Manage 7：138-140, 1992.（PMID：16967580）

25) Ellemann K, et al：Trial of intravenous lidocaine on painful neuropathy in cancer patients. Clin J Pain 5：291-294, 1989.（PMID：2520418）

26) Wiffen PJ, et al：Carbamazepine for acute and chronic pain in adults. Cochrane Database Syst Rev：CD005451, 2011.（PMID：21249671）

27) Mercadante S, et al：Analgesic effect of intravenous ketamine in cancer patients on morphine therapy：a randomized, controlled, double-blind, crossover, double-dose study. J Pain Symptom Manage 20：246-252, 2000.（PMID：11027905）

28) Hardy J, et al：Randomized, double-blind, placebo-controlled study to assess the efficacy and toxicity of subcutaneous ketamine in the management of cancer pain. J Clin Oncol 30：3611-3617, 2012.（PMID：22965960）

29) Fallon M, et al：Management of cancer pain in adult patients：ESMO Clinical Practice Guidelines. Ann Oncol 29：iv166-iv191, 2018.（PMID：30052758）

30) Fallon MT, et al：Oral ketamine vs placebo in patients with cancer-related neuropathic pain：a randomized clinical trial. JAMA Oncol 4：870-872, 2018.（PMID：29621378）

31) Bell RF, et al：Ketamine as an adjuvant to opioids for cancer pain. Cochrane Database Syst Rev 6：CD003351, 2017.（PMID：28657160）

32) Hugel H, et al：Clonazepam as an adjuvant analgesic in patients with cancer-related neuropathic pain. J Pain Symptom Manage 26：1073-1074, 2003.（PMID：14654258）

33) Yomiya K, et al:Baclofen as an adjuvant analgesic for cancer pain. Am J Hosp Palliat Care 26:112-118, 2009.(PMID:19114602)
34) Agar M, et al:The management of malignant psoas syndrome:case reports and literature review. J Pain Symptom Manage 28:282-293, 2004.(PMID:15336342)
35) Hardy JR, et al:A phase Ⅱ study to establish the efficacy and toxicity of sodium valproate in patients with cancer-related neuropathic pain. J Pain Symptom Manage 21:204-209, 2001.(PMID:11239739)

〔松岡弘道・西　智弘〕

【痛みの緩和】
6 神経ブロック

診療のコツ

以下の痛みがみられる時，神経ブロックを検討する．
❶局在する末梢性の痛み．
❷体動時の痛み ➡ 知覚神経ブロックの適応．
❸温めると和らぐ痛み ➡ 交感神経ブロックの適応．
❹高用量オピオイドでも疼痛緩和が不十分（経口モルヒネ換算 100〜200 mg 以上が目安）．

定義

日本ペインクリニック学会による「ペインクリニック治療指針改訂第 6 版」では，「脳脊髄神経および神経節，交感神経および神経節や神経叢にブロック針を刺入し，直接またはその近傍に局所麻酔薬または神経破壊薬を注入して，神経の伝達機能を一時的または長期的に遮断する方法」と定義されている．

適応

薬物治療抵抗性の痛みには，神経ブロックなどの治療法を考慮すべきである．しかし，神経ブロックは最後の選択肢ではなく，適応のある痛みに対しては，常に治療の選択肢となりうる＊．できる限り早期から，痛みの専門家（麻酔科医，ペインクリニシャンなど）に相談することが大切である．

表1に「ペインクリニック治療指針改訂第 6 版」で示された，がん疼痛に対する神経ブロックの種類と適応をまとめた．顔面から下肢まで，ほぼすべての部位が網羅されていることがわかる．

＊ 神経ブロックのタイミング
　①画像上ブロック針刺入経路に腫瘍の浸潤や感染がない．
　②ブロック時の体位保持が可能である（側臥位，腹臥位，座位など）．
　③全身状態が著しく悪化する前（意思疎通が可能である，出血傾向がない）．

表1 がん疼痛に対する神経ブロックの種類と適応

神経ブロックの名称	適応	破壊薬・熱凝固
三叉神経節・末梢枝ブロック	三叉神経領域:顔面・口腔内のがん	○
肋間神経ブロック	胸壁浸潤,肋骨転移	○
腹腔神経叢・内臓神経ブロック	上腹部がん(特に膵がん)	○
下腸間膜動脈神経叢ブロック	下腹部の内臓痛	○
上下腹神経叢ブロック	骨盤内の内臓痛	○
くも膜下フェノールブロック	胸腹部で片側性の限局した体性痛	○
サドルフェノールブロック	会陰部・肛門部の体性痛	○
神経根ブロック	限局した体性痛	△(部位による)
後枝内側枝高周波熱凝固法	椎体転移などからの椎間関節痛	○
持続硬膜外・くも膜下注入	他法でコントロールできない場合	持続注入
交感神経節ブロック	温めることで痛みが軽快する場合	△
トリガーポイント注射	頸肩・腰背部の筋筋膜性疼痛	×

効果

神経ブロックは交感神経,知覚神経,運動神経を対象に,主として局所麻酔薬を用いて各々の神経刺激伝達を遮断することにより,オピオイドとは異なった効果が期待できる.

神経ブロックの利点として,①中枢神経系への影響が少ない(認知機能低下や眠気が起こりにくい),②単回の神経ブロック施行でも持続的な鎮痛が得られる(完全に除痛できることもある),③オピオイドの投与量を減らすことができる(副作用・費用負担も軽減できる),などが挙げられる.

合併症

施行直後に起こるものとして,①交感神経遮断作用による血圧低下・徐脈,②血管内注入による局所麻酔中毒(けいれん・意識消失など),③ブロック針や使用薬剤による神経・臓器損傷などをきたす可能性があるので,慎重に観察する.部位によっては感覚運動障害が生じる.

また,施行後数時間から数日後に起こるものとして,①血管穿刺

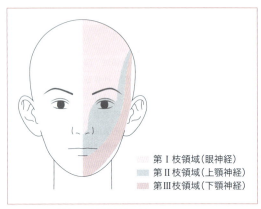

図1 三叉神経の支配神経領域

による血腫形成，②感染がある．

このような合併症に対処できる環境・設備(酸素投与，血管・気道確保，緊急カートなど)を確認・整備する．

施行の際には，十分なインフォームド・コンセントを得て(起こりうる合併症もしっかり説明する)，また神経破壊薬を使用する際は，事前に局所麻酔薬でテストブロックを行い，効果を確認することが望ましい．

三叉神経ブロック

適応

顔面のがん疼痛が適応である．

作用機序・方法

三叉神経は頭蓋内にある三叉神経節から，三叉神経第Ⅰ枝(眼神経)，第Ⅱ枝(上顎神経)，第Ⅲ枝(下顎神経)が分枝し，痛みの部位により第Ⅰ枝(眼窩上神経ブロック)，第Ⅱ枝(眼窩下神経ブロック)，第Ⅲ枝(下顎神経ブロック)，第Ⅰ～Ⅲ枝(三叉神経節ブロック)が適応となる(**図1**)．三叉神経痛は三叉神経が腫瘍や血管などの物理的圧迫により脱髄を起こし，発作性異常発火を起こすことで生じる．電撃痛と呼ばれる強い痛みが特徴的だが，三叉神経(分枝)を直接ブロックすることで，神経の異常発火を抑える働きがあると考えられ

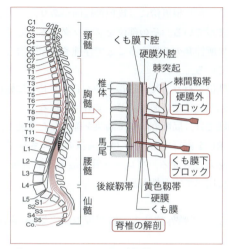

図2 脊椎の解剖と脊髄鎮痛法

ている．

体位は仰臥位で頭部を後屈させる．X線透視下，CTガイド下で行う．局所麻酔薬で効果を確認したのち，神経破壊薬や高周波熱凝固（radiofrequency thermocoagulation：RF）を使用する．

合併症

髄膜炎，脳神経損傷，咬筋麻痺（下顎神経），角膜炎・潰瘍（三叉神経第Ⅰ枝），有痛性感覚脱失など．

神経根ブロック

適応・効果

画像上または診察上，神経支配に一致する限局した神経根症（図2）が適応となる（デルマトームは45頁参照）．頸部，胸部，腰部，仙骨部とも施行可能だが，がん疼痛では腰・仙骨部神経根ブロックが施行されることが多い．転移による神経根症，腰仙椎骨転移，大腰筋への腫瘍浸潤などでは腰・仙骨部神経根ブロックの適応がある．

作用機序・方法

脊髄神経が椎間孔を通って脊柱管外に出る枝（神経根）近傍に，薬

剤を注入する．神経根近傍には後根神経節があり，一次求心路の感覚細胞が集まっている．その部位をブロックすることで求心性入力を遮断し，異所性発火を抑えることで浮腫や循環障害を改善させると考えられている．

体位は腹臥位で行う．X線透視下やCTガイド下に施行することが多いが，頸部では超音波ガイド下でも行われる．

胸神経領域では，局所麻酔薬で効果を確認したうえで，長期有効性を目的にRFを施行する．RFは高周波の熱エネルギーで神経組織の蛋白質を変性させる．ブロック針先端のみが加熱されるため，神経破壊薬に比べて安全性が高い．

合併症

くも膜下腔・硬膜外腔注入，椎間板損傷，気胸(胸部神経根ブロック)など．

腹腔神経叢・内臓神経ブロック ★★★ [1,2)]

適応・効果

一般的に，上腹部の内臓痛，特に膵がんの痛みに効果がある．胃・肝臓・胆嚢・脾臓・小腸由来の痛みにも効果を認めることがある．

腹部CT(2週間以内に撮影されたものが望ましい)で大動脈背部に腫瘍の浸潤がないことを確認する(＝薬液が広がる十分なスペースがあることが望ましい)．

作用機序・方法

腹腔神経叢は大・小内臓神経，上腸間膜神経叢より構成され，第12胸椎から第1腰椎前面の大動脈周囲に存在する(図3)．内臓求心線維と併走している腹腔神経叢近傍に神経破壊薬(高濃度アルコール)を注入することで交感神経を遮断し，上腹部内臓痛の伝達を遮断する．体位は腹臥位または側臥位で行う．手技としてはX線透視下，CTガイド下，超音波ガイド下，経内視鏡的アプローチがある．

合併症

腹痛，下痢，血圧低下，酩酊，アルコール性神経炎，下肢対麻痺，射精障害．

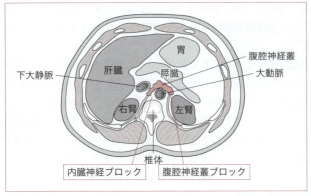

図3 腹腔神経叢・内臓神経ブロックの解剖

サドルフェノールブロック

適応

肛門周囲・会陰部の痛みが適応となる．ただし，投与量が多くなると膀胱直腸障害や下肢の運動障害を起こすため，人工肛門造設・尿路変更後の患者がよい適応となる．

作用機序・方法

局所麻酔薬で効果を確認したのちに，脊髄くも膜下腔にフェノールグリセリンを注入し，脊髄神経を破壊し侵害求心性入力を遮断することで鎮痛を得る方法である．体位は座位で行う．L5/S1(またはL4/5)より穿刺し，10％フェノールグリセリンを0.2〜0.5 mL注入する．注入後1時間程度，座位を保つ必要がある．

合併症

膀胱直腸障害，下肢運動機能障害，知覚脱失，硬膜穿刺後頭痛など．

脊髄鎮痛法(硬膜外・くも膜下ブロック) ★★[3,4]

適応・効果

オピオイドなどの全身性薬物投与でも，副作用などで十分に痛みを緩和できない場合に検討されるべき鎮痛法である[3]．放射線治療などに伴う体位保持が困難な例で，一時的に使用することも可能で

ある.特にくも膜下鎮痛法では,痛み・ADL・費用対効果などに関して,全身性薬物投与中心の鎮痛法に比べて有利だという報告もある[4]).

また,オピオイド必要量を減量させ,副作用も軽減する.モルヒネでは経口投与量を1とすると,硬膜外投与で1/10～1/30,くも膜下腔投与で1/100～1/300の量で鎮痛効果が得られる.

一方,フェンタニルでは経静脈投与を1とすると,硬膜外投与で1/2～1/10,くも膜下腔投与で約1/100の量で同等の鎮痛効果が得られるとされているが,確立されたエビデンスはなく,上記量を目安として個々の症例に応じて調整を行う.

作用機序・方法

脊髄近傍にカテーテルを留置し,持続的にオピオイドや局所麻酔薬を注入する.体位は腹臥位または側臥位で行う.オピオイドは直接脊髄および脳のオピオイド受容体に作用し,鎮痛効果を発揮する.局所麻酔薬は濃度に応じて交感・知覚・運動神経遮断になる.硬膜外鎮痛法とくも膜下鎮痛法の違いを**表2**に示す(解剖は**図2**を参照).長期留置の場合は,皮下トンネル作成やアクセスポート留置を行うことがある.

合併症

尿閉,瘙痒感,便秘,ミオクローヌス,鎮静,呼吸抑制,運動・感覚障害,低血圧など.また,長期留置では感染や組織癒着,肉芽形成のリスクが高まる.

トリガーポイントブロック

適応

全身(主に体幹部)の筋肉や筋膜に由来する痛み(肩凝りや腰痛).

作用機序・方法

筋膜上に局所麻酔薬を注入することで局所血流を改善し,筋緊張を和らげ内因性の発痛物質を希釈して洗い流すとされている.圧痛点(トリガーポイント)を確認し,27 G針で筋膜を貫いたところで局所麻酔薬を注入する.体位は注射部位により異なるが,頸部・肩・背部は座位,腰部・殿部は腹臥位または側臥位で行うことが多い.

表2 硬膜外鎮痛法とくも膜下鎮痛法の比較

	硬膜外鎮痛法	くも膜下鎮痛法
薬剤投与量	多い	少ない
等力価換算（経口モルヒネを1する）	約1/10	約1/100
効果範囲	分節的	広範囲（複数の分節に対応）
使用期間	短い（数か月）	長い（数年）
利便性	簡便	技術を要する
注意点，合併症	硬膜外癒着，脊椎変形などで効果減弱が多い	頭蓋内圧亢進では禁忌，低髄液圧症候群

合併症

神経・血管損傷．

参考文献

1) Yan BM, et al：Neurolytic celiac plexus block for pain control in unresectable pancreatic cancer. Am J Gastroenterol 102：430-438, 2007.（PMID：17100960）
2) Zhang CL, et al：Effect of neurolytic celiac plexus block guided by computerized tomography on pancreatic cancer pain. Dig Dis Sci 53：856-860, 2008.（PMID：17676392）
3) Burton AW, et al：Epidural and intrathecal analgesia is effective in treating refractory cancer pain. Pain Med 5：239-247, 2004.（PMID：15367301）
4) Smith TJ, et al：Randomized clinical trial of an implantable drug delivery system compared with comprehensive medical management for refractory cancer pain：impact on pain, drug-related toxicity, and survival. J Clin Oncol 20：4040-4049, 2002.（PMID：12351602）

〈大西良佳〉

7 【身体症状の緩和】
体温上昇（発熱・高体温）

診療のコツ

❶ がん患者の発熱は，感染以外に，腫瘍熱，治療に関係したものなどがある．
❷ 固形がんによる腫瘍熱の治療は，NSAIDs が第 1 選択薬である．
❸ 終末期がん患者の感染においては，尿路感染症の頻度が高く，抗菌薬の治療成績がよい．

本項では，がん患者(特に終末期がん患者)に生じる体温上昇の概要，治療について述べる．

疫学

体温上昇は，視床下部での体温基準値の上昇に伴い体温が上がる発熱と，体温基準値の変化を伴わず，熱喪失能力の限界を超えて体温が上がる高体温がある．発熱に関しては，がん患者の約 70％で生じるといわれている．代表的な発熱の原因である感染症の有病率は，終末期のがん患者では 20〜80％と報告されている．また，腫瘍熱の有病率は 5〜27％という報告があるが，診断に至っていない場合も多いと考えられている．

病態生理

発熱は，細菌性毒素などの外因性発熱物質や，炎症に伴って免疫細胞が分泌する発熱性サイトカイン(インターロイキン 1，TNF，インターロイキン 6，インターフェロンなど)が視床下部血管内皮細胞に作用して，プロスタグランジン E_2(PGE_2)産生を促し，視床下部での体温中枢の基準値が上昇することで生じる．その結果，体温上昇期には末梢血管が収縮して熱喪失を防ぐとともに筋肉(shivering を伴う)や肝臓による熱産生の亢進を生じ，体温上昇後は血管拡張と発汗による熱喪失が生じ，体温の上昇と維持が行われる．発熱の原因は感染性と非感染性に分類される(**表1**)．

表1 がん患者に生じる体温上昇の病態

発熱	感染	細菌性,ウイルス性,真菌性,寄生虫性
	腫瘍熱	悪性リンパ腫,急性白血病,腎細胞がんなど
	血栓症	深部静脈血栓症,肺塞栓
	薬剤性	シスプラチン,ゲムシタビン,ブレオマイシン,パクリタキセル,エトポシド,L-アスパラギナーゼ,インターフェロン,各種分子標的製剤,ゾレドロン酸など
	その他	輸血,放射線(放射線肺臓炎,放射線心膜炎など),副腎不全
高体温	中枢神経病変	視床下部浸潤,がん性髄膜炎
	その他	悪性症候群,セロトニン症候群,脱水など

　高体温は,外界の高熱への曝露や,中枢神経興奮性薬剤による内因性発熱によって生じる.またドパミン拮抗薬やセロトニン作動薬は,熱産生の増加と熱放散の減少をきたし,筋緊張亢進,意識障害,自律神経失調とともに高体温をきたしうる.高体温では,脳内PGE$_2$減少をもたらすNSAIDsやアセトアミノフェンといった解熱薬に反応しない.

　中枢熱(central hyperthermia)は,脳腫瘍,がん性髄膜炎,脳室・脳幹出血,くも膜下出血,脳幹梗塞,けいれん重積状態などの中枢性疾患に合併し,体温中枢機能の障害のために体温上昇をきたす病態である.高体温に分類されるが,病態生理は不明瞭な点が多く,中枢神経での免疫反応も関連している.発熱上昇は速く顕著で,発熱期間が持続し,意識障害や自律神経失調などを伴いやすい[1].

■ 評価・診断

　体温上昇の発症様態(急激な体温上昇の場合,悪寒戦慄を伴うことが多い),周囲の環境,使用薬剤や治療内容を把握することが重要である.また随伴する臓器特異的な症状・所見があれば,その臓器の感染の可能性が高い.分画を含めた血算,生化学検査,血液などの培養検査,CTなどの画像検査は,患者への侵襲を考えながら適応を検討する.終末期がん患者でも行いやすいのは身体診察である.胸腹部や病変周囲の診察に加え,口腔周囲,背部〜殿部,四肢,創周囲,点滴や膀胱留置カテーテルなどの医療器具周囲や排出

物に留意する.

各病態へのアプローチ

腫瘍熱

1) 特徴

　腫瘍熱とは,腫瘍自体によって引き起こされる発熱と定義され,腫瘍そのものが分泌,あるいは腫瘍自体や壊死物質に反応した免疫細胞から分泌された,炎症性サイトカインによって惹起される.悪性リンパ腫,急性白血病,腎細胞がんなどで報告例が多いが,すべてのがん種で生じうる.

　また,感染と比べて以下の特徴が報告されている.①悪寒戦慄,せん妄やADL低下が少なく,感染と比べて重症度が低い.②発熱期の間に平熱期がある(間欠熱)ことが多く,非発熱時には心拍数が上がらない.一方感染では,平熱に至ることは少なく,心拍数も高く維持される.③白血球分画において,平熱時に比べて感染では好中球/リンパ球比率が高まるが,腫瘍熱では変化が少ない.④肝転移や画像上の壊死像を認める場合に,腫瘍熱をきたしやすい.

2) 診断

　腫瘍熱診断のゴールド・スタンダードはなく,感染など他の発熱原因の除外によって診断に至る.CRP値,血沈値,プロカルシトニン値は,腫瘍熱と感染の鑑別に有用ではない,という報告が多い.

　腫瘍熱の診断基準案(**表2**)[2]が提案されているが,観察期間の長さ,検査の侵襲性などを考慮すると,特に終末期がん患者において項目をすべて満たすことは難しい.現実的には,感染など主要な体温上昇の原因を臨床的に除外し(必要なら経験的な抗菌薬治療を行い),診断的治療としてNSAIDsに対する反応をみて診断することも考えられる.

3) 治療

　固形がんではNSAIDsが標準的治療とされており,アセトアミノフェンやステロイドよりも奏効率が高いと考えられている.NSAIDsのなかでのRCTは不足しているが,ナプロキセンが最も先行研究が多く,また血中濃度の半減期が長いため,標準的に使用

表2 腫瘍熱の診断基準案

1) 1日1回以上,37.8℃以上の発熱がある
2) 発熱が2週間以上持続している
3) 以下において,感染徴候を認めない
   A. 身体所見
   B. 検査所見
   例) 喀痰スメアや培養,血液・尿・便・骨髄・髄液・胸水・膿からの培養
   C. 画像
   例) 胸部X線,頭部・腹部・骨盤のCT
4) アレルギー機序はない
   例) 薬剤アレルギー,輸血反応,放射線や化学療法への反応
5) 7日間以上の経験的で適切な抗菌薬治療に反応しない
6) ナプロキセンを使うことで,速やかに平熱に至り,ナプロキセン使用中は平熱が持続する

(Zell JA, et al:Neoplastic fever:a neglected paraneoplastic syndrome. Support Care Cancer 13:870-877, 2005 をもとに作成)

される[★3)].

NSAIDsの効果が不十分,あるいはNSAIDsの使用を避けるのが望ましい場合や血液腫瘍では,ステロイドを使用することがある.

処方例

ナプロキセン(ナイキサン®) 1回200〜300 mg 1日400〜600 mg
朝・夕食後 内服

終末期がん患者における感染

1) 特徴

終末期のがん患者は,様々な要因にて易感染状態にある(**表3**).終末期がん患者に感染が生じると,ADL低下,喀痰,呼吸困難,悪心・嘔吐,痛みの増悪,せん妄などの症状悪化につながるため,適切な対応が必要である.

終末期がん患者の感染症は,尿路感染,肺炎,皮膚軟部組織感染,血管内感染などが多く,市中感染のみならず,医療関連感染症の原因菌も想定する必要がある.ステロイド長期使用中の場合は,ニューモシスチス肺炎や結核なども鑑別に挙げる必要がある.

表3 終末期がん患者の易感染性の病態

> 1) 細胞性免疫低下
>   - 血液疾患・骨髄浸潤，ステロイド投与，悪液質による低栄養状態などによる
>   - 抗酸菌，真菌(ニューモシスチスを含む)，ウイルスなどへの抵抗が弱くなる
> 2) 液性免疫低下
>   - 血液疾患，脾臓摘出，長期間ステロイド使用などによる
>   - 莢膜を有する菌(肺炎球菌，インフルエンザ桿菌，髄膜炎菌)に対する抵抗力が弱くなる
> 3) 皮膚・粘膜のバリア障害
>   - 腫瘍による破壊，医療器具挿入，抗がん剤や放射線治療，褥瘡，腸内細菌叢の変化などによる
> 4) 解剖学的な変化
>   - 腫瘍による管腔臓器の閉塞や穿通，壊死巣の形成などによる
> 5) 浮腫・胸腹水などの富栄養液貯留

2) 評価・診断

終末期がん患者では，以下のような要因によって，診断が難しい場合がある．したがって，可能な限り侵襲が少なくなるよう，注意深い経過の観察，バイタルサインの変動の確認，丁寧な身体診察，最低限の検査などによって判断することを心がける．

① 強い身体症状やせん妄のため，病歴を十分に聴取できない場合がある．

② 衰弱や，NSAIDs，ステロイド，オピオイドなどの症状緩和薬剤により，発熱や痛みなどの症状がマスクされやすい．

③ 採血，画像，各種培養などの検査が侵襲となる場合がある．

3) 治療

がんの病状が進行すると抗菌薬の治療効果が減弱するが，緩和ケアの患者においても40％程度の症状緩和効果が期待できるとの報告がある．また感染臓器別の抗菌薬治療の奏効率は，尿路感染症では約80％であるが，肺炎など他の感染では約40％と低いことが報告されている．

抗菌薬に関しては，終末期がん患者においても，感受性の結果に基づいたほうが生存率が高いという報告があり，経験的に使用する際には各施設のアンチバイオグラムを参照することが望ましい．セ

フェピム，セフトリアキソン，アンピシリン，テイコプラニンについては皮下点滴に関する報告がある．

終末期がん患者の抗菌薬治療適応に関しては，患者の全身状態，予後，治療の奏効の見込みや，治療に伴う害(点滴などの侵襲性，副作用，耐性菌の出現，苦痛が長引く可能性)を医療チームで検討し，患者・家族の治療に対する意向なども共有しながら方針を決めることが望ましい．

> **処方例**
> セフトリアキソン(ロセフィン®)　1回2 g/2 V を生理食塩液 50 mL に溶解　1日1回　1時間かけて皮下点滴

セロトニン症候群と悪性症候群

薬剤性に高体温を呈する疾患として，セロトニン症候群と悪性症候群が特に問題になる．両者は症候が似ているが，詳細な薬剤使用歴(薬剤の種類だけでなく，用量，開始や増量の時期，使用経路も含む)や症状発現までの期間，神経系を含む身体所見，採血などにて鑑別を行い，各々の対処を行う(**表4**)．

1)セロトニン症候群

薬剤により中枢や末梢神経のセロトニン活性が異常に上昇すると，精神症状(不安，焦燥，錯乱)，自律神経失調(発汗，頻脈，高熱，高血圧，嘔吐，下痢)，神経筋症状(腱反射亢進・両側バビンスキー徴候陽性，ミオクローヌス，振戦，筋強剛)が生じる．

セロトニン症候群は，ごく軽度の症状から致命的になるものまで様々で，見逃しが多く頻度は明らかではない．セロトニン作動薬を使用している場合は，発症率0.09〜0.23%との報告がある．原因薬剤は，セロトニンの合成や分泌の促進，代謝への影響(再取り込み阻害，代謝阻害)，受容体刺激の薬理作用を有する．SSRIの報告が多いが，特にMAO阻害薬との併用は重症化しやすい．それ以外に緩和ケアでは，オピオイド(トラマドール，オキシコドン，メサドン，フェンタニル)，抗うつ薬(SNRI，三環系抗うつ薬，ミルタザピン)，鎮咳薬(デキストロメトルファン)，非定型抗精神病薬(リスペリドン)，抗菌薬(シプロフロキサシン，リネゾリド，フルコナ

表 4 セロトニン症候群と悪性症候群の鑑別

特徴	セロトニン症候群	悪性症候群
原因薬剤	セロトニン作動薬	ドパミン拮抗薬 ドパミン作動薬の中断
薬剤投与から症状の発現	数分〜数時間以内	数日〜数週
薬剤中止後の症状の改善	24 時間以内	10 日以内
38℃以上の発熱	46%	90%以上
意識状態の変化	54%	90%以上
精神症状	不安・焦燥・興奮が多い	少ない
神経筋症状	亢進(振戦，ミオクローヌス，腱反射亢進)	低下(筋強剛，動作緩慢)
瞳孔	散瞳	正常または散瞳
腸蠕動	亢進	低下
白血球増多	13%	90%以上
CK 高値	18%	90%以上
ドパミン作動薬の効果	症状悪化	症状改善
セロトニン拮抗薬の効果	症状改善	効果なし

ゾール)などが原因になりうる．これらの薬剤を併用することは，セロトニン症候群のリスクとなる．

セロトニン症候群は，原因薬剤を服用してから数時間後など非常に早く生じ，まず不安・焦燥感や，下肢中心の振戦や腱反射亢進を呈し，意識変容は 54％と報告されている．その後自律神経徴候を呈するが，軽度のことが多い．筋強剛の亢進や体温 38℃以上の場合は，重症と判断する．セロトニン症候群が疑われる場合には，原因となりうる薬剤を中止する．通常 24 時間以内に症状は改善するが，血中濃度の半減期が長い薬剤が原因の場合は，それ以上症状が持続する．またクーリングや補液などの支持療法を併用する．症状が強ければ，ベンゾジアゼピンを用い，5HT$_{2A}$ 受容体拮抗薬であるシプロヘプタジン(最初に 12 mg を投与し，症状が改善するまで 2 時間ごとに 2 mg ずつ追加)を使用する．重症例では，神経筋遮断薬，挿管・人工呼吸を考慮する．

2）悪性症候群

　悪性症候群とは，ドパミン拮抗薬により脳内ドパミン濃度が急激に変化するために生じる，せん妄，筋強剛，発熱，自律神経失調をきたす疾患である．ドパミンは体温調整に関連しており，急にシナプス後受容体の刺激が減ると高体温を呈する．加えて，運動調整やトーヌスを調整する基底核でドパミンが急激に変化することで，筋肉のトーヌスが変化して筋強剛や振戦を呈し，体温をさらに上昇させる．骨格筋線維にもドパミン受容体があり，細胞内 Ca 濃度を高めて筋収縮を強める．

　抗精神病薬使用患者の 0.07〜2.2％に生じるとの報告があり，最も頻度が高い原因薬剤はハロペリドールだが，クロルプロマジンや，非定型抗精神病薬(オランザピン，リスペリドン，クエチアピン，アリピプラゾールなど)やリチウム，カルバマゼピンなども報告されている．緩和ケアにおいては，メトクロプラミド，レボメプロマジン，抗うつ薬(パロキセチン，セルトラリンなど)の使用，あるいは抗コリン薬を急激に中止した場合の報告がある．多くの場合は，これらの薬剤の併用が原因となり，内服に比べて点滴のほうがリスクが高い．患者側のリスク因子として，高温の環境，脱水，高齢，感染，悪性症候群の既往歴・家族歴，血清鉄低値などが指摘されている．

　悪性症候群では，原因となる抗精神病薬を投与して数日〜数週間ほど経過して，意識レベルの変容，錐体外路症状(筋強剛，無動症)，自律神経失調(頻脈，高血圧，顕著な発汗)，高体温(しばしば 40℃以上，悪寒を伴わない)などをきたす．全身の筋強剛の亢進は主要な特徴であり，血清 CK 高値(1,000 IU/L 以上)，炎症(白血球増多，CRP・血沈・フィブリノーゲン高値)も呈する．せん妄は重症度と関連する．重症例では，横紋筋融解症，腎不全や DIC，多臓器不全，嚥下困難による誤嚥性肺炎，たこつぼ型心筋症などをきたす．重症例の致死率は 20〜40％（適切な治療をして 10％）と報告されている．原因薬剤を中止し，補液・クーリングを行い，症状が続けばベンゾジアゼピンを併用し，次にダントロレン(筋肉細胞内 Ca 濃度を下げる)を使用する．

＊

　セロトニン症候群，悪性症候群ともに，緩和ケアで使用する薬剤が原因で生じうる．セロトニン作動薬を変更直後の精神症状や，ドパミン拮抗薬使用中の錐体外路症状に注意をすることで，早めに気付くことができる．

■ 参考文献

1) Kiyatkin EA：Physiological and pathological brain hyperthermia. Prog Brain Res 162：219-243, 2007.(PMID：17645922)
2) Zell JA, et al：Neoplastic fever：a neglected paraneoplastic syndrome. Support Care Cancer 13：870-877, 2005.(PMID：15864658)
3) Chang JC, et al：Neoplastic fever responds to the treatment of an adequate dose of naproxen. J Clin Oncol 3：552-558, 1985.(PMID：3981226)
4) Odagiri T, et al：A multicenter cohort study to explore differentiating factors between tumor fever and infection among advanced cancer patients. J Palliat Med 22：1331-1336, 2019.(PMID：31566480)
5) Macedo F, et al：Antimicrobial therapy in palliative care：an overview. Support Care Cancer 26：1361-1367, 2018.(PMID：29435712)
6) Enniger A, et al：Multidrug-resistant organisms in palliative care：a systematic review. J Palliat Med 24：122-132, 2021.(PMID：33085565)
7) Fonzo-Christe C, et al：Subcutaneous administration of drugs in elderly：survey of practice and systematic literature review. Palliat Med 19：208-219, 2005.(PMID：15920935)
8) Jackson N, et al：Neuropsychiatric complications of commonly used palliative care drugs. Postgrad Med J 84：121-126, 2008.(PMID：18372482)

〔小田切拓也〕

8 【身体症状の緩和】
悪心・嘔吐

診療のコツ

❶悪心・嘔吐の原因と病態を評価し，治療可能な原因は対処する．
❷一般に，制吐薬は，病態に応じた受容体への拮抗作用をもつ薬剤を選択する．
❸難治性の悪心・嘔吐には，複数の受容体への拮抗作用をもつ薬剤を考慮する．

定義・疫学

悪心は「消化管の内容物を口から吐き出したいという切迫した不快な感覚」，嘔吐は「消化管の内容物が口から強制的に排出されること」と定義される[1]．進行がん患者の60％に悪心，30％に嘔吐があるとされ，頻度が高い症状である．がん患者では，オピオイドや化学療法など薬剤が原因となる頻度が高いが，それ以外に様々な原因が複雑に関わることがある．

病態生理

何らかの原因により嘔吐中枢（vomiting center：VC）が刺激されることによって，嘔吐運動と悪心の自覚症状が発現する．嘔吐中枢への入力には，大脳皮質，前庭器，化学受容体引金帯（chemoreceptor trigger zone：CTZ），末梢の4つの経路があると考えられている．これらの経路には，様々な神経伝達物質とその受容体が関与している（**図1**）[2]．

評価・診断[1,3]

問診・病歴，身体診察，血液検査，画像検査（**表1**）から，原因を推定する．原因は4つに分類される（**表2**）．複数の原因が同時に存在することがある．

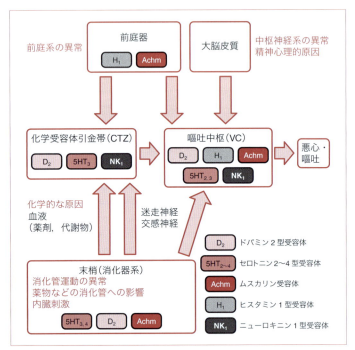

図1 悪心・嘔吐のメカニズム

〔久永貴之:悪心・嘔吐,消化管閉塞,食欲不振.森田達也,他(監):緩和ケアレジデントマニュアル.p129,医学書院,2016より改変〕

表1 悪心・嘔吐の主な評価のポイント

問診	嘔吐の頻度・性状・量,随伴症状(腹部の疝痛,めまい,頭痛,不安など),排便状況
病歴	投薬内容(新規の処方や投与量の変更を含む),化学放射線治療の状況,手術歴
身体診察	腹部の打診・触診・聴診,口腔内観察,神経所見(小脳症状,頭蓋内圧亢進)
血液検査	電解質異常(Ca,Na),血糖,腎機能,肝機能,炎症所見
画像検査	腹部X線(鏡面像,便塊の有無),超音波検査(肝脾腫,腹水,腸管拡張など),CT(腸閉塞,腹腔内臓器への転移,頭蓋内病変など)

表2 がん患者の悪心・嘔吐の原因

化学的な原因	
薬物	オピオイド，抗てんかん薬，抗うつ薬，ジゴキシン，がん薬物療法など
代謝物	高カルシウム血症，低ナトリウム血症，腎機能障害，肝機能障害，ケトアシドーシス
誘発物質	感染によるエンドトキシン，腫瘍からのサイトカイン
消化器系の原因	
消化管運動異常	腹水，肝腫大，腫瘍による圧迫，便秘・下痢，消化管閉塞，放射線治療
消化管刺激	薬物(NSAIDs，抗菌薬，ステロイド，鉄剤，アルコール)，胃炎・胃潰瘍
内臓刺激	がん性腹膜炎，肝被膜伸展，尿管拡張，後腹膜腫瘍など
中枢神経系の原因	
頭蓋内圧亢進	脳腫瘍，脳浮腫，脳出血
髄膜刺激	がん性髄膜炎，細菌性髄膜炎
前庭系	頭蓋底への転移，乗り物酔い，オピオイド
精神心理的な原因	
心理的な要因	不安，予期性嘔吐，恐怖，痛み

化学的な原因

薬物や代謝物が，第4脳室底のCTZを刺激することで生じる．オピオイドが原因の悪心・嘔吐は，CTZ，前庭系の刺激，消化管運動の低下が関与する．がん薬物療法では，CTZへの直接刺激と，消化管粘膜の損傷により腸管クロム親和性細胞からセロトニンが放出されることで生じる．

消化器系の原因

消化管運動の異常では，内容物の停滞で消化管が伸展して機械的受容体が刺激される．薬物などが消化管を刺激することもある．内臓刺激では，がん性腹膜炎や肝被膜の伸展などにより，腹部・骨盤臓器の機械的受容体や肝・消化管の化学受容体が刺激される．これらの刺激が迷走神経・交感神経から伝達されて悪心・嘔吐を生じる．

中枢神経系の原因

頭蓋内圧亢進や髄膜への刺激が直接または間接的に嘔吐中枢を刺激する．前庭系の異常では，体動に伴う悪心・嘔吐をきたす．

精神心理的な原因

精神的・感情的な要因で起こる．予期性嘔吐は，がん薬物療法中の患者の一部で以前の治療に伴う悪心・嘔吐の苦痛が思い出されることで生じる．

治療

原因とその病態に応じた治療

治療可能な原因であれば，原因除去を検討する．

1) 対応例

- 薬剤性：薬剤の中止，変更．
- 高カルシウム血症：ビスホスホネート製剤/輸液でのCa補正．
- 便秘：排便コントロール．
- 腹水：腹水穿刺．
- 消化管閉塞：消化管閉塞の治療（「消化管閉塞」参照➡142頁）．
- 口腔カンジダ症：抗真菌薬の投与，口腔ケア．
- 頭蓋内圧亢進・がん性髄膜炎：濃グリセリン，ステロイドの投与．
- 不安：抗不安薬の投与，傾聴など．

制吐薬

悪心・嘔吐の薬物療法には，病態に応じた方法(etiology-based approach)と，病態にかかわらず画一的に1つの制吐薬を投与する方法(empirical approach)の2つの考え方がある．どちらの方法がよいかの結論は出ていない[4]．日本では，まずは病態に応じた制吐薬を選択することが一般的である．

1) 原因・病態に応じて選択した制吐薬の投与

悪心・嘔吐の原因・病態に応じて，作用する受容体を考慮して制吐薬を選択する(**表3**)．

表3 主な制吐薬と作用する受容体

分類	薬剤名	作用する受容体
ドパミン D_2 受容体拮抗薬	ハロペリドール	D_2
	メトクロプラミド	D_2, $5HT_2$(高用量), $5HT_4$
ヒスタミン H_1 受容体拮抗薬	ジフェンヒドラミン	H_1, Achm
	ヒドロキシジン	H_1, Achm
抗コリン薬	スコポラミン	Achm
複数の受容体の拮抗薬	プロクロルペラジン	D_2, H_1, Achm, $\alpha_1 Ad$
	オランザピン	$5HT_{2,3}$, H_1, D_2, Achm
	レボメプロマジン	$5HT_2$, H_1, D_2, $\alpha_1 Ad$
セロトニン $5HT_3$ 受容体拮抗薬	グラニセトロン	$5HT_3$

D_2:ドパミン2型受容体,$5HT_{2\sim4}$:セロトニン2〜4型受容体,Achm:ムスカリン受容体,H_1:ヒスタミン1型受容体,$\alpha_1 Ad$:アドレナリン α_1 受容体
〔新城拓也:悪心・嘔吐,日本緩和医療学会(編):専門家をめざす人のための緩和医療学 改訂第2版,p106,南江堂,2019より許諾を得て抜粋・改変し転載〕

1 化学的な原因の場合

ドパミン受容体拮抗薬★5)を選択する.

処方例 下記のいずれかを用いる.
【内服の場合】
1) ハロペリドール(セレネース®)　1回0.75mg　1日1回　眠前
【内服困難の場合】
2) ハロペリドール(セレネース®)　1回2.5〜5mg　1日1回　静注
＊いずれも錐体外路症状に注意する.

2 消化器運動異常の場合

消化管運動促進薬★★6)を選択する.

処方例
【内服の場合】
1) メトクロプラミド(プリンペラン®)　1回5mg　1日3回
【内服困難の場合】
2) メトクロプラミド(プリンペラン®)　1回10mg　1日1〜3回　静注または筋注
＊錐体外路症状に注意する.

3 中枢神経系または内臓刺激が原因の場合

ヒスタミン受容体拮抗薬[★7]を選択する.

> **処方例**
> 【内服の場合】
> 1) ジフェンヒドラミン(40 mg)・ジプロフィリン(26 mg)配合錠(トラベルミン®)　1回1錠　1日3回
> 【内服困難の場合】
> 2) ヒドロキシジン(アタラックス® P)　1回25 mg　1日1~3回　静注
> ＊眠気に注意する.

4 精神心理的な原因の場合

抗不安薬[★8]を選択する.

> **処方例**
> ロラゼパム(ワイパックス®)　1回0.5 mg　1日1~3回　頓用　内服

5 原因がはっきりしない場合

原因が特定できない場合には，悪心・嘔吐の苦痛をまず緩和するために，empirical approach で制吐薬を投与することを考慮する[4].

> **処方例**　下記のいずれかを用いる.
> 1) ハロペリドール(セレネース®)　1回0.75 mg　1日1回　眠前　内服　または1回2.5~5 mg　1日1回　静注
> 2) メトクロプラミド(プリンペラン®)　1回5 mg　1日3回　内服　または1回10 mg　1日1~3回　静注または筋注
> ＊いずれも錐体外路症状に注意する.

2) 難治性の悪心・嘔吐への対応

1 第1選択で投与していない別の作用機序をもつ制吐薬

最初に投与した制吐薬が無効または効果不十分な場合，複数の病態が予測される．病態を考えつつ，別の受容体への拮抗作用をもつ薬剤への変更や併用を行う．

2 複数の受容体に拮抗作用を有する抗精神病薬

オランザピンは，小規模の RCT で進行がんによる慢性的な悪心に対して，プラセボと比較して有効であることが確認されている★★[9]．レボメプロマジンについては十分なエビデンスはないが，

オランザピンと同様に複数の受容体に拮抗作用がある[★10].

> **処方例** 下記のいずれかを用いる.
> 1) オランザピン(ジプレキサ®)　1回2.5〜5 mg　1日1回　夕食後または眠前　内服
> ＊糖尿病の場合は禁忌.
> 2) レボメプロマジン(ヒルナミン®)　1回5 mg　1日1回　眠前　内服　または1回5 mg　1日1回　静注
> ＊過鎮静となることがある.

3 抗コリン薬[11]

ムスカリン受容体拮抗薬が有効な場合がある.

> **処方例**
> スコポラミン(ハイスコ®)　1回0.25〜0.5 mg　1日1回　皮下注または舌下
> ＊眠気, 抗コリン作用に注意する.

4 セロトニン5HT$_3$受容体拮抗薬[★12]

5HT$_3$受容体拮抗薬が有効な場合があるが, 化学放射線治療に伴う悪心・嘔吐以外では保険適用外である.

> **処方例**
> グラニセトロン(カイトリル®)　1回2 mg　1日1回　内服　または1回40 μg/kg　1日1〜2回　静注
> ＊頓用では用いない. 3日を目安に有効性を判断する.

5 ステロイド[★13]

エビデンスは不十分だが, 腫瘍による炎症やサイトカイン産生, 浮腫を軽減することで悪心・嘔吐を軽減すると考えられている.

> **処方例**
> デキサメタゾン(デカドロン®)またはベタメタゾン(リンデロン®)　1回2〜8 mg　1日1回　朝　内服・静注・皮下注のいずれか

悪心・嘔吐のケア

悪心・嘔吐を誘発しないように患者の環境を整える.

1) 対応例

- におい対策：香りの強い植物・化粧品を避ける, 嘔吐物を速やか

に片付ける，壊死組織などの悪臭対策．
- **食事**：においが目立たず冷たいもの，のどごしのよいものを少量ずつ提供する．
- **体位の工夫**：座位・側臥位(腹部を圧迫させない，誤嚥を防ぐ)，体を締め付けない衣服．
- **環境調整**：ガーグルベースン，ティッシュ，ごみ箱，ナースコールを手の届きやすいところに置く，換気．
- **その他**：口腔ケア，排便コントロール，心理的サポートなど．

▌参考文献

1) 日本緩和医療学会(編)：がん患者の消化器症状の緩和に関するガイドライン2017年版．金原出版，2017．
2) 久永貴之：悪心・嘔吐，消化管閉塞，食欲不振．森田達也，他(監)：緩和ケアレジデントマニュアル．p129, 医学書院，2016．
3) Walsh D, et al：2016 updated MASCC/ESMO consensus recommendations：management of nausea and vomiting in advanced cancer. Support Care Cancer 25：333-340, 2017.(PMID：27534961)
4) Hardy J, et al：A randomized open-label study of guideline-driven antiemetic therapy versus single agent antiemetic therapy in patients with advanced cancer and nausea not related to anticancer treatment. BMC Cancer 18：510, 2018.(PMID：29720113)
5) Hardy JR, et al：The efficacy of haloperidol in the management of nausea and vomiting in patients with cancer. J Pain Symptom Manage 40：111-116, 2010.(PMID：20619214)
6) Bruera E, et al：A double-blind, crossover study of controlled-release metoclopramide and placebo for the chronic nausea and dyspepsia of advanced cancer. J Pain Symptom Manage 19：427-435, 2000.(PMID：10908823)
7) Tolen L, et al：Initial selection of antiemetics in end-of-life care：a retrospective analysis. Int J Pharm Compd 10：147-153, 2006.(PMID：23974188)
8) Malik IA, et al：Clinical efficacy of lorazepam in prophylaxis of anticipatory, acute, and delayed nausea and vomiting induced by high doses of cisplatin. A prospective randomized trial. Am J Clin Oncol 18：170-175, 1995.(PMID：7900711)
9) Navari RM, et al：Olanzapine for the treatment of advanced cancer-related chronic nausea and/or vomiting：a randomized pilot trial. JAMA Oncol 6：895-899, 2020.(PMID：32379269)
10) Hardy JR, et al：Methotrimeprazine versus haloperidol in palliative care patients with cancer-related nausea：a randomised, double-blind controlled trial. BMJ Open 9：e029942, 2019.(PMID：31515428)
11) Imai K, et al：Sublingually administered scopolamine for nausea in terminally ill cancer patients. Support Care Cancer 21：2777-2781,2013.(PMID：23722950)

12) Hardy J, et al：A double-blind, randomised, parallel group, multinational, multicentre study comparing a single dose of ondansetron 24mg p.o. with placebo and metoclopramide 10mg t.d.s. p.o. in the treatment of opioid-induced nausea and emesis in cancer patients. Support Care Cancer 10：231-236, 2002.(PMID：11904788)
13) Bruera E, et al：Dexamethasone in addition to metoclopramide for chronic nausea in patients with advanced cancer：a randomized controlled trial. J Pain Symptom Manage 28：381-388, 2004.(PMID：15471656)

〔川島夏希〕

9 【身体症状の緩和】消化管閉塞

診療のコツ

❶ 閉塞の原因や閉塞部位，閉塞の程度を把握したうえで，患者を包括的に評価して治療方針を決定する．
❷ コルチコステロイドやオクトレオチドは，短期間で有効性を評価し，漫然と継続することは避ける．
❸ 完全閉塞でも，患者の希望に応じて，経鼻胃管や「噛み出し」を利用して食を楽しむ工夫をする．

定義・疫学

消化管閉塞は，消化管において食物を肛門側に送り出せないことによる病態の総称であり，その閉塞が悪性腫瘍により発生するものを特に悪性消化管閉塞と呼ぶ．閉塞部位は小腸が半数以上を占め，次いで大腸，胃・十二指腸の順に多い．原因は腫瘍自体による閉塞に限らず，手術後の癒着や放射線照射後の線維化，オピオイドや抗コリン薬といった薬剤，全身衰弱といった原因が重複する場合もある．悪性消化管閉塞の有病率は，特に消化器系がんと婦人科がんで高く，大腸がん患者では25〜44％，胃がん患者では6〜19％，卵巣がん患者では16〜29％とされている[1]．

病態

悪性消化管閉塞では，単発の機械的閉塞だけでなく，腹膜播種や過去の手術・放射線照射により腸管癒着がある場合には，小腸や大腸の閉塞が多発する場合がある．一方，閉塞の程度により完全閉塞と不完全閉塞に分類され，不完全閉塞が改善と再発を繰り返すと，最終的に完全閉塞となることが多い．閉塞により消化管内容物が貯留し，消化管の拡張・伸展が進むと，腸管粘膜上皮の炎症や血液循環の遮断による酸素供給障害により，プロスタグランジンやVIP（vasoactive intestinal polypeptide）が産生され，それらの作用により，腸管粘膜上皮の障害や浮腫，うっ血がさらに進行し，消化液分

泌が刺激され，内容物のさらなる増大を繰り返し悪循環に陥る[2]．

消化管内容物の停滞により，悪心・嘔吐，腸管の拡張による持続痛，腸管蠕動の亢進に伴う疝痛，腹部膨満感，便秘が生じる．また閉塞部位により臨床像が異なる．食道，胃，十二指腸までの上部消化管閉塞では，少量の経口摂取によっても嘔吐が起こり，初期から上腹部に痛みが起こることが多い．一方，小腸から大腸の下部消化管閉塞では，症状の出現が緩徐であり，腹部膨満感が目立つことが多い．嘔吐は少量もしくはないこともあり，吐物は臭気が強い便汁様である．便秘については，全く排便を認めない場合だけでなく，不完全閉塞では宿便が液状化して少量の水様便がみられる場合もある(コラム「溢流性下痢」参照➡ 182 頁)．

▌評価・診断

問診，身体診察では，手術や腸管が照射野に入った放射線照射の治療歴，身体症状(嘔吐，腹部膨満感，疝痛)の評価，排便状況を確認する．画像検査では，X 線，超音波，CT の所見により，閉塞の原因や閉塞部位，閉塞の程度(完全閉塞/不完全閉塞)を把握する．消化管造影は手術適応のある場合で有用だが，適応は慎重に判断する．内視鏡検査は胃瘻造設や消化管ステント留置の可能性がある場合に評価のため実施する．

▌治療

治療は，手術，消化管ステント，消化管ドレナージ，薬物療法の 4 つに大別される．治療方針は，全身状態，予測される予後，閉塞の原因や閉塞部位，閉塞の程度，治療により期待される成果，患者・家族の治療目標を包括的に判断して決定する必要がある．上部消化管閉塞では，上記治療でも嘔吐を完全に消失できないことがあり，その場合には，嘔吐回数を 1 日 2〜3 回に減らすことを目標にする．一方，完全閉塞でも患者と食について話し合うことは重要であり，患者の希望に応じて，経鼻胃管や胃瘻で回収可能な飲食物(水分，飴，アイス，チョコレート)や噛んで味わう食物(こんぶ，するめ)の摂取の他，口の中で咀嚼したものを嚥下せずに吐き出す方法(噛み出し)を行う場合もある．

手術

閉塞箇所が1～2か所の閉塞では,手術による姑息的切除,バイパス術,人工肛門造設の適応になる場合がある.悪性消化管閉塞に対して手術を行った患者の予後は悪く,術後死亡率は10～40%,術後生存期間の中央値は30～150日である一方,68%の患者は術後30日目でも経口摂取が可能であったと報告されている[3].一方,多発性の閉塞,がんの腹腔内播種,急速に貯留する大量腹水を認める場合には手術は禁忌である.手術による死亡リスクや合併症,術後に症状が再燃する可能性のみならず,患者の全身状態や予測される予後も踏まえたうえで慎重に判断し,患者・家族への丁寧な説明と意思決定の支援が重要である.

消化管ステント

手術による侵襲が高いと判断される場合,内視鏡による消化管ステントが有用な代替治療手段となる.適応は基本的に単発病変で,食道,幽門,十二指腸,結腸,直腸の閉塞に対して施行され,高い症状改善効果が報告されている.消化管ステント留置に伴う合併症としては,消化管穿孔,痛み,出血,ステントの拡張不全・再閉塞・脱落・移動,潰瘍形成が挙げられる.術者の技術的な問題や施設の体制,経験なども考慮して適応を判断する.

消化管ドレナージ

経鼻胃管やイレウス管は,大量の消化管内容物の速やかなドレナージが可能であり,閉塞箇所の消化管の拡張・伸展を解消することにより消化管閉塞が改善する場合もある.そのため,患者の意向や症状を踏まえて,経鼻胃管やイレウス管の留置を検討する.一方,長期の留置によって鼻粘膜や咽頭のびらんや誤嚥性肺炎などの合併症が生じることもあり,中～長期的なドレナージが必要な場合には,経皮内視鏡的胃瘻造設術(PEG)や経皮経食道胃管挿入術(PTEG)の適応を考慮する(「IVR」参照➡ **303頁**).

薬物療法

薬物療法は,コルチコステロイドとオクトレオチドを中心に,複数の異なる作用機序をもっている薬剤を組み合わせて行う.しかし,「がん患者の消化器症状の緩和に関するガイドライン2017年

版」では,両薬剤とも弱い推奨にとどまっており,また各薬剤を使用する順番や組み合わせ方についてのコンセンサスは得られていない[4].完全閉塞に対して下剤の使用は禁忌であるが,不完全閉塞では排便を維持するために浸透圧性下剤の使用を考慮する.

1)コルチコステロイド★★[5,6]

コルチコステロイドは,消化管閉塞に伴う閉塞箇所の浮腫の軽減により,腸管腔内の通過の改善が期待される.また腸管壁内の神経への圧迫を減少させて神経の機能を改善することで,機能的閉塞の改善にも寄与する[7].コルチコステロイドは高用量から開始し,3～10日の短期間で有効性の評価を行い,継続の可否を検討する.効果にかかわらず,高用量を漫然と継続する使用は避けなければならない.開始用量は高血糖やせん妄のリスクを踏まえたうえで決定する.

> **処方例** 下記のいずれかを用いる.
> 1) デキサメタゾン(デカドロン®) 3.3～6.6 mg 1日1回 朝 皮下注または点滴静注
> 2) ベタメタゾン(リンデロン®)0.4% 4～8 mg 1日1回 朝 皮下注または点滴静注

2)オクトレオチド★★

ソマトスタチン誘導体であるオクトレオチドは,胃・十二指腸・小腸などの消化管に分布するソマトスタチン受容体を介して,VIPなどの消化管ホルモンの分泌抑制や消化液の分泌抑制,水電解質の吸収促進などの作用をもつ.これらの作用により消化管内容物を減少させ,腸管の膨満を軽減することによって嘔吐や疝痛を緩和すると考えられている.しかし,これまでの研究は結果が一致せず,比較的規模が大きい1つのRCTでは,オクトレオチドはプラセボと比較して嘔吐だけでなく,QOLにおいても有意な改善は認めなかった[8,9].そのため,投与は適応を十分に検討したうえで行い,投与開始後3～7日以内に継続の可否を検討する.抗コリン薬であるブチルスコポラミンがオクトレオチドの代替薬として使用される場合もある.

> **処方例**
> オクトレオチド(サンドスタチン®)　300 µg/日　持続皮下注または持続点滴静注

3)ヒスタミン H_2 受容体拮抗薬*, プロトンポンプ阻害薬*

　胃液分泌量を減少させ，間接的に消化管閉塞による悪心・嘔吐を改善させる目的でヒスタミン H_2 受容体拮抗薬やプロトンポンプ阻害薬(PPI)が使用されているが，直接的に評価した研究は存在しない．ラニチジンと PPI を比較したメタアナリシスでは，ラニチジンのほうが胃液分泌量を減少する効果が高かったと報告されている[10]．臨床では，単独で用いるのではなく，コルチコステロイドやオクトレオチドとの組み合わせで使用される．

> **処方例**
> ファモチジン(ガスター®)　1回 20 mg　1日2回　皮下注または点滴静注

4)鎮痛薬

　消化管閉塞に伴う持続痛や疝痛，腹部膨満感に対しては，非オピオイド鎮痛薬やオピオイドを使用する．不完全閉塞で排便を維持したい場合はフェンタニルを選択するが，疝痛に対する効果は弱く，十分な鎮痛が得られないことも多い．閉塞の改善が期待しにくく鎮痛を優先する場合には，モルヒネ，オキシコドン，ヒドロモルフォンを選択する．疝痛の場合は，抗コリン薬が有効な場合があり，ブチルスコポラミンを併用する．

5)制吐薬

　悪心・嘔吐に対しては，消化管運動促進薬(メトクロプラミド)，抗ヒスタミン薬(クロルフェニラミン)，抗精神病薬(ハロペリドール，プロクロルペラジン，クロルプロマジン)を使用する．完全閉塞では，消化管運動促進薬の使用により，疝痛の他，悪心・嘔吐を増悪させる場合もあるので注意する．

6)輸液

　予後が限られている患者では，大量の輸液が消化液分泌の増加や

体液貯留の悪化の原因となることがあり，適切な輸液管理が必要とされる．「終末期がん患者の輸液療法に関するガイドライン 2013 年版」では，performance status の低下や体液貯留症状（腹水や浮腫など）をきたしている患者の場合，500〜1,000 mL/日の維持輸液が推奨されている[11]．

■参考文献

1) Alese OB, et al：Management patterns and predictors of mortality among US patients with cancer hospitalized for malignant bowel obstruction. Cancer 121：1772-1778, 2015.（PMID：25739854）
2) 日本緩和医療学会（編）：専門家をめざす人のための緩和医療学 改訂第 2 版. pp109-115, 南江堂, 2019.
3) Prost À la Denise J, et al：Small bowel obstruction in patients with a prior history of cancer：predictive findings of malignant origins. World J Surg 38：363-369, 2014.（PMID：24142334）
4) 日本緩和医療学会（編）：がん患者の消化器症状の緩和に関するガイドライン 2017 年版. pp74-89, 金原出版, 2017.
5) Hardy J, et al：Pitfalls in placebo-controlled trials in palliative care：dexamethasone for the palliation of malignant bowel obstruction. Palliat Med 12：437-442, 1998.（PMID：10621863）
6) Laval G, et al：The use of steroids in the management of inoperable intestinal obstruction in terminal cancer patients：do they remove the obstruction? Palliat Med 14：3-10, 2000.（PMID：10717717）
7) Twycross R, et al. 2009／武田文和（監訳）：トワイクロス先生のがん患者の症状マネジメント 第 2 版. pp112-116, 医学書院, 2010.
8) Currow DC, et al：Double-blind, placebo-controlled, randomized trial of octreotide in malignant bowel obstruction. J Pain Symptom Manage 49：814-821, 2015.（PMID：25462210）
9) McCaffrey N, et al：Health-related quality of life in patients with inoperable malignant bowel obstruction：secondary outcome from a double-blind, parallel, placebo-controlled randomised trial of octreotide. BMC Cancer 20：1050, 2020.（PMID：33129304）
10) Clark K, et al：Reducing gastric secretions--a role for histamine 2 antagonists or proton pump inhibitors in malignant bowel obstruction? Support Care Cancer 17：1463-1468, 2009.（PMID：19290549）
11) 日本緩和医療学会（編）：終末期がん患者の輸液療法に関するガイドライン 2013 年版. pp97-100, 金原出版, 2013.

（東端孝博）

10 【身体症状の緩和】食欲不振

診療のコツ

❶食欲不振の原因を悪液質と決めつけない．原因を評価し，治療可能な原因に対しては原因治療を検討する．
❷食べられなくなった患者・家族への心理社会的ケアにも注意をはらう．

定義・疫学

食欲不振の明確な定義はないが，「食事を摂取したい気持ちが低下または喪失している状態」をいう[1]．食欲不振は，虚弱高齢者，がん，COPD，心不全，腎不全，関節リウマチ，後天性免疫不全症候群などの多くの進行性疾患患者によくみられる症状である[2]．

病態

食欲不振の原因は様々である．進行性疾患患者の場合，食欲不振は病状進行に伴う悪液質によるものであることが多い（「悪液質」参照➡155頁）．しかし，進行性疾患患者であったとしても，病状進行以外に二次的な食欲不振の原因は多岐にわたる（表1）．

評価・診断

食欲不振は主観的な症状である．食事摂取量は食欲不振の目安とはなるが，食事摂取量が少なくても，本人が「食事を摂取したい気持ちが低下または喪失」していなければ食欲不振には該当しない．一方で，食事摂取量が多くても本人が無理をして食べている場合は食欲不振に該当する．食欲不振の診断として functional assessment of anorexia/cachexia therapy（FAACT）の食欲不振スコア（anorexia-cachexia subscale：ACS）という質問表があるが，主に研究用であり，臨床では用いにくい．

食欲不振の主観的な評価尺度には，numeric rating scale（NRS）や visual analogue scale（VAS）を使用する（付録5➡480頁）．

食欲低下の原因と可能なマネジメント（病歴や検査，治療）につい

表1 進行性疾患における食欲不振の原因とマネジメント

原因		マネジメント(病歴, 検査)	治療介入
口腔内の問題	嗅覚・味覚の変化	亜鉛や鉄, 悪性貧血(葉酸, ビタミン B_{12})の評価	嗅覚・味覚の変化に対応した食事の調整
	口腔内の問題	口腔内不衛生, 口内炎, 口腔内カンジダ症, 義歯の評価	口腔ケア, 義歯の調整
	嚥下機能障害	頭頸部がん, 痩せ	嚥下訓練の介入, 食事形態の調整
消化器系の問題	悪心・嘔吐	高カルシウム血症や低ナトリウム血症などの電解質異常, 尿毒症などの臓器障害について評価. 脳転移やがん性髄膜炎の評価	➡ 133頁
	腸管の問題	胃切除術後, 消化管圧迫(肝腫大, 大量腹水), 腸閉塞・便秘の評価	消化不良の対応(制酸薬, 蠕動促進薬), 腹水穿刺, 便通コントロール
その他症状による影響	痛み	痛みの原因と評価	鎮痛薬の調整
	慢性疲労		休息, リハビリテーション介入
	不安/抑うつ	抑うつの評価	抗不安薬・抗うつ薬の投与
その他疾患による影響	感染症	院内感染症, 結核などの慢性感染症, C. difficile 感染症, ピロリ菌感染症の評価	
	糖尿病・代謝内分泌異常	甲状腺機能低下症/亢進症, 副腎機能不全(両側副腎転移, 副腎機能不全を疑う臨床的症状など)の評価, 糖尿病の評価	
	認知症/加齢	MMSEや長谷川式認知症スケールなどの評価, ポリファーマシーの評価	➡ 360頁
環境による影響 (社会的孤立, 孤独)		買い物など社会的問題について, 食事介助が必要な状態かどうか評価する	
治療に関連するもの		薬剤(制酸薬・H_2受容体拮抗薬, 緩下薬, 抗菌薬, ジゴキシン, テオフィリン, オピオイドなどの鎮痛薬), 放射線治療, 化学療法	

て**表1**に記す.複数の因子が食欲不振に関与している可能性もある.

病歴では,食欲がない理由について患者から聴取する.その他の症状が食欲不振に影響することもある.口腔内に問題があることもあり,口腔内を必ず診察する.検査としては,血液検査では電解質異常や代謝異常,必要に応じて微量元素などについて評価する.頭蓋内病変が疑われる場合は頭部造影 MRI 検査・髄液検査なども必要に応じて検討する.

治療

まずは食欲不振の原因への対応を行うことが大切である.また,痛みなど食欲不振以外の症状に対する症状緩和が食欲不振を改善させることもあるので,その他の症状の評価・緩和も重要である.食欲不振自体への対応には,薬物療法のみならず,非薬物療法として栄養サポート,運動療法,心理社会的ケアがある.

コルチコステロイド ★★★

コルチコステロイドは,複数の RCT で,進行がん患者の食欲を改善する効果が報告されている[3〜5].ただし,生命予後が1〜2か月以上で比較的全身状態がよい患者を対象とした臨床試験の結果であり,生命予後が数週間以下で全身状態が不良な患者や非がん終末期患者の有効性は十分にはわかっていない.効果は数日で発現することが多く,投与開始数日で効果が明らかでない,また,せん妄などの副作用が出現する場合には漸減・中止する.

> **処方例**
> デキサメタゾン(デカドロン®)またはベタメタゾン(リンデロン®) 1回2〜4 mg 1日1回 朝 内服・点滴静注・皮下注のいずれか

- 漸減法:1回4 mg から開始し,効果を認める場合は漸減し,効果を維持できる最小量で継続する.数日投与しても明らかな効果がない場合は中止する.
- 漸増法:1回1〜2 mg から開始し,副作用がなく,効果が乏しい場合は,1回2〜4 mg まで増量する.せん妄などの副作用が懸念される場合は漸増法を行う.増量して数日投与しても明らかな効果がない場合は中止する.

アナモレリン ★★

アナモレリンはグレリン様作用薬である．グレリンは主に胃から分泌される内在性ペプチドであり，グレリンがその受容体に結合すると，体重，筋肉量，食欲および代謝を調節する複数の経路を刺激する．がん悪液質の患者における RCT で，体重(特に筋肉量)増加と食欲増加効果が確認されている[6〜8]（「悪液質」参照 ➡ 155 頁）．

現在のところ，非小細胞肺がん，胃がん，膵がん，大腸がんの悪液質に対してのみ保険適用となっている．

> **処方例**
> アナモレリン(エドルミズ®)　1 回 100 mg　1 日 1 回　空腹時に内服

プロゲステロン製剤 ★★★

プロゲステロン製剤は，炎症性サイトカインの産生を抑制することでがん関連の食欲不振や悪液質に対して食欲の改善や体重増加をもたらす（「悪液質」参照 ➡ 155 頁）．重篤な副作用として血栓症があるため，脳梗塞や心筋梗塞，深部静脈血栓症などの既往がある場合は禁忌である[9]．

> **処方例**
> メドロキシプロゲステロン(ヒスロン® H)　1 回 200 mg　1 日 2 回　朝・夕　内服

メトクロプラミド

上部消化管のドパミン D_2 受容体に作用し，上部消化管の運動を促進させる．特に胃内容物が停滞し食べられないような病態に対して効果が期待されるが，根拠は不十分である．副作用としてアカシジア・遅発性ジスキネジアなどの錐体外路症状がある．特に長期使用で副作用を起こすことがあるため使用は 4 週間を目安とし，効果がなければ中止を検討する．

> **処方例**
> メトクロプラミド(プリンペラン®)　1 回 5 mg　1 日 3 回　毎食前内服

表2 食品や食べ方の工夫

- 少量でもカロリーが多い食事(卵,栄養補助食品など)を選択する
- その時々の嗜好にあった食品を摂取する
- 食事の前に休む
- 食事の1回量を減らす.食事の間隔をあける
- 食べたい時に食べやすいように,周囲に好みのものを置いておく

六君子湯

六君子湯はグレリン分泌促進作用により食欲不振の改善が期待される.甘草が含まれており偽アルドステロン症(低カリウム血症,血圧上昇,体液の貯留など)があらわれることがあるので,必要に応じて採血チェックなど注意深く観察を行う.

処方例

六君子湯 1回2.5g 1日2〜3回 食前または食間 内服

食事へのアプローチ

患者の予後により,食事指導の目標は変わる.

- 予後が2か月以上の場合:栄養摂取量や体重減少を予防できるように,早期から食事内容や摂取の仕方について工夫する(**表2**).
- 予後が2か月未満〜週単位未満の場合:栄養面よりも心理社会的側面に焦点を当てる.

消化管閉塞に対して消化管ドレナージ(経鼻胃管,PEG/PTEG)を行っている場合は,液体の食品やチューブ内を通過できるもの(お茶,ジュース,味噌汁の汁,スープ,アイスクリームなど)で,少量であれば嘔吐を回避しつつ経口摂取を継続することは可能である.

人工栄養サポート

進行したがんなどの生命を脅かす病気の慢性疾患患者の大多数にとって,高栄養を含む人工栄養が寿命を延ばしたり機能を改善したりする根拠はない[10].

しかし,予後が数か月以上と推定され,全身状態が比較的安定して過ごすことが想定される患者(例:悪性消化管閉塞または胃がんや咽頭がんなどの局所病変による消化管通過障害や吸収不良の状

態)では高カロリー輸液などの非経口栄養サポートを検討する.

また,進行性認知症や進行期の神経筋疾患などで食べられない場合の栄養サポートについても患者・家族と十分に話し合う必要がある.特に,進行認知症患者に対してPEGによる経管栄養が必ずしも栄養状態や生命予後を改善させるという根拠はない[11].PEGは栄養療法の他,水分投与で空腹や口渇が改善したり,薬剤の投与経路として有用な場合もあり,適応は総合的に判断する.

非経口栄養の使用には定期的な再評価を行う.利益が害を上回っている場合や,死が差し迫っていると思われる場合は中止も検討する.

食べられない患者・家族との関わり方

悪液質の結果としての食欲不振とるい痩など外見の変化は,患者と家族の両方に苦痛を与える.食べられない患者の前で食事を摂ることに抵抗を感じる家族もいるが,家族と一緒に食卓にいることもまた重要なことである.カロリー摂取量よりも,食べ物を味わう喜びを強調する必要がある.

食欲不振や悪液質は飢餓とは異なり,人生の終わりに発生する自然なプロセスであることを患者と家族に助言する.

患者・家族の食欲不振にまつわるつらさに配慮し,傾聴し,共感的態度で接し,心理社会的にもサポートを行うことが大切である.

■参考文献

1) 日本緩和医療学会(編):がん患者の消化器症状の緩和に関するガイドライン 2017年版.金原出版,2017.
2) Baracos VE, et al：Aetiology, classification, assessment, and treatment of the anorexia-cachexia syndrome. Cherny NI, et al(eds)：Oxford Textbook of Palliative Medicine. 5th ed, pp702-715, Oxford University Press, 2015.
3) Yennurajalingam S, et al：Reduction of cancer-related fatigue with dexamethasone：a double-blind, randomized, placebo-controlled trial in patients with advanced cancer. J Clin Oncol 31：3076-3082, 2013.(PMID：23897970)
4) Paulsen O, et al：Efficacy of methylprednisolone on pain, fatigue, and appetite loss in patients with advanced cancer using opioids：a randomized, placebo-controlled, double-blind trial. J Clin Oncol 32：3221-3228, 2014.(PMID：25002731)
5) Miller S, et al：Use of corticosteroids for anorexia in palliative medicine：a systematic review. J Palliat Med 17：482-485, 2014.(PMID：24702642)

6) Katakami N, et al：Anamorelin(ONO-7643) for the treatment of patients with non-small cell lung cancer and cachexia：results from a randomized, double-blind, placebo-controlled, multicenter study of Japanese patients(ONO-7643-04). Cancer 124：606-616, 2018.(PMID：29205286)

7) Hamauchi S, et al：A multicenter, open-label, single-arm study of anamorelin(ONO-7643) in advanced gastrointestinal cancer patients with cancer cachexia. Cancer 125：4294-4302, 2019.(PMID：31415709)

8) Wakabayashi H, et al：The regulatory approval of anamorelin for treatment of cachexia in patients with non-small cell lung cancer, gastric cancer, pancreatic cancer, and colorectal cancer in Japan：facts and numbers. J Cachexia Sarcopenia Muscle 12：14-16, 2021.(PMID：33382205)

9) Garcia VR, et al：Megestrol acetate for treatment of anorexia-cachexia syndrome. Cochrane Database Syst Rev：CD004310, 2013.(PMID：23543530)

10) Good P, et al：Medically assisted nutrition for palliative care in adult patients. Cochrane Database Syst Rev：CD006274, 2008.(PMID：18843710)

11) Sampson EL, et al：Enteral tube feeding for older people with advanced dementia. Cochrane Database Syst Rev：CD007209, 2009.(PMID：19370678)

〔鷹津　英〕

11 【身体症状の緩和】
悪液質

診療のコツ

❶悪液質は発生頻度の高い症候群である．
❷患者を実際にみた評価者の主観が評価の主体となる主観的包括的アセスメント（SGA）が重要である．
❸早期の診断および複合的な介入によって，前悪液質から悪液質，不応性悪液質への進行を予防することが重要である．
❹不応性悪液質の時期においては，積極的な人工栄養の施行は控えることが望ましい．

定義・疫学

悪液質は，「基礎疾患と関連し，脂肪量の減少の有無にかかわらない，筋肉量の減少によって特徴付けられる，複合的な代謝症候群」と定義される[1]．これは，通常の飢餓状態において，骨格筋の大きな減少を伴わない点とは異なる．食欲不振や体重の減少，種々の代謝障害からなる複合的な疾患概念であり，その進行に伴い，患者のQOLやADLの低下をきたし，死亡率と関連する．悪液質を引き起こす疾患は，がん，COPD，慢性心不全，腎不全，肝不全，後天性免疫不全症候群など幅広い．

頻度は，疾患により様々であるが，例えば慢性心不全終末期においては5〜15％，進行がん患者においては50〜80％にみられると報告されている．がん悪液質は，肺がん，膵がん，胃がん，食道がんにおいて合併頻度が高いとされている．

病態生理

本項では，がん悪液質について主に述べる．腫瘍によって産生される物質や炎症性サイトカイン（IL-1，IL-6，TNF-αなど）により引き起こされる慢性の全身性炎症が主因と考えられ，直接的または間接的な作用により，脂肪や骨格筋の異化や代謝の異常などが生じ，栄養障害も合併するようになり，がん悪液質と呼ばれる状態と

表1 悪液質の診断基準

①慢性疾患の存在
②過去12か月以内の5%以上の体重減少＊
③下記の5つのうち，少なくとも3つが存在する
- 筋力低下
- 倦怠感
- 食欲不振
- 低い除脂肪量指数
- 生化学検査値の異常
  炎症マーカーの増加（CRP，IL-6）
  貧血（Hb＜12 g/dL）
  低アルブミン血症（＜3.2 g/dL）

上記①～③のすべてを満たす場合に悪液質と診断する．

＊がん悪液質においては，6か月以内の5%以上の体重減少．
（Evans WJ, et al：Cachexia：a new definition. Clin Nutr 27：793-799, 2008 より）

なる．がん悪液質は，炎症と栄養障害の単純な関連ではなく，多数の因子が相互に影響する複雑な過程の結果である．

評価・診断

悪液質の診断は，慢性疾患の存在，5%以上の体重減少，その他3つ以上の徴候の存在により診断される（**表1**）[1]．

以下に評価する項目を挙げるが，患者を実際にみた評価者の主観が評価の主体となる主観的包括的アセスメント（subjective global assessment：SGA）が特に重要である．

1患者の訴え：食欲の程度，早期満腹感，悪心・嘔吐，味覚障害，嗅覚障害，胃腸障害．

2身体所見：PS，ADL，体重，体重変化，BMI，口腔内の状況，腹部所見（腸音，便秘，腹水など），浮腫，皮膚所見，筋力，筋肉量，皮下脂肪量（上腕三頭筋皮下脂肪厚）など．

3血液検査：CRP，アルブミン，ヘモグロビン，トランスサイレチン，リンパ球，Na など．

4画像所見：CT 横断面で脂肪量，腸腰筋のサイズなどを確認する．

また，がん悪液質は，①前悪液質（pre-cachexia），②悪液質（cachexia），③不応性悪液質（refractory cachexia）の3つの病期に分類することが提唱されている（**図1**）[2]．

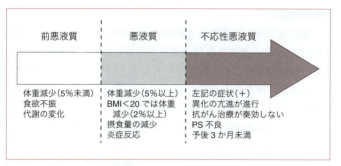

図1 がん悪液質の病期分類

(Fearon K, et al：Definition and classification of cancer cachexia：an international consensus. Lancet Oncol 12：489-495, 2011 を改変)

治療

悪液質・不応性悪液質に至ると有効な治療介入は困難となるため，早期の診断により前悪液質から悪液質・不応性悪液質への進行を予防することが重要である．がん悪液質に対する治療としては，栄養療法，運動療法，薬物療法，心理的サポートなどを組み合わせた複合的な介入を早期から行うことが有用な可能性がある．

薬物療法

抗炎症作用や食欲増進作用を期待し，コルチコステロイドやプロゲステロン製剤などが投与される場合があるが，効果に関しては一貫性のある結果は得られていない．

近年では，アナモレリンが欧米の複数の RCT にて，進行期の非小細胞肺がんに対して，骨格筋量の有意な増加と食欲不振などの改善が認められ，また重大な副作用も少なかったことが報告された★★★[3,4]．日本国内でも複数の治験が行われ，同様に良好な成績を示した★★★[5,6]．その結果，非小細胞肺がん，胃がん，膵がん，大腸がんにおけるがん悪液質に対する薬物療法として 2021 年 1 月に世界で初めて製造販売が承認されている．しかし，体重や骨格筋量の増量が必ずしも身体機能の改善につながらないことも報告されており★★★[3〜6]，薬物療法単独ではなく，栄養療法や運動療法との併用が必要と考えられている[7]．

非薬物療法

栄養療法では，栄養相談と補助食品を用いた介入を行った2件のRCTにより，食事摂取量の改善が認められたが，体重や死亡率は変わらなかったことが報告されている★★★[8,9]．また，運動療法については，複合的な運動プログラムを用いた介入を行った2件のRCTにより，筋力および身体機能の改善が報告された★★★[10,11]．しかし，介入群は通常ケア群よりも脱落率が高く，脱落した人はプログラムを完了した人よりもベースラインでの身体機能が大幅に低下しており，すでに身体機能が低下した患者に対する介入の実現可能性が低いことが指摘されている★★[11]．こうした欠点を補うべく，栄養療法と運動療法を組み合わせた集学的介入の臨床試験が欧州と日本で進行中であり，その結果が待たれる．

不応性悪液質の時期においては，積極的な人工栄養療法（経腸投与・経静脈投与）はメリットが得られず，むしろ患者の苦痛を増す可能性が高いため，患者・家族と十分に話し合ったうえで，積極的な人工栄養の施行は控えることが望ましいと考えられる．

▶参考文献

1) Evans WJ, et al：Cachexia：a new definition. Clin Nutr 27：793-799, 2008.（PMID：18718696）
2) Fearon K, et al：Definition and classification of cancer cachexia：an international consensus. Lancet Oncol 12：489-495, 2011.（PMID：21296615）
3) Temel JS, et al：Anamorelin in patients with non-small-cell lung cancer and cachexia（ROMANA 1 and ROMANA 2）：results from two randomised, double-blind, phase 3 trials. Lancet Oncol 17：519-531, 2016.（PMID：26906526）
4) Currow D, et al：ROMANA 3：a phase 3 safety extension study of anamorelin in advanced non-small-cell lung cancer（NSCLC）patients with cachexia. Ann Oncol 28：1949-1956, 2017.（PMID：28472437）
5) Takayama K, et al：Anamorelin（ONO-7643）in Japanese patients with non-small cell lung cancer and cachexia：results of a randomized phase 2 trial. Support Care Cancer 24：3495-3505, 2016.（PMID：27005463）
6) Katakami N, et al：Anamorelin（ONO-7643）for the treatment of patients with non-small cell lung cancer and cachexia：results from a randomized, double-blind, placebo-controlled, multicenter study of Japanese patients（ONO-7643-04）. Cancer 124：606-616, 2018.（PMID：29205286）
7) Naito T：Evaluation of the true endpoint of clinical trials for cancer cachexia. Asia Pac J Oncol Nurs 6：227-233, 2019.（PMID：31259217）

8) Baldwin C, et al：Simple nutritional intervention in patients with advanced cancers of the gastrointestinal tract, non-small cell lung cancers or mesothelioma and weight loss receiving chemotherapy：a randomised controlled trial. J Hum Nutr Diet 24：431-440, 2011.(PMID：21733143)
9) Bourdel-Marchasson I, et al：Nutritional advice in older patients at risk of malnutrition during treatment for chemotherapy：a two-year randomized controlled trial. PLoS One 9：e108687, 2014.(PMID：25265392)
10) Adamsen L, et al：Effect of a multimodal high intensity exercise intervention in cancer patients undergoing chemotherapy：randomised controlled trial. BMJ 339：b3410, 2009.(PMID：19826172)
11) Oldervoll LM, et al：Physical exercise for cancer patients with advanced disease：a randomized controlled trial. Oncologist 16：1649-1657, 2011.(PMID：21948693)

〔小杉和博・松本禎久〕

12 【身体症状の緩和】輸液

使い方のコツ

❶ 輸液療法には，経静脈輸液(末梢静脈，中心静脈)と皮下輸液があり，患者の状況に合わせて選択する．

❷ がん終末期において，予後1～2週間と予想される場合や，体液貯留症状や気道分泌物による症状がある場合には輸液の減量・中止を検討する．

❸ 生命予後が週単位と限られるがん患者では，輸液が患者に害を及ぼしていないか，評価と調整が必要である．

❹ 輸液の減量・中止に際しては，患者・家族に強い喪失感や不安を与える可能性があるため，患者・家族の意向を踏まえつつ，医学的な判断をもとに，患者の苦痛に焦点を当てた話し合いをもつことが望ましい．

輸液療法は，主に経口摂取が不良である場合の水分補給や電解質の補正を目的として施行される．一方で，輸液療法は，非経口的に水分を体内へ強制的に投与するため，がん・非がんの終末期においては，過剰に投与された水分を処理しきれずに，体液貯留に伴う症状や苦痛が増強する可能性があり，適応については医学的に十分に検討する必要がある．また輸液に対する患者・家族の思いも十分に把握し，反映する必要がある．

評価

経口摂取量の確認とともに，身体所見(浮腫の有無，皮膚・口腔内所見，呼吸音，心音，胸水・腹水の有無，嚥下の機能など)，血液検査(腎機能，電解質など)，必要に応じて画像検査(胸部単純X線，CT，超音波など)により，体液貯留の状況を評価する．

経口摂取不良の場合や，水・電解質などの異常がある場合に輸液療法が検討される．しかし，特に終末期の患者においては，輸液による体液貯留症状の悪化，医療処置に伴う苦痛および拘束感による

表1 輸液の投与経路別の利点と欠点

輸液の投与経路	利点	欠点
中心静脈	・高カロリー輸液や刺激性の高い薬剤の投与が可能 ・確保された投与経路は安定して使用可能	・投与経路の確保法が侵襲的である（末梢挿入型中心静脈カテーテルは侵襲が少ない） ・感染症や血栓などの重篤な合併症のリスクがある
末梢静脈	・比較的簡便に施行可能	・頻回の穿刺が必要となる ・状態悪化に伴い，投与経路の確保が難しくなる ・高カロリー輸液や刺激性の高い薬剤の投与ができない ・血管外への逸脱や輸液の漏出が生じやすい
皮下	・投与経路の確保が容易 ・感染などの全身性の重篤な合併症のリスクが少ない ・偶発的に抜去された場合にも，出血やカテーテル遺残のリスクが少なく，安全	・刺入部周囲の硬結，発赤，痛みが生じやすい ・投与量に制限がある（1日500〜1,500 mL），また，可能な輸液量に個体差がある ・急速な輸液が望ましい場合には適さない ・投与できる輸液製剤や薬剤に制限が多い（基本的には等張液を投与）

苦痛に関して十分に留意する必要があり，輸液療法によって期待できるメリットとのバランスを慎重に検討することが望ましい．特に，浮腫・胸水・腹水の合併例や気道分泌物が増加する場合などは，輸液療法を行うことで症状や苦痛が増悪するおそれがあり，注意が必要である．また，輸液療法の施行に関しては，患者・家族の希望や心理的な側面も考慮する必要がある．

方法

輸液療法には，経静脈輸液（末梢静脈，中心静脈）と皮下輸液がある（表1）．投与する輸液製剤には補充輸液および維持輸液があり，高カロリー輸液は維持輸液に含まれる．

がんの終末期における輸液療法の考え方

何らかの理由で経口での十分な水分摂取が困難である場合，生命予後が数か月以上望め，全身状態（PS）が保たれており，胸水・腹

水・浮腫などによる体液貯留症状がない場合には，個々の症例に適した栄養投与成分を決定し栄養療法を行う．高カロリー輸液を行う場合には，血糖値の変動を避けるために原則的には 24 時間持続投与とするが，点滴による拘束感や夜間頻尿などの患者の苦痛を軽減する目的で，血糖値の変動による症状・所見に注意しながら，日中のみの投与とする場合もある．また，不応性悪液質(「悪液質」参照 ➡ 155 頁)による食欲不振のために栄養摂取が低下している患者に対する高カロリー輸液は推奨されない．

がんの終末期においては，輸液量の違い(1 日総量 100 mL と 1,000 mL)によって，倦怠感やせん妄をはじめとした身体・精神症状や生命予後に差がないことが示されている★★[1]．特に，体液貯留症状や気道分泌物がみられる場合やそれらの症状が悪化する場合は，悪化を回避し苦痛の軽減を図るために，輸液量の減量・中止を検討する．また，終末期の患者において頻度が高くみられる口渇に対する輸液療法の有効性は否定的であり，適切な口腔ケアを行うことが重要である．さらに，生命予後が 1〜2 週間と考えられる場合には，高カロリー輸液投与により食欲不振，倦怠感，口渇などの症状を悪化させる可能性があるため，高カロリー輸液は避ける．

経静脈輸液

経静脈輸液には，末梢静脈と中心静脈を利用する方法がある．

1)末梢静脈

経静脈輸液の基本は，末梢静脈経路である．末梢静脈経路の確保は比較的簡便に可能であるが，頻回の穿刺が必要であり，輸液の血管外への漏出がみられることが多い．終末期の患者では，血管の虚脱などによって経路の確保が難しくなるため，苦痛となることも多く，十分に配慮する．

2)中心静脈

中心静脈経路は，高カロリー輸液などの浸透圧が高い輸液や，中心静脈から投与する必要がある薬剤を使用する場合には絶対的適応となるが，末梢静脈経路確保が困難である場合や頻回の穿刺を回避する場合にも適応となる．内頸静脈や鎖骨下静脈，大腿静脈などからの穿刺による中心静脈経路確保は，処置自体のリスクが高く，苦

痛を伴うものであり，感染のリスクや高い費用を要するため，終末期患者における適応は慎重に検討する必要がある．すでに皮下埋め込み型ポートが挿入されていれば使用できるが，新たにこれを造設するのは，その必要性と全身状態を鑑みて判断する．

3) 末梢挿入型中心静脈カテーテル (PICC)

末梢静脈の頻回の穿刺や中心静脈穿刺によるリスク・苦痛を避けるために，患者の負担が比較的少なく施行・留置可能な末梢挿入型中心静脈カテーテル (peripherally inserted central venous catheter：PICC) がある．

皮下輸液

静脈経路の確保が困難な場合や経静脈以外の経路が望ましい場合に，皮下輸液が選択肢となる．1 cm 程度つまめるような皮下脂肪がある胸部や腹部の皮下に，24 G プラスチック製カニューレ型留置針や 25〜27 G 翼状針を留置し，等張液(生理食塩液，1 号液，3 号液，5％ブドウ糖液など)を投与する．浸透圧が高い輸液(高カロリー輸液，10％ブドウ糖液)やアミノ酸含有の輸液などの等張液以外の輸液や皮膚刺激性が高い薬剤は皮下輸液を行ってはならない．酢酸や乳酸が添加された輸液は，皮下輸液に使用した場合，アシドーシスを増悪させる可能性があるため，投与時には留意する必要がある．また，浮腫・炎症・損傷などがみられる箇所には，皮下輸液を行ってはならない．

輸液速度は患者の状態をみながら調整する．患者が痛みを感じない程度の速度で自然滴下により行うことが多い．輸液ポンプを使用する場合は，20〜40 mL/時の投与速度で開始し，不快感や痛み，吸収の程度をみながら 10〜100 mL/時の範囲で投与速度の調整を行う．1 日の投与総量は 500〜1,500 mL とする．24 時間持続投与とする場合と間欠的投与とする場合があるが，皮膚や吸収の状態，患者の好みなどにより選択する．穿刺部の発赤や硬結，痛みなどに注意し，問題が生じた場合には他部位へ変更する．皮膚の状況や痛みの出現を観察しながら，4〜7 日ごとにカニューレや針を交換することが望ましい．

輸液を行う際のコミュニケーション

　患者・家族は，経口摂取量が低下することで，体調の変化や体力の低下を懸念し，また死を身近に感じるため，苦悩する．疾患が進行した結果として，食べられないという改善の難しい状態であることや今後の見通しについて情報提供を行い，患者・家族と話し合うことが重要である．

　輸液の減量・中止に際しては，「輸液を行わないと十分な栄養補給ができず，輸液を中止することで死期を早める」と考える患者・家族は多く，患者・家族に強い喪失感や不安を与える可能性がある．体液貯留症状の出現や増悪が予想される場合には，輸液療法のメリットとデメリットについて早期から情報提供を行い，患者・家族の意向を踏まえつつ，患者の苦痛に焦点を当てた話し合いを行うことが望ましい．これにより，患者・家族が抵抗感をもちやすい輸液の減量・中止という問題にも医療者と一緒に取り組みやすくなり，結果的に患者の身体的苦痛の緩和につながる．輸液の減量・中止後も，患者・家族の求めに応じた情報提供や話し合いなどの支持的な関わりを継続することも重要である．

▌参考文献

1) Bruera E, et al：Parental hydration in patients with advanced cancer：a multicenter, double-blind, placebo-controlled randomized trial. J Clin Oncol 31：111-118, 2013.
　（PMID：23169523）

（上原優子・松本禎久）

13 【身体症状の緩和】
吃逆

診療のコツ
❶ 持続性/難治性吃逆は十分に原因を評価することが重要である.
❷ 吃逆に対する対症療法は,いずれも十分なエビデンスがなく,安全性の懸念もあるため安易な薬剤使用は控えるべきである.

定義・疫学
吃逆(しゃっくり)とは,「繰り返す不随意な横隔膜の反射性の収縮と,それに続く突然の声門閉鎖」であり[1],急激な吸気の後に突然の声門閉鎖が起こるため,特徴的な音(ヒック音:"hic"sound)を伴う.持続的な吃逆の合併頻度は,病院受診患者10万人当たり50人程度と一般患者ではそれほど頻度の高い症状ではないが,進行がん患者では1〜9%と比較的頻度が高い[2〜4].

分類
通常,持続時間は数秒から数日程度のself-limitingな症状であるが,持続する場合は48時間以上持続する「持続性吃逆(persistent hiccups)」,1か月以上持続する「難治性吃逆(intractable hiccups)」と分類される.持続性/難治性吃逆は,胃食道逆流,嘔吐,経口摂取量低下,痛み,倦怠感,睡眠障害,うつ,不安など,様々な身体・精神症状の原因となり,生活の質(QOL)低下につながりうる[1,5].

病態生理・評価
吃逆は本質的に反射運動であり,その反射弓は,求心路(鼻咽頭背側〜舌咽神経咽頭枝)-中枢(延髄孤束核・疑核近傍網様体)-遠心路(横隔神経・反回神経)で形成されている.この経路のいずれかの部位への刺激が吃逆発生の原因となる(**表1**).持続性/難治性吃逆では器質的な異常が関連している可能性があり,十分な原因検索を

表 1 持続性/難治性吃逆の主な原因

		具体的な原因例
中枢性	中枢神経の異常	脳卒中,脳腫瘍,脳動静脈奇形,脳動脈瘤,多発性硬化症,視神経脊髄炎,脳炎,髄膜炎,パーキンソン病,てんかん,片頭痛など
末梢性	頸部の異常	頸部悪性腫瘍,甲状腺腫瘍,頸部嚢胞など
	胸腔の異常	肺炎,膿胸,肺悪性腫瘍,縦隔腫瘍,縦隔炎など
	横隔膜周囲の異常	外傷性横隔膜ヘルニア,食道裂孔ヘルニア,横隔膜周囲膿瘍など
	腹部の異常	胃食道逆流症,食道がん,消化性潰瘍,胃拡張,肝腫大,腹水,妊娠など
代謝性	代謝異常	尿毒症,糖尿病,低ナトリウム血症,低カルシウム血症,低二酸化炭素血症など
	薬剤	ステロイド,ベンゾジアゼピン,化学療法薬(シスプラチン,エトポシド),αメチルドパなど
その他		心因性(ストレス,興奮),感染症(結核,HIV感染症など),アルコールなど

行うことが重要である.そのため,既往歴や薬剤歴,その他の関連する症状に関する病歴,神経所見を含む身体所見を十分に評価したうえで,血液検査や画像検査(頭部,頸部,胸腹部)などの評価を加える.

治療

持続性/難治性吃逆の場合,まずは原因の同定とその除去が治療の基本である.原因が同定できない場合もしくは原因への対応が困難な状況では,対症療法として様々な薬物療法・非薬物療法が行われている.しかしながら,現在までのところ,質の高い臨床研究で検討され効果が確立された治療法はない[6].

薬物療法

1)メトクロプラミド★★

主に消化管のドパミン D_3 受容体の拮抗作用と $5HT_4$ 受容体の刺激作用を有する薬剤であり,吃逆への効果は消化管蠕動運動促進作用によるものが想定されている.したがって,末梢性の機序,特に胃膨満(gastric distention)や胃食道逆流が原因の場合に効果が期待される.また,高用量で使用した場合は中枢神経のドパミン受容体

の拮抗作用を発揮することも想定される．小規模なプラセボ対照の RCT においてメトクロプラミド群で有効例が有意に多いことが報告されている[7]．

処方例
メトクロプラミド（プリンペラン®）　1回 5〜10 mg　1日3回　内服または点滴静注または皮下注

2）クロルプロマジン★

中枢におけるドパミン受容体拮抗作用が主な作用機序と考えられる．クロルプロマジンは，日本において，吃逆に対して保険適用がある唯一の薬剤である．しかしながら，吃逆に対する臨床的な効果を検討した報告は少数のケースシリーズのみである[1,8]．さらに，クロルプロマジンは比較的強い抗コリン作用を有するため，眠気，排尿困難，せん妄などの副作用を（特に高齢者や脆弱な患者では）合併することがある．また循環抑制作用による血圧低下やふらつきなどにも注意が必要など，副作用の懸念が無視できない薬剤であり，注意深い使用が求められる．

処方例
クロルプロマジン（コントミン®）　1回 12.5〜25 mg　1日2〜3回　内服または点滴静注または皮下注
＊注射の際は循環抑制作用を回避するため，緩徐点滴（1時間以上かけて）で投与すること．

3）バクロフェン★★

GABA$_B$ 受容体の作動薬であり，中枢でのドパミン神経の抑制や脊髄レベルで吃逆反射経路の一部であるシナプス前運動神経を抑制すること，などが機序として想定されている．バクロフェンは，2件の小規模なプラセボ対照の RCT が報告され，いずれも有意な有効性が報告されている[9,10]．バクロフェンの副作用としては，眠気や筋弛緩作用に伴う転倒リスクの上昇が懸念される．また，バクロフェンは腎排泄の薬剤なので，腎機能障害例では蓄積や効果が遷延することがあり，投与は注意を要する．

表2 吃逆に対する伝統的非薬物療法

	具体例
咽頭刺激	スプーン1杯の砂糖を飲み込む 冷たい水をコップの反対側から飲む 酢を点鼻する 舌を引っ張る
迷走神経刺激	息こらえ(バルサルバ手技) 冷たい水で顔を洗う 驚かせる
横隔膜刺激	前屈位 膝胸位

処方例

バクロフェン(ギャバロン®)　1回5mg　1日3回　内服
＊腎機能障害例では投与量や投与回数を少なくするよう調整する.

4)その他の薬剤

その他の薬剤として,ドパミン阻害薬(ハロペリドール,オランザピン),カルシウム拮抗薬(ニフェジピン,nimodipine),抗けいれん薬(ガバペンチン,フェニトイン,カルバマゼピン,バルプロ酸),ミダゾラム,リドカイン,アマンタジン,漢方薬(芍薬甘草湯,柿蒂湯)などが報告されているが,十分なエビデンスはなく,それぞれ副作用の懸念もあるので,安易な使用は避けるのが望ましい.

非薬物療法

鍼治療に関する研究が比較的多いが,現時点では手技の標準化も十分に確立していない.その他,伝統的(民間療法的)に行われている手技が数多くある(**表2**)が,いずれも有効性に関して科学的検証を十分に受けたものはない[1,8].

■参考文献

1) Calsina-Berna A, et al: Treatment of chronic hiccups in cancer patients: a systematic review. J Palliat Med 15: 1142-1150, 2012.(PMID: 22891647)
2) Porzio G, et al: Gabapentin in the treatment of hiccups in patients with advanced cancer: a 5-year experience. Clin Neuropharmacol 33: 179-180, 2010.(PMID: 20414106)

3) Ripamonti C, et al：Respiratory problems in advanced cancer. Support Care Cancer 10：204-216, 2002.（PMID：11904785）
4) Walsh D, et al：The symptoms of advanced cancer：relationship to age, gender, and performance status in 1,000 patients. Support Care Cancer 8：175-179, 2000.（PMID：10789956）
5) Rizzo C, et al：Management of intractable hiccups：an illustrative case and review. Am J Hosp Palliat Care 31：220-224, 2014.（PMID：23408373）
6) Moretto EN, et al：Interventions for treating persistent and intractable hiccups in adults. Cochrane Database Syst Rev：CD008768, 2013.（PMID：23440833）
7) Wang T, et al：Metoclopramide for patients with intractable hiccups：a multicentre, randomised, controlled pilot study. Intern Med J 44：1205-1209, 2014.（PMID：25069531）
8) Steger M, et al：Systemic review：the pathogenesis and pharmacological treatment of hiccups. Aliment Pharmacol Ther 42：1037-1050, 2015.（PMID：26307025）
9) Ramirez FC, et al：Treatment of intractable hiccup with baclofen：results of a double-blind randomized, controlled, cross-over study. Am J Gastroenterol 87：1789-1791, 1992.（PMID：1449142）
10) Zhang C, et al：Baclofen for stroke patients with persistent hiccups：a randomized, double-blind, placebo-controlled trial. Trials 15：295, 2014.（PMID：25052238）

（山口　崇）

14 【身体症状の緩和】便秘・下痢

診療のコツ

❶便秘は高頻度にみられる症状であるが過小評価されがちであり，QOLを低下させ，痛みに匹敵する苦痛となりうることを理解する．

❷便秘の予防は治療よりも重要である．常に溢流性下痢を念頭に置く必要がある．

便秘

定義・疫学

便秘に関する定義はいくつかあるが明確にコンセンサスを得られた定義はないため，ここでは日本緩和医療学会のガイドラインに沿って，「腸管内容物の通過が遅延・停滞し，排便に困難を伴う状態」と定義する[1]．しかし，個人によって正常な排便習慣にはばらつきがあるため，個々の患者の経験に基づいて定義すべきである．

便秘は緩和ケア対象患者でよくみられる症状であり，50％以上の患者で便秘が合併していると報告されている．疾患ごとの終末期の有症状率の検討では，がん23～65％，後天性免疫不全症候群34～35％，心疾患38～42％，COPD 27～44％，腎疾患29～70％であった[2]．便秘に関連して，腹部膨満感，腹痛，悪心・嘔吐，食欲不振，溢流性下痢（→182頁），尿閉などが引き起こされたり，せん妄の増悪因子となりうる．

病態生理

経口摂取された食物は，小腸までで栄養の大部分を吸収し，繊維などの不消化物が大腸に送られる．大腸では水分が吸収され，蠕動運動にて肛門側に輸送され固形化する．大腸の蠕動運動は，1日約6回程度起こる大蠕動が主であるが，経口摂取による胃・結腸反射

表1 進行がん患者における便秘の原因

器質性	腸閉塞，腫瘍による腸管圧迫，裂肛，肛門狭窄，痔瘻
内分泌代謝系	高カルシウム血症，低カリウム血症，糖尿病，甲状腺機能低下症
神経系	腰仙髄・馬尾・仙骨神経叢の障害
薬剤性	オピオイド，抗コリン薬，フェノチアジン系抗精神病薬，三環系抗うつ薬，抗パーキンソン薬，$5HT_3$受容体拮抗薬，利尿薬，抗てんかん薬，カルシウムやアルミニウムを含む制酸薬，鉄剤，降圧薬，抗がん剤など
その他	経口摂取量の減少，脱水，衰弱，体動の減少，せん妄，うつ，トイレ環境など

によっても誘発される．直腸に便が到達すると，直腸壁を伸展し，そこに分布する骨盤神経を介して肛門脊髄中枢に伝達する．その結果，排便反射が生じて内肛門括約筋と恥骨直腸筋が弛緩する．また直腸内圧上昇は，延髄・視床下部を経て上位中枢に伝達され，随意的に外肛門括約筋の弛緩や怒責が行われ，排便が生じる．これらのいずれかの障害にて便秘が生じる．

進行がん患者ではほとんどの場合で，複数の器質的ならびに機能的因子の組み合わせによって便秘が引き起こされる．主な原因を**表1**に挙げる．

評価・診断

排便習慣は個人によって異なるため，現在の排便状況について問診するとともに，患者の通常の排便習慣を確認することが重要である．

問診では，最終排便の時期，排便の頻度，便の性状（便の硬さ，血液や粘液の付着など），怒責が必要であったか，痛みを伴ったか，悪心があるかなどを聴取する．

腹部の診察では，腹部の膨隆，圧痛，便塊や腫瘤の有無，聴診が重要である．また，直腸診は宿便を除外するために必要となり，特に3日以上排便がない場合は考慮する．直腸診では，便の有無ならびに性状，肛門括約筋の緊張，直腸の拡張，裂肛，痔瘻，腫瘤，直腸脱などを確認する．

治療可能な便秘の原因を除外するため，血液検査でCa・K・甲状腺機能を確認する．画像検査では，単純腹部X線検査は便秘の評価において非侵襲的かつ安価であり，便の貯留の評価(特に意識障害のある患者や溢流性下痢が疑われる際に有用)や消化管閉塞の除外を行う．

治療[3]

治療の目的は，特定の排便回数ではなく，心地よい排便ができることにある．

予防

可能な範囲内での運動の奨励，適度な飲水や食物繊維の摂取などの生活習慣への介入が重要である．また，プライバシーの配慮など排便に好ましい環境を整えることも重要である．可能であれば原因となっている薬の減量・中止または変更を考慮する．

薬物療法

便秘に対する治療薬は，主に便を軟化させる浸透圧性下剤と，主に蠕動を刺激する刺激性下剤に大別される．下剤の選択について十分な根拠はないが，便が硬い場合は浸透圧性下剤を使用し，腸蠕動が低下している場合はまず刺激性下剤を使用する．いずれも十分な効果があるまで増量し，効果が不十分な場合は作用機序の異なる両者を併用することを検討することが多い．

不完全消化管閉塞をきたしている症例では，浸透圧性下剤を使用し，刺激性下剤は疝痛を悪化させる可能性があるため使用を避けるべきである．衰弱が進行した患者や麻痺がある患者では，経口下剤が奏効せず経肛門的処置を必要とすることがある．

1)浸透圧性下剤

❶マグネシウム製剤★[4]

浸透圧効果にて全腸管で水分を移行させ，腸内容物を水様化し容積を増大して腸蠕動を促進する．様々な剤形があり，患者の好みや嚥下状態などによって使い分けることができる．ただし，長期投与や腎機能障害などでは，高マグネシウム血症の危険性があるので注意を要する．

> **処方例**
> 酸化マグネシウム（マグミット®）　1回250〜660 mg　1日3回　内服

❷ラクツロース★

合成二糖類であり，小腸で吸収されないため浸透圧効果にて小腸内に水分を移行させる．また，大腸にて腸内細菌によって分解され，その代謝産物にて蠕動が刺激される．一方で腸内細菌により分解されガスが産生するため，不快な腹部膨満や排ガスがみられることがある．また，甘みがあり，患者によって嗜好が異なる．

> **処方例**
> ラクツロース（ラグノス® NF経口ゼリー）　1回12〜24 g　1日2〜3回　内服

❸ポリエチレングリコール★[5]

非吸収性で代謝されない可溶性ポリマーであり，浸透圧効果により保持された水分が腸管内の水分量を増加させ，便の軟化や便容積を増大し蠕動運動を亢進させる．慢性便秘の治療薬として，非がん患者での有効性は多くのRCTで実証されており[6]，海外では最も一般的に使用されている．

> **処方例**
> ポリエチレングリコール（モビコール®配合内用剤）　6.8523 g（1包）を60 mLの水に溶解して内服　1日1〜3回

2) 刺激性下剤

❶センノシド

腸管筋層間神経叢を直接刺激し，大腸での蠕動を促進する．長期常用にて耐性と習慣性が生じるため注意が必要である．

> **処方例**
> センノシド（プルゼニド®）　1回12〜24 mg　1日1回　内服

2 ピコスルファート[★7]

腸管筋層間神経叢を直接刺激し,大腸での蠕動を促進する.液剤は,その他の薬剤に比べて用量の調整を行いやすい.センノシドに比べて耐性や習慣性が生じることは少ない.

> **処方例**
> ピコスルファート(ラキソベロン® 内用液) 1回5〜10滴 1日1回 内服

3 エリスロマイシン

上部消化管のモチリン受容体に作用し,消化管蠕動を亢進させる[8].

> **処方例**
> エリスロマイシン(エリスロシン®) 1回200 mg 1日3回 内服

3) 上皮機能変容薬

1 ルビプロストン[★9]

小腸粘膜上皮細胞に存在するクロライドチャネルを活性化させ,腸管内への水分の分泌を促進する.副作用としては悪心や下痢が比較的多く報告されている.非がん患者のオピオイドによる便秘での効果と安全性は報告されているが[10],がん患者での検討は十分なされていない.

> **処方例**
> ルビプロストン(アミティーザ®) 1回12〜24 μg 1日2回 内服

2 リナクロチド

腸粘膜上皮細胞に存在するグアニル酸シクラーゼC受容体に作用し,細胞内のcGMPを増加させクロライドチャネルを活性化させ,腸管への水分の分泌を促進する.またcGMPは消化管粘膜下の内臓知覚神経を抑制することで,内臓知覚過敏を改善する効果がある.副作用としては下痢が多く,食後に内服するとその頻度が増すため食前投与となっている.

> **処方例**
> リナクロチド(リンゼス®) 1回0.25〜0.5 mg 1日1回 食前 内服

4)胆汁酸トランスポーター阻害薬
１エロビキシバット★[11]

エロビキシバットは回腸末端部で発現している胆汁酸トランスポーターを阻害し，胆汁酸の再吸収を阻害することで，大腸内に流入する胆汁酸を増加させる．胆汁酸は大腸内で水分と電解質を分泌させる作用と，腸蠕動を亢進させる作用を併せもつ．胆道閉塞や回盲部を切除した患者などは効果が期待できない．副作用としては腹痛が多い．

> **処方例**
> エロビキシバット(グーフィス®) 1回10 mg 1日1回 食前 内服

5)漢方薬

生薬成分のなかで大黄や枳実は瀉下作用があり，芒硝は腸管内に水分を蓄える作用がある．また，麻子仁，杏仁などには潤腸作用がある．イメージとして，浸透圧性下剤は麻子仁丸，潤腸湯など，刺激性下剤は大黄甘草湯，桃核承気湯，大黄牡丹皮湯などがある．

6)坐薬・浣腸
１炭酸水素ナトリウム坐薬

直腸の中で炭酸ガスを発生し，直腸粘膜を刺激することで蠕動運動を促進することにより排便を促す．

> **処方例**
> 炭酸水素ナトリウム・無水リン酸二水素ナトリウム(新レシカルボン®) 1回1〜2個 挿肛

２ビサコジル坐薬

大腸粘膜の副交感神経末端に作用して蠕動を高めるとともに，直腸粘膜を直接刺激して排便反射を促進する．

> **処方例**
> ビサコジル(テレミンソフト®) 1回 10 mg 挿肛

❸グリセリン浣腸

腸管壁の水分を吸収することにより，局所を刺激し，便を軟化・潤滑化することによって排便を促進する．

> **処方例**
> グリセリン浣腸液 50% 1回 30〜150 mL 注腸

オピオイド誘発性便秘症

近年オピオイドによる便秘はオピオイド誘発性便秘症(opioid-induced constipation：OIC)と呼ばれるようになり，過敏性腸症候群の診断基準である Rome IV からは新たに独立した診断基準が作られた．オピオイドが消化管に存在するμオピオイド受容体に結合すると，消化管の蠕動運動の低下，消化液の減少，肛門括約筋の緊張が高まることによって便秘が生じる．

オピオイドを投与された患者では便秘が高頻度に起こり，耐性形成はほとんど起こらないため，一般に予防的な下剤の投与を行うことが望ましい．

OIC を管理するための戦略として，オピオイドの減量，オピオイドスイッチング，投与経路の変更，対症療法が推奨される．フェンタニルやメサドン，タペンタドールは，他のオピオイドよりも便秘が少ないという限られたエビデンスがある[12, 13]．

薬物療法

薬物療法としては，まずは刺激性下剤や浸透圧性下剤の投与を行う．効果が不十分な場合は，末梢性μオピオイド受容体拮抗薬(peripherally-acting μ-opioid receptor antagonist：PAMORA)の併用を検討する[14]．

1)末梢性μオピオイド受容体拮抗薬

■ ナルデメジン★★★[15]

血液脳関門を通過しにくいため，末梢の腸管のμオピオイド受容体にのみ拮抗することで，オピオイドによって引き起こされた便秘

を改善する．鎮痛効果の低下やオピオイド離脱のエビデンスを示した試験はないが[16]，脳腫瘍や髄膜播種など血液脳関門の破綻または機能不全が疑われる場合は，その可能性を念頭に置く．初回効果発現は5時間程度と比較的早いため，午前中に内服することが勧められる．また初回投与後に下痢になることがあるが，1～2日で回復する場合が多い．

処方例

ナルデメジン（スインプロイク®）　1回0.2 mg　1日1回　朝食後内服

下痢

定義・疫学

下痢は，異常に水分の多い便や固形でない便が頻度を増して排出されることを指すが，1日に3回以上の無形便と定義されることもある．持続時間によって2週間以内を急性，2～4週間を持続性，4週間以上を慢性と分類する．重度の下痢は，脱水，電解質異常，栄養障害，免疫能の低下，褥瘡の形成や悪化と関連し，生命に関わることがある．

疾患ごとの終末期の有症状率の検討では，がん3～29％，後天性免疫不全症候群30～90％，心疾患12％，腎疾患21％と報告されている[2]．

病態（表2）

下痢は，水・電解質の吸収障害や分泌過多により糞便の水分量が増加することによって生じる．また糞便量が増加することで腸管蠕動が亢進し，排便回数が増加する．

緩和ケアセッティングで最もよくみられる原因は下剤の過量投与である．この場合，下剤を一時的に中止すれば通常1～2日で改善する．次によくみられ，必ず除外が必要な原因として，不完全腸閉塞や宿便による溢流性下痢がある．入院中の高齢者の多くで宿便が下痢の原因であったという報告もあり，特に動くことのできない患

表2 進行がん患者における下痢の原因

感染症	胃腸炎，C. difficile など
薬剤性	下剤，PPI，抗菌薬，NSAIDs，抗がん剤(フルオロウラシル，イリノテカン，カペシタビンなど)，分子標的薬，免疫チェックポイント阻害薬
溢流	宿便，不完全腸閉塞
治療	膵切除・胃切除・腸切除など手術に伴う吸収不良，放射線治療，腹腔神経叢ブロック
経腸栄養	
腫瘍性	神経内分泌腫瘍，カルチノイド腫瘍，直腸膀胱瘻など
併存症	糖尿病，甲状腺機能亢進症，炎症性腸疾患，過敏性腸症候群，慢性膵炎など

者では定期的な便秘治療の必要性が強調される．

評価・診断

下痢に関する評価は，原因評価と合併症評価が重要である．

問診では，急性か慢性か経過を評価する．また，便の性状(硬さ，色調，量，血便や粘液便の有無)と排便回数，下痢の原因となる薬剤服用歴，既往歴(手術や放射線治療を含む)を聴取する．診察では，通常の腹部所見に加えて，宿便の評価のための直腸診や腹部触診による便塊の触知などを検討する．あわせて，脱水所見の有無の確認も行う．

検査としては，宿便や腸閉塞の評価のための単純腹部X線検査を行うことを検討する．便検査は，C. difficile 感染症を疑う場合はGDH・トキシン検査を行う．便培養に関しては，入院3日目以降に発症した下痢に対しての有用性は乏しいと考えられている．また，合併症評価のため，血液検査で電解質・腎機能を評価する．

治療[17]

治療は，補液や止痢薬による対症療法と，特定の原因ごとの治療に大別される．

原因ごとの治療[18]

- 膵機能低下による脂肪性下痢：パンクレアチン，プロトンポンプ阻害薬(PPI)やヒスタミンH_2受容体拮抗薬．

- 胆汁性下痢：コレスチラミン．
- *C. difficile* 感染症：メトロニダゾール，バンコマイシン．
- ホルモン産生腫瘍：シプロヘプタジン，オクトレオチドなど．
- irAE(免疫チェックポイント阻害薬による免疫関連有害事象)：コルチコステロイド，インフリキシマブなど．

主な薬剤

1 ロペラミド★★★ [19]

μオピオイド受容体作動薬であるが，ほとんど消化管内での局所作用のみであり，特に成人では副作用がほとんどない．腸蠕動を抑制し水分吸収を促進させるとともに肛門括約筋の緊張を増加させるため便失禁を改善する．なお，タンニン酸アルブミンとロペラミドを同時に使用すると，タンニン酸アルブミンがロペラミドを吸着し効果を減弱させる．アヘンチンキ，モルヒネ，コデインなどのオピオイドを使用することもあるが，中枢作用による副作用に注意する．

> **処方例**
> ロペラミド(ロペミン®)　1回1〜2 mg　1日2回　内服

2 オクトレオチド★ [20]

ソマトスタチンアナログであり，インスリンやグルカゴン，VIP(血管作動性腸管ペプチド)の分泌抑制，腸蠕動の低下，水分や電解質の腸粘膜からの吸収を亢進する．ロペラミドに抵抗性の難治性下痢に対して使用し，化学療法や放射線治療などがん治療に伴う下痢治療のガイドラインでは，ロペラミドを投与しても改善しない場合などにオクトレオチドの投与を推奨している．

> **処方例**
> オクトレオチド(サンドスタチン®)　1回100 μg　1日3回　皮下注

3 ブチルスコポラミン臭化物

抗コリン作用にて腸蠕動を低下させるため，下痢に伴う蠕動痛に有効である．副作用として，口渇や排尿障害，頻脈などを引き起こすことがある．

> **処方例**
> ブチルスコポラミン臭化物（ブスコパン®）　1回10〜20 mg　1日3〜5回　内服

4 漢方薬

茯苓，沢瀉，蒼朮など，利水作用をもつ生薬や，乾姜，附子，人参などお腹を温める生薬を含む処方を考慮する．
例：五苓散，半夏瀉心湯，真武湯，人参湯など．

■ 参考文献

1) 日本緩和医療学会（編）：がん患者の消化器症状の緩和に関するガイドライン 2017 年版．金原出版，2017.
2) Solano JP, et al：A comparison of symptom prevalence in far advanced cancer, AIDS, heart disease, chronic obstructive pulmonary disease and renal disease. J Pain Symptom Manage 31：58-69, 2006.（PMID：16442483）
3) Larkin PJ, et al：Diagnosis, assessment and management of constipation in advanced cancer：ESMO Clinical Practice Guidelines. Ann Oncol 29：iv111-iv125, 2018.（PMID：30016389）
4) Ishihara M, et al：A multi-institutional study analyzing effect of prophylactic medication for prevention of opioid-induced gastrointestinal dysfunction. Clin J Pain 28：373-381, 2012.（PMID：22156893）
5) Wirz S, et al：Management of constipation in palliative care patients undergoing opioid therapy：is polyethylene glycol an option? Am J Hosp Palliat Care 22：375-381, 2005.（PMID：16225360）
6) Belsey JD, et al：Systematic review and meta-analysis：polyethylene glycol in adults with non-organic constipation. Int J Clin Pract 64：944-955, 2010.（PMID：20584228）
7) Twycross RG, et al：Sodium picosulfate in opioid-induced constipation：results of an open-label, prospective, dose-ranging study. Palliat Med 20：419-423, 2006.（PMID：16875112）
8) Bassotti G, et al：Effect of different doses of erythromycin on colonic motility in patients with slow transit constipation. Z Gastroenterol 36：209-213, 1998.（PMID：9577904）
9) Sada H, et al：The efficacy and safety of lubiprostone for constipation in cancer patients compared with non-cancer patients：a retrospective cohort study. Biol Pharm Bull 43：1699-1706, 2020.（PMID：33132315）
10) Cryer B, et al：A randomized study of lubiprostone for opioid-induced constipation in patients with chronic noncancer pain. Pain Med 15：1825-1834, 2014.（PMID：24716835）
11) Ozaki A, et al：Elobixibat effectively relieves chronic constipation in patients with cancer regardless of the amount of food intake. Oncologist 26：e1862-e1869, 2021.（PMID：34180099）

12) Ahmedzai S, et al：Transdermal fentanyl versus sustained-release oral morphine in cancer pain：preference, efficacy, and quality of life. The TTS-Fentanyl Comparative Trial Group. J Pain Symptom Manage 13：254-261, 1997.（PMID：9185430）

13) Etropolski M, et al：Comparable efficacy and superior gastrointestinal tolerability（nausea, vomiting, constipation）of tapentadol compared with oxycodone hydrochloride. Adv Ther 28：401-417, 2011.（PMID：21494892）

14) Caraceni A, et al：Use of opioid analgesics in the treatment of cancer pain：evidence-based recommendations from the EAPC. Lancet Oncol 13：e58-e68, 2012.（PMID：22300860）

15) Kitakami N, et al：Randomized phase Ⅲ and extension studies of naldemedine in patients with opioid-induced constipation and cancer. J Clin Oncol 35：3859-3866, 2017. （PMID：28968171）

16) Thomas J, et al：Methylnaltrexone for opioid-induced constipation in advanced illness. N Engl J Med 358：2332-2343, 2008.（PMID：18509120）

17) Bossi P, et al：Diarrhoea in adult cancer patients：ESMO Clinical Practice Guidelines. Ann Oncol 29：iv126-iv142, 2018.（PMID：29931177）

18) Cherny NI：Evaluation and management of treatment-related diarrhea in patients with advanced cancer：a review. J Pain Symptom Manage 36：413-423, 2008.（PMID：18411014）

19) Pastrana T, et al：Treatment of diarrhea with loperamide in palliative medicine. A systematic review. Schmerz 27：182-189, 2013.（PMID：23475156）

20) Zidan J, et al：Octreotide in the treatment of severe chemotherapy-induced diarrhea. Ann Oncol 12：227-229, 2001.（PMID：11300329）

〔山内敏宏〕

コラム ❸　溢流性下痢

　下痢の原因は様々であるが，そのうち便秘が原因となることがある．施設に入所している高齢者を対象とした後ろ向き研究では，下痢の原因として便秘が55％と最も多く，下剤による下痢が20％，胃腸感染症が5％であったという報告がある[1]．

　便秘が重度になると，直腸内などで宿便が「栓」となって通過が障害されることがある．そしてその口側の便が腸内細菌や下剤の影響で軟化し，「栓」の周囲を通り，溢流性に下痢便として排泄される（溢流性下痢）．そのため下痢を認めた際に，「下痢の前は便秘でなかったか」「残便感がないか」「排泄困難感がないか」などの問診を行うことや，腹部膨隆や腸蠕動音の低下や消失などから溢流性下痢が疑われたりすれば，直腸診（ただし直腸近位部やS状結腸で宿便が生じた場合は触れない）や腹部単純X線検査を行うことで容易に診断することができる．

　治療としては，原因は便秘であるため，まずは摘便や浣腸などの経肛門的処置を行い宿便を除去し，その後一般的な便秘対策を行う．また宿便以外にも，腫瘍などによる下部消化管狭窄により同様の下痢を認めることもある．安易に止痢薬を使用することは，便秘を悪化させ腸閉塞症状を引き起こすことがあるため注意が必要である．

▮参考文献
1) Kinnunen O, et al：Diarrhea and fecal impaction in elderly long-stay patients. Z Gerontol 22：321-323, 1989.（PMID：2623935）

（山内敏宏）

15 【身体症状の緩和】 口腔に関する問題

診療のコツ

❶ がん治療期から終末期までの各段階で口腔内合併症の発生頻度は高い．
❷ 非がん終末期もがん終末期と同様の症状が出現する．
❸ 口腔内合併症に対応するためには，適切な口腔ケアが必要である．
❹ 口腔ケアのコツは，口腔内の観察と口腔衛生状態の維持，適切な薬剤使用である．

がん患者の口腔内合併症

がん患者においては，治療期から終末期の長期にわたり口腔内合併症が生じやすく，それはしばしば患者のQOLを低下させ，場合によってはがん治療を中断させてしまうこともある．そこで円滑ながん治療の遂行を支持する療法の1つとして，あるいは口腔内の症状を緩和する緩和ケアの1つとしての口腔ケアが重要視されてきている．

がん患者の口腔に関して重要な姿勢は「がん患者は口腔内合併症が生じやすい」ことを念頭に置き，口腔内を観察することである．そして，どこにどんな異常があるのかをはっきり認識したうえで対応にあたることが問題解決の近道である．

抗がん治療期の口腔内合併症

抗がん剤や頭頸部放射線治療などの抗がん治療に伴い，口腔内合併症が出現する．症状の多くは時間の経過とともに改善していくが，症状が重篤であると抗がん治療を中断せざるを得ない場合もある．円滑にがん治療を遂行するために，口腔内合併症への予防的対応と疼痛管理が必要である．そのため，医科歯科連携が非常に重要である．

がん終末期の口腔内合併症

抗がん治療期だけでなく，がん終末期にも口腔内合併症は多く発生する[1,2]．がん終末期患者においては，貧血，低栄養，がん悪液質など全身状態の悪化と，ステロイドなどの薬剤投与の影響を受けて口腔内合併症が生じる．口腔乾燥，口腔カンジダ症などの症状をよく認め，るい瘦の進行とともに義歯不適合も生じやすい．終末期では全身状態の回復は期待できず，口腔に悪影響を及ぼしている薬剤の中止も困難であることがほとんどである．したがって，根本的な解決は難しいため，口腔ケアなどの対症療法が重要となる．また，全身状態および意識状態の悪化とともに，自力での口腔清掃が困難となってくるため，介助による口腔ケアが徐々に必要となる．がん終末期では，十分ではないが経口摂取できる患者も多く[3]，口腔内合併症に適切に対応して，最期までよりよい条件での経口摂取を支援する姿勢が望ましい．

口腔内合併症への対応

抗がん治療に伴う口腔粘膜炎

抗がん剤による口腔粘膜炎には直接的作用と二次感染がある．直接的作用は抗がん剤投与そのものによる副作用であり，二次感染は抗がん剤にて口腔粘膜炎が生じ，口腔衛生状態不良により口腔粘膜炎に細菌感染が生じることで重症化，遷延化することである．頭頸部放射線治療時の口腔粘膜炎は，照射野に口腔粘膜が含まれる場合に必発する．放射線治療時の口腔粘膜炎にも二次感染が生じる場合がある．

1）治療

抗がん剤による直接的作用の予防には様々な試みがなされているが，現段階でエビデンスのある対応方法は，5-フルオロウラシル急速静注化学療法の際のクライオセラピー（口腔粘膜の冷却）★★★[4]などで対象が限定的であり，決定的な予防方法は確立されていない．二次感染は細菌感染が原因であるため，口腔衛生状態を良好にすることで予防できる．口腔粘膜炎が発生した場合は，疼痛管理が必要になる．疼痛管理には表面麻酔薬含有の含嗽薬の使用や，口腔粘膜用の局所管理ハイドロゲル創傷被覆・保護材の使用を検討す

る．表面麻酔薬含有の含嗽薬は「口に約 1 分程度静かに含む」という使い方で，表面麻酔作用を期待する．表面麻酔作用が働いている間に経口摂取や，口腔ケアを実施する．表面麻酔作用時間は短い(5～10 分程度)ため，繰り返し使用してもよい．局所管理ハイドロゲル創傷被覆・保護材は，粘膜表面に保護膜を形成するものであり，口腔粘膜炎部に内用液を滴下し，舌で塗り広げて使用する．数分後に効果を発揮しはじめ，8 時間程度持続するといわれている．

> **処方例** 下記のいずれかを用いる．
> 1) 4％リドカイン 10 mL＋滅菌精製水 490 mL＋アズレン含嗽液 1 滴
>   必要に応じて適量でうがい
> 2) 局所管理ハイドロゲル創傷被覆・保護材（エピシル® 口腔用液） 1
>   回 1～3 押下　必要に応じて 1 日 2～3 回使用

抗がん治療に関連しない口腔粘膜炎

抗がん治療に伴う口腔粘膜炎とは異なり，抗がん剤や放射線治療を実施していなくても口腔内の潰瘍形成が生じることもある．数週間で治癒することが多いアフタ性口内炎，易感染状態のために生じるヘルペスウイルスなどによるウイルス性口内炎がある．他にも義歯不適合や残存歯による粘膜損傷なども口内炎の原因となりうる．また，カンジダ性口内炎(→ **187 頁**)もある．これらは非がん終末期でも臨床的に認められる症状である．

1)治療

安易にステロイド外用薬を処方する傾向が見受けられるが，口内炎にも種類があるため，それに合わせた薬剤の使用が重要である．それには口内炎の診断が必要であるが，やや専門的知識を必要とするので，可能であれば歯科などの専門職にコンサルトするとよい．アフタ性口内炎はステロイド外用薬を使用し，ウイルス性口内炎には抗ウイルス薬を使用する．義歯や残存歯などの機械的な原因による粘膜損傷には，原因が除去できるようであれば除去した後(抜歯や義歯の撤去など)，ステロイド外用薬かアズレン(アズノール®)軟膏を使用する．

歯および歯周組織の急性炎症

骨髄抑制期やステロイドの長期投与などで易感染状態となった際

に，歯および歯周組織の急性炎症が生じる場合がある．多くは腫脹・痛み，場合によっては排膿を伴うが，骨髄抑制が強いと，炎症所見に乏しく痛みだけしか生じない場合もある．

また骨転移がある患者に対し，ビスホスホネート，抗RANKL抗体(デノスマブ)などの骨修飾薬を使用している場合は，顎骨壊死を生じることがある．原因はいまのところはっきりしていないが，抜歯などを契機に発生するといわれ，口腔衛生状態が悪い患者でも発生しやすくなるといわれている[5]．

1)治療

炎症が発生して急性症状がある時は局所麻酔が奏効しにくい．さらに骨髄抑制などの易感染状態もあり実施可能な歯科処置は少なく，抗菌薬で保存的に対応する．したがって，易感染状態が予想される場合は，抜歯，歯石除去，口腔清掃指導などの予防的な歯科処置を可能な範囲で事前に実施しておく必要がある．顎骨壊死については，骨修飾薬投与前に歯科処置および口腔清掃指導を実施する，つまりこちらも予防的対応が重要である．炎症が生じた場合は，骨修飾薬は可能な範囲で中止し，抗菌薬の長期投与，遊離腐骨の除去あるいは顎骨切除などで対応することが多い．

口腔乾燥，口渇

がん，非がんにかかわらず，終末期患者においては，唾液分泌量の低下および口腔粘膜の乾燥が高率に認められる．自覚的には口渇感があり，多くの患者にとって不快な症状である．原因としては，様々な要素が関連しており，加齢・抗がん剤・放射線照射による唾液分泌低下，経口摂取量の低下(口腔への刺激減少)，脱水，酸素投与，薬剤(特に抗コリン作用を有するもの)の副作用などが挙げられる．

1)治療

可能であれば，口腔乾燥の原因となっていると考えられる薬剤を減量・中止する．しかし，薬剤の減量・中止は困難な場合が多く，またその他の口腔乾燥の原因除去も難しい場合が多いため，対応は対症療法が主体となる．対症療法としては，水分や氷片を摂取し直接湿潤させることや，口腔用保湿薬を用いることが挙げられる．ま

た各種ガイドラインにおいては継続的な口腔ケアの実施が推奨されている[★6,7]．がん終末期患者の場合，輸液量の増量は他の副作用を引き起こすわりに，口渇感の改善にはつながらないため，実施しないことが推奨されている[★7]．

口腔カンジダ症

骨髄抑制や全身状態の悪化，ステロイドの使用，口腔乾燥などが口腔カンジダ症発症のリスクとなる．

1）評価

典型的には白苔を形成する偽膜性口腔カンジダ症であるが，白苔を形成しない紅斑性口腔カンジダ症，肥厚性口腔カンジダ症，口角炎などがある．がん患者に多いのは偽膜性口腔カンジダ症と口角炎である．

自覚症状としては，口腔内のピリピリ・ザラザラした感覚，味覚障害などがある．粘膜下にカンジダの菌糸が浸潤すると紅斑性口腔カンジダ症，あるいはカンジダ性口内炎となり痛みが強くなる．自覚症状がないこともあるので，カンジダのリスクがある場合は，医療者が口腔の状態を確認する必要がある．

2）治療

治療は保湿を含めた口腔ケアの徹底および，抗真菌薬の使用である．口腔カンジダ症に使用する抗真菌薬は，アムホテリシンB，ミコナゾール，イトラコナゾールである．ミコナゾールおよびイトラコナゾールなどのアゾール系抗真菌薬は併用禁忌・注意薬が多いので，注意が必要である．問題となりやすいのは，睡眠薬や抗凝固薬である．ミコナゾールのゲルは本来内服薬であるが，口腔内に塗布して使用することも可能なため，意識状態や嚥下機能が悪い患者にも誤嚥のリスクが少なく使用しやすい．アムホテリシンBは，消化管からほとんど吸収されないため禁忌薬がほとんどなく使用しやすいが，シロップなので誤嚥のリスクがある．

> **処方例** 下記のいずれかを用いる．
> 1）アムホテリシンB（ファンギゾン®）シロップ　1回1mL　1日4回（400 mg/日）　毎食後・就寝時　内服

2）ミコナゾール（フロリード®ゲル）　1回50 mg　1日4回（200 mg/日）　毎食後・就寝時　内服

味覚障害

　様々な種類の薬剤が味覚障害をきたす可能性があることが知られており，例として抗がん剤，抗コリン薬，降圧薬などが挙げられる．さらに亜鉛などの微量元素の欠乏や，まれではあるが中枢神経障害によって味覚障害が生じる可能性もある．また，口腔乾燥や口腔衛生状態不良によっても軽度の味覚障害が生じる場合がある．

1）治療

　味覚障害と同時に口腔乾燥がある場合は，まず口腔乾燥を改善する．また，血液検査の結果から亜鉛や鉄欠乏が疑われる場合は，補充を考慮する．

　抗がん剤による味覚障害は，薬剤を使用している間は改善が難しい場合もあるので，患者の嗜好も考慮しつつ，食事の味付けを工夫して対応する．抗がん剤終了後も味覚障害が遷延することもあり，対応に難渋することが多い．

出血

　がん患者は，様々な理由で口腔内出血をきたしやすい．がん治療期における骨髄抑制，口腔乾燥や栄養状態不良による口腔粘膜の脆弱化，歯肉炎・歯周炎の増悪などが口腔内出血の原因となる．骨髄抑制など出血性素因がある場合の口腔ケアは「実施しない」のではなく，「注意深く実施」しなければならない．口腔ケアを実施しないでいると，口腔衛生状態が不良となり，歯肉炎が増悪して歯肉炎による出血の機会が増えてしまうためである．また，抗がん剤投与前から口腔衛生状態を良好に維持するなど，可能であれば予防的に対応すべきである．

1）治療

　出血した場合は，まずは圧迫止血を試みる．ガーゼなどを使用した圧迫止血が最も実施しやすい．止血しにくい場合は，アドレナリン〔ボスミン®外用液0.1％（1,000倍希釈溶液）〕を含ませたガーゼで圧迫止血するとよい．また，マウスピースのような，口腔内に装

着する止血用シーネの作製も有効である．場合によっては焼灼止血を実施することもあるが，侵襲を伴う処置となる．

▌参考文献

1) Sweeney MP, et al：Oral disease in terminal ill cancer patients with xerostomia. Oral Oncol 34：123-126, 1998.（PMID：9682775）
2) Matsuo K, et al：Associations between oral complications and days to death in palliative care patients. Support Care Cancer 24：157-161, 2016.（PMID：25962615）
3) Ohno T, et al：Change in food intake status of terminally ill cancer patients during last two weeks of life：a continuous observation. J Palliat Med 19：879-882, 2016.（PMID：27105180）
4) Lalla RV, et al：MASCC/ISOO clinical practice guidelines for the management of mucositis secondary to cancer therapy. Cancer 120：1453-1461, 2014.（PMID：24615748）
5) Yoneda T, et al：Bisphosphonate-related osteonecrosis of the jaw：position paper from the Allied Task Force Committee of Japanese Society for Bone and Mineral Research, Japan Osteoporosis Society, Japanese Society of Periodontology, Japanese Society for Oral and Maxillofacial Radiology, and Japanese Society of Oral and Maxillofacial Surgeons. J Bone Miner Metab 28：365-383, 2010.（PMID：20333419）
6) 日本老年歯科医学会日本医療研究開発機構研究費「認知症の容体に応じた歯科診療等の口腔管理及び栄養マネジメントによる経口摂取支援に関する研究」ガイドライン作成班(編)：認知症の人への歯科治療ガイドライン．pp168-172, 医歯薬出版, 2019.
7) 日本緩和医療学会緩和医療ガイドライン作成委員会(編)：終末期がん患者の輸液療法に関するガイドライン 2013 年版．pp80-82, 金原出版, 2013.

（大野友久）

16 【身体症状の緩和】
浮腫

診療のコツ

❶浮腫のアセスメントでは,その分布や病態により全身性か局所性かを確認し,原因を推定する.

❷がんに伴う静脈還流障害による浮腫には,上大静脈(SVC)症候群や深部静脈血栓症などの重篤な原因が鑑別に挙がる.

❸リンパ浮腫に対しては,早期からの複合的理学療法が症状緩和に有効である.

定義

浮腫とは,臨床的には細胞外液のうち,間質液の増加と定義される.

病態生理

浮腫の病因には,Starling 仮説における細胞外液(間質液と血漿)の体液バランスを調節する力(静水圧,血漿膠質浸透圧)の不均等,血管透過性の亢進(薬物,炎症,熱傷など),組織液のリンパ管へのドレナージ減少が関与する.それに加え,有効循環血漿量の減少とそれに伴う,レニン-アンジオテンシン-アルドステロン系やアルギニンバソプレシンの活性化,ナトリウム利尿ペプチドの増加などが増悪因子として関与している[1].

評価・診断

浮腫の臨床的原因

まず浮腫の分布から,全身性浮腫か局所性浮腫かを見極め,その原因を鑑別する(**表1**)[2].全身性の浮腫には,心不全,腎不全,肝不全などによるものや,栄養障害,薬剤によるものなどが挙げられる.一方,局所性の浮腫には,血栓や腫瘍による静脈閉塞によるもの,手術や放射線治療後,またリンパ節転移によるリンパ管閉塞に起因するもの,局所の炎症などが挙げられる.進行がんの患者の場合は,静脈性の浮腫とリンパ機能不全が合併し,リンパ静脈性うっ

表1 進行がんにおける浮腫の原因

全身性浮腫	局所性浮腫
・薬剤性(塩分と水分の貯留) 　NSAIDs, ステロイド, 血管拡張薬 　など ・低アルブミン血症 　肝硬変, ネフローゼ症候群など ・貧血 ・うっ血性心不全 ・終末期の腎不全	・静脈閉塞 　がんによる外側からの静脈圧迫, 深部静脈血栓, 上・下大静脈閉塞 ・リンパ静脈性うっ滞 　体動困難, 麻痺など ・リンパ管閉塞 　手術, 放射線照射, 反復する感染症, がんのリンパ節転移

滞の状態となる場合もまれではない.

浮腫のアセスメント

原疾患の経過や臨床所見から原因を推測し, さらに可能であれば血液検査や画像検査による原因の確定診断を考慮する. 特に進行がんの患者では, 複数の原因が存在する可能性を念頭に置いて評価する.

また, 全身状態・合併症・予後により浮腫の治療目標が変わってくるため, 常に目の前の患者がどの段階にいるのか念頭に置きながら評価・ケアにあたる必要がある.

1)臨床所見

上述のとおり, 浮腫の分布を把握するのは重要である. また, 他の体液貯留所見(胸水, 腹水など)の有無も意識して身体所見で評価する. 顔面浮腫を伴う全身の浮腫の場合は, 腎性(腎不全, ネフローゼ症候群)や甲状腺機能低下症が示唆される.

全身性浮腫の場合は, 心不全(頸静脈怒張, 心臓聴診の異常など)や肝硬変(腹水, 脾腫, 手掌紅斑など)など, 原因となる疾患に関連する所見を評価する.

局所性浮腫の場合は, 表在静脈の怒張の有無〔深部静脈血栓症(DVT)〕, 病変よりも中枢の表在リンパ節腫大の有無(リンパ浮腫)などを評価する.

また, いずれの場合も皮膚の状態(**表2**)をアセスメントする.

2)血液検査・画像検査

全身性浮腫の場合は, 心不全(胸部X線, 心臓超音波, BNPな

表2　浮腫の皮膚所見

- 乾燥
- 色素沈着
- 脆弱性
- 発赤, 蒼白, チアノーゼ
- 局所的熱感, 冷感
- 皮膚炎
- 蜂窩織炎, 丹毒
- 真菌などの感染
- 過角化
- リンパ管拡張
- リンパ漏
- 乳頭腫症
- 瘢痕, 創傷と潰瘍
- 硬化
- 橙皮様皮膚
- 深い皺襞
- Stemmer's sign*

*Stemmer's sign：リンパ浮腫でよくみられる, 皮膚を薄くつまみ上げられない状態.
〔日本リンパ浮腫学会(編)：リンパ浮腫診療ガイドライン2018年版. p17, 金原出版, 2018より〕

ど), 腎不全・ネフローゼ症候群(腎機能, アルブミン, 尿蛋白など), 肝硬変(肝機能, ビリルビン, PT-INR, 腹部超音波など), 甲状腺機能低下症(TSH上昇)の評価を行う.

　局所性浮腫の評価として, 血栓症に関するDダイマーはDVT評価における感度が高い(陰性的中率が高く除外のために有用)ため, スクリーニングとしての意義は大きい. Dダイマー陽性の場合は, 血管超音波やCTなどの画像検査で静脈血栓の有無を確認する. また, CTなどの画像により原発巣増大やリンパ節転移に伴う静脈・リンパ還流障害の可能性を評価する.

治療

　体液貯留がある場合には, 利尿薬を投与し, また浮腫を悪化させる可能性のある薬剤の中止も考慮する.

　患肢のポジショニングに注意し, 両下肢の浮腫の場合には足を挙げる時間をとり, 上肢の浮腫の場合には腕を支える工夫をするとよい. 浮腫のある皮膚は清潔を保ち, 丁寧にスキンケアを行う. また同一体位を避け, 体位変換, 除圧用マットやクッションを利用する.

　急性炎症や血栓, また心不全や腹水貯留がある場合には, 積極的なドレナージは避け, スキンケアや保護にとどめる. さらに, 炎症(熱感, 発赤, 腫脹)を伴う浮腫の場合には, 強い皮膚のケアや圧迫, マッサージは避ける.

　がん患者で起こる代表的な浮腫とその対処法を以下に述べる.

上大静脈(SVC)症候群

SVCの閉塞や狭窄によって生じる上半身の静脈圧の上昇により生じ,頭頸部,顔面,上肢や上半身のうっ血をきたす症候群.縦隔病変によるSVCの圧迫(腫瘍によるものが多い)やSVC内の血栓(カテーテル留置や膠原病によるものなど)により血流障害をきたす.悪性腫瘍の中では,肺がん(特に小細胞がん),悪性リンパ腫などが多い.進行が緩やかである場合には,一般的には側副血行路が発達し,浮腫はあるものの呼吸困難などの症状は強くないことが多いが,急速に進行した場合には,脳浮腫や気道閉塞による呼吸困難を起こすことがあり,注意する必要がある.詳細は「呼吸困難」の項に譲る(→ 207 頁).

深部静脈血栓症(DVT)

DVTは,何らかの原因によって静脈うっ滞が起こることにより発症し,手術や長期臥床が誘因になることが多い.がん患者では過凝固状態にあるため,さらにそのリスクが高い.下肢の深在静脈や骨盤内静脈に起こりやすく,左下肢により発症しやすい.

症状は,患部より末梢側では腫脹・痛み・色調変化がみられ,表在静脈怒張,Homans徴候陽性,下腿筋の硬化などがみられる場合がある.重要な合併症として肺塞栓があり,早急な治療が必要となる.

片側性の下肢浮腫がある場合,Dダイマーが陰性なら急性期DVTの可能性は低いと判断できるが,陽性の場合は確定診断のため下肢静脈超音波などの画像検査を行う.

1)治療

薬物療法としては,血栓が末梢型か中枢型(大腿・腸骨静脈まで及ぶ)か,治療開始時期などにより大きく異なり,血栓の進展・再発予防,肺塞栓予防が目標となる.

急性の中枢型DVTには初期治療期や維持治療期に,抗凝固療法やワルファリン,直接作用型経口抗凝固薬(direct oral anti-coagulant:DOAC)を投与する.DOACは血液凝固カスケードの,トロンビンまたは第Xa因子を直接かつ選択的に阻害する.末梢型DVTでは画一的に抗凝固療法を施行することは避けるが,がん患

者は高リスク症例であり，リスク・ベネフィットを考慮したうえでの抗凝固療法を検討する[3]．

理学療法は，臨床的重症度や肺梗塞へのリスクを総合的に判断し，急性期には避け，皮膚のケアのみ行う．一方，急性期を過ぎた場合には，抗凝固療法を継続したうえで弾性ストッキング(30 mmHg台圧迫用)を考慮する．

> **処方例** 下記のいずれかを用いる．
> 1) ヘパリンナトリウム　初回5,000単位　静注．その後，10,000〜15,000単位/日で持続静注．4〜6時間後に評価し，APTT 1.5〜2.5倍延長を目標に増減
>
> ヘパリンにより十分に抗凝固が行われたあとに，2)3)を開始する．
> 2) ワルファリン(ワーファリン)　PT-INRが1.5〜2.5になるように投与量を調整　内服
> 3) エドキサバン(リクシアナ®)　1回30 mg　1日1回　朝　内服

タキサン系薬剤による浮腫

近年は，乳がんの化学療法で用いるタキサン系薬剤が，浮腫発症の危険因子となることが報告されている．一般には血管透過性亢進による有害事象であり，四肢だけでなく体幹，胸腹水貯留を引き起こすこともある．婦人科がんの場合にはタキサンに関する報告はないが，投与後に浮腫は起こりやすく，リンパ浮腫に移行したり混在することが知られている．

リンパ浮腫[4]

リンパ浮腫とは「先天的なリンパ管系の発育異常や後天的なリンパ管系の損傷によりリンパの輸送障害が生じ，組織間隙に過剰な水分(間質内の血漿由来の蛋白や細胞を含む液体)が貯留した状態」(国際リンパ学会による)と定義される．この細胞間隙の水分貯留が続くと，含まれる蛋白が誘因となり，二次的に線維組織の増生による皮膚の硬化や脂肪組織の増加がみられ，特徴的な皮膚所見を呈する．

リンパ浮腫の原因は，日本では約80％が悪性腫瘍に起因するものといわれており，乳がん，子宮がん，卵巣がん，前立腺がん，陰嚢陰茎がん，悪性黒色腫などの治療に伴うリンパ節郭清や放射線治

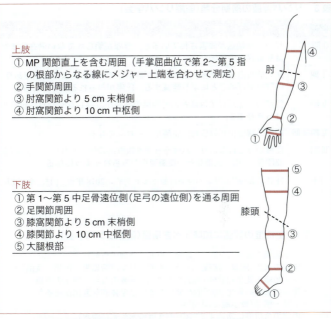

図1 四肢の周径の計測部位
〔日本リンパ浮腫学会(編):リンパ浮腫診療ガイドライン2018年版.p16,金原出版,2018より〕

療後が多い.発症時期は,手術や放射線治療直後から,治療後10年以上たってから起こることもある.可能であれば,リンパ浮腫のアセスメントと治療については,専門的に研修を受けているスタッフに相談することが好ましい.

　まず,皮膚と皮下組織の変化の程度について,時期・部位・範囲を定期的に記録する(**図1**).また皮膚の状態とその変化を評価し,急性炎症やリンパ漏の有無を確認する必要がある(**表2**).一般的にはリンパ浮腫は痛みを伴わないが,不快感やQOLの低下をきたす.急に浮腫が進行した場合や痛みを伴う場合は,蜂窩織炎[*1]などの合併がみられることもあり注意を要する.国際的な合意はまだ得られてはいないが,代表的な病期分類を**表3**に示す.さらに重症度の評価には(**表4**),皮膚病変とともに心理社会的な面を考慮する必要

表3 リンパ浮腫の病期分類(国際リンパ学会)

病期	
0期	リンパ液輸送が障害されているが,浮腫が明らかでない潜在性または無症候性の病態
Ⅰ期	比較的蛋白成分が多い組織間液が貯留しているが,まだ初期であり,四肢を挙げることにより軽減する.圧痕がみられることもある
Ⅱ期	四肢の挙上だけではほとんど組織の腫脹が改善しなくなり,圧痕がはっきりする
Ⅱ期後期	組織の線維化がみられ,圧痕がみられなくなる
Ⅲ期	圧痕がみられないリンパ液うっ滞性象皮病の他,アカントーシス(表皮肥厚),脂肪沈着などの皮膚変化がみられるようになる

〔日本リンパ浮腫学会(編):リンパ浮腫診療ガイドライン2018年版,p15,金原出版,2018より〕

表4 重症度の評価に加味すべき項目(国際リンパ学会)

- 皮下組織の腫れ(軽度,中等度,重度:浮腫の有無)
- 皮膚の状態(肥厚,疣贅,凹凸,水疱,リンパ管拡張,創傷,潰瘍)
- 皮下組織の変化(脂肪の増加や線維化,浮腫の有無,硬化の有無)
- 患肢の形状の変化(局所的な変化あるいは全体的な変化があるか)
- 炎症・感染(蜂窩織炎)の頻度
- 内臓の合併症に関連するもの(例えば胸水や乳び腹水)
- 運動と機能(上肢・下肢や全体的な機能の悪化)
- 心理社会的な要因

〔日本リンパ浮腫学会(編):リンパ浮腫診療ガイドライン2018年版,p15,金原出版,2018より〕

がある.

1) 治療

リンパ浮腫の治療には,日常生活指導[*2]とスキンケア,用手的ドレナージ,圧迫療法,圧迫下での運動療法を組み合わせた「複合的理学療法」が推奨されている.

[*1] リンパ浮腫に伴う蜂窩織炎:リンパ浮腫を起こすとリンパ液の流れが悪くなり,虫刺されや小さな傷から細菌感染を起こし,蜂窩織炎を合併しやすい.蜂窩織炎を合併した場合,皮膚の発赤・熱感・腫脹がみられ,高熱を呈することもある.このような症状があれば,抗菌薬投与を要するため,できるだけ早く医療機関を受診するように指導する.

◼ 日常生活指導とスキンケア

- **生活での留意点**：浮腫のある部位を 10〜15 cm やや高くして休む．締め付けの強い衣類や靴，装飾品を避ける．
- **スポーツ，運動**：激しい運動は避け，疲労が残らない程度に行う．長時間の乗り物での移動を避ける．同じ姿勢をとらずに，時々ストレッチをする．また，体重管理も行う★★[5)]．
- **皮膚の乾燥予防とケア**：皮膚の保護機能が低下し，細菌感染を起こしやすくなるため，清潔に保ち，保湿薬を使用し湿潤を維持する．また，擦り傷や虫刺され，低温やけどなどに注意する[4)]．

◼ 用手的ドレナージ

リンパドレナージには，マニュアルリンパドレナージ(manual lymphatic drainage：MLD)とシンプルリンパドレナージ(simple lymphatic drainage：SLD)がある．MLD は障害のあるリンパ経路の活動を増やし，リンパ管を迂回しながら滞っている組織液やリンパ液を排出することを目的としている．一方 SLD は，患者や家族が自宅でも適切に治療を行えるように指導する方法である．

◼ 圧迫療法

圧迫療法は，浮腫を軽減し，その効果を維持するのに重要である．圧迫により皮下組織内の圧力を高めて，毛細血管からの漏出やリンパ液の貯留予防の効果があり，弾性着衣(進行予防を目的に，軽度から中等度のリンパ浮腫に対して)や弾性包帯による多層包帯法(治療導入期のⅡ期以上のリンパ浮腫，弾性着衣を使えない時など)を用いて行う★★★[6)]．

弾性着衣や弾性包帯を用いて適切な圧迫を行っている場合には，筋肉をゆっくり大きく動かすような運動を行うと浮腫の軽減になる．

＊2　リンパ浮腫指導管理料(100 点)：手術前もしくは手術後，または診断時もしくは診断後において，個別に 5 項目のリンパ浮腫に関する説明および指導管理を行った場合に算定される．2020 年の改訂により，対象疾患が個別傷病名から，「鼠径部・骨盤部・腋窩部のリンパ節郭清を伴う悪性腫瘍に対する手術を行ったもの，または原発性リンパ浮腫と診断されたもの」と変更された．

まとめ—がん終末期の様々な要因による浮腫

　進行がんでは，終末期に近づくにしたがって，浮腫には単一ではなく様々な要因が関与する．さらに悪液質や臥床による四肢の筋萎縮により筋ポンプ作用も低下し，浮腫が生じやすくなる．終末期の浮腫は改善しにくいため，浮腫に対する治療の目標を医療チーム内で検討し，「浮腫が残っても，悪化させずに，生活しやすい状況にしていくこと」を患者と共有することが大切であり，QOLの改善に焦点を当てた無理のないケアが望まれる．

■参考文献

1) 福井次矢, 他(日本語監)：ハリソン内科学 第5版. pp256-259, MEDSi, 2017.
2) 武田文和, 他(監訳)：トワイクロス先生のがん患者の症状マネジメント 第2版. 医学書院, 2010.
3) 日本循環器学会, 他(編)：肺血栓塞栓症および深部静脈血栓症の診断, 治療, 予防に関するガイドライン 2017年改訂版(2018年12月10日更新). (https://js-phlebology.jp/wp/wp-content/uploads/2019/03/JCS2017_ito_h.pdf)(最終アクセス：2022年3月)
4) 日本リンパ浮腫学会(編)：リンパ浮腫診療ガイドライン 2018年版. 金原出版, 2018.
5) Lacomba MT, et al：Effectiveness of early physiotherapy to prevent lymphoedema after surgery for breast cancer：randomized, single blinded, clinical trial. BMJ 340：b5396, 2010.(PMID：20068255)
6) Rogan S, et al：Therapy modalities to reduce lymphoedema in female breast cancer patients：a systematic review and meta-analysis. Breast Cancer Res Treat 159：1-14, 2016.(PMID：27460637)

（長岡広香）

17 【身体症状の緩和】 悪性腹水

診療のコツ

❶悪性腹水患者に対して，腹水の性状や患者の状態に合わせて治療法を選択する．
❷腹腔穿刺が最も確実な症状緩和手段である．
❸門脈圧が亢進している病態では利尿薬(スピロノラクトン±フロセミド)が有効な可能性がある．

定義・疫学

　悪性腹水は，悪性腫瘍の影響によって生じた腹腔内の異常な液体貯留と定義される．全腹水患者のうち10%が悪性腹水である[1]．国内の前向き観察研究では，緩和ケア病棟に入院したがん患者の20%で症状を伴う腹水貯留を認めた[2]．

　悪性腹水の原因となるのは主に，卵巣・膵臓・胆道・胃・大腸など腹腔内原発の悪性腫瘍で，乳房・肺・リンパ腫などの腹腔外原発の悪性腫瘍や原発不明がんが原因となることもある．

　悪性腹水患者の60%に自覚症状(腹部膨満55%，腹痛53%，悪心37%，食欲不振36%，嘔吐25%，倦怠感17%)を認める．がんの進行に伴って腹水が増すと症状は増悪し，しばしば治療抵抗性となる．

　悪性腹水患者の平均予後は6か月程度で，特に消化器がんで短い．診断時に悪性腹水を伴う卵巣がんやリンパ腫など化学療法の効果が期待できる場合，その予後はより長くなる．

病態

　悪性腹水の病態には，吸収障害と産生過剰に関する複数の機序が関与している．ある研究では，腹水貯留の原因病態は腹膜播種が最も多く(53%)，次いで多発肝転移(13%)，腹膜播種＋多発肝転移(13%)，門脈圧亢進を伴う肝細胞がん(7%)，乳び腹水(7%)であった．

吸収の障害

腹膜播種の進展によって,腹膜からの腹水のドレナージが阻害される.

産生過剰

1) 血管透過性亢進

腫瘍細胞から産生されるサイトカイン〔血管内皮増殖因子(vascular endothelial growth factor:VEGF)やマトリックスメタロプロテアーゼ(matrix metalloproteinase:MMP)など〕や成長因子によって血管透過性が亢進して,滲出性腹水をきたす.

2) 門脈圧亢進

多発肝転移やリンパ節転移による門脈圧亢進によって,漏出性の腹水が生じる.

3) レニン-アンジオテンシン-アルドステロン系(RAA系)の関与

種々の原因による有効循環血漿量の低下に伴い RAA 系が賦活され,Na が貯留して腹水貯留を助長することがある.

4) リンパ管閉塞

リンパ管が閉塞して乳び腹水を呈することがある.

評価・診断

腹水の存在診断は身体所見および画像検査(超音波検査や CT 検査)で行う.腹水が 1〜1.5 L 程度になると,自覚症状(腹部膨満感,腹囲増加など)と身体所見(腹部膨満,腹壁波動,濁音界の移動など)による診断が可能であることが多い.

悪性腹水の質的な診断には,腹水自体の検査が有用である.血清腹水アルブミン勾配(SAAG)を評価することで利尿薬への反応を推定できる.つまり,SAAG≧1.1 g/dL では門脈圧亢進による漏出性腹水が示唆され,抗アルドステロン薬が有効である可能性がある[1].また,腹水の中性脂肪・総コレステロール値を測定することで乳び腹水の診断が可能である.腹水細胞診は,腹膜播種による悪性腹水診断に対する感度が 97% と高い.

腹水特異的な症状評価尺度にエドモントン症状評価システム腹水版(ESAS:AM)がある[3].オリジナルの ESAS の 9 項目に「お腹の張り・つらさ」と「動きにくさ」を加えた 11 項目について 0〜10 で

表1 悪性腹水治療の推奨

利尿薬	2D（弱い推奨，とても弱い根拠）
腹腔穿刺	2C（弱い推奨　弱い根拠）
腹腔静脈シャント	エビデンス不足で結論できない
腹水濾過濃縮再静注法（CART）	エビデンス不足で結論できない

〔日本緩和医療学会ガイドライン統括委員会（編）：がん患者の消化器症状の緩和に関するガイドライン2017年版．p90, 金原出版, 2017より作成〕

評価する尺度で，日本語版の信頼性・妥当性が検証済みである．

治療

悪性腹水に対する治療のエビデンスは総じて乏しく，標準治療は確立していない[4,5]（**表1**）．病態，症状の強さ，治療の侵襲度，予測される患者の予後や，患者の希望に配慮しながら治療を選択する．

利尿薬

利尿薬は有効率が高くないものの非侵襲的で簡便な治療法である．特に腹水が溜まりはじめた時期や，門脈圧が亢進した病態では積極的な治療選択肢になる．

これまでに悪性腹水に対する利尿薬の有効性を検討したRCTは存在しない．観察研究や症例報告をまとめると有効率は43％である[5]．多発肝転移（による門脈圧亢進）が原因の場合（＝漏出性腹水）には利尿薬が有効である可能性がある[6]．SAAGや悪性腹水の原因病態に応じて利尿薬の適応を決定することは有用であるかもしれない．

使用する利尿薬は，肝硬変の診療に準じて，抗アルドステロン薬であるスピロノラクトン（50〜100 mg/日）が第1選択薬である[5]．必要に応じて300 mgまで増量するか，ループ利尿薬であるフロセミド（20〜60 mg/日）を併用する．

利尿薬の副作用には，血圧低下，腎機能障害，電解質異常（Na, Kなど）がある．利尿薬の効果が乏しい場合や，進行により効果が得られなくなった場合には，漫然と継続することは控える．

> **処方例**
> 1) スピロノラクトン(アルダクトン® A)　1回 50〜100 mg　1日1回　内服
> 効果やK値をみながら，必要に応じて 300 mg まで増量するか，2)を併用する．
> 2) フロセミド(ラシックス®)　1回 20〜60 mg　1日1回　内服

腹腔穿刺 ★

　腹腔穿刺による腹水除去は，効果は一時的なものであるが，速やかに症状軽減が得られる．繰り返し侵襲的な処置を要する点が難点であるが，現在のところ最も確実な症状緩和の手段であり，最もよく選択される[7]．

　悪性腹水に対する腹腔穿刺の効果を検討した RCT はない．観察研究の結果からは腹腔穿刺によって 90％で症状が緩和する★[2,5]．腹腔穿刺間隔は 7〜14 日である．繰り返し腹水を除去することで血圧低下や循環血漿量減少，電解質異常，腎機能低下，蛋白の喪失の懸念があるが，腹腔穿刺の排液量や排液時間に関して合意の得られた標準的な方法はない．古典的には 5 L までは比較的安全に排液できるとされているが，少量の腹水除去でも同等に症状が緩和することが多いため，特に病状が不安定で予後が限られた患者では 1〜3 L の排液にとどめることが緩和ケア専門家によって勧められている[4]．国内の緩和ケア病棟入院患者を対象とした観察研究では，2.5 L 以上の排液と比べて 1.5〜2.5 L の排液は穿刺間隔を短縮することなく同等の症状緩和効果があった[2]．

　頻回に腹腔穿刺が必要となった場合には，穿刺に伴う苦痛や，合併症のリスクを回避する目的で，腹腔内カテーテル留置による腹水排液を行う場合がある．留置するカテーテルには PleurX™(日本未承認，Becton Dickinson 社)，中心静脈カテーテル，皮下埋め込みポート型カテーテルなどの報告がある．留置することで 1〜2 日ごとに溜まった分だけ少量ずつ排液することが可能になる．腹腔内カテーテル留置に関連した合併症としては，腹膜炎などのカテーテル関連感染症(4.4％)，カテーテル閉塞，穿刺部からの腹水漏出，腹水の被包化などがある．皮下トンネルを造設して留置することで，

感染や腹水漏出のリスクを低減できる[9]．

> **処置例**
> 超音波ガイド下腹腔穿刺　1回2L　1〜2時間かけて
> 効果や患者の状態を評価しながら，排液量を1〜5Lの間で調整する．

腹腔静脈シャント ★

腹腔静脈シャント(peritoneovenous shunt：PVS)は，頻回の腹腔穿刺を回避し，水分や電解質，蛋白の喪失を防ぐ目的で造設される．皮下に埋め込んだカテーテルを介して腹水を中心静脈に還流させる．PVSにはLeVeenシャントとDenverシャントがあるが，閉塞予防のためにポンプを二重弁にした後者が主流である．継続した症状緩和効果が期待できるものの留置時の侵襲やDICなど重篤な合併症の懸念から，選択されることは多くない．

悪性腹水に関してPVSと他の治療法の効果を比較した研究はない．文献レビューによるとPVSは62〜87％で有効だった一方，合併症を25〜50％に認めた★[5]．シャント閉塞(19〜24％)の他，DIC(2〜9％)，肺水腫(9％)，肺塞栓症(4％)，感染症(5％)など重篤な合併症が報告されている．PVSは比較的長い予後が見込める卵巣がんや乳がんでよい適応とされる．禁忌は，門脈圧亢進，凝固異常，重症心不全・腎不全，被包化腹水，血性腹水である．

また新たなPVSとして，経頸静脈経肝的腹腔静脈シャント形成術(transjugular transhepatic PVS：TTPVS)がある．第Ⅰ/Ⅱ相試験では有効率は67％で，合併症として低アルブミン血症(24％)，ヘモグロビン減少(18％)が報告されている[10]．難治性悪性腹水患者に対するPVS(TTPVSまたはDenverシャント) vs. その他の治療のRCTの登録がすでに終了しており，その報告が待たれる．

腹水濾過濃縮再静注法（CART）

CART(cell-free and concentrated ascites reinfusion therapy)は，排液した腹水を濾過濃縮することにより細胞成分や血球成分，水分を除去し，経静脈的に患者に再投与する治療法である．蛋白喪失の回避や穿刺間隔の延長，免疫学的副作用の回避が期待されている．CARTは日本では良性悪性を問わず難治性腹水に保険適用を有し

ており，特に近年国内では肝性腹水だけでなく悪性腹水に対しても広く行われている．ただし，これまでにCARTの検証試験は行われておらず，有効性や安全性は確立していない．また，国際的にはほとんど知られていない治療法である．単アームの前向き観察研究ではCART後の腹腔穿刺間隔は27日であり，腹腔穿刺単独と比べて穿刺間隔が延長する可能性が示唆されている[11]．CARTには腹腔穿刺に伴う合併症の他に，再静注に伴う特異的なものとして発熱がある．市販後調査や観察研究では重篤な合併症はほとんどなく，発熱の頻度は5～12％で一過性であった[11,12]．今後，CARTの臨床応用を確立させるためにはエビデンスを構築していく必要がある．

輸液の調整

過剰な輸液によって悪性腹水が増加することが報告されている[13]．そのため，悪性腹水を合併している患者では輸液量を調整することが望ましい．「終末期がん患者の輸液療法に関するガイドライン」では生命予後が1か月程度の場合，悪性腹水による苦痛を悪化させないことを目的に輸液量を1L/日以下にすることが推奨されている★[14]．

その他

1) ステロイド腹腔内投与

ステロイド（トリアムシノロン）の腹腔内投与で腹腔穿刺間隔が延長したとする報告がある[15]．副作用として高血糖，腹痛，腹膜炎，腸管穿孔などが報告されている．現時点で十分な根拠とはいえないうえ保険適用外なので，積極的に臨床利用する段階ではない．

2) 分子標的薬

抗VEGF抗体薬のアフリベルセプトは，悪性腹水を伴う化学療法抵抗性卵巣がん患者を対象にした第Ⅱ相試験で，プラセボと比較して腹腔穿刺間隔を有意に延長した[16]．抗VEGF抗体薬は卵巣がん患者の腹水治療に有効であると思われるが，位置付けなど詳細は卵巣がんの診療ガイドラインに譲る．

抗EpCAM，抗CD-3抗体薬であるcatumaxomabは悪性腹水患者に対する第Ⅱ/Ⅲ相試験で，プラセボと比較して腹腔穿刺間隔を有意に延長した[8]．一時EUや北米で適応承認されたが，その後商

業的な理由により生産が中止されている．

■参考文献

1) Runyon BA, et al：The serum-ascites albumin gradient is superior to the exudate-transudate concept in the differential diagnosis of ascites. Ann Intern Med 117：215-220, 1992.（PMID：1616215）
2) Ito T, et al：Optimal paracentesis volume for terminally ill cancer patients with ascites. J Pain Symptom Manage 62：968-977, 2021.（PMID：33933616）
3) Mori M, et al：Validation of the Edmonton symptom assessment system：ascites modification. J Pain Symptom Manage 55：1557-1563, 2018.（PMID：29581035）
4) 日本緩和医療学会ガイドライン統括委員会（編）：がん患者の消化器症状の緩和に関するガイドライン 2017 年版．金原出版，2017．
5) Becker G, et al：Malignant ascites：systematic review and guideline for treatment. Eur J Cancer 42：589-597, 2006.（PMID：16434188）
6) Mackey JR, et al：Malignant ascites：demographics, therapeutic efficacy and predictors of survival. Can J Oncol 6：474-480, 1996.（PMID：12056099）
7) Jehn CF, et al：A survey of treatment approaches of malignant ascites in Germany and Austria. Support Care Cancer 23：2073-2078, 2015.（PMID：25528551）
8) Heiss MM, et al：The trifunctional antibody catumaxomab for the treatment of malignant ascites due to epithelial cancer：results of a prospective randomized phase Ⅱ/Ⅲ trial. Int J Cancer 127：2209-2221, 2010.（PMID：20473913）
9) Fleming ND, et al：Indwelling catheters for the management of refractory malignant ascites：a systematic literature overview and retrospective chart review. J Pain Symptom Manage 38：341-349, 2009.（PMID：19328648）
10) Arai Y, et al：Phase Ⅰ/Ⅱ study of transjugular transhepatic peritoneovenous venous shunt, a new procedure to manage refractory ascites in cancer patients：Japan Interventional Radiology in Oncology Study Group 0201. AJR Am J Roentgenol 196：W621-W626, 2011.（PMID：21512054）
11) Hanada R, et al：Efficacy and safety of reinfusion of concentrated ascitic fluid for malignant ascites：a concept-proof study. Support Care Cancer 26：1489-1497, 2018.（PMID：29168037）
12) Hanafusa N, et al：Safety and efficacy of cell-free and concentrated ascites reinfusion therapy（CART）in refractory ascites：post-marketing surveillance results. PLoS One 12：e0177303, 2017.（PMID：28510606）
13) Morita T, et al：Association between hydration volume and symptoms in terminally ill cancer patients with abdominal malignancies. Ann Oncol 16：640-647, 2005.（PMID：15684225）
14) 日本緩和医療学会緩和医療ガイドライン作成委員会（編）：終末期がん患者の輸液療法に関するガイドライン 2013 年版．金原出版，2013．
15) Mackey JR, et al：A phase Ⅱ trial of triamcinolone hexacetanide for symptomatic recurrent malignant ascites. J Pain Symptom Manage 19：193-199, 2000.（PMID：10760624）

16) Gotlieb WH, et al：Intravenous aflibercept for treatment of recurrent symptomatic malignant ascites in patients with advanced ovarian cancer：a phase 2, randomised, double-blind, placebo-controlled study. Lancet Oncol 13：154-162, 2012.(PMID：22192729)

（横道直佑）

郵便はがき

113-8739

料金受取人払郵便

本郷局承認
5347

差出有効期限
2024年4月19日まで

切手を貼らずに
ご投函ください

（受取人）
東京都文京区
本郷郵便局私書箱第5号
医学書院

「緩和ケアレジデントマニュアル」編集室　行
(MB3)

ご記入いただきました個人情報は、賞品の発送および読者モニターで使用させていただくことがあります。詳しくは弊社ホームページの個人情報保護方針をご参照ください（https://www.igaku-shoin.co.jp）

フリガナ ご芳名		歳
ご住所　　　　　①自宅　②勤務先 〒 　　　　　　都道 　　　　　　府県		
E-mail		
研修医・専攻医・勤務医・開業医・看護師・薬剤師・他（　　　　　　）		
勤務先（所属）／学校名（学年） 　　　　　　　　　　　　　　　　　　　（卒後　　年目）		

04907

「緩和ケアレジデントマニュアル 第2版」アンケート

お買い上げいただき、誠にありがとうございます。今後の企画・出版のために、読者の皆様より率直なご意見・ご感想をいただけますと幸いです。

▶本書をどこでお知りになりましたか（複数回答可）
①書店・学会 ②弊社WEBサイト ③インターネット（　　　　　　　　　）
④広告（　　　　　　　　　　　） ⑤書評 ⑥知人の推薦・口コミ ⑦SNS
⑧その他（　　　　　　　　　　　　　　　　　　　　　　　　　　　　　）

▶価格の印象　安い・適当・高い

▶ページ数　少ない・適当・多い

▶購入の決め手（複数回答可）
初版を使用している・テーマに関心がある
記述がわかりやすい・編者や著者が魅力的
その他（　　　　　　　　　　　　　　　　　　　　　　　　　　　　　）

▶本書をお読みいただいた感想はいかがですか
とても満足・満足・普通・不満・とても不満

▶ご意見・ご要望（本書のよい点、改善してほしい点、レジデントシリーズに加えてほしいテーマなど）をお聞かせください

[　　　　　　　　　　　　　　　　　　　　　　　　　　　　　　　　]

▶ご感想を書籍のPRに使わせていただいてよろしいですか（掲載は匿名です）
はい・いいえ
▶読者モニターとして連絡をとらせていただいてよろしいですか
はい・いいえ

アンケート回答者に、抽選で図書カードを進呈します。
抽選結果の発表は、賞品の発送をもってかえさせていただきます。

18 【身体症状の緩和】呼吸困難

診療のコツ

1. 呼吸不全がなくても呼吸困難は生じる．
2. 呼吸困難に対して最初に行う治療は，直接原因に対する治療である．
3. 症状緩和のための薬物療法の第1選択はモルヒネである．
4. 全身状態の悪い患者，Ⅱ型呼吸不全の患者ではベンゾジアゼピン系薬やモルヒネは慎重に使用する．

定義・疫学

米国胸部学会は呼吸困難を「呼吸時の不快な感覚」という主観的な体験と定義している[1]．一方で，呼吸不全は「動脈血酸素分圧（PaO_2）≦60 mmHg」と定義される客観的病態である．つまり主観的な症状である呼吸困難と客観的病態である呼吸不全は必ずしも一致するとは限らない．

また，終末期がん患者においては50〜70％の患者が呼吸困難を体験し，頻度の高い症状である[2]．

病態生理

呼吸困難の発生のメカニズムについては明らかになっていないが，中枢-末梢ミスマッチ説が有力視されている．これは呼吸中枢から呼吸筋への運動指令（出力）と呼吸筋からの求心性の情報（入力）との間にミスマッチがあると，呼吸困難が発生するという仮説である．さらに発生した呼吸困難が大脳皮質で認知される過程で薬物，身体化，不安，抑うつといった様々な因子が影響を与える可能性がある．

また，呼吸困難の原因は，がんに関連した原因（がん治療による影響も含む）と，がんとは関連しない原因（基礎疾患など）とに分けることができる．

表 1 呼吸困難の原因

	局所における原因	全身性の原因
がんに関連した原因	肺がん，肺転移，胸膜腫瘍，胸水，心囊水，心膜炎，気管・気管支狭窄，閉塞，上気道圧迫，上大静脈症候群，肺動脈腫瘍塞栓，腫瘍浸潤，胸壁浸潤，気胸，感染性肺炎，肺塞栓，肺全摘術，葉切除後，薬剤性肺炎，放射線性肺炎，がん性リンパ管症，横隔神経麻痺	がん悪液質，腫瘍随伴症候群，ステロイド筋症，電解質代謝異常，貧血，過粘稠度症候群，横隔膜麻痺，腹水，肝腫大，腎不全，発熱，不安，抑うつ，精神的ストレス
がんとは関連しない原因	COPD，気管支喘息，肺結核後遺症，間質性肺疾患，肺動脈奇形，うっ血性心不全，虚血性心疾患，不整脈	神経筋疾患，肝肺症候群，パニック発作，過換気，肥満

評価・診断

原因は様々である（**表 1**）．呼吸困難の評価は NRS や VAS，修正 Borg スケール，STAS-J，IPOS，修正 MRC（Medical Research Council）スケール（**表 2**）で行う（「痛みの診断と評価」「**付録 5～8**」参照 ➡ **34，480～486 頁**）．また，がん患者の呼吸困難の質的評価スケールとして，cancer dyspnea scale[3] も使用される．

原因治療

まず，可能であれば呼吸困難を引き起こしている原因に対する治療を行う．しかしながら，患者の希望や状態に応じて適応を考慮する．

① 原疾患への治療（悪性腫瘍に対する化学療法・放射線治療，COPD・喘息などへの気管支拡張薬・ステロイド吸入・呼吸リハビリテーションなど，心不全に対する薬物療法・心臓再同期療法・心臓リハビリテーションなど）．
② 胸水・心囊液のドレナージ，胸膜癒着術．
③ 気道狭窄に対する放射線治療・ステント．
④ 上大静脈症候群に対する放射線治療・ステント．
⑤ 感染性肺炎に対する感染症治療．
⑥ 輸血による貧血の補正．

表2 修正 MRC スケール

Grade 0	激しい運動を除き,息切れで困ることはない
Grade 1	急いで歩いた時,あるいは緩い坂を登った時,息切れで困る
Grade 2	息切れのため同年齢の人よりもゆっくり歩く,あるいは,平地を自分のペースで歩く時,息継ぎのために立ち止まらなければならない
Grade 3	平地を 100 m,あるいは数分歩いただけで息継ぎのために立ち止まる
Grade 4	息切れが強くて外出できない,あるいは衣服の着脱だけでも息切れがする

■ 酸素療法 ★★

 低酸素血症がある患者では,酸素吸入は空気吸入と比較して,呼吸困難を緩和させうる[4].一方で,低酸素血症がない患者では,酸素吸入と空気吸入を比較して呼吸困難の緩和効果の優位性は示されていない[5,6].いずれの場合も酸素吸入前後では,呼吸困難の改善が示されていることから,低酸素血症の有無にかかわらず施行してみる価値はあるものの,常にメリットとデメリット(見た目,異物感,拘束感,口渇など)とのバランスを踏まえる必要がある.特に,II 型呼吸不全($PaCO_2>45$ mmHg)のある患者では,PaO_2/SpO_2 が保たれている状況で過量の酸素を投与すると,CO_2 ナルコーシスをきたすため注意が必要である.

> **処方例**
>
> 酸素 1～4 L/分 鼻カニュラ さらに増量が必要であれば,簡易酸素マスク,リザーバー付酸素マスクを使用

■ 高流量鼻カニュラ酸素療法 ★

 酸素吸入をしても安静時呼吸困難を有するがん患者を対象とした試験で,使用前と比べて 2 時間後に呼吸困難が有意に低下することが報告されている[7].食事摂取,会話が可能であることがメリットである.

■ 非侵襲的陽圧換気 ★★

 急性呼吸不全で入院となり,呼吸困難を有するがん患者を対象とした試験で,非侵襲的陽圧換気(NPPV)の使用に耐えられた患者で

は，特に $PaCO_2$ の上昇を認める症例で NPPV は酸素吸入に比べて有意に呼吸困難を改善することが報告されている[8]．酸素吸入をしても安静時呼吸困難を有するがん患者を対象とした試験で，使用前と比べて2時間後に呼吸困難 NRS が有意に低下することが報告されている[7]．また，進行 COPD や急性心不全で呼吸困難を改善することが報告されている[9]．しかしながら，NPPV の使用でかえって呼吸困難が強くなる場合もあるため，メリットとデメリットを経時的に評価する．

薬物療法

1) 気管支拡張薬

COPD，気管支喘息による呼吸困難に有効である．β_2 刺激薬吸入・貼付，抗コリン薬吸入などがある．

2) モルヒネ★★

各種疾患に伴う呼吸困難に対するモルヒネの有効性については試験結果が一致していないものの，有効性を示唆する知見も多く報告されている[10〜13]．したがって，原疾患に対する標準的な治療をしっかり行ったうえで残存する呼吸困難に対して使用するオピオイドとして，モルヒネは第1選択である．COPD 患者では，高用量オピオイド（モルヒネ 30 mg/日以上）の使用が死亡率上昇と関連すると報告されている[14]．また，重度Ⅱ型呼吸不全患者では CO_2 ナルコーシスをきたす可能性がある．したがって，COPD 患者では安易に処方するのではなく，呼吸困難が強く，気管支拡張薬など他の治療が無効な進行症例に使用する．

❶モルヒネ未使用例

> **処方例** 下記を適宜用いる．
> 【頓服】
> 1) モルヒネ塩酸塩（オプソ®） 1回 2.5〜5 mg 内服
> 【定期投与】
> 2) モルヒネ塩酸塩 1回 3〜4 mg 1日4回（6時間ごと） 内服（非がんの場合）
> 3) モルヒネ硫酸塩（MS コンチン®） 1回 10 mg 1日2回（12時間ごと） 内服

4)モルヒネ塩酸塩注　5〜10 mg/日　持続静注・持続皮下注

❷モルヒネ既使用例

現在のモルヒネの使用量より25〜50％増量する．

3)オキシコドン★

呼吸困難を有するがん患者で呼吸困難が改善する可能性が示唆されている[15]．モルヒネほど十分なエビデンスはないが，腎機能障害を有する患者の呼吸困難でしばしば使用される．

> **処方例**　下記を適宜用いる．
> 【頓服】
> 1)オキシコドン(オキノーム®)　1回2.5 mg　内服
> 【定期投与】
> 2)オキシコドン(オキシコンチン®)　1回5 mg　1日2回(12時間ごと)　内服
> 3)オキシコドン注　5〜10 mg/日　持続静注・持続皮下注

4)ベンゾジアゼピン系薬★

がん患者，COPD患者を含む試験のメタアナリシスでは，ベンゾジアゼピン系薬がプラセボもしくはモルヒネと比較して呼吸困難をより緩和させる根拠は不十分と結論されている[16]．ただし，呼吸困難に不安の要素が大きいと思われる症例で短期間処方する場合には，検討してもよいと考えられる．一方，モルヒネとの併用については，終末期がん患者において上乗せ効果が示唆されている[17]．

COPDと間質性肺疾患においては，高用量のベンゾジアゼピン系薬の使用が死亡率の上昇と関連するという報告がある[14,18]．また，Ⅱ型呼吸不全患者ではCO_2ナルコーシスをきたす可能性があるため，使用する場合には注意深い観察が必要である．

> **処方例**　下記のいずれかを用いる．
> 1)アルプラゾラム(ソラナックス®)　1回0.2〜0.4 mg　1日1〜2回　内服
> 2)ロラゼパム(ワイパックス®)　1回0.5 mg　1日1〜2回　内服
> 【内服困難の場合】
> 3)ミダゾラム(ドルミカム®)　5 mg/日　静注もしくは皮下注から開

始．眠気が許容できる範囲で 12 mg/日まで増量

5) ステロイド★

呼吸困難を有するがん患者を対象とした試験で4日目，7日目に呼吸困難が有意に低下したことが報告されている[19]．経験的にステロイドの効果が期待できる気道閉塞，上大静脈症候群，がん性リンパ管症による呼吸困難にはその使用が検討される．逆にステロイド筋症により呼吸筋の筋力低下をもたらすおそれがあるので，注意が必要である．ステロイド長期投与に伴い副作用が懸念されるため，必ず予後と効果と副作用のバランスを考えて使用する．また心不全の場合，体液貯留悪化のおそれがあり，使用は避けるべきである．

> **処方例** がんの場合，下記のいずれかを用いる（気管支喘息・COPDは呼吸器の専門書，ガイドラインを参照）．
> 1) デキサメタゾン（デカドロン®） 1回4〜8 mg 1日1回 朝食後内服
> 2) ベタメタゾン（リンデロン®）注 1回4〜8 mg 1日1回 午前中静注
> ＊効果を認める場合は漸減し，効果の維持できる最小量（0.5〜4 mg/日）で継続．数日投与しても明らかな効果がない場合は中止．

■ 非薬物療法

1) 体位

頭側を挙上する，側臥位にするなどを勧められることが多いが，基本的には患者本人が楽な体勢をみつけるように心がける．

2) 環境整備

不安の緩和，家族への教育とサポート，部屋の中の人数の制限，部屋の温度を低くする，患者を寒がらせない，窓を開ける，外部の視界が遮られないようにする，煙草などの刺激物質を避ける，十分な湿度を保つ．

3) 呼吸リハビリテーション

「リハビリテーション」参照（→ 436 頁）．

■ 苦痛緩和のための鎮静

呼吸困難は苦痛緩和のための鎮静の対象となる代表的症状であ

る．上記のアプローチにても対処困難であり，耐え難い苦痛の場合は苦痛緩和の手段としてセデーションを検討する（「苦痛緩和のための鎮静」参照➡ **345 頁**）．

■参考文献

1) Dyspnea. Mechanisms, assessment, and management：a consensus statement. American Thoracic Society. Am J Respir Crit Care Med 159：321-340, 1999.(PMID：9872857)
2) Ben-Aharon I, et al：Interventions for alleviating cancer-related dyspnea：a systematic review. J Clin Oncol 26：2396-2404, 2008.(PMID：18467732)
3) Tanaka K, et al：Development and validation of the Cancer Dyspnoea Scale：a multidimensional, brief, self-rating scale. Br J Cancer 82：800-805, 2000.(PMID：10732749)
4) Bruera E, et al：Effects of oxygen on dyspnoea in hypoxaemic terminal-cancer patients. Lancet 342：13-14, 1993.(PMID：8100289)
5) Bruera E, et al：A randomized controlled trial of supplemental oxygen versus air in cancer patients with dyspnea. Palliat Med 17：659-663, 2003.(PMID：14694916)
6) Abernethy AP, et al：Effect of palliative oxygen versus room air in relief of breathlessness in patients with refractory dyspnoea：a double-blind, randomised controlled trial. Lancet 376：784-793, 2010.(PMID：20816546)
7) Hui D, et al：High-flow oxygen and bilevel positive airway pressure for persistent dyspnea in patients with advanced cancer：a phase II randomized trial. J Pain Symptom Manage 46：463-473, 2013.(PMID：23739633)
8) Nava S, et al：Palliative use of non-invasive ventilation in end-of-life patients with solid tumours：a randomised feasibility trial. Lancet Oncol 14：219-227, 2013.(PMID：23406914)
9) Mahler DA, et al：American College of Chest Physicians consensus statement on the management of dyspnea in patients with advanced lung or heart disease. Chest 137：674-691, 2010.(PMID：20202949)
10) Verberkt CA, et al：Effect of sustained-release morphine for refractory breathlessness in chronic obstructive pulmonary disease on health status：a randomized clinical trial. JAMA Intern Med 180：1306-1314, 2020.(PMID：32804188)
11) Currow D, et al：Regular, sustained-release morphine for chronic breathlessness：a multicentre, double-blind, randomised, placebo-controlled trial. Thorax 75：50-56, 2020.(PMID：31558624)
12) Kronborg-White S, et al：Palliation of chronic breathlessness with morphine in patients with fibrotic interstitial lung disease：a randomised placebo-controlled trial. Respir Res 21：195, 2020.(PMID：32703194)
13) Luo N, et al：Efficacy and safety of opioids in treating cancer-related dyspnea：a systematic review and meta-analysis based on randomized controlled trials. J Pain Symptom Manage 61：198-210, 2021.(PMID：32730950)
14) Ekström MP, et al：Safety of benzodiazepines and opioids in very severe respiratory

disease：national prospective study. BMJ 348：g445, 2014.（PMID：24482539）
15) Yamaguchi T, et al：Efficacy of immediate-release oxycodone for dyspnoea in cancer patient：cancer dyspnoea relief (CDR) trial. Jpn J Clin Oncol 48：1070-1075, 2018.（PMID：30260399）
16) Simon ST, et al：Benzodiazepines for the relief of breathlessness in advanced malignant and non-malignant diseases in adults. Cochrane Database Syst Rev：CD007354, 2016.（PMID：27764523）
17) Navigante AH, et al：Midazolam as adjunct therapy to morphine in the alleviation of severe dyspnea perception in patients with advanced cancer. J Pain Symptom Manage 31：38-47, 2006.（PMID：16442481）
18) Bajwah S, et al：Safety of benzodiazepines and opioids in interstitial lung disease：a national prospective study. Eur Respir J 52：1801278, 2018.（PMID：30309973）
19) Hui D, et al：Dexamethasone for dyspnea in cancer patients：a pilot double-blind, randomized, controlled trial. J Pain Symptom Manage 52：8-16, 2016.（PMID：27330023）

（松田能宣）

19 【身体症状の緩和】咳嗽

診療のコツ

❶ 咳嗽に対してまず行うのは原因評価である．
❷ 喀痰を伴わない乾性咳嗽は基本的に病的である．
❸ 鎮咳薬で最も効果が期待できるのはモルヒネである．
❹ 環境調整，呼吸理学療法などの非薬物療法は原因にかかわらず考慮する．

定義・疫学

咳嗽は本来，気道内に貯留した分泌物や異物を気道外に排除するための生体防御反応である．しかしながら，生理的咳嗽反射を超えて咳嗽反射が亢進している病態（気管支喘息，COPDなど）や，適正な咳嗽反応だが，悪性腫瘍や異物などによる刺激で咳嗽が過剰にみられる場合があり，これらは病的意義をもつ．持続期間により急性（3週間未満），遷延性（3週間以上8週間未満），慢性（8週間以上）に分類されるが，緩和ケアの臨床現場で問題になるのは遷延性・慢性の咳嗽である．また，喀痰を伴う湿性咳嗽，喀痰を伴わない乾性咳嗽と，咳嗽の性質での区別もある．咳嗽はがん患者の42.9％で認められ，特に肺がん患者では診断時に65％以上で認める．

病態

気道，胸膜，外耳道，咽頭，喉頭，胃，心臓，食道などに存在する知覚神経終末（咳受容体：有髄神経であるAδ線維や無髄神経であるC線維）が機械的あるいは化学的に過剰に刺激されると，迷走神経求心路を介して延髄の孤束核に存在する咳中枢に伝達される．呼吸中枢と連携しながら肋間筋や横隔膜に遠心性の収縮刺激が送られ，咳嗽が発生する．基礎疾患として喘息（咳喘息含む），COPD，間質性肺疾患などの呼吸器疾患に加え，心不全，がん患者では気管・気管支病変や肺実質の病変，胸膜病変，誤嚥，気管食道瘻などにより咳嗽がみられる．

評価・診断

評価

1 問診：喀痰を伴う湿性咳嗽か喀痰を伴わない乾性咳嗽かを確認する．また経口摂取後，臥位などの増悪因子も確認する．咳嗽による生活への影響（睡眠の妨げ，呼吸困難の誘発など）を必ず評価する．

2 身体所見：視診では上大静脈症候群や心不全・心タンポナーデを示唆する頸静脈怒張がないか，聴診では気道分泌物を示唆する断続性ラ音（coarse crackles）や，気管支喘息などの末梢気道の狭窄を示唆する高調な連続性ラ音（wheezes）/低調な連続性ラ音（rhonchi），気管・気管支などの中枢気道の狭窄を示唆する吸気性喘鳴（inspiratory stridor）を確認する．

3 画像検査：胸部X線，胸部CTで気道・肺野などにある咳嗽の原因の検索を行う．

4 重症度とQOL評価：重症度評価として0〜100 mmの咳VASが用いられる．QOL評価としてLeicester cough questionnaire（LCQ），cough-specific quality of life questionnaire（CQLQ）などがある．CQLQは日本語版が存在するが，緩和ケアの日常診療ではあまり用いられていない．

原因の特定（表1）

慢性咳嗽の93％は複数の原因が関与しており，必ずしも原因を特定できないこともあるが，改善可能な原因がないかを必ず確認する．

がんに関連した原因には，気管・気管支病変，肺実質への浸潤，がん性胸膜炎などの胸膜病変，がん性心膜炎，縦隔病変，がん性リンパ管症などがある．また誤嚥，気管食道瘻などによる気道炎症や機械的刺激，喀痰喀出困難による感染症，放射線治療に伴うものも考えられる．

マネジメント

原因治療（表1）

可能であれば咳嗽の原因に対する治療を行う．しかしながら原因治療が患者の負担となることもあり，状態をみながら考慮する．

表1 咳嗽の原因と原因特異的治療

原因	治療
肺実質の腫瘍	放射線治療，化学療法，コルチコステロイド
気管・気管支の腫瘍	内視鏡治療（レーザー治療）
食道気管支瘻	ステント留置
がん性リンパ管症	化学療法，コルチコステロイド
放射線性肺臓炎	コルチコステロイド
がん性胸水，がん性心嚢水	ドレナージ
肺炎，誤嚥性肺炎	抗菌薬，誤嚥の予防（口腔ケア，食物の工夫）
うっ血性心不全	利尿薬
気管支喘息	コルチコステロイド（吸入，全身投与），β_2受容体刺激薬（吸入，貼付）
COPD	抗コリン薬吸入，β_2受容体刺激薬（吸入，貼付），コルチコステロイド（吸入，全身投与）
副鼻腔気管支症候群	去痰薬，マクロライド系抗菌薬
アトピー咳嗽	抗ヒスタミン薬，コルチコステロイド（吸入）
胃食道逆流症	プロトンポンプ阻害薬，ヒスタミンH_2受容体拮抗薬
気道異物	内視鏡処置
ACE阻害薬	ACE阻害薬の中止
輸液	輸液の減量・中止

薬物治療

原因治療により改善が困難または原因の特定が困難な咳嗽に対しては，薬物療法を考慮する．喀痰を伴う湿性咳嗽の場合には去痰薬を併用する．

1）中枢性鎮咳薬

■オピオイド★★

オピオイドは延髄孤束核にある咳中枢に存在するμ，κ，δ受容体に作用して咳嗽を抑制する．慢性咳嗽患者27例に対してモルヒネ徐放性製剤を投与したところ，プラセボ群より有意に咳嗽スコアを低下させた報告があり[1]，モルヒネが難治性咳嗽患者に最も効果が期待できる．現在コデイン[2]，モルヒネ[1]以外のオピオイドの鎮咳効果に対する有効性は報告されておらず，腎機能障害などで使用

しにくい場合には有効性と副作用のバランスを考慮し投与を検討する.

コデインに関しては，1%製剤は麻薬指定されていないが10%製剤(散剤，錠剤)は麻薬指定されているので，処方の際に注意が必要である.

> **処方例**
> コデインリン酸塩散1% 1回2g(コデイン20 mg) 1日3回 内服

> **処方例**
> 【がん以外の疾患の場合】 いずれも内服.
> 定期：モルヒネ塩酸塩散 1回5〜10 mg 1日3回
> 頓用：モルヒネ塩酸塩散 1回5 mg 1時間あけて使用可
> 【がんの場合】 いずれも内服.
> 定期：モルヒネ硫酸塩(MSコンチン®) 1回10 mg 1日2回
> 　　　モルヒネ硫酸塩(モルペス®) 1回5 mg 1日2回
> 頓用：モルヒネ塩酸塩(オプソ®) 1回5 mg 1時間あけて使用可

2 非オピオイド

デキストロメトルファン，チペピジン，ペントキシベリン，ジメモルファン，クロペラスチンなど複数の非オピオイド鎮咳薬が存在する．エビデンスは不十分であるが，最も多く報告されているのはデキストロメトルファンである．延髄孤束核にある咳中枢に作用して咳嗽を抑制する．

> **処方例**
> デキストロメトルファン(メジコン®) 1回15〜30 mg 1日3回 内服

2) 末梢性鎮咳薬
1 クロモグリク酸

知覚神経のC線維を抑制して鎮咳効果をもたらす．進行肺がん患者で1日4回吸入すると36〜48時間以内に咳嗽が改善した報告がある．

> **処方例**
> クロモグリク酸(インタール® 吸入液)1%　1回1アンプル(20 mg)
> ネブライザーで吸入　1日3回

3)去痰薬

　喀痰を伴う湿性咳嗽の場合には去痰薬の併用を考慮する．去痰薬には，①喀痰中のシアル酸とフコースの構成比を正常化し，障害された粘膜上皮の線毛細胞の修復により粘液線毛輸送能を改善するカルボシステイン，②粘液の生産を高めることで痰と気道粘膜との粘着性を低下させ，線毛運動を亢進させることで喀痰の排出を促すアンブロキソール，③痰の粘稠度を低下させる粘液溶解薬であるブロムヘキシンなどがある．

> **処方例**　下記のいずれか，または両方を用いる．
> 1) カルボシステイン(ムコダイン®)　1回500 mg　1日3回　内服
> 2) アンブロキソール　1回45 mg　1日1回　内服

4)その他の薬剤

■1 ガバペンチノイド

　作用機序は不明な点もあるが，電位依存性 Ca^{2+} チャネルの $\alpha_2\delta$ サブユニットに結合し，Ca^{2+} チャネルの発現量および Ca^{2+} の流入を抑制し，グルタミン酸，ノルアドレナリン，サブスタンスPなどの神経伝達物質の放出を妨げることによって，咳嗽を軽減させると考えられている．

　ガバペンチンはRCTにおいてLCQ，咳の頻度，咳VASが改善したという報告がある[3]が，がん患者を対象とした試験は報告されていない．プレガバリンはRCTにおいてLCQ，咳VASが改善したという報告がある[4]．ガバペンチン同様がん患者を対象とした試験の報告はない．

> **処方例**　下記のいずれかを用いる．
> 1) ガバペンチン(ガバペン®)　1回200 mg　1日1回　内服
> 2) プレガバリン(リリカ®)　1回25 mg　1日1〜2回　内服

2 リドカイン

慢性咳嗽患者に対してリドカイン吸入により咳嗽が軽減した報告があるが，咽頭のしびれや苦み，振戦，幻覚，不整脈などの副作用に注意する．

> **処方例**
> リドカイン（2%キシロカイン®） 1回5 mL ネブライザーで吸入 1日3回

非薬物療法

非薬物療法は改善可能な原因や湿性咳嗽，乾性咳嗽にかかわらず常に考慮する．

1) 環境調整

室温は低めに設定し，加湿器やネブライザーなどで加湿を心がける．冷気で咳嗽が誘発される場合もあり，マスクなどで対応する．

2) 口腔ケア

口腔内乾燥も咳嗽の誘発につながるため，口腔ケアを行い清潔を保つ．

3) 理学療法

特に湿性咳嗽の場合に考慮する．体位ドレナージや胸郭に対して徒手によるパーカッションやバイブレーションを加え，排痰を促す．

4) ネブライザー

生理食塩水の吸入により，気道の乾燥が軽減され，排痰しやすくなる．

5) 機械による排痰補助

ベスト状の器具を胸郭に装着し気道クリアランスを改善する機器である高頻度胸壁圧迫〔high frequency chest wall compression：HF-CWC．SmartVest®（Electromed 社）〕や，気道に陽圧を加えその後急激に陰圧に切り替えて肺から空気を一気に吸い出すことで排痰を促す Mechanical Insufflation-Exsufflation〔MI-E．カフアシスト®（Philips 社）〕などがある．神経難病などの排痰が困難な症例に用いられることが多いが，進行期の湿性咳嗽に対しては，負担が大きい

ため適応とならない場合が多い．

参考文献

1) Morice, AH, et al：Opiate therapy in chronic cough. Am J Respir Crit Care Med 175：312-315, 2007.(PMID：17122382)
2) Luporini G, et al：Efficacy and safety of levodropropizine and dihydrocodeine on non-productive cough in primary and metastatic lung cancer. Eur Respir J 12：97-101, 1998.(PMID：9701421)
3) Ryan NM, et al：Gabapentin for refractory chronic cough：a randomised, double-blind, placebo-controlled trial. Lancet 380：1583-1589, 2012.(PMID：22951084)
4) Vertigan AE, et al：Pregabalin and speech pathology combination therapy for refractory chronic cough：a randomized controlled trial. Chest 149：639-648, 2016.(PMID：26447687)

（松沼　亮）

20 【身体症状の緩和】 悪性胸水

診療のコツ

❶がん患者の胸水は，画像（CT・超音波）による存在診断と胸水検査による原因診断の両方が必要である．
❷無症状の悪性胸水は経過観察が基本である．
❸悪性胸水に対しては，胸腔穿刺ドレナージが治療の基本であり，胸腔留置カテーテルを有効に利用する．
❹胸膜癒着術は予後と全身状態を踏まえ，適応は慎重に判断する．

定義・疫学

腫瘍の転移・浸潤など，がんが原因となって貯留する胸水を悪性胸水という．進行がん患者全体では約15％程度に合併し，肺がん・乳がん・婦人科がん・消化器がん・悪性リンパ腫などで多くみられる．悪性胸水の診断からの生存期間は3〜12か月とされる．

病態生理

一般に胸腔内の液体貯留の発生機序には胸水の「産生過剰」と「吸収減少」の2つの要因がある．悪性胸水では，主に腫瘍浸潤による血管透過性亢進（＝産生過剰）と胸腔内のリンパ流の阻害（＝吸収減少）が関与している．

評価・診断

胸水の存在診断としては，身体所見では呼吸音の低下，打診上濁音などが挙げられるが，少量の胸水の指摘は難しい．画像検査では，胸部単純X線の立位像で200 mL以上の胸水が確認でき，超音波やCTではさらに少ない50 mL程度の胸水も指摘可能である．

胸水の原因診断は，胸腔穿刺による胸水性状の検査が基本となる．悪性胸水は滲出性胸水となるので，Light基準で漏出性胸水の除外を行ったうえで，悪性診断のために胸水細胞診を提出する．胸水細胞診の感度は50〜90％程度とされ，繰り返しの検査で診断率

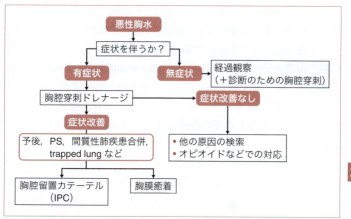

図1 悪性胸水の治療の考え方

は向上するものの,3回以上の繰り返しは診断率向上に寄与しない.また,1回の検体量を75 mL以上に増やしても感度は上がらない(ただし,cell block作製のためには150 mL検体提出が必要).リンパ系悪性腫瘍の検出には,胸水検体のフローサイトメトリーが有用である.

治療(図1)

悪性胸水の治療は症状緩和を目的とした侵襲的な処置が主体となる.したがって,治療対象となるのは有症状の悪性胸水であり,無症状の場合は診断目的の胸腔穿刺を除いて経過観察が基本となる.

胸腔穿刺・ドレナージ ★

細径のカニュラを用いた胸腔穿刺で胸水を排液する.呼吸困難などの症状が胸水によるものである場合は,90%以上の症例で施行後速やかな症状改善が期待できる[1].超音波検査を併用することでベッドサイドでも比較的安全に施行可能である.

重要な合併症に再膨張性肺水腫がある.虚脱肺の急速伸展に伴う肺水腫で再膨張後2時間以内に発症することが多く,死亡率も20%程度とされている.再膨張性肺水腫のリスクを避けるため,1回の排液は1,000〜1,500 mL以下にとどめ,2時間以上かけて行う.

また，排液後 1 か月以内に 95％以上の症例で胸水は再貯留するため，排液によって症状改善が確認された症例に関しては，全身状態や予後を踏まえて下記の治療への移行を検討する．

胸腔留置カテーテル(indwelling pleural catheter：IPC) ★★★

細径カテーテルを胸腔内に留置し，繰り返し胸水排液を行う手技である．使用するカテーテルデバイスとしては，海外では PleurX™ カテーテルなど専用の閉鎖式デバイスがあるが日本では導入されておらず，現実的にはシングルルーメン中心静脈カテーテルや CV ポート用のカテーテルを使用する．単回の胸腔穿刺ドレナージと同様，手技成功率や症状改善はほとんどの症例で得られる[1]．胸腔留置カテーテルは従来の胸腔ドレーンチューブを使用した胸膜癒着術と同程度の呼吸困難改善が得られる一方で，入院期間短縮や再治療の回避は有意に良好であることが複数の RCT で報告されている[2〜5]．胸腔留置カテーテルは，比較的侵襲が少なく簡便な処置であり，外来でも施行可能である．また，肺再膨張が得られない(＝trapped lung)症例でも対応でき，長期的には(癒着剤を投与しない)自然癒着が 45％程度で得られることもメリットである．

胸膜癒着術 ★★

胸水排液により肺が膨張したのちに胸腔内に癒着剤を投与し，臓側胸膜と壁側胸膜の線維化・癒着による腔閉鎖を図る手技である(**表 1**)．癒着剤としてはタルク(ユニタルク®)が国際的にも標準薬として使用される．胸膜癒着術の成功率は 70〜80％と報告されている．副作用としては，薬剤投与後の一過性の胸痛と発熱が比較的多い．また，タルクの重篤な副作用として，まれながら，急性呼吸窮迫症候群(ARDS)が知られており，間質性肺炎合併例などでは使用に注意が必要である．また，そもそも胸水排液後に trapped lung となった症例も 3 割程度みられ，そのような例は胸膜癒着術の適応にならないので注意が必要である．

従来の胸腔ドレーンチューブを使用した胸膜癒着術は，前述のとおり，胸腔留置カテーテルと呼吸困難の改善は同程度である一方で，入院期間の延長や再治療の必要性が高くなることが複数の RCT で報告されている[2〜5]．一方で，胸腔留置カテーテルからのタ

表 1　胸膜癒着術の手順

1	胸腔穿刺ドレナージ後，肺が十分広がっていること（pleural apposition）を確認する
2	チューブより癒着剤（タルク）を注入する．薬剤は注入後速やかに胸腔全体に広がるので，注入後の体位変換は必須ではない
3	薬剤注入後 1〜2 時間チューブクランプを行う
4	クランプ解放後，排液が 150 mL/日以下になればチューブを抜去する（通常 24〜48 時間後）

ルク投与に関しては，胸腔留置カテーテルのみと比較すると，5 週後の胸膜癒着率・8 週後の呼吸困難強度・QOL ともにタルク投与群のほうが有意に良好な結果が得られている[6]．これらの結果から，胸膜癒着術は必ずしも胸腔留置カテーテルよりも有効とはいえないものの，胸膜癒着が成功した場合，チューブからの解放・胸水再穿刺の回避など得られるメリットも大きい．したがって，胸膜癒着術は予後が月単位で見込める比較的状態のよい例において検討するほうがよいと考えられる．

■参考文献

1) Van Meter MEM, et al：Efficacy and safety of tunneled pleural catheters in adults with malignant pleural effusions：a systematic review. J Gen Intern Med 26：70-76, 2011.（PMID：20697963）
2) Putnam JB Jr, et al：A randomized comparison of indwelling pleural catheter and doxycycline pleurodesis in the management of malignant pleural effusions. Cancer 86：1992-1999, 1999.（PMID：10570423）
3) Davies HE, et al：Effect of an indwelling pleural catheter vs chest tube and talc pleurodesis for relieving dyspnea in patients with malignant pleural effusion：the TIME2 randomized controlled trial. JAMA 307：2383-2389, 2012.（PMID：22610520）
4) Demmy TL, et al：Optimal management of malignant pleural effusions（results of CALGB 30102）. J Natl Compr Canc Netw 10：975-982, 2012.（PMID：22878823）
5) Boshuizen RC, et al：A randomized controlled trial comparing indwelling pleural catheters with talc pleurodesis（NVALT-14）. Lung Cancer 108：9-14, 2017.（PMID：28625655）
6) Bhatnagar R, et al：Outpatient talc administration by indwelling pleural catheter for malignant effusion. N Engl J Med 378：1313-1322, 2018.（PMID：29617585）

（山口　崇）

21 【身体症状の緩和】死前喘鳴

診療のコツ

❶ 死前喘鳴が type 1 なのか type 2 なのかを見極め,肺炎や心不全など治療可能な原因がないか評価する.
❷ 死前喘鳴に対して現時点で有効性が確立した治療はないため,介入する場合には効果と副作用を適切に評価する.
❸ 多くの家族にとって死前喘鳴は苦痛を伴う体験となるため,家族の感情に配慮し,丁寧な説明をする.

定義・疫学

死前喘鳴は,死期が迫った患者において聞かれる,呼吸に伴う不快な音と定義される.意識混濁,下顎呼吸,四肢のチアノーゼ,橈骨動脈の触知不可と並んで,死期が近い徴候の1つとされ,がん・非がん患者の12〜92％に生じ,死亡11〜28時間前から出現すると報告されている[1].後述する狭義の死前喘鳴は,意識が低下していることから患者自身の苦痛は少ないとされているが,多くの患者の家族が死前喘鳴を苦痛に感じていることが,日本の遺族調査によって明らかとなっている[2].

病態生理

気道分泌液は唾液腺および気管支粘膜から産生される.通常は嚥下と咳嗽によってクリアランスされるが,様々な原因で気道分泌の産生とクリアランスのバランスが崩れると,分泌物が咽頭や気道に貯留し,喘鳴が生じる.死前喘鳴はその機序によって,type 1(真性死前喘鳴)と type 2(偽性死前喘鳴)の2つに分類される[3].type 1 は終末期の意識の低下によって嚥下が困難となり,主に唾液腺からの分泌物が咽頭に蓄積して生じるもので,狭義の死前喘鳴に当たる.type 2 は肺炎や心不全などが原因で気管支粘膜からの分泌物の産生が増加し,全身衰弱によって有効な咳嗽と喀出ができずに気道に分泌物が蓄積することで生じる.

表1 Back の死前喘鳴評価ツール

0：聴取できない
1：患者のそばでのみかろうじて聞き取れる
2：静かな部屋のベッドの足元で明らかに聞き取れる
3：静かな部屋で約6m離れていても（あるいは部屋の入口で）明らかに聞き取れる

評価・診断

明確な区別が困難な場合もあるが，患者の全身状態，意識レベル，発熱の有無，喀痰の性状，必要に応じて胸部 X 線などの画像所見から，死前喘鳴が type 1 なのか type 2 なのかを分類する．評価方法として，十分に妥当性は検証されていないが，喘鳴の強さで分類した Back の死前喘鳴評価ツールが用いられる[4]（表1）．評価ツールという共通言語を用いることで，喘鳴の有無だけではなく，喘鳴の程度や変化を経時的に評価することが可能となる．

一方，死前喘鳴の強さといった他覚的な評価だけではなく，患者や家族の死前喘鳴による苦痛の程度の評価も非常に重要である．type 1 では一般的に意識が低下しており患者自身の苦痛は少ないとされているが，患者の表情なども参考にしながら死前喘鳴による苦痛の有無を評価する．

治療

死前喘鳴に対する治療の目的は，喘鳴の音を小さくすることではなく，患者や家族の苦痛を減らすことである．したがって，前述した死前喘鳴の評価や患者・家族の苦痛を評価したうえで，治療について検討することが重要となる．ここでは主に，狭義の死前喘鳴である type 1 の喘鳴への治療を記載する．type 2 の死前喘鳴の場合には，肺炎に対する抗菌薬や心不全に対する利尿薬など，原因に対する治療が原則となる．これらの原因治療への反応が乏しい場合や，全身状態から原因に対する治療が困難な場合には，type 1 と同様の治療を検討する．

輸液量の調整・中止

輸液と死前喘鳴との関連について明確な根拠は乏しいものの，いくつかの観察研究で輸液量と気道分泌量との関連が報告されてい

る．死前喘鳴出現時期には死期が数日以内に迫っていることを考えると，輸液量の減量や輸液の中止は検討してもよいと思われる．

> **処方例**
> 輸液量　1日500〜1,000 mL以下へ減量

抗コリン薬

　抗コリン薬は唾液腺や気管・気管支腺のムスカリン受容体に作用し，分泌物産生抑制作用をもつため，経験的に喘鳴の治療薬として用いられている．気道分泌を抑制するという機序から，すでに貯留した分泌物による喘鳴には効果を期待しにくく，新たな気道分泌物産生の抑制を期待して用いられる．抗コリン薬のうち，スコポラミン，ブチルスコポラミン，アトロピンなどを用いた複数のRCTが行われているが，現時点でプラセボと比較して明らかな有効性は示されておらず[1]，各抗コリン薬間の差も示されていない．しかし，抗コリン薬の使用を否定するほどの十分なエビデンスはなく，輸液減量などを行っても喘鳴が残存し，患者や家族の苦痛となる場合には，口渇やせん妄などの副作用を考慮したうえで抗コリン薬の投与を検討する．

　最近，2件のRCTで，死前喘鳴を発症していない終末期患者に対する抗コリン薬の予防的投与の有効性が報告されたが，必ずしも発生率が高くない死前喘鳴に対する予防的な抗コリン薬投与の妥当性に関しては結論付けられていない[5, 6]．

　抗コリン薬間での死前喘鳴に対する効果の差は示されていないが，スコポラミンは血液脳関門を通過するため，他の抗コリン薬と比較するとせん妄リスクが高く，鎮静作用が強いことに注意が必要である．ただし，終末期においては，鎮静作用が患者の苦痛緩和につながる場合もあるため，ブチルスコポラミンおよびスコポラミンがともに使用できる場合は，患者ごとに鎮静作用によるメリット，デメリットを考慮したうえで，使用する抗コリン薬を選択する．

> **処方例**　下記のいずれかを用いる．
> 1) ブチルスコポラミン（ブスコパン®）　1日20〜40 mg　持続皮下注

または持続静注
2) スコパラミン（ハイスコ®）　1日0.5〜1 mg　持続皮下注または持続静注
3) スコパラミン　1回0.125〜0.25 mg　1日4回まで　舌下投与

ケア

　死前喘鳴に対するケアとして体位調整や吸引などがある．体位調整では，患者の頭を少し高くする，側臥位にするなど，喘鳴が小さくなる適切な体位への調整を行う．死前喘鳴に対する吸引は，特に終末期において患者に苦痛をもたらすことが多く，効果も限定的であることから，積極的に推奨はされない．しかし吸引を希望する家族もいることから，家族と相談したうえで判断することが望ましい．吸引する場合も口腔内に貯留している唾液のみを吸引するなど，できるだけ患者に苦痛を与えないように愛護的に行う．

　また，死前喘鳴を死の自然な過程と理解している家族のほうが死前喘鳴に対する苦痛が少なかったことが報告されており[2]，家族の感情や気がかりに配慮しながら丁寧に説明することもケアの1つとして非常に重要である．

参考文献

1) Lokker ME, et al：Prevalence, impact, and treatment of death rattle：a systematic review. J Pain Symptom Manage 47：105-122, 2014.(PMID：23790419)
2) Shimizu Y, et al：Care strategy for death rattle in terminally ill cancer patients and their family members：recommendations from a cross-sectional nationwide survey of bereaved family members' perceptions. J Pain Symptom Manage 48：2-12, 2014.(PMID：24161372)
3) Bennett MI：Death rattle：an audit of hyoscine (scopolamine) use and review of management. J Pain Symptom Manage 12：229-233, 1996.(PMID：8898506)
4) Back IN, et al：A study comparing hyoscine hydrobromide and glycopyrrolate in the treatment of death rattle. Palliat Med 15：329-336, 2001.(PMID：12054150)
5) Mercadante S, et al：Hyoscine butylbromide for the management of death rattle：sooner rather than later. J Pain Symptom Manage 56：902-907, 2018.(PMID：30172864)
6) van Esch HJ, et al：Effect of prophylactic subcutaneous scopolamine butylbromide on death rattle in patients at the end of life：the SILENCE randomized clinical trial. JAMA 326：1268-1276, 2021.(PMID：34609452)

〈鈴木　梢〉

22 【身体症状の緩和】 出血

診療のコツ

❶原因の正確な評価を十分に行う．
❷局所止血法，トラネキサム酸全身投与による止血，出血傾向の回避や是正の手段を知っておく．
❸出血時の輸血の適否は個々の患者の全身状態や生命予後を考慮して判断する．輸血によって呼吸困難や倦怠感などの症状の改善が見込め，患者の QOL が改善することを目標に行う．輸血後のヘモグロビン値が目標ではない．
❹出血時の患者・家族の精神心理的サポートも必要である．止血の対応にあたったスタッフのケアが必要となることもある．

疫学

進行がん患者の約 10％に少なくとも 1 回の出血のエピソードがあり，血液悪性腫瘍患者では約 30％に起こるとされている[1]．また，進行がん患者の 3〜12％で致死的な出血(terminal hemorrhage)が発生する[2]．

病態

進行がん患者の出血は，多くの場合，悪性腫瘍病変の局所で起こる[1]．しかし，がんに伴わない良性の出血(NSAIDs 潰瘍，長期臥床などに伴う直腸潰瘍，出血性膀胱炎など)が原因になることもある．また，抗腫瘍治療(化学療法による血小板減少，ベバシズマブの使用など)や NSAIDs，抗凝固療法，ビタミン K 依存性凝固因子の欠乏(抗菌薬，低栄養，ブラインドループ症候群，閉塞性黄疸)などによる出血傾向が原因となることもある．

評価

まず出血リスクのある患者を特定する必要がある．リスクのある患者を特定することで，出血リスクをなるべく回避する手段を検討

することができ，出血が起きた場合に最も適切な準備をすることができる．

出血が起きた場合は，患者のバイタルサインを確認・安定化させたうえで，出血の原因評価を行う．必要であれば血液検査（血算，肝機能，凝固など），CT検査，内視鏡検査などを検討する．血管造影が必要な場合もある．ただし，検査自体が身体的負担となることがあるので，患者の全身状態や生命予後を考慮したうえで，検査をどこまで行うかを決定していく必要がある．

治療

進行がん患者における致死的出血のマネジメントを**図1**[2)]に示す．

局所の止血法

1) 体表の腫瘍からの出血（頭頸部，乳房など）

1 物理的な圧迫，パッキング

やみくもに圧迫するのではなく，出血点を確認し，出血点をしっかり圧迫する．

2 アドレナリンを使用したパッキング

> **処方例** 下記薬剤に浸したガーゼ・綿球で圧迫する．
> アドレナリン（0.1％ボスミン®）20 mL（1 mg/mL）＋注射用水 80 mL（5,000倍希釈）など

3 止血薬の塗布

セルロース（サージセル®），コラーゲン（アビテン®），トロンビン，アルギン酸（カルトスタット®，ソーブサン®）などを出血部位に塗布する．

4 血管の結紮やバイポーラでの焼灼

5 露出した腫瘍に対するモーズ療法（「皮膚の問題」参照➡ **290頁**）

2) 消化管出血

吐血，黒色便，下血などの形で出現する．消化管の腫瘍からの出血のみならず，外からの消化管への浸潤や胆道出血が原因となる．また，非腫瘍性の消化性潰瘍・静脈瘤破裂なども原因になることがある．

■ **内視鏡的処置の検討**

消化管の出血の場合，出血部位の確認とともに，焼灼，アルゴン

```
┌─────────────────────────────────────────────────────────────┐
│                   リスクがある患者の特定                       │
├──────────────────────────┬──────────────────────────────────┤
│ 一般的なリスク因子         │ 頸動脈破裂の特異的なリスク因子    │
│ ・血小板減少症             │ ・手術（例えば根治的頸部郭清術）   │
│ ・巨大な頭頸部がん         │ ・放射線治療                      │
│ ・中心に位置する巨大な肺がん│ ・術後の治癒不良                  │
│ ・難治性の急性・慢性白血病  │ ・観察できる動脈の拍動            │
│ ・骨髄異形成              │ ・咽頭皮膚瘻                      │
│ ・転移性肝腫瘍と凝固系異常  │ ・fungating tumors（菌状発育性腫瘍）│
│                          │ ・全身状態の要因                   │
│                          │  糖尿病，50歳以上，10〜15％の体重減少，│
│                          │  免疫不全，栄養不良など            │
└──────────────────────────┴──────────────────────────────────┘

┌─────────────────────────────────────────────────────────────┐
│                 多職種チームによる話し合い                     │
├─────────────────────────────────────────────────────────────┤
│ ・チームに腫瘍内科医，外科医，看護師，薬剤師，チャプレンなどを含む │
│ ・事前の備えと計画                                            │
│ ・考慮すべき要素：患者の予後，全身状態，患者のQOLと意向         │
└─────────────────────────────────────────────────────────────┘

┌─────────────────────────────────────────────────────────────┐
│                 患者・家族との話し合い                         │
├─────────────────────────────────────────────────────────────┤
│ 話し合いの水準に影響しうるもの                                │
│ ・多職種チームのメンバーがどの程度致死的出血が起こりうると考えるか│
│ ・診断と予後について患者・家族が知っていることと受け入れていること│
│ ・患者・家族はどの程度の情報を知りたいと思っているか            │
│ ・患者・家族は受けるケアについての決定にどの程度参加したいと希望しているか│
│ ・患者・家族の対処法                                          │
└─────────────────────────────────────────────────────────────┘

┌─────────────────────────────────────────────────────────────┐
│            出血時には個々の患者に合わせた方法を用いる           │
├────────────────────────┬──────────────────┬─────────────────┤
│ 全般的な対処の方法       │ 全般的な救命の方法 │ 止血のための特殊な方法│
│ ・手助けしてくれる人を呼ぶ│ ・コロイド溶液や輸血│ ・動脈の外科的結紮 │
│ ・患者に付き添う看護師を確保する│ による補充    │                 │
│ ・精神心理的サポートを提供する│                │                 │
│ ・外から出血点が確認できる場合は│              │                 │
│   圧迫する              │                  │                 │
│ ・血液の損失量をカモフラージュす│              │                 │
│   るために暗い色のタオルを用いる│              │                 │
│ ・可能なら吸引する       │                  │                 │
│ ・鎮静薬を使用する       │                  │                 │
└────────────────────────┴──────────────────┴─────────────────┘

┌─────────────────────────────────────────────────────────────┐
│                          出血後                              │
├─────────────────────────────────────────────────────────────┤
│ ・出血後に家族・介護者・スタッフの話を聞き，サポートする        │
│ ・カウンセリングが必要かどうかを検討する                       │
└─────────────────────────────────────────────────────────────┘
```

図1　進行がん患者における致死的出血のマネジメント

（Harris DG, et al：Management of terminal hemorrhage in patients with advanced cancer：a systematic literature review. J Pain Symptom Manage 38：913-927, 2009 より改変）

プラズマレーザー，クリッピング，アドレナリンまたは他の硬化剤の注射，covered stent 留置などの止血処置の適応が可能な場合があるので，内視鏡処置を検討する．ただし，患者の全身状態，生命予後，内視鏡的処置で得られるメリットを総合して適応を判断する．

3)喀血

気管・気管支に露出している腫瘍では，血痰・喀血を起こすことがある．また肺野末梢の病変でも気管支動脈を巻き込んだ場合には喀血を起こすことがある．大量喀血では気道確保が必要であり，喀血の予想される患者では吸引の準備をしておく必要がある．

■ 気管支鏡処置

バルーンカテーテルでの圧迫，Nd-YAG レーザー凝固，アルゴンプラズマ凝固などが気管支鏡で可能である．ただし侵襲度が高いので，適応に際しては十分に検討する必要がある．

4)血尿

腎腫瘍や尿管・膀胱腫瘍からの出血と，外部腫瘍の膀胱浸潤が原因の場合がある．血尿が続く場合には，凝血塊による膀胱タンポナーデを防ぐため，膀胱カテーテル留置(および膀胱灌流)が必要な場合がある．

5)腟からの出血

子宮頸がんや子宮内膜がんなどの進行した婦人科がんで発生する．

■ 腟内ガーゼパッキング

出血局所の圧迫止血・パッキングでの止血を検討する．痛みを伴う場合が多いことに留意しておく必要がある．

6)放射線照射，IVR

局所的な出血の場合は，いずれの部位でも放射線照射や interventional radiology(IVR)が適応になることがある．放射線照射は，照射開始から 24〜48 時間で止血効果が発現するが，照射回数は通常 5〜15 回を要するので，治療のための移動の負担とあわせて適応を検討する．IVR は出血部位の腫瘍への栄養血管が同定できる場合に効果が期待できるが，単独で止血維持できるのは短期間なので，放射線照射などのより長期の止血が得られる対応と組み合わせて行うことが前提となる(「緩和的放射線療法」「IVR」参照 ➡ 298,

303頁).

全身性の止血手段

トラネキサム酸の全身投与(経口、点滴)を検討する。腫瘍出血に対する有効性を検証しているRCTはないものの、外傷後出血、分娩後出血、頭部外傷におけるRCTで出血に対する効果が示されている[3〜5]。いずれも出血後早期(2〜3時間以内)のトラネキサム酸の投与で有効性が示されており、出血が判明してからの早期投与が推奨される。また心臓外科手術を受ける患者に対して、出血を予防する効果も示されている[6]。いずれもトラネキサム酸投与に伴う血栓症など副作用の増加は認めなかったとしている。

日本では経験的にカルバゾクロムスルホン酸ナトリウム水和物(アドナ®)を使用することもあるが、エビデンスは明らかではない。

処方例 下記のいずれかを用いる。
1) トラネキサム酸(トランサミン®) 1回500〜1,000 mgを生理食塩液に溶解し、点滴静注または皮下注 1日2回
2) トラネキサム酸(トランサミン®) 1回250〜500 mg 1日3回 毎食後 内服

出血傾向の回避、是正

抗凝固薬、抗血小板薬、NSAIDsなどの薬剤が出血を助長している場合がある。なぜその薬剤を内服しているかをもう一度見直し、また薬剤継続によるメリット・デメリットをよく考えて、患者とも相談のうえで、継続の要否を十分に検討する。ワルファリン使用やビタミンK欠乏の影響(抗菌薬、低栄養、ブラインドループ症候群、閉塞性黄疸)があればビタミンK補充を行う。

処方例

メナテトレノン(ケイツー®) 1回10〜20 mgを生理食塩液に溶解し、点滴静注 1日1回 3日間

患者・家族の精神的なサポート

出血は患者や家族にとって不安や恐怖を引き起こす出来事であるため、精神的サポートも必要である。医療者もなるべく落ち着いて対応することを意識し、止血を行いながら、医療者が患者の側にい

ることを保証し，患者や家族が安心する声かけを行うべきである．出血が予想される患者では，患者・家族に事前に想定できる事柄をしっかりと話しておき，出血が起きた場合の対応に関しても医療者間で統一し共有しておく必要がある．出血が起きた時のために，フェイスシールドや吸引など必要なものを用意し，失血が目立たないように暗い色のタオルを用意しておくことも重要である．止血後も，精神心理的サポートを行うべきである．また出血が起きた場合，患者や家族だけでなく，医療者にとっても精神的な負担となることがあり，留意する必要がある．

■ 輸血

腫瘍出血は完全な止血が難しい場合や出血を繰り返す場合が多い．輸血製剤は限られた資源であるので，明確な目的なく漫然と輸血を行うことは避ける．

1) 赤血球輸血

緩和ケアにおける赤血球輸血のRCTや診療ガイドラインは存在しない．輸血の適応を決定するポイントはヘモグロビン値のみではなく，輸血をすることで症状緩和が得られるかどうかである．輸血を行ったあとは，ヘモグロビン値の変化のみならず，症状改善が実際に得られたかどうか患者に確認し，同時に客観的な身体機能を評価する．

輸血の適応判断に関しては，医学的な適応とあわせて，患者や家族の意向，輸血に対する思いにも十分に配慮して話し合いを行う．また病状の進行とともにいずれ「効果がなくなる時＝やめ時」が来ることを患者に話しておく必要がある．

2) 血小板輸血

血小板数が20,000/μL以下となると出血のリスクが高くなるため，予防的に血小板輸血が行われる場合がある．出血のリスクには十分留意しておく必要があるが，血小板輸血による出血の予防効果は輸血後長くは持続せず，血小板減少が出血以外の直接的な症状を引き起こすことは想定されにくい．費用も高額であることを踏まえると，出血時の治療介入を除いて，予防的な血小板輸血の適応は慎重に判断するべきである．

鎮静

 がん患者の出血,特に急激な大量出血は,一時的または持続的鎮静を検討すべき症状の1つである.また早急な苦痛緩和のために,急速導入が選択される場合もある.鎮静の要件を満たしたうえで,患者・家族の意向を踏まえて,医療者間で十分に話し合って鎮静を検討する(「苦痛緩和のための鎮静」参照➡ **345 頁**).

 大量出血の場合は,状態が急速に変化することが予想され,早急な苦痛緩和が求められるシチュエーションが多い.医療者間で話し合いをもつために鎮静を遅らせてはいけない.その場にいるメンバーで合意が得られれば鎮静を開始し,あとから医療者間で改めて話し合いの場を設けるなどの柔軟な対応が必要である.

■ 参考文献

1) Johnstone C, et al:Bleeding in cancer patients and its treatment:a review. Ann Palliat Med 7:265-273, 2018.(PMID:29307210)
2) Harris DG, et al:Management of terminal hemorrhage in patients with advanced cancer:a systematic literature review. J Pain Symptom Manage 38:913-927, 2009. (PMID:19833478)
3) CRASH-2 trial collaborators:Effects of tranexamic acid on death, vascular occlusive events, and blood transfusion in trauma patients with significant haemorrhage (CRASH-2):a randomised, placebo-controlled trial. Lancet 376:23-32, 2010. (PMID:20554319)
4) WOMAN Trial Collaborators:Effect of early tranexamic acid administration on mortality, hysterectomy, and other morbidities in women with post-partum haemorrhage (WOMAN):an international, randomised, double-blind, placebo-controlled trial. Lancet 389:2105-2116, 2017.(PMID:28456509)
5) CRASH-3 trial collaborators:Effects of tranexamic acid on death, disability, vascular occlusive events and other morbidities in patients with acute traumatic brain injury (CRASH-3):a randomised, placebo-controlled trial. Lancet 394:1713-1723, 2019. (PMID:31623894)
6) Myles PS, et al:Tranexamic acid in patients undergoing coronary-artery surgery. N Engl J Med 376:136-148, 2017.(PMID:27774838)

(田中佑加子)

23 【身体症状の緩和】代謝の異常(進行悪性疾患に関連するもの)

診療のコツ

❶ 日常,遭遇する検査値異常(高カルシウム血症,低ナトリウム血症,低血糖症など)の鑑別診断を意識する.
❷ 各代謝・内分泌異常の原因となる主ながん種を把握する.
❸ 治療は,急性期の治療(オンコロジー・エマージェンシー)と維持期の治療を意識して検討する.

進行がん患者では,様々な要因で代謝・内分泌異常をきたす場合がある(**表1**).もともと合併している代謝・内分泌疾患(糖尿病など)の悪化も問題となるが,本項では進行がんに合併する様々な代謝・内分泌異常(いわゆる腫瘍随伴症候群)の主なものを扱う.

高カルシウム血症

疫学

高カルシウム血症は,がん患者に比較的多くみられ,約20〜30%の症例で発生すると報告されている.進行がん患者の高カルシウム血症は予後不良を示唆し,平均1〜3か月程度の予後であると報告されている.

病態生理

進行がん患者における高カルシウム血症の発症機序は,①骨吸収の亢進,②消化管からのCa吸収亢進,③腎臓でのCa排泄低下,である.具体的な原因としては,腫瘍随伴体液性,局所骨融解性,活性型ビタミンD産生性,異所性PTH産生性に分類される(**表2**).

評価・診断

血清Ca値はイオン化Ca(または遊離Ca)濃度に依存し,血清Alb値<4 g/dLの場合は補正Ca値〔=測定された血清Ca値(mg/

表1 進行がんに合併する代謝・内分泌異常

腫瘍随伴症候群	がん種
高カルシウム血症	多発性骨髄腫,リンパ腫,各種固形腫瘍
低ナトリウム血症(抗利尿ホルモン不適合分泌症候群)	肺小細胞がん,各種固形腫瘍
低血糖症 ▪ 膵島細胞腫瘍性 ▪ 非膵島細胞腫瘍性	膵島細胞腫瘍(インスリノーマ) 間葉系腫瘍,肝細胞がん
低カルシウム血症	造骨性骨転移(乳がん,前立腺がん,肺がん)
Cushing症候群 (異所性ACTH分泌)	肺小細胞がん,胸腺腫,カルチノイド,その他の神経内分泌腫瘍,各種固形腫瘍
腸管ペプチド過剰分泌(Zollinger-Ellison症候群,WDHA症候群*など)	膵島細胞腫瘍
甲状腺機能亢進症	胚細胞腫瘍(hCG産生)

*水様下痢低カリウム血症無胃酸症候群.

表2 進行がんに関連した高カルシウム血症

分類(頻度%)	原因物質	主な原因がん種
腫瘍随伴体液性(約80%)	PTHrP	扁平上皮がん(頭頸部,肺,子宮頸部など),腎細胞がん,成人T細胞白血病・リンパ腫(ATL)
局所骨融解性(約20%)	サイトカイン(TNFα,RANK/RANKLなど)	乳がん,前立腺がん,多発性骨髄腫,悪性リンパ腫
活性型ビタミンD産生性(<1%)	$1,25(OH)_2D$	Hodgkinリンパ腫,非Hodgkinリンパ腫
異所性PTH産生性(<1%)	インタクトPTH	肺がん,腎細胞がん,卵巣がん,甲状腺乳頭がん

dL)+0.8×(4-血清Alb値[g/dL]))で評価する.補正Ca値>11 mg/dLになると高カルシウム血症の症状を呈する可能性がある.

高カルシウム血症の症状は,全身症状(倦怠感,多飲,多尿),消化器症状(悪心・嘔吐,便秘),中枢神経症状(傾眠,意識障害,けいれん)がある.

進行がん患者における高カルシウム血症の原因検索は,まず,がんに関連しない原因〔原発性副甲状腺機能亢進症,薬剤性(Ca製剤,

ビタミンD製剤，サイアザイド系利尿薬，テオフィリン），肉芽腫性疾患(サルコイドーシス，結核)〕を除外する．異所性PTH産生腫瘍よりも，がん患者に合併した原発性副甲状腺機能亢進症のほうが圧倒的に頻度が高いと報告されており，全例インタクトPTHの測定を行うことは妥当である．次に，PTHrPの測定を行う．また，骨転移の検索が行われていない場合は，骨シンチグラフィなどを行う．上記で診断に至らず活性型ビタミンD産生リンパ腫が疑われる場合は，$1,25(OH)_2D$の測定を行う．

治療

高カルシウム血症の治療は，高カルシウム血症により引き起こされている体液量減少の補正と血清Ca量を低下させる治療に分けられる．あわせて，高カルシウム血症を助長するような薬剤(Ca製剤，ビタミンD製剤，サイアザイド系利尿薬，テオフィリン)の中止を行う．可能であれば，原疾患の治療も検討すべきである．

輸液療法

症状を有する高カルシウム血症では，腎臓での尿濃縮障害(腎性尿崩症)をきたし，また，悪心などによる経口摂取量の低下下も相まって，基本的に体液量の減少を伴っている．多くの症例では体液量の減少に伴い腎前性腎障害を合併し，腎臓でのCa排泄が低下することでさらに高カルシウム血症が助長される．したがって，生理食塩液による体液量の補正は，高カルシウム血症の改善だけでなく脱水に伴う合併症の改善のためにも重要である．一般に，2〜3L/日程度の生理食塩液投与が必要となるが，高カルシウム血症の程度・腎機能障害や中枢神経症状の重症度によっては，200〜500mL/時の急速輸液が必要な場合もある．腎不全や心不全のある患者では，体液量過多になる可能性があり，慎重なモニタリングが必要である．また，予後が限られるような全身状態が悪い状況では輸液が相対的に不適切な場合があるため，リスクとベネフィットを考慮した治療方針の検討が必要である．

ビスホスホネート製剤 ★★★

ビスホスホネート製剤は，合成ピロリン酸アナログであり，破骨細胞による骨吸収を抑制することで血清Ca値を低下させる．悪性

腫瘍に伴う高カルシウム血症に対する静注ビスホスホネート製剤の有効性は，複数の臨床試験で報告されている[1〜3]．静注ビスホスホネート製剤投与後 4〜7 日以内に 60〜90％の症例で血清 Ca 値は正常化し，通常，3〜4 週にわたり血清 Ca 値は維持されることが多い．

> **処方例**
> ゾレドロン酸(ゾメタ®)　1 回 4 mg　15 分以上かけて点滴静注　4 週間ごと(腎機能により投与量要調節)

抗 RANKL 抗体 ★

デノスマブは RANKL を標的としたヒト型モノクローナル抗体であり，RANK/RANKL 経路を阻害することで破骨細胞の形成および活性化を抑制する．そして，骨吸収を抑制することで血中 Ca を低下させる．現在までに悪性腫瘍に伴う高カルシウム血症に対するデノスマブの効果を検証した RCT はないが，ビスホスホネート製剤投与中にもかかわらず高カルシウム血症が持続する患者に対してデノスマブが有効であったという報告がある[4〜6]．したがって，ビスホスホネート製剤抵抗性の高カルシウム血症では，デノスマブ投与は有効である可能性がある．また，デノスマブは，重度の腎機能障害によりビスホスホネート製剤の使用が慎重もしくは禁忌とされる患者でも，高カルシウム血症の治療に有効な可能性がある．

> **処方例**
> デノスマブ(ランマーク®)　1 回 120 mg　皮下注　4 週間ごと

カルシトニン

カルシトニンは，破骨細胞分化を阻害することで骨吸収を抑制するとともに，腎臓での尿排泄を促進することで，血清 Ca 値の低下をもたらす．カルシトニンの効果発現は投与後数時間以内と迅速であるが，血清 Ca 値低下作用は小さく，単独での血清 Ca 値正常化は困難である．また，効果持続時間も 24〜48 時間以内と短い．したがってカルシトニンの役割は，重度高カルシウム血症の患者に対して，輸液療法やビスホスホネート製剤(ビスホスホネート製剤抵

抗性の患者ではデノスマブ)の効果が得られるまでの間の"つなぎ"としての使用が主なものになる.

> **処方例**
>
> エルカトニン(エルシトニン®) 1回40単位 筋注または1～2時間かけて点滴静注 1日2回(年齢や血清Ca値の変動により適宜増減)
> ＊継続使用は最長5日間を目安とする(連続投与により効果が減弱する,エスケープ現象を生じると考えられているため).

その他の薬剤

1) コルチコステロイド

　コルチコステロイドは,破骨細胞による骨吸収の抑制や消化管からのCa吸収の抑制などの機序が想定されているが,固形腫瘍に伴う高カルシウム血症での臨床的効果は証明されていない.一方で,血液腫瘍(白血病,リンパ腫,多発性骨髄腫)に伴う高カルシウム血症では,腫瘍増殖抑制効果により血中Ca量が低下する可能性がある.したがって,コルチコステロイドの役割は,血液腫瘍に伴う重度の高カルシウム血症の補助的な役割に限られる.

2) フロセミド

　フロセミドは,利尿による尿中Ca排泄の促進を通じて高カルシウム血症の改善が期待されたが,臨床効果は証明されておらず,逆に体液量減少や低カリウム血症を助長させる危険がある[7].したがって,高カルシウム血症に対するフロセミドの使用は推奨されない.

　ただし,輸液療法による体液量過多を防ぐため,フロセミドの適切な使用が必要となる場合がある.

低ナトリウム血症(抗利尿ホルモン不適合分泌症候群)

病態生理

　進行がん患者では様々な要因で低ナトリウム血症をきたすことが多い.最も頻度の高い原因として,抗利尿ホルモン不適合分泌症候群(SIADH)が考えられる.SIADHは,arginine vasopressin(AVP)/抗利尿ホルモン(ADH)が不適切に過剰分泌される,もしくは腎集

表3 進行がん患者における SIADH の原因

異所性 ADH 産生	肺小細胞がん,膵がん,頭頸部がん,カルチノイドなど
薬剤	■ 抗がん剤 　ビンカアルカロイド(ビンクリスチン,ビンブラスチン) 　白金製剤(シスプラチン,カルボプラチン) 　アルキル化製剤(シクロホスファミド,メルファラン) ■ 症状緩和薬 　抗うつ薬(三環系抗うつ薬,SSRI,SNRI) 　抗精神病薬(クロルプロマジン,レボメプロマジン,ハロペリドール) 　抗けいれん薬(カルバマゼピン,バルプロ酸,ラモトリギン) 　鎮痛薬(オピオイド,NSAIDs) 　抗菌薬(シプロフロキサシン)
肺病変	肺腫瘍,肺炎,結核など
中枢神経病変	脳転移,髄膜播種,脳血管障害,脳炎・髄膜炎など

合管にある AVP 受容体の V_2 受容体が過剰に活性化されることで,集合管における水再吸収が過剰に起こり低ナトリウム血症を引き起こす.SIADH は肺小細胞がんなど腫瘍からの異所性 ADH 産生により引き起こされるが,その他,抗がん剤などの薬剤や中枢神経病変なども原因となる(表3).SIADH はあくまで病態であり,その原因検索を行うことが重要である.

SIADH は通常,Na<120 mEq/L になると悪心・嘔吐,頭痛などの臨床症状を呈する.重篤な場合は,混乱,傾眠,けいれん,昏睡をきたす.

評価・診断

SIADH の診断は除外診断である.低ナトリウム血症を認めた場合,まず,血漿浸透圧低値(<280 mOsm/kgH$_2$O)を確認し,非低浸透圧性低ナトリウム血症を否定する(高血糖など).次に,体液量を身体所見などで評価し,体液量増加(慢性心不全,肝硬変,ネフローゼ症候群など)および体液量減少(経口摂取不良,下痢,発汗過多など)を除外する.体液量正常を確認し,尿浸透圧高値(>100 mOsm/kgH$_2$O)および尿 Na 濃度高値(≧20 mEq/L)を確認することで,水中毒などを除外する.最後に,SIADH と同様に低浸透圧・

体液量正常で，腎臓での尿希釈が正常を示す甲状腺機能低下症と副腎不全を除外するため，内分泌学的検査を行う．

治療

SIADH は症状を有する場合に治療適応となる．治療の基本は水分制限である．重篤な中枢神経症状を有する場合は，血清 Na 値を慎重にモニタリングしながら高張食塩液(3% NaCl)を投与する．水分制限で Na 濃度が維持できない場合，V_2 受容体拮抗薬の使用を検討する．また，可能であれば，SIADH の原因となりうる薬剤の中止や原疾患の治療も検討する．

水分制限

輸液を含めた水分投与量を 800～1,000 mL/日以下へ制限する．1,000 mL/日以上の生理食塩液などの投与は，低ナトリウム血症を悪化させるため避けなければならない．

高張食塩液輸液

重篤な中枢神経症状(けいれん，昏睡など)を有する場合は，高張食塩液(3% NaCl)を投与し，中枢神経症状の消失や Na 125 mEq/L になるまで補正を行う．その際は，血清 Na 値を慎重にモニタリングし，0.5～1 mEq/L/時および 10 mEq/L/日を超えない Na 濃度上昇速度で補正を行う．急速な補正は浸透圧性脱髄症候群を引き起こすため，十分に注意が必要である．

V_2 受容体拮抗薬 ★

V_2 受容体拮抗薬(モザバプタン，トルバプタン)は，腎集合管における AVP 作用部位である V_2 受容体を阻害することで，水再吸収を阻害する[8,9]．モザバプタン 30 mg/日もしくはトルバプタン 3.75～7.5 mg/日での開始を検討する．V_2 受容体拮抗薬を開始する場合は，急激な Na 上昇や体液量減少のリスクがあるため，入院でのモニタリングが望ましい．また，トルバプタンでは重篤な副作用として肝機能障害が報告されているため，特に長期投与では注意が必要である．

低血糖症（非膵島細胞腫瘍性低血糖症）

病態生理

　非膵島細胞腫瘍性低血糖症は，腫瘍から大分子量インスリン様成長因子-Ⅱ（大分子量 IGF-Ⅱ）が分泌され，インスリン受容体が刺激されることで，特に骨格筋でのグルコース利用が増加し低血糖症を引き起こす．多くは間葉系腫瘍（線維肉腫など）もしくは肝細胞がんに伴い発生するが，血液腫瘍や神経内分泌腫瘍での報告もある．

　非膵島細胞腫瘍性低血糖症の症状は，通常の低血糖症状と同様で，中枢神経の糖欠乏による症状（混乱，けいれん，昏睡）と交感神経亢進症状（動悸，発汗，振戦）である．

評価・診断

　非膵島細胞腫瘍性低血糖症の診断は，医原性低血糖症（インスリン療法，スルホニル尿素薬），副腎不全，敗血症（相対的副腎不全）などの一般的な低血糖症の原因を除外し，インスリノーマによるインスリン過剰分泌も除外する必要がある．非膵島細胞腫瘍性低血糖症では，低血糖時の血中インスリンおよび IGF-Ⅰ，成長ホルモンは低値を示す．血中の（通常の）IGF-Ⅱは正常値を示すことが少なくなく，ウェスタンブロット法を用いて血清中の大分子量 IGF-Ⅱを検出することが診断において重要である．

治療

　非膵島細胞腫瘍性低血糖症の治療は，低血糖症急性期の血糖補正・原疾患の治療・低血糖症の再発予防（血糖の維持）に分けられる．低血糖症急性期には，20％ブドウ糖液の静脈投与により，速やかな血糖の改善を行うべきである．低血糖症の再発予防には，可能であれば手術や化学療法などによる腫瘍の減量，もしくは完全切除による治療が試みられる．しかしながら，巨大腫瘍や転移性病変を伴うことが多いため，根治的切除は困難な場合が多く，再発もまれではないため，必要に応じて低血糖症の再発予防目的に糖質補充が試みられる．その他，コルチコステロイド，グルカゴン，成長ホルモンによる血糖維持が有効であったと報告されている．

糖質補充

繰り返す低血糖症に対して,経口もしくは経静脈的な糖質補充が試みられる.時に,血糖維持のため2,000 g/日程度までの糖質負荷が必要になることもあり,予後や全身状態(PS)などにより中心静脈カテーテルからの高カロリー輸液持続投与も選択肢となる.

コルチコステロイド

コルチコステロイドは,糖新生の促進と腫瘍からの大分子量IGF-Ⅱ分泌を抑制することにより低血糖症を抑制すると考えられる[10,11].非膵島細胞腫瘍性低血糖症に対するコルチコステロイドは高用量で使用される.レビューされた個々の症例の25%でコルチコステロイドが使用されていたと報告されている[12].

その他のホルモン製剤

グルカゴンは糖新生を促進することで低血糖症を抑制し,非膵島細胞腫瘍性低血糖症に対して有効であった症例が報告されている[13].

成長ホルモンは,糖新生を促進および大分子量IGF-Ⅱの作用を阻害することにより,非膵島細胞腫瘍性低血糖症を緩和すると考えられている.小児の1例を含む複数の症例報告で有効例が報告されている[14～16].一方で,成長ホルモンはIGF-Ⅰを増加させることで腫瘍の成長を促進する可能性も考慮される.

■参考文献

1) Major P, et al:Zoledronic acid is superior to pamidronate in the treatment of hypercalcemia of malignancy:a pooled analysis of two randomized, controlled clinical trials. J Clin Oncol 19:558-567, 2001.(PMID:11208851)

2) Body JJ, et al:A dose-finding study of zoledronate in hypercalcemic cancer patients. J Bone Miner Res 14:1557-1561, 1999.(PMID:10469284)

3) Purohit OP, et al:A randomized double-blind comparison of intravenous pamidronate and clodronate in the hypercalcaemia of malignancy. Br J Cancer 72:1289-1293, 1995.(PMID:7577484)

4) Dietzek A, et al:Denosumab in hypercalcemia of malignancy:a case series. J Oncol Pharm Pract 21:143-147, 2015.(PMID:24415364)

5) Karuppiah D, et al:Refractory hypercalcaemia secondary to parathyroid carcinoma:response to high-dose denosumab. Eur J Endocrinol 171:K1-K5, 2014.(PMID:24743399)

6) Adhikaree J, et al：Denosumab should be the treatment of choice for bisphosphonate refractory hypercalcaemia of malignancy. BMJ Case Rep 2014：bcr2013202861, 2014.（PMID：24481018）
7) LeGrand SB, et al：Narrative review：furosemide for hypercalcemia：an unproven yet common practice. Ann Intern Med 149：259-263, 2008.（PMID：18711156）
8) Schrier RW, et al：Tolvaptan, a selective oral vasopressin V_2-receptor antagonist, for hyponatremia. N Engl J Med 355：2099-2112, 2006.（PMID：17105757）
9) Yamaguchi K, et al：Clinical implication of the antidiuretic hormone(ADH)receptor antagonist mozavaptan hydrochloride in patients with ectopic ADH syndrome. Jpn J Clin Oncol 41：148-152, 2011.（PMID：21087977）
10) McNulty SJ, et al：Glucocorticoid therapy for nonislet cell tumour hypoglycaemia (NICTH). Clin Endocrinol(Oxf)50：546, 1999.（PMID：10468917）
11) Teale JD, et al：Glucocorticoid therapy suppresses abnormal secretion of big IGF-II by non-islet cell tumors inducing hypoglycaemia(NICTH). Clin Endocrinol(Oxf)49：491-498, 1998.（PMID：9876347）
12) Bodnar TW, et al：Management of non-islet-cell tumor hypoglycemia：a clinical review. J Clin Endocrinol Metab 99：713-722, 2014.（PMID：24423303）
13) Vassilopoulou-Sellin R：Glucagon treatment in NICTH. J Clin Endocrinol Metab 81：1671, 1996.（PMID：8636389）
14) Agus MS, et al：Non-islet-cell tumor associated with hypoglycemia in a child：successful long-term therapy with growth hormone. J Pediatr 127：403-407, 1995.（PMID：7658270）
15) Silveira LFG, et al：Growth hormone therapy for non-islet cell tumor hypoglycemia. Am J Med 113：255-257, 2002.（PMID：12208393）
16) Powter L, et al：A case report of non-islet cell tumour hypoglycaemia associated with ovarian germ-cell tumour. Palliat Med 27：281-283, 2013.（PMID：23128903）

（白石龍人・山口　崇）

24 【身体症状の緩和】倦怠感

診療のコツ

❶がんに伴う倦怠感(CRF)は病期を問わず高頻度に出現しQOLに影響する症状であるが,医療者は過小評価しやすい.
❷診療の第一歩は医療者と患者が倦怠感の緩和について目標を共有することである.
❸CRFへの介入の基本は,貧血・感染症・薬剤・電解質異常などによる二次的倦怠感を見逃さず,治療可能性を検討することである.
❹ステロイド投与に際しては,うつ病や睡眠障害,血糖上昇,感染症,ミオパチーなどの副作用により,逆に倦怠感が悪化する可能性に注意する.

本項ではがんに伴う倦怠感(cancer-related fatigue:CRF)を中心に解説する.各疾患・治療に伴う倦怠感については,他項に譲る.

定義・疫学

定義

がんに伴う倦怠感(CRF)は「がんやがん治療に関係し,労作に比例せず日常生活を妨げるような極度の疲労」と定義される.つまり痛みと同様に,倦怠感は主観的な苦痛の感覚である.

疫学

倦怠感はがん患者で最も頻度の高い症状の1つであり,有病率はがん患者の78~96%と報告されている[1].特に外来通院中のがん患者では58%で倦怠感が日常生活に影響すると報告され,痛み(22%)や悪心・嘔吐(18%)よりも頻度が高い[2].

一方で,通院中のがん患者の66%は医療者と倦怠感について話題にしないと報告されている[3].その背景として,多くの患者が倦怠感は「仕方がないこと」と考え,医療者も「治療が必要な症状ではない」と過小評価し,介入が行われていない可能性が挙げられる.

表1 二次的倦怠感の原因となる主な病態

- 貧血
- 感染症
- 電解質異常(高カルシウム血症,低ナトリウム血症など)
- 薬剤
- 精神症状(うつ病,不安)
- 睡眠障害
- 脱水
- 発熱
- 臓器不全(腎機能障害,肝機能障害など)
- 代謝内分泌異常(甲状腺,副腎,血糖異常)
- 筋力低下

病態生理

倦怠感は腫瘍そのもののサイトカイン放出に起因する一次的倦怠感と,貧血や感染症,薬剤などの原因によって生じる二次的倦怠感に分類される[4]).

一次的倦怠感の病態生理は十分に解明されていないが,腫瘍からのTNFやIL-6などのサイトカインにより,①セロトニン調節が障害され迷走神経が賦活される中枢性機序,②骨格筋のアデノシン三リン酸(ATP)産生低下による末梢性機序などの仮説が有力である.

二次的倦怠感の原因(**表1**)は多様であり,複数の原因が同時に存在することも多い.二次的倦怠感は原因除去により改善する可能性があるため,倦怠感に対処する際は常に原因となる病態のスクリーニングを行い,可能な範囲で治療を試みることが重要である.

評価・診断

問診と評価ツール

倦怠感は頻度が高い一方で患者が自ら話すことの少ない症状だが,必要時に適切に評価すべきである.具体的には,「だるいですか?」だけではなく,「億劫ですか?」「疲れやすいですか?」など,表現を変えて問診することが大切である.

倦怠感の評価ツールとしては0~10の11段階で評価するNRS(**付録5→480頁**)や,cancer fatigue scale(CFS)[5,6)],functional assessment of chronic illness therapy-fatigue(FACIT-F),brief fatigue inventory(BFI)などがある．CFS は BFI をもとに日本で開発された，身体的倦怠感・認知的倦怠感・精神的倦怠感という 3 つの尺度で構成される質問票形式のツールであり，19 点以上で生活に何らかの支障をきたす倦怠感があるとされる．

また，倦怠感によって日常生活上どんな支障が出ているかを聞き出すことが重要である．

二次的倦怠感の評価

1)貧血

化学療法中の患者では貧血が倦怠感に関与する可能性がある★[7]．また，化学療法により血球減少が生じている時期には倦怠感が生じやすい．血球の回復とともに改善すると説明することが重要である．終末期には貧血が倦怠感の単独要因となることは少ない．輸血は，持続的な出血症状がない場合に，データの改善ではなく症状緩和を目的として考慮する．大切な用事・会合への出席など，目標に合わせて検討する．

2)感染症

感染症に伴う炎症性サイトカインの放出により倦怠感が生じる．感染症や発熱に対して抗菌薬や解熱薬を投与することで，倦怠感が改善する可能性がある．終末期においては頻回の検査や投薬による苦痛も生じうるため，予後や全身状態を勘案し個別に検討する．

3)電解質異常

低ナトリウム血症，高カルシウム血症，低カリウム血症が倦怠感の原因になる．高カルシウム血症は傾眠やせん妄，便秘，悪心など多様な症状を呈するため，鑑別は重要である．高カルシウム血症はビスホスホネート製剤や補液で補正可能だが，終末期の症状であることも多く，治療は個別に検討する．低ナトリウム血症の原因としてSIADH，薬剤などが挙げられる．

4)薬剤

倦怠感の原因薬剤として，抗がん剤，オピオイド，ベンゾジアゼピン系薬，抗精神病薬，各種鎮痛補助薬，ステロイドなどが挙げられる．夜間の不眠や日中の眠気を生じる薬剤により，倦怠感が生じている場合がある．必要性が低い薬剤の整理を行う．

5) 抑うつと睡眠障害

抑うつと倦怠感を鑑別することが重要である．うつ病による「疲れやすさ」や「意欲の低下」が倦怠感ととらえられる場合があるが，希死念慮や無価値観は身体的な倦怠感自体では認めない[8]．うつ病に対するスクリーニングを行い，専門科への紹介や抗うつ薬投与を検討する．

また，睡眠障害も倦怠感と関連する要因である．睡眠障害では不眠と日中の過眠のいずれもが倦怠感の原因になりうるため，睡眠状況を確認する．

6) 脱水

脱水は二次的倦怠感の可逆的要因の1つである．脱水が倦怠感の原因である場合は，補液が有用なことがあるが，過剰な補液によって浮腫，喘鳴，胸腹水などによる苦痛が生じることもある．したがって補液は全身状態や個々の希望を勘案して個別に期間や量を検討するべきである．

治療

上記の二次的倦怠感について十分な検討・対処を行ったうえで，一次的倦怠感に対して薬物療法を検討する．

コルチコステロイド（付録11 ➡ 493 頁）

デキサメタゾン投与はプラセボに比較し，がん患者の倦怠感とQOLを改善すると報告されている★★[9]．また，観察研究の結果から，CRFに対するステロイド有効性の予測因子としてPPS（付録1 ➡ 476 頁）>40，眠気がないこと，腹水がないこと，胸水がないことが抽出され★[10]，有効例は生存期間が有意に長かった．このことから，ステロイドは全身状態が比較的よい患者において有効な可能性がある．一方で全身状態が不良な患者では，せん妄などの副作用を誘発する危険性が高いことも報告されている[10]．

1) 使用法

ステロイドは不眠の原因となるため夕方以降や24時間持続投与は避ける．PSや予後が保たれている患者では，目標に合わせた短期のステロイド使用もコツの1つである．2〜4 mg/日程度のベタメタゾンを開始し，目標達成後に減量/中止する．

1 漸増法

処方例

ベタメタゾン(リンデロン®)またはデキサメタゾン(デカドロン®) 1日0.5～1 mg 朝1回,もしくは朝昼2回に分けて内服 効果をみながら4 mg/日まで増量

2 漸減法

処方例

ベタメタゾン(リンデロン®)またはデキサメタゾン(デカドロン®) 1日2～4 mgより開始し,効果があれば減量し1日0.5～4 mgで維持内服

漸増法に比べ漸減法は効果判定が早いメリットがあるが,不眠やせん妄などの副作用に注意が必要である.漸増法は副作用発現リスクが低いメリットがあるが,効果発現までに時間がかかるため,個々の状況に応じて選択する.

2) 副作用

ステロイドの副作用(せん妄,不眠,うつ病,消化性潰瘍,感染症,高血糖,筋力低下,満月様顔貌,口腔カンジダ症,ニューモシスチス肺炎,皮膚障害,骨粗鬆症など)に注意し,予後が3か月以上見込まれる場合は減量・中止を検討する.

ステロイドによる不眠,筋力低下,高血糖が逆に倦怠感の原因になりうる.ステロイドを減量・中止することでむしろ倦怠感が改善することがある.

ステロイドの急な中止により,副腎皮質機能不全が生じることがある.プレドニゾロン換算20 mg/日を1週間以上内服していた場合には,漸減ののち中止することが望ましい.

デキサメタゾン,ベタメタゾンは鉱質コルチコイド作用による水分貯留傾向がほとんどない.また作用時間も長いため投与回数が少なくてすむ利点がある.

精神刺激薬

CRFに対するメチルフェニデート(リタリン®)の効果には,近年否定的な報告[11,12]がなされている.日本ではメチルフェニデートは流通管理下にあり,実際にはナルコレプシーと注意欠陥性多動性障

害(ADHD)に対してのみ登録医師により処方可能である点に留意する．代用薬としてペモリン(ベタナミン®)がある．これは倦怠感と眠気の両方が苦痛となっている場合に用いる．半減期が12時間と長いため，朝1回の投与でよい．肝機能障害の副作用に注意し，漫然と使用しない．非がん(後天性免疫不全症候群)患者の倦怠感で精神刺激薬はプラセボに比較して有用であったとの報告[13]がある．

■ 非薬物療法とケア

患者と家族が倦怠感について正しく理解し，休息と活動のバランスをとりつつ生活できるよう支援する．適度な運動はむしろ倦怠感の改善に有用なことがある[14]．寡動は廃用症候群による倦怠感の悪化につながる場合がある．

抗がん治療中の患者においてエネルギー温存・活動療法(energy conservation activity management：ECAM)は倦怠感の軽減に役立つ★★[15]．具体的には，エネルギーレベルの高い時間帯に，より優先度の高い活動を行い，エネルギーレベルの低い時間帯は休息にあてるようアドバイスを行う．エネルギー温存療法には，より負担の少ない日常動作を習得できるように援助したり，患者が生活動作すべてを自身で行わず，他者に指示を出して代行してもらうことも含まれる．

リハビリテーションや認知行動療法，リラクセーション，アロマセラピーなども倦怠感の改善を期待できる．患者・家族を中心に多職種でのチームアプローチを検討する．

■ 参考文献

1) Portenoy RK, et al：Cancer-related fatigue：guidelines for evaluation and management. Oncologist 4：1-10, 1999.（PMID：10337366）
2) Stone P, et al：Cancer-related fatigue：inevitable, unimportant and untreatable? Results of a multi-centre patient survey. Ann Oncol 11：971-975, 2000.（PMID：11038033）
3) Passik SD, et al：Patient-related barriers to fatigue communication：initial validation of the fatigue management barriers questionnaire. J Pain Symptom Manage 24：481-493, 2002.（PMID：12547048）
4) Radbruch L, et al：Fatigue in palliative care patients--An EAPC approach. Palliat Med 22：13-32, 2008.（PMID：18216074）
5) Okuyama T, et al：Development and validation of the Cancer Fatigue Scale：a brief,

three-dimensional, self-rating scale for assessment of fatigue in cancer patients. J Pain Symptom Manage 19:5-14, 2000.(PMID:10687321)
6) 国立がん研究センター先端医療開発センター精神腫瘍学開発分野:Cancer Fatigue Scale マニュアル.(https://www.ncc.go.jp/jp/epoc/division/psycho_oncology/kashiwa/020/CFS-Manual.pdf)(最終アクセス:2021年12月)
7) Jacobsen PB, et al:Relationship of hemoglobin levels to fatigue and cognitive functioning among cancer patients receiving chemotherapy. J Pain Symptom Manage 28:7-18, 2004.(PMID:15223080)
8) Jacobsen PB, et al:Distinguishing fatigue and depression in patients with cancer. Semin Clin Neuropsychiatry 8:229-240, 2003.(PMID:14613050)
9) Yennurajalingam S, et al:Reduction of cancer-related fatigue with dexamethasone:A double-blind, randomized, placebo-controlled trial in patients with advanced cancer. J Clin Oncol 31:3076-3082, 2013.(PMID:23897970)
10) Matsuo N, et al:Predictors of delirium in corticosteroid-treated patients with advanced cancer:an exploratory, multicenter, prospective, observational study. J Palliat Med 20:352-359, 2017.(PMID:28379811)
11) Bruera E, et al:Methylphenidate and/or a nursing telephone intervention for fatigue in patients with advanced cancer:a randomized, placebo-controlled, phase Ⅱ trial. J Clin Oncol 31:2421-2427, 2013.(PMID:23690414)
12) Centeno C, et al:Improved cancer-related fatigue in a randomised clinical trial:methylphenidate no better than placebo. BMJ Support Palliat Care 2020-002454, 2020.(PMID:33168668)
13) Breitbart W, et al:A randomized, double-blind, placebo-controlled trial of psychostimulants for the treatment of fatigue in ambulatory patients with human immunodeficiency virus disease. Arch Intern Med 161:411-420, 2001.(PMID:11176767)
14) Mustian KM, et al:Comparison of pharmaceutical, psychological, and exercise treatments for cancer-related fatigue:a meta-analysis. JAMA Oncol 3:961-968, 2017.(PMID:28253393)
15) Barsevick AM, et al:A randomized clinical trial of energy conservation for patients with cancer-related fatigue. Cancer 100:1302-1310, 2004.(PMID:15022300)

(神谷浩平)

25 【身体症状の緩和】骨転移・病的骨折・脊髄圧迫

診療のコツ

❶ 骨転移・病的骨折は ADL への影響が大きく，予防的対処を考慮する．

❷ 脊髄圧迫の初期症状は神経症状ではなく痛みである．MRI での早期診断と，歩行障害をきたす前の早期治療が重要である．

❸ どの病態も，予後や患者の意向を勘案して，ケアのゴールについて整形外科医や放射線腫瘍医などの多職種でよく相談する．

骨転移・病的骨折

疫学

がん患者全体でみるとその半数で剖検時に骨転移がみつかる．乳腺・前立腺がんの 70〜90％，甲状腺・肺・腎がんの 30〜50％で骨転移をきたす．この 5 部位で骨転移全体の 80％を占める．病的骨折は骨転移の 10〜30％に起こり，多発性骨髄腫や，肝・腎がんなどの溶骨性転移に多い．

病態生理

がん細胞が骨芽細胞を介して破骨細胞を活性化し，骨吸収を促してがん細胞が定着する．骨基質からの物質（TGF-β など）ががん細胞をさらに刺激するという悪循環で骨転移が進む（**図 1**）．溶骨性転移の場合，骨皮質が破壊されて物理的負荷に耐えられなくなり病的骨折を起こす．一方，造骨性転移の場合は弾性の低下により，小さな応力で病的骨折を起こす．

画像診断

転移に対する各画像検査の感度・特異度[1]は以下のとおりである．
単純 X 線では，溶骨性転移の場合，局所の骨密度が 50％以上低下しないととらえられないため，感度は 50％と低く，スクリーニ

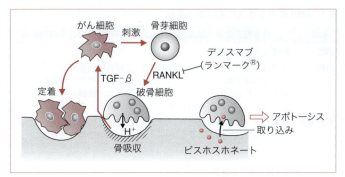

図1 骨転移のメカニズムと治療薬の働き

ングには向かない．特異度は不明である．

^{99m}Tc 骨シンチグラフィは感度80％，特異度85％である．全体としてはおおよそ高い感度をもつが，造骨領域が高集積になるため，溶骨が主である多発性骨髄腫などの場合，感度は20％と低くなる．

CTは感度80％，特異度85％である．特に骨皮質の状態を把握するのに役立つ．

MRIは感度90％，特異度95％である．小さい転移，骨内での広がり，神経や周辺の軟部組織との関連を把握するのに役立つ．

FDG-PET/CTは感度・特異度とも90％以上で精度は高いが，保険適用・費用の面から骨転移のみのスクリーニングではなく，がんの病期診断の際に骨を含めた遠隔転移の検索のために用いられることが多い．

画像検査での骨転移の重要な鑑別として，原発性骨腫瘍，良性腫瘍，化膿性骨髄炎，脊椎では特に骨粗鬆症による脆弱性骨折（**表1**）などが挙げられる．画像のみで鑑別がつかない場合は，骨生検を考慮する．

症状・評価・治療

長管骨

1) 症状

骨転移の初期は症状がなくわかりにくいが，血清ALPや血清Ca

表1 MRIによる脊椎圧迫骨折の鑑別

	骨粗鬆症による脆弱性骨折	脊椎転移による病的骨折
部位	胸腰椎移行部に多い	どの椎体にも起こりうる
形態	後壁は保たれる,あるいは角状突出 破壊は椎体のみ 骨外浸潤なし 液体貯留・ガス像がみられる	後壁の円状膨隆 破壊は椎弓根・棘突起に及ぶ 傍椎体・硬膜外腫瘤あり 液体貯留・ガス像はまれ
信号変化	椎体終板付近の線状低信号(T2) 経過観察で信号回復あり	びまん性の信号異常 経過観察で信号回復なし

表2 Mirels スコア

スコア	1	2	3
部位	上肢	下肢	大腿骨頸部・転子部
痛み	軽度	中等度	重度
性状	造骨性	混合性	溶骨性
病変の大きさ*	<1/3	1/3〜2/3	>2/3

*横径に占める病変の大きさ.
(Mirels H：Metastatic disease in long bones. A proposed scoring system for diagnosing impending pathologic fractures. Clin Orthop Relat Res 249：256-264, 1989 より)

の上昇がある場合は骨転移の検索を行う.骨痛は体動時に増悪し,内因性ステロイドの動態に伴い夜に強くなることがある.骨転移部位の急激に増強する痛みや歩行困難がみられた場合は,病的骨折を積極的に疑う.

2) 骨折リスク(手術の必要性)の評価

臨床的に骨折の危険が迫っている状態のことを切迫骨折という.長管骨の骨折リスク評価方法として,Mirels スコアがよく用いられる.

- Mirels スコア(**表2**)[2]：9点以上で病的骨折のリスクが高い.本スコアは感度100%だが特異度は13%[3]と低い報告があり,総合的に判断する.
- その他の基準[3〜5]では,単純X線写真で,①長管骨幅の50%以上の骨融解,②長径3 cm 以上の骨融解,③荷重時に増強する骨痛,④大腿骨では小転子の剥離,のいずれかに当てはまる時は予

防的固定術を積極的に考慮する．長管骨の術後回復とリハビリテーションには1〜2か月を要するため，予後を勘案して手術適応を決定する．

3)治療
■1 外固定（ギプス・装具）・安静

動きによる物理的な痛みを軽減する．また，骨折リスクを軽減する目的で免荷を行う．

折れそうな骨は動くと痛いため，患者は自然に安静臥床となる．しかし痛みの少ない骨転移や予後の短い患者に対し安静を強要するとQOLを損なうため，痛みが出ない範囲で移動を許可することがある．ケアのゴールについてよく話し合う．

■2 鎮痛薬・鎮痛補助薬（→103頁）

骨代謝修飾薬★★★[6,7]である抗RANKL抗体（デノスマブ）とビスホスホネート（ゾレドロン酸）は広義の鎮痛補助薬に含まれる．破骨細胞表面にあるRANKにRANKLが結合することで破骨細胞が成熟し骨吸収が進むが，抗RANKL抗体はそれを阻害する（**図1**）．ビスホスホネートはピロリン酸類似物質で，骨基質であるハイドロキシアパタイトに沈着し，破骨細胞に取り込まれて破骨細胞をアポトーシスに導くことで骨吸収を阻害する．

抗RANKL抗体，ビスホスホネートは骨関連事象（skeletal-related event：SRE）を30%減少させ発症時期も遅らせる．SREには病的骨折，手術，骨痛への放射線照射，高カルシウム血症，脊髄圧迫などがある．

SREにおけるデノスマブとゾレドロン酸の検討[6]では，発症中央値はデノスマブ27.66か月 vs. ゾレドロン酸19.45か月，相対危険度0.82（デノスマブでの発症率÷ゾレドロン酸での発症率）と，有効性ではデノスマブ優位であった．

ゾレドロン酸は12週ごとの投与でも効果が変わらない可能性[8]と，Ca・ビタミンD_3・Mg配合剤の内服が不要であるので，内服・注射の負担を軽減したい時に選択肢になる．

*

以下の副作用に，特に注意する．

- 顎骨壊死(osteonecrosis of the jaw：ONJ)：抜歯処置後，不適切な義歯，口腔内不衛生で起こりやすい．可能ならば投与前に歯科評価を行う．
- 低カルシウム血症：高カルシウム血症がない限り，デノスマブ投与後，Caおよびビタミン D の補充を行う．
- 腎機能障害：ゾレドロン酸で急性尿細管壊死をきたすことがあり，腎機能に合わせた量の調整が必要．

処方例 1)2)を併用，または 3)を用いる．
1) デノスマブ(ランマーク®)　1回 120 mg　皮下注　4 週間に 1 回
2)【高カルシウム血症がない限り】　Ca・ビタミン D_3・Mg 配合剤(デノタス® チュアブル配合錠)　1 日 1 回　2 錠　内服
3) ゾレドロン酸(ゾメタ®)　1回 4 mg/100 mL　15 分かけて静注　4 週間に 1 回

❸手術療法

一般的に予後が 3 か月以上あり，病的骨折がすでに起こっている，あるいはそのリスクが高い時(切迫骨折 or Mirels スコア≧9)は内固定術(髄内釘など)を考慮する．ただし予後が短い場合でも，鎮痛目的やケアをしやすくするために手術を行うことがあり，整形外科医と相談する．

❹放射線照射(➡ 298 頁)
❺リハビリテーション(➡ 436 頁)

脊椎

1)症状

脊椎転移部位別の特徴としては，環軸椎(C1, 2)は回旋で，その他の頸椎では前後屈で，胸椎・腰椎転移では座位や立位など軸圧がかかると痛みが増す．脊椎の彎曲が変わる胸腰椎移行部(Th11-L2)は臥位で応力が増し痛みを生ずる．痛みのためリクライニングを利用して寝ている場合は同部位の転移を積極的に疑う．

2)脊椎不安定性(手術の必要性)の評価

痛みが強い，あるいは脊椎不安定性がある時(SINS≧7 点，**表 3**)[9]は整形外科へのコンサルトを積極的に行い，固定術を考慮する．予後は進行期がん患者一般に使用できる PaP score(**付録 4**➡ 479

表3 spine instability neoplastic score (SINS)

		score
部位	移行部(後頭蓋-C2, C7-Th2, Th11-L1, L5-S1)	3
	可動椎体(C3-C6, L2-4)	2
	半硬性(Th3-10)	1
	硬性(S2-5)	0
痛み (臥位で軽減あるいは体動や荷重で増強)	あり	3
	なし	1
	もともと痛みなし	0
骨病変の性状	溶骨性	2
	混合性	1
	造骨性	0
画像評価による脊椎のアラインメント	亜脱臼/転位あり	4
	新たな変形(円背/側弯)	2
	正常のアライメント	0
椎体圧潰	>50%	3
	<50%	2
	圧潰はないが，体積の50%以上が浸潤されている	1
	いずれもなし	0
後側方浸潤 (椎間関節，椎弓根，肋椎関節の骨折，腫瘍による浸潤)	両側	3
	片側	1
	なし	0

0～6点：安定．7～12点：不安定な可能性．13～18点：不安定．
〔Fisher CG, et al：A novel classification system for spinal instability in neoplastic disease：an evidence-based approach and expert consensus from the Spine Oncology Study Group, Spine(Phila Pa 1976)35：E1221-E1229, 2010 より〕

頁)，PPI(**付録2→477頁**)の他，脊椎転移患者に特異的な徳橋スコア(**表4**)[10]を参考にする．脊椎の術後回復とリハビリテーションには3～6か月を要するため，予後を勘案して手術適応を決定する．

3)治療

1 外固定(コルセット)・安静(長管骨と同じ)

2 鎮痛薬・鎮痛補助薬(長管骨と同じ)

3 手術療法

　一般的に予後が6か月以上あり，痛みが強い，あるいは脊椎不安定性(SINS≧7)がある時は後方固定術を考慮する．ただし予後が短い場合でも，鎮痛目的やケアをしやすくするために手術を行うこ

表4 徳橋スコアと算出スコアの評価

	点数		点数
①全身状態(PS)		⑤主要臓器転移の有無	
不良(PS 3, 4)	0	切除不能	0
中等度(PS 2)	1	切除可能	1
良好(PS 0, 1)	2	転移なし	2
②脊椎以外の他の骨転移数		⑥麻痺の状態	
≧3	0	完全麻痺	0
1〜2	1	不完全麻痺	1
0	2	麻痺なし	2
③脊椎転移の数		計	15点
≧3	0		
2	1		
1	2		
④原発巣の種類			
肺, 食道, 胃, 膀胱, 膵, 骨肉腫	0		
肝, 胆嚢, 不明	1		
その他	2		
腎, 子宮	3		
直腸	4		
乳, 前立腺, 甲状腺	5		

総計	0〜8点	9〜11点	12〜15点
予後	6か月未満	6か月以上	1年以上
感度	96%	67%	49%
特異度	68%	97%	100%
陽性的中率	86%	92%	95%
陰性的中率	91%	86%	91%

(徳橋泰明, 他:転移性脊椎腫瘍に対する手術療法. 日整会誌87:903-908, 2013 より転載し, 計算)

とがあり, 整形外科医と相談する.

手技として経皮的椎体形成術(骨セメント治療)が選択されることもある. 椎体が小さい頸椎や高位胸椎は技術的な困難さから, また椎体後壁が破壊されているものはセメント漏出の危険があることから, 基本的に禁忌である.

術前に放射線照射をしていると術後合併症が3倍に増えるため, 必ず放射線照射の前に手術適応を検討する.

■4 放射線照射(➡ 298頁)
■5 リハビリテーション(➡ 436頁)

悪性腫瘍による脊髄圧迫

脊髄の下端は第1腰椎(L1)の高さにあることが多く，それより尾側は馬尾である．本項では脊髄と馬尾の圧迫症状をあわせて扱う．

疫学

脊髄圧迫はがん患者の3〜5％に起こり，肺がん，前立腺がん，多発性骨髄腫，乳がんの順に多い．脊椎転移患者の10％に起こる．好発部位は胸椎70％，腰椎20％，頸椎10％だが，おおよそ脊椎の解剖学的割合に比例する．

病態

脊椎転移は椎体動脈を介して，あるいは椎体周囲にある弁構造をもたないBatson静脈叢から椎体への逆流を介して起こる．さらに転移腫瘍が増大すると硬膜外静脈叢を圧迫閉塞して，脊髄の浮腫・梗塞を起こし，麻痺を生じる．ステロイドはこの血管原性の浮腫に有効である．

症状・評価

1)症状

脊髄圧迫の初期症状の9割は痛みの増強で，次いで神経症状や膀胱直腸障害が起こる．ゆえに脊椎転移がある患者で，神経症状がなくても普段と違う痛みを訴えた場合は積極的にMRIを撮る．

胸髄圧迫では背部から前胸部・腹部に向けて体幹を覆うような帯状の痛みで，腰仙椎では馬尾症状として下肢に放散する痛みがある．障害される髄節と神経学的所見は**表5**のとおりである．

特殊な脊髄圧迫症状として脊髄円錐症候群がある．脊髄の下端は円錐状をしていて仙髄領域が含まれる．第1腰椎の高さにあり，同部への転移で圧迫を受けると，下肢症状がなく膀胱直腸障害のみをきたすことがある．

2)鑑別診断

脊髄内転移，硬膜転移，神経叢転移，放射線脊髄炎，脊椎変性疾患，骨粗鬆症による脊椎骨折による圧迫，硬膜外膿瘍・血腫などと鑑別する．

表5　脊髄圧迫による障害髄節と感覚・筋力・深部腱反射低下

障害髄節	感覚低下	筋力低下	深部腱反射低下
C5	上腕外側	三角筋(脇を広げる)	上腕二頭筋反射
C6	前腕外側	上腕二頭筋(力こぶを作る)	腕橈骨筋反射
C7	肘から中指伸側	上腕三頭筋(肘を伸ばす)	上腕三頭筋反射
C8	前腕内側	手内在筋群(手を握る)	—
Th1	上腕内側	背側骨間筋(手を広げる)	—
Th2-L2	デルマトームに沿う	—	—
L3	大腿前面から膝蓋骨	腸腰筋(股関節を曲げる)	—
L4	大腿外側から下腿,足関節を越えない	大腿四頭筋(膝を伸ばす)	膝蓋腱反射
L5	大腿外側から下腿,母趾	前脛骨筋(足首を曲げる)	—
S1	小趾,足底	腓腹筋(足首を伸ばす)	アキレス腱反射
S2, 3	会陰部	肛門括約筋	球海綿体反射
S4, 5	なし	尿道括約筋	—

障害部位以下の感覚・筋力・深部腱反射が障害される.
髄節と脊椎の高さは厳密には違うが,MRI撮像部位のおおよその目安をつけるのに役立つ.

3)脊髄圧迫の評価

障害された知覚・筋・深部腱反射の組み合わせで大まかに障害高位を診断し,そこに焦点を当てて造影MRIで評価する(**図2**)[11].MRIが撮像できない場合,くも膜下腔に造影剤を投与するCTミエログラフィを考慮する.

治療(図3)

■脊髄圧迫症状に対するステロイド★★[12]

確定的な用量はなく,初期投与量としてデキサメタゾン10〜16 mg/日で設定する.海外のシステマティックレビューでは初回にデキサメタゾン10 mgを静注し,翌日から内服で1回8 mg,1日2回を投与し,2週間かけて漸減するレジメンがよく参考にされている.ただし日本での発売規格を考慮して微調整をする.また内服錠数が多くなるので,静注のまま漸減してもよい.

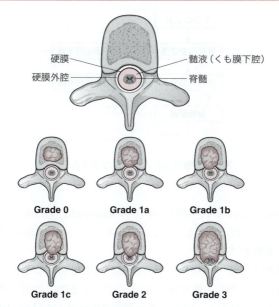

Grade 0：腫瘍が椎体内にとどまる
Grade 1a：硬膜外腔に達するが，硬膜の偏位はなし
Grade 1b：硬膜の偏位はあるが，脊髄には達さない
Grade 1c：脊髄に達するが，脊髄の偏位なし
Grade 2：脊髄圧迫あるいは偏位があるが，周囲を覆わず，髄液の閉塞なし
Grade 3：脊髄周囲を覆い，髄液の閉塞あり

図2 硬膜外脊髄圧迫スケール

(Bilsky MH, et al：Reliability analysis of the epidural spinal cord compression scale. J Neurosurg Spine 13：324-328, 2010 より作成)

処方例

デキサメタゾン　1回 13.2 mg　1日1回　静注
＊手術あるいは放射線治療が開始され次第，3日ごとに約2週間かけて漸減終了．

胃・十二指腸潰瘍，カンジダ症，結核感染に注意して使用する．
Grade 0〜1（図2）などで神経症状がない場合は，ルーチンでのステロイドは必須ではなく，放射線照射のみでよい．脊髄症状（my-

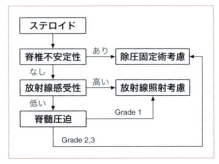

図3 脊髄圧迫の治療アルゴリズム

elopathy)ではなく，神経根症状(radiculopathy)のみの場合のステロイドの使用に対するコンセンサスはなく，現場の判断による．

2 手術療法★★★ 13)

除圧固定術・放射線照射の併用と放射線照射単独を比較したRCTでは，歩行可能となる割合が84% vs. 57%，歩行可能期間の中央値は122日 vs. 13日，生存期間中央値は126日 vs. 100日と，いずれも有意差をもって手術・放射線照射併用のほうが成績良好であった．

放射線感受性が低い腫瘍で，単発性かつ歩行不能になってから48時間以内かつ予後6か月以上(施設により3か月以上)であれば，除圧固定術と放射線照射を行う．

術式を後方除圧(椎弓切除)のみにするか椎体全摘にするかは，圧迫の部位・程度と施設の対応できる範囲により判断する．

3 放射線照射(→ 298頁)

■ 参考文献

1) Yang HL, et al：Diagnosis of bone metastases：a meta-analysis comparing [18]FDG PET, CT, MRI and bone scintigraphy. Eur Radiol 21：2604-2617, 2011.(PMID：21887484)
2) Mirels H：Metastatic disease in long bones. A proposed scoring system for diagnosing impending pathologic fractures. Clin Orthop Relat Res 249：256-264, 1989. (PMID：2684463)
3) Van der Linden YM, et al：Comparative analysis of risk factors for pathological fracture

with femoral metastases: results based on a randomised trial of radiotherapy. J Bone Joint Surg Br 86: 566-573, 2004.(PMID: 15174555)
4) van der Wal CWPG, et al: Axial cortical involvement of metastatic lesions to identify impending femoral fractures; a clinical validation study. Radiother Oncol 144: 59-64, 2020.(PMID: 31733489)
5) Harrington KD: Impending pathologic fractures from metastatic malignancy: evaluation and management. Instr Course Lect 35: 357-381, 1986.(PMID: 3819423)
6) Lipton A, et al: Superiority of denosumab to zoledronic acid for prevention of skeletal-related events: a combined analysis of 3 pivotal, randomised, phase 3 trials. Eur J Cancer 48: 3082-3092, 2012.(PMID: 22975218)
7) Chen C, et al: Denosumab versus zoledronic acid in the prevention of skeletal-related events in vulnerable cancer patients: a meta-analysis of randomized, controlled trials. Clin Ther 42: 1494-1507, 2020.(PMID: 32718784)
8) Hortobagyi GN, et al: Continued treatment effect of zoledronic acid dosing every 12 vs 4 weeks in women with breast cancer metastatic to bone: the OPTIMIZE-2 randomized clinical trial. JAMA Oncol 3: 906-912, 2017.(PMID: 28125763)
9) Fisher CG, et al: A novel classification system for spinal instability in neoplastic disease: an evidence-based approach and expert consensus from the Spine Oncology Study Group. Spine(Phila Pa 1976)35: E1221-E1229, 2010.(PMID: 20562730)
10) 徳橋泰明, 他: 転移性脊椎腫瘍に対する手術療法. 日整会誌 87: 903-908, 2013.
11) Bilsky MH, et al: Reliability analysis of the epidural spinal cord compression scale. J Neurosurg Spine 13: 324-328, 2010.(PMID: 20809724)
12) Kumar A, et al: Metastatic spinal cord compression and steroid treatment: a systematic review. Clin Spine Surg 30: 156-163, 2017.(PMID: 28437329)
13) Patchell RA, et al: Direct decompressive surgical resection in the treatment of spinal cord compression caused by metastatic cancer: a randomised trial. Lancet 366: 643-648, 2005.(PMID: 16112300)

(櫻井宏樹)

26 【身体症状の緩和】神経・筋の異常

診療のコツ

❶ 神経・筋の異常は患者にとって不快な症状であり，また患者・家族には「症状がよくならない場合はどうしたらよいのか」「どんどん悪くなるのか」などの不安もみられるため，不安を和らげる声かけなど，精神心理的サポートは重要である．

❷ 意識障害を示す患者のなかには，非けいれん性てんかん重積が原因の場合もあり，疑うことが重要である．

❸ 落ち着かない患者や無表情で活気に乏しい患者をみたら，せん妄や気持ちの問題を疑うだけではなく，アカシジアやアキネジアなどの錐体外路症状の可能性を考える．また，錐体外路症状を起こさないために，制吐薬や抗精神病薬が長期間継続されていないか留意しておく必要がある．

脳圧亢進症状

原因

原因としては，脳腫瘍(原発性，転移性)，頭蓋内出血，脳梗塞，外傷，脳炎・髄膜炎，水頭症などが挙げられる．

評価

症状は，頭痛(特に morning headache)，悪心・嘔吐，意識障害，けいれんなどが生じうる．身体所見では，血圧上昇や脈拍の減少(Cushing 徴候)がみられることがあり，重度の場合には，瞳孔不同，呼吸抑制などがみられる．

検査は，画像検査(CT，MRI)，眼底検査(うっ血乳頭)などを検討する．

治療

主に脳腫瘍，がん性髄膜炎の治療について述べる．

体位

頭位挙上が有効な場合もある．

ステロイド投与 ★1)

処方例
デキサメタゾン(デカドロン®)，またはベタメタゾン(リンデロン®)
1日4～16 mg　内服または静注　症状をみながら適宜増減

高浸透圧利尿薬の投与

脳腫瘍の場合は血液脳関門が破壊されていることから浸透圧差が生じないため，効果が限定的な可能性があり，適応を慎重に検討する．がん性髄膜炎の場合には，血液脳関門が破壊されていないため，効果が期待できる可能性がある．

処方例　下記のいずれかを用いる．
1) グリセリン(グリセオール®)　1回200～300 mL　1日1～3回　1回あたり2～3時間かけて点滴静注
　＊グリセリン注はNa含有量が多く電解質バランスに注意．
2) イソソルビド(イソバイド®)　1回30～50 mL　1日3回(毎食後)内服

脳腫瘍に対する放射線治療

「緩和的放射線療法」を参照(➡ 298 頁)．

減圧手術

脳腫瘍摘出術，脳室腹腔シャント術など．

てんかん

定義

てんかんとは，大脳ニューロンの過剰な放電による反復性(2回以上)の発作を主徴とし，様々な臨床症状および検査所見を伴う疾患の総称である．

てんかん発作の種類

1) 部分発作

大脳の限局した領域から興奮が始まる発作であり，身体の一部

(片側のみ)にけいれんなどの症状がみられることが多い．単純部分発作(意識は保たれる)，複雑部分発作(意識を失う)があり，二次性全般化発作に進展する場合もある．

2) 全般発作

両側の大脳の広範な領域で興奮が始まる発作である．欠神発作，ミオクロニー発作，間代発作，強直発作，強直間代発作，脱力発作などがある．

疫学・原因

特発性

はっきりした脳の障害が見当たらず，原因が特定できないてんかん．

症候性

脳に何らかの損傷があることによって起こるてんかん．

- 症候性てんかんの原因：低酸素脳症，脳血管障害，神経変性疾患(アルツハイマー病など)，多発性硬化症，脳外傷，脳炎・髄膜炎，脳腫瘍(原発性，転移性)，がん性髄膜炎，腫瘍随伴症候群，薬剤やアルコールの離脱，低血糖など．

また，電解質異常(Na，Ca，Mg など)，肝不全，腎不全，薬剤(薬剤の直接作用，白質脳症，SIADH など)によっても，てんかん発作が誘発される．

年齢とともに発生頻度は増加し，高齢になってはじめて発作が生じることも多い．

評価

てんかん発作のパターンや持続時間，意識の変化などを評価する．不随意運動(部位，左右差など)の他に，瞳孔，運動神経障害や麻痺などの神経学的所見を確認する．明らかなけいれんがみられない，非けいれん性てんかん重積状態*の可能性には注意を払う必要

---

* 非けいれん性てんかん重積状態(特殊な発作)：がん終末期患者の 6〜8％にみられる．けいれん様の動きがみられないてんかん重積発作であり，意識障害などが主な症状となる．認知症やせん妄などの精神疾患や昏睡時の症状と紛らわしく，見逃されているケースも多い．本病態を疑い，脳波検査の施行や薬剤投与を積極的に試みなければ判断がつかない．

がある．

検査としては，脳波検査，血液・尿検査(電解質，アンモニア，血糖，CK など)，画像検査(CT，MRI)を検討する．

治療

発作時の対応

気道確保，酸素投与，静脈ルートの確保，モニターの装着などを速やかに行うことが基本となるが，終末期の患者においては，個々の患者の置かれている状況によって「どのような」対処を「どの程度」行うか，検討する必要がある．

原因の除去

てんかん発作の原因や誘発因子を可能な限り除去する．

抗てんかん薬の投与

てんかん発作時と維持期で投与する薬剤や投与法が異なる．

1) 発作時

処方例
1) ジアゼパム(セルシン®) 1回 5〜10 mg 静注または筋注
【上記でもおさまらない場合】 下記のいずれかを用いる．
2) フェニトイン(アレビアチン®) 1回 5〜20 mg/kg 緩徐に静注(投与速度：生理食塩液に溶解し 50 mg/分以上かけて)
または，ホスフェニトイン(ホストイン®) 1回 22.5 mg/kg 緩徐に静注(投与速度：3 mg/kg/分または 150 mg/分の低いほうを超えない)
3) フェノバルビタール(フェノバール®) 1回 50〜100 mg 筋注
またはフェノバルビタールナトリウム(ノーベルバール®) 1回 15〜20 mg/kg 10分以上かけて点滴静注

2) 発作が持続する場合

処方例 下記のいずれかを用いる．
1) ミダゾラム(ドルミカム®) 1日 10〜120 mg 持続皮下注または静注
＊生命予後が週単位と予想されるような終末期の患者ではミダゾラムでのコントロールを継続したほうが調整しやすい場合もある．在宅ではブロマゼパム坐薬やフェノバルビタールナトリウム(ワコビタール®)坐薬などの定期使用も要検討．
2) レベチラセタム(イーケプラ®) 1回 500 mg 1日2回 15分かけて点滴静注

3) ラコサミド(ビムパット®)　1回100 mg　1日2回　30～60分かけて点滴静注(初回開始量は1回50 mg　1日2回)

3) 維持期

　抗てんかん薬の使用に際しては、発作型ならびに薬物相互作用や副作用などを十分考慮し薬剤を選択する．一般的にはバルプロ酸(デパケン®)を使用することが多い．抗てんかん薬の投与中には、薬物血中濃度モニタリングを定期的に行う．

　特発性のてんかん発作の場合には、初回の発作が落ち着いた場合、その1回の発作のみでは抗てんかん薬は基本的に継続しないが、脳腫瘍によるてんかん発作のあとには基本的には維持療法を行う．なお、脳腫瘍が存在するものの、てんかん発作の既往がない患者に対する予防的な抗てんかん薬の投与は、副作用や薬物相互作用によるデメリットを考慮し推奨されない．

　日本においても、てんかん治療のガイドラインが発表されている[2]．判断に迷う時には精神科・神経内科などの専門家にコンサルトする．

> **処方例**　下記のいずれかを用いる．
> 1) バルプロ酸(デパケン® R)　1回200 mg　1日2回　朝・夕食後　内服
> 2) レベチラセタム(イーケプラ®)　1回500 mg　1日2回　朝・夕食後　内服
> 3) ラコサミド(ビムパット®)　1回100 mg　1日2回　朝・夕食後　内服(初回開始量は1回50 mg　1日2回)
> ＊レベチラセタムおよびラコサミドは、経口と静脈内投与は同量として換算する．

患者・家族へのケア

　てんかん発作は患者・家族にとって衝撃的な出来事であり、発作後の精神心理的サポートが必要である．また、てんかん発作ができるだけ速やかに終息するように対応することが重要である．

　てんかん発作を起こした場合には、患者の感情に配慮しながら、今後の危険を伴う仕事への従事や車の運転は医師の許可が出るまで

認められないことを伝える必要がある．

必要時には社会的資源の利用についても情報提供を行う（精神障害者保健福祉手帳などにより支援が受けられる可能性もある）．

ミオクローヌス

定義

急速に起こり，繰り返す，電撃的な不随意運動．律動的ではない．

疫学・原因

①生理的，②本態性，③二次性〔てんかん，脳炎，脳血管障害，神経変性疾患，肝・腎不全，低血糖，腫瘍随伴症候群，薬剤（オピオイド，抗けいれん薬，抗うつ薬など），中毒など多数〕に大別される．

治療

可能なら原因の治療や被疑薬の中止

オピオイドが原因の場合はオピオイドの減量や変更を検討する．

ベンゾジアゼピン系薬

> **処方例**
> クロナゼパム（リボトリール®）　1回 0.5 mg　1日1回　眠前　内服
> ＊症状が軽減しない場合，効果・副作用をみながら4〜7日ごとに漸増を検討する．

有痛性筋けいれん

定義

持続的な不随意の強直性筋収縮であり痛みを伴う．急性に発症し，数秒〜数日間持続する．腓腹筋に生じるものを特に「こむら返り」という．

疫学・原因

健常者においてもよくみられる一般的な症状であるが，併存する疾患によって，繰り返す激しい痛みとなる場合がある．

原因には、末梢神経障害、がん性髄膜炎、脊髄変性症、腎不全、肝硬変、脱水、電解質異常(Na, Mg)、薬剤、激しい運動などがある.

治療
①可能であれば原因の治療を行う.
②筋のストレッチ、マッサージ、リラクセーション.
③薬物療法：筋弛緩作用のある薬剤の投与を行う.

> **処方例** 下記のいずれかを用いる.
> 1) ジアゼパム(セルシン®)　1回2〜10 mg　1日1回　眠前　内服
> 2) バクロフェン(リオレサール®)　1回5〜10 mg　1日3回　内服
> 3) 芍薬甘草湯　1回2.5 g　1日2〜3回　食前または食間　内服

錐体外路症状

代表的な錐体外路症状の特徴
アカシジア(akathisia, 静座不能)
「足がむずむずとしてじっとしていられない」と訴えるのが代表的である.「いてもたってもいられない」「気持ちが落ち着かない」「眠れない」というように表現されることもあり、「こんなにつらいならいっそ早く死にたい」と訴えることもある. また、せん妄やレストレスレッグス症候群(後述)、遅発性ジスキネジアとの鑑別に難渋することもある. 特にせん妄との鑑別では、治療目的で投与する薬物によって症状が悪化することもあるため、注意が必要である. また、軽微なアカシジアの症状は見逃されやすい.

アキネジア(akinesia, 運動不能)
動作が緩慢になり、動きが小さくなる. 四肢に筋固縮がみられる. 呂律の回りにくさや、仮面様顔貌を呈することもあり、周囲からは気持ちの落ち込みとしてとらえられてしまうことがある.

ジスキネジア(dyskinesia)
不随意に反復される目的のない動作であり、自分では止められない、または止めてもすぐに出現する.

表1　アカシジアを引き起こすおそれのある主な薬剤

- 抗精神病薬
  フェノチアジン系：クロルプロマジン（ウインタミン®）など
  ブチロフェノン系：ハロペリドール（セレネース®）など
  ベンザミド系：スルピリド（ドグマチール®），チアプリド（グラマリール®）など
  非定型抗精神病薬：リスペリドン（リスパダール®）など
- 抗うつ薬
  三環系：アミトリプチリン（トリプタノール®），アモキサピン（アモキサン®）など
  四環系：マプロチリン（ルジオミール®），ミアンセリン（テトラミド®）など
  その他：トラゾドン（デジレル®）など
  SSRI・SNRI：セルトラリン（ジェイゾロフト®），ミルナシプラン（トレドミン®）など
- 抗けいれん薬・気分安定薬
  バルプロ酸（デパケン®）
- H_2受容体拮抗薬
  ファモチジン（ガスター®）など
- 制吐薬（ドパミン拮抗薬）
  メトクロプラミド（プリンペラン®），プロクロルペラジン（ノバミン®）など
- 認知症治療薬
  ドネペジル（アリセプト®）
- 血圧降下薬
  マニジピン（カルスロット®），ジルチアゼム（ヘルベッサー®）など
- 抗がん剤
  テガフール（ティーエスワン®），フルオロウラシル（5-FU）など

〔厚生労働省：重篤副作用疾患別マニュアル　アカシジア（2010年初版）より引用改変〕

ジストニア（dystonia）

体幹あるいは四肢のゆっくりとした持続的な不随意の筋緊張・硬直．

疫学・原因

薬剤，脳炎，パーキンソン病などの中枢神経疾患などが原因となる．

薬剤性の錐体外路症状は，緩和ケアにおいて症状緩和の目的で使用する抗精神病薬や制吐薬などにより生じうる．特に長期間の連用には注意が必要であるが，比較的短期間で発症することもある．アカシジアを引き起こす主な薬剤を**表1**に示す[3]．

治療

原因薬剤の中止
原因薬剤を極力中止する.

中枢性抗コリン薬の投与
ビペリデン(アキネトン®), トリヘキシフェニジル(アーテン®)などを用いる. ただし中枢性抗コリン薬はせん妄を生じる可能性もあり, 投与に際しては注意が必要である.

> **処方例** 下記のいずれかを用いる.
> 1) ビペリデン(アキネトン®)　1回 0.5〜1 mg　内服　落ち着かない時
> 2) ビペリデン(アキネトン®)　1回 2.5〜5 mg　筋注(または緩徐に静注)　落ち着かない時
> 3) トリヘキシフェニジル(アーテン®)　1回 1〜2 mg　1日 2〜3回　内服

その他の薬物療法
- アカシジア:ベンゾジアゼピン系薬, β遮断薬, 抗ヒスタミン薬.
- アキネジア:レボドパ(ネオドパストン®).
- ジストニア:レボドパ, バクロフェン, ボツリヌス毒素.

原因薬剤を中止してもジストニアが改善せず遷延する場合もある.

患者・家族への精神心理的サポート
苦痛への理解を示し, 症状の原因および症状は改善することを説明する.

アカシジアなどは非常につらい症状であり, 患者は時に死を考えることもあるため, しっかりと評価し対応することを心がける.

レストレスレッグス症候群(むずむず脚症候群)

定義
不快な下肢の感覚異常のために, 脚を動かさずにはいられない強い欲求が, 運動により改善し, 夕方から夜間に増悪し, また安静時

や臥位にて増悪するという感覚運動障害である.

疫学・原因

発症頻度は1〜3%といわれている.

発症メカニズムは明らかになっていないが,鉄やドパミンの欠乏が原因として考えられている.鉄欠乏,ビタミンB欠乏,慢性腎不全(特に血液透析),うっ血性心不全,慢性呼吸不全,末梢神経障害,甲状腺機能低下症,パーキンソン病,薬剤,妊娠などの存在が二次性のレストレスレッグス症候群の発症に関係する.

評価

異常感覚は,「虫がはうような」「灼けるような」「ほてる」「うずく」と表現されることが多く,腓腹筋や足底の深部に感じることが多い.異常感覚により睡眠障害をきたし,QOLを低下させる.アカシジアとの鑑別が難しいことがある.

治療

生活指導

カフェイン・アルコール・喫煙を避ける,適度な運動やストレッチを行う.

鉄欠乏の補充

血清フェリチン値や血清鉄が低値の場合には鉄剤による補充を行う.

薬物療法

1)ドパミン作動薬★[4]

> **処方例** 下記のいずれかを用いる.
> 1)プラミペキソール(ビ・シフロール®)　1回0.125〜0.75 mg　1日1回　就寝2〜3時間前に内服
> 2)ロチゴチン(ニュープロ®)　1回2.25〜6.75 mg　1日1回　貼付
> ＊ドパミン作動薬は長期使用により症状の増悪を認めることがあるため注意.

2)抗てんかん薬★[5,6]

> **処方例** 下記のいずれかを用いる.
> 1)ガバペンチンエナカルビル(レグナイト®)　1回600 mg　1日1回　夕食後　内服

2) プレガバリン(リリカ®)　1回50 mg　1日2回　朝食後・眠前　内服

3) ベンゾジアゼピン系薬

処方例

クロナゼパム(リボトリール®)　1回0.5 mg　1日1回　眠前　内服

筋力低下

疫学・原因

限局的な筋力低下

脳腫瘍，脳梗塞，脳出血，脊髄圧迫，末梢神経の病変など．

全身的な筋力低下

ステロイド筋症(近位筋優位)，電解質異常(低カリウム血症など)，腫瘍随伴症候群(例：Lambert-Eaton 症候群)，神経筋疾患，病状の進行による衰弱，長期臥床，甲状腺機能低下，脱水，栄養障害，貧血，抑うつ，糖尿病など．

評価

既往歴，投与中の薬剤，筋力低下が生じてからの経過を確認する．身体所見として，筋力低下の分布(近位・遠位，左右差など)，筋力の程度(徒手筋力検査；MMT)，腱反射，病的反射，感覚異常などを確認する．検査として，血液検査(電解質)，筋電図や神経伝導速度検査などを検討する．衰弱や廃用，電解質異常などによる全身性の原因の他に，神経因性(neuropathy)，筋因性(myopathy)を鑑別する．

治療

基本的には，原因に応じた対応を行うと同時にリハビリテーションの適応を検討する．必要に応じて神経内科へのコンサルトを検討する．

▌参考文献

1) Ryken TC, et al：Congress of Neurological Surgeons Systematic Review and Evidence-

Based Guidelines on the role of steroids in the treatment of adults with metastatic brain tumors. Neurosurgery 84：E189-E191, 2019.（PMID：30629207）
2）てんかん治療ガイドライン作成委員会(編)：てんかん治療ガイドライン 2018. 医学書院, 2018.
3）厚生労働省：重篤副作用疾患別マニュアル アカシジア. p13, 2010.
 (https://www.mhlw.go.jp/topics/2006/11/dl/tp1122-1j09.pdf)（最終アクセス：2022 年 3 月）
4）Scholz H, et al：Dopamine agonists for restless legs syndrome. Cochrane Database Syst Rev：CD006009, 2011.（PMID：21412893）
5）Inoue Y, et al：Gabapentin enacarbil in Japanese patients with restless legs syndrome：a 12-week, randomized, double-blind, placebo-controlled, parallel-group study. Curr Med Res Opin 29：13-21, 2013.（PMID：23121149）
6）Allen RP, et al：Comparison of pregabalin with pramipexole for restless legs syndrome. N Engl J Med 370：621-631, 2014.（PMID：24521108）

〔松本禎久〕

27 【身体症状の緩和】泌尿器科的症状

診療のコツ

❶泌尿器科的症状は，担がん状態の有無にかかわらず高頻度に出現する症状である．
❷泌尿器科的症状は，自覚症状のみでの原因の特定は難しく，他覚的評価とあわせてアセスメントする必要がある．
❸非薬物療法は侵襲度が高い場合があり，治療にあたってはメリットとデメリット，患者の希望を勘案し決定する必要がある．
❹泌尿器科的症状は，患者の尊厳に重大な影響を及ぼす．診察にあたっては患者の気持ちや思いに配慮した姿勢や態度が重要である．

本項では下部尿路症状，尿テネスムス・膀胱部痛，上部尿路閉塞を扱う．

下部尿路症状

定義・疫学[1,2)]

下部尿路症状（lower urinary tract symptom：LUTS）は蓄尿症状と排尿症状[*1]，排尿後症状に大別される．

蓄尿症状には昼間頻尿，夜間頻尿，尿意切迫，尿失禁，膀胱知覚の亢進・低下などの症状があり，排尿症状には尿勢低下，尿線分割・尿線散乱，尿線途絶，腹圧排尿，終末滴下が，さらに排尿後症状には残尿感，排尿後尿滴下がある．

[*1] 排尿症状という用語は蓄尿障害や尿排出相の症状の総称として用いられることがあるが，尿の排出相に認められる症状として用いられるべきとされている．

病態

下部尿路症状には様々な原因があり性別によっても違いがある．男性では前立腺肥大症に伴う膀胱出口部閉塞が尿道抵抗を増大させ排尿症状を生じ，さらに膀胱の伸展・虚血・炎症・酸化ストレスをもたらし，膀胱の平滑筋や神経の変化，尿路上皮由来の伝達物質の放出から蓄尿症状を生じる．女性の場合，妊娠，出産，骨盤臓器脱，閉経などが原因となる．

下部尿路症状のうち特に頻度が高いものとして夜間頻尿があるが，多尿・夜間多尿，蓄尿障害，睡眠障害の3つの要因があるとされており，それらが複合して症状を呈するとされている．多尿は水分摂取過多や口渇中枢の障害，バソプレシン分泌低下や腎臓のバソプレシン感受性低下などによる．夜間多尿は水分摂取過多の他にバソプレシン分泌の日内変動や高血圧の関連が報告されている．夜間の血圧の低下が少ない高齢者や高血圧患者において夜間尿量は増加する．心不全や老化により心機能が低下すると立位が多い日中は下半身に水分が貯留し浮腫となり，臥位になると心臓への静脈還流量が増加し，腎血流量が増加，尿量が増え，心房性ナトリウム利尿ペプチド(atrial natriuretic polypeptide：ANP)の増加も加わって，さらに利尿状態となり夜間多尿になるとされている．

この他，膀胱や膀胱近傍に直接もしくは間接的に影響を及ぼす腫瘍がある場合や，手術・放射線治療などに伴う瘻孔，排尿を支配する脊髄などに悪性腫瘍に伴う異常が認められる場合などに蓄尿障害や排尿症状を認める．がんや上記の原因以外に，尿路感染症や尿路結石症などの併存疾患でも下部尿路症状が生じることに留意する．

評価・診断

排尿に関する症状が認められた際は患者の訴えを評価するが，患者の自覚症状のみでは病態を判定しにくいため，他覚的な評価をあわせて判断することが重要である．排尿についての評価とともに排尿に影響のある既往症や生活歴などを具体的に聴取することも忘れてはならない．

排尿の自覚症状を評価するツールを用いて，まずは症状の重症度や傾向を確認する．下部尿路症状を評価するツールは複数あり，代

表的なものを紹介する[2].

- CLSS[*2]：下部尿路症状を簡便かつ網羅的に評価するもの．QOLを評価するスケールと同時に用いられている．
- IPSS[*2]：男性下部尿路症状の評価では一般的なツールでありながら，女性に対しても有用性があるとされている．症状評価とは別にQOLを評価するスケールと同時に用いられている．
- OABSS[*2]：過活動膀胱のための評価指標で蓄尿障害と切迫性尿失禁の症状評価に特化している．QOLに関する評価項目は含まれていない．

上記ツールなどを用いて患者の自覚症状に蓄尿症状，排尿症状，排尿後症状がどのように含まれているかを評価し，生活への支障の程度も評価する．

自覚症状を評価したのち，排尿の実態を把握することも病態を把握するために重要である．そのために排尿日誌[*3]を用いるが，排尿量と排尿時刻などを数日間記録するため，患者にある程度の負担を強いることに配慮が必要となる．排尿日誌を用いて排尿回数，失禁の有無，1回排尿量や1日排尿量，夜間の排尿量（就寝後から起床直後の排尿までの合計）を評価する．夜間多尿は夜間多尿指数で評価することが一般的である[*4]．頻尿があり24時間尿量も多い場合には多尿が考えられる．患者から飲水量を聴取し，多飲の影響が疑われる場合には水分摂取の工夫が必要で，輸液を行っている場合は輸液量が妥当かを見直すことも重要である．多尿を呈する内科疾患として，糖尿病，高カルシウム血症，心不全（夜間多尿），尿崩症などの存在には注意が必要である．また夜間頻尿を訴える患者では，睡眠障害や睡眠時無呼吸症候群が関連している場合があることも念頭に置く．

上記の自覚症状，排尿実態の評価と並行して下部尿路症状に影響のある疾病や病態，服薬（**表1**）[3]があるかを評価する．具体的には

[*2] CLSS，IPSS，OABSS は日本泌尿器科学会による「男性下部尿路症状・前立腺肥大症診療ガイドライン」(2017)を参照いただきたい．
[*3] 排尿日誌は日本排尿機能学会 web サイトよりダウンロード可能．
[*4] 夜間排尿量/24時間尿量が若年者では20%以上，65歳を超える場合は33%以上．

表1　下部尿路症状をきたすおそれのある薬剤

排尿障害	蓄尿障害
・オピオイド ・筋弛緩薬 ・ビンカアルカロイド系薬剤 ・頻尿・尿失禁，過活動膀胱治療薬 ・鎮痙薬 ・消化性潰瘍治療薬 ・抗不整脈薬 ・抗アレルギー薬 ・抗精神病薬 ・抗不安薬 ・三環系抗うつ薬 ・抗パーキンソン病薬 ・抗めまい・メニエール病薬 ・中枢性筋弛緩薬 ・気管支拡張薬 ・総合感冒薬 ・低血圧治療薬 ・抗肥満薬	・抗不安薬 ・中枢性筋弛緩薬 ・抗がん剤 ・アルツハイマー型認知症治療薬 ・抗アレルギー薬 ・交感神経α受容体遮断薬 ・狭心症治療薬 ・コリン作動薬

〔日本排尿機能学会，日本泌尿器科学会(編)：夜間頻尿診療ガイドライン　第2版，p7，リッチヒルメディカル，2020 より一部改変〕

尿路感染症の有無，下部尿路の悪性腫瘍の有無，膀胱結石の有無，悪性腫瘍や治療に伴って生じた瘻孔の有無などを評価する．

　排尿機能の評価には専門的な尿流動態検査が必要になるが，泌尿器科医へのコンサルトが難しい状況では，排出障害の有無を判定の手がかりとして残尿量の測定を行う．残尿量の測定は超音波画像診断装置があれば簡便で低侵襲に行うことができる(**図1**)[2]．その他の方法として，排尿後導尿による残尿量測定があるが，患者の苦痛につながる可能性がある．注意点としては，残尿量はやや再現性に欠けるため，可能であれば複数回測定することが望ましい．

　残尿量が少なく頻尿を訴える場合には蓄尿障害が考えられ，100 mL を超える残尿の場合には排出障害が疑われる．多量の残尿を確認した場合には尿閉に伴う水腎症の合併も疑われるため，画像診断にて上部尿路も検索する．

治療

　薬物療法，非薬物療法ともに副作用や苦痛を伴う．メリット，デ

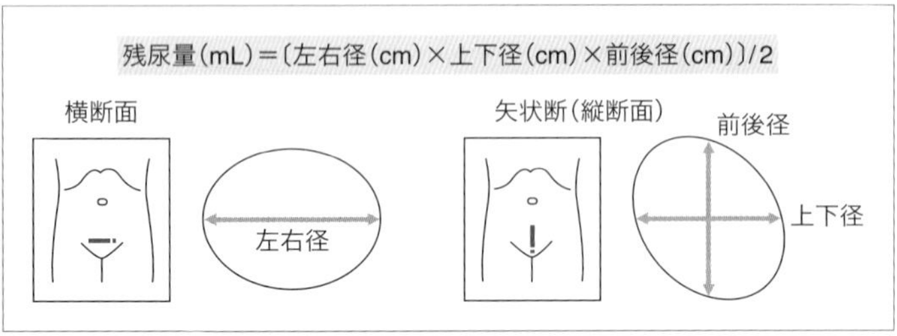
残尿量(mL)＝〔左右径(cm)×上下径(cm)×前後径(cm)〕/2
横断面
左右径
矢状断(縦断面)
前後径
上下径

図1　経腹超音波画像診断による残尿量測定法

〔日本泌尿器科学会(編)：男性下部尿路症状・前立腺肥大症診療ガイドライン．p82，リッチヒルメディカル，2017より〕

メリットと患者の希望などを勘案してマネジメントするべきである．

薬物治療

1)蓄尿障害

1 抗コリン薬★★★[2,4]

副交感神経の興奮が膀胱平滑筋へ伝達されることで膀胱は収縮する．抗コリン薬は副交感神経終末から放出されるアセチルコリンの膀胱平滑筋への結合を阻害することで効果を発揮する．便秘や口渇が出現することがあり，注意を要する．閉塞隅角緑内障には禁忌となっている．

高齢者の場合，抗コリン作用のある薬剤は認知機能の低下やせん妄のリスクがあるとされており，注意して用いる．

処方例　下記のいずれかを用いる．
1)オキシブチニン(ネオキシ®テープ)　1回73.5 mg(1枚)　1日1回　貼付
2)イミダフェナシン(ステーブラ®)　1回0.1 mg　1日2回　内服
3)フェソテロジン(トビエース®)　1回4 mg　1日1回　内服

2 β_3 刺激薬★★★[3]

膀胱の β_3 アドレナリン受容体に結合して，蓄尿期のノルアドレナリンによる膀胱の弛緩作用を増強し，膀胱容量を増大させる．重篤な心疾患を有する症例には注意を要する．生殖可能年齢への投与

は禁忌である．

> **処方例** 下記のいずれかを用いる．
> 1) ミラベグロン（ベタニス®）　1回 50 mg　1日1回　内服
> 2) ビベグロン（ベオーバ®）　1回 50 mg　1日1回　内服

3 抗うつ薬★5)

比較的弱い抗コリン作用と末梢でのノルアドレナリン再取り込み阻害作用と抗利尿作用があるとされている．しかし保険適用は小児の遺尿症であり，成人の頻尿に有効との報告はないとされている．

> **処方例**
> イミプラミン（トフラニール®）　1回 25 mg　1日1回　内服

2）排尿症状

1 α_1 遮断薬★★2)

前立腺と膀胱頸部の平滑筋緊張に関係する α_1 アドレナリン受容体を阻害して前立腺による閉塞の機能的要素を減少させ，症状を軽減させる．副作用に起立性低血圧，射精障害，鼻閉などがある．ただし α_1 遮断薬の保険適用はほとんどが前立腺肥大症であり，女性の排出障害に α_1 遮断薬を用いる場合はウラピジルを用いる．

> **処方例** 下記を用いる．女性では 2) のみに保険適用がある．
> 1) シロドシン（ユリーフ®）　1回 4 mg　1日2回　内服
> 2) ウラピジル（エブランチル®）　1回 15 mg　1日2回　内服

2 ホスホジエステラーゼ 5（PDE5）阻害薬★★★2)

サイクリック GMP（cGMP）は尿道の平滑筋を弛緩させる作用をもつ．PDE5 阻害薬は cGMP の分解を阻害し，結果的に尿道抵抗を減じ排尿症状を改善させる．併せて cGMP の血管拡張作用から下部尿路の血流増加も排尿症状の改善に寄与していると考えられている．副作用として頭痛や消化不良，筋肉痛などを認めることがある．使用にあたってはニトログリセリンなどの硝酸薬，一酸化窒素（NO）供与薬は併用禁忌（致死的低血圧の可能性がある）とされている．また保険適用上，尿流測定検査，残尿検査，前立腺超音波検査

などの診断に用いた検査名と実施日を摘要欄に記載することに注意が必要である

> **処方例**
> タダラフィル（ザルティア®）　1回5mg　1日1回　内服

❸コリン作動薬★[2)]

排尿筋低活動の場合に用いられることがあるが，高圧蓄尿，高圧排尿を誘発し水腎症などの上部尿路障害を起こす危険もあるため，安易に用いないほうがよい．パーキンソン症候群などを合併している場合には症状の増悪をきたす．

> **処方例**　下記のいずれかを用いる．
> 1) ジスチグミン（ウブレチド®）　1回5mg　1日1回　内服
> 2) ベタネコール（ベサコリン®）　1回10mg　1日3回　内服

非薬物療法

1) 蓄尿障害

夜間多尿が認められる場合は生活指導が有効なことがある．夜間の飲水過多，アルコール，カフェインの摂取の指導を行うことが効果的とされている[3)]．飲水を控えることによる脱水は脳梗塞のリスクを上昇させる可能性があるが，反対に過度の飲水による脳梗塞，虚血性心疾患の予防効果は明らかなエビデンスがないとされており，飲水指導時に患者へ説明することが必要である．その他塩分制限も有効とされ，RCTなどのエビデンスはないが，夕方から夜間の運動療法，下肢を挙上した30分以内の昼寝や弾性ストッキングの使用なども有効とされている★[3)]．

2) 排尿症状

薬物療法では改善が困難で残尿が多量の場合や，頻繁に尿閉となっている場合には，患者の苦痛の改善はもとより上部尿路の圧の上昇や感染尿の逆流による障害を未然に防止するため，膀胱留置カテーテルが必要になることがある．膀胱留置カテーテルの適応は，排尿動作そのものが困難な場合やケア提供者の負担などを考慮して決定するが，患者本人は排尿スタイルの変化に苦痛を感じることが

多いので施行に注意を要する．尿意がはっきりしない場合でも患者本人，もしくは介護者による定期的な開放が可能であれば，プラグによる管理ができ，バッグによる持続的な開放が必要ない場合もある．

患者によるカテーテル操作が可能な場合には，間欠的自己導尿も選択肢となる．膀胱留置カテーテルに比べて一般的には尿路感染のリスクは少ないとされており，排尿管理の自律性は高い．

尿テネスムス・膀胱部痛

定義・疫学

下腹部から恥骨上に出現する痛みや不快な症状でQOLを損なう．痛みを訴えるとは限らず，頻尿や持続する尿意などの症状となることもある．

病態

膀胱知覚は交感神経と体性神経を経由して中枢に伝えられる．骨盤神経から仙髄，下腹神経から腰髄に入力される．膀胱の上皮内がんや膀胱三角部への浸潤，尿道近傍への浸潤がある場合には，強い排尿時痛，膀胱刺激症状が出現する．がんと関連のない結石などの異物，膀胱留置カテーテルによる刺激，急性尿閉，感染症なども原因となる[1]．

評価・診断

痛みの状態を把握するために，下腹部の身体診察を行う．下腹部は緊満しているか，圧痛か自発痛か，どのような時に痛みが生じるのか(排尿に関連する痛みかどうか)を評価する．画像を用いて原因となる膀胱結石や，腫瘍浸潤，凝血塊などを確認する．排尿管理のために膀胱留置カテーテルを使用している場合，閉塞がないかも確認する．

治療

痛みがある場合はNSAIDsなどの非オピオイド鎮痛薬やオピオイドが用いられる[5]．膀胱留置カテーテル例での痛みには物理的な刺激を軽減する目的でより細径のカテーテルへの変更も有用なこと

が多いが,閉塞しやすいデメリットもある.

膀胱への腫瘍浸潤により膀胱刺激症状,排尿時痛が生じている場合は,がん疼痛治療に準じ内臓痛としての対処を行うが,骨盤内や後腹膜の腫瘍は侵害受容性疼痛と神経障害性疼痛が混合する場合があることに留意する.全身投薬以外の治療としては,上下腹神経叢ブロックも手段となる場合がある[6](「神経ブロック」参照➡ 116頁).

上部尿路閉塞

定義・疫学

何らかの原因で尿管より上部で閉塞を起こすことであり,腎盂内圧の上昇に伴い尿細管内の圧力が上昇し,糸球体濾過量が低下する.閉塞に伴って痛みや感染の原因となることもあり,対応は時に緊急を要する.

病態

尿路の悪性腫瘍や尿管近傍のリンパ節転移など,悪性疾患に伴うものや,放射線治療による炎症性の狭窄,悪性疾患と関連のない尿路結石,腎盂尿管移行部狭窄など,原因は様々である.下部尿路症状の項でも述べたが,下部尿路の閉塞に伴って両側の水腎症に発展することもある.

評価・診断

腎盂内圧が緩徐に上昇している場合は背部痛は生じにくく,骨盤や傍大動脈リンパ節転移などを有する症例では水腎症の有無を定期的にアセスメントすることが望ましい.

画像で上部尿路通過障害の原因を検索し,治療可能な原因であるかどうかを評価する.また,腎盂拡大の程度や腎実質の菲薄化の有無を評価する.短期間で閉塞が解除されれば,一般的には腎機能は可逆性と考えられる.しかし,放置すると腎実質の菲薄化を招き,無機能腎になる.また,すでに菲薄化が進行していれば,閉塞を解除しても腎機能は回復しない可能性がある.

治療

上部尿路通過障害に対する治療として，尿管ステント留置と腎瘻造設，手術療法がある．いずれも侵襲的な介入となるため，患者の予後や全身状態，意向を確認し検討する[1]．

尿管ステント

尿管の完全閉塞が考えられる場合や，留置に必要な膀胱鏡を行える姿勢を保持できない場合などは適応外になる．尿管ステント留置はカテーテルのセルフケアは必要ないが，膀胱鏡の操作は身体的苦痛を伴う場合がある．また，尿管ステントは長期留置に伴い結石付着や閉塞を起こすことがあり，定期的な交換が必要である．尿管ステント留置の際は，ステントの迷入を防ぐためにX線透視下に施行することが望ましい．近年金属製の尿管ステントも使用できるようになり，交換頻度の低減が期待できる．

尿管ステントのデメリットとして，尿管ステントの膀胱側のピッグテイルが膀胱を刺激するために頻尿や排尿時痛を生ずることがあり，患者のQOLを低下させる要因となりうる．また，尿管ステントはその構造上，膀胱からの尿の逆流を生じさせることになるため，感染尿が膀胱内に滞留している場合には上部尿路感染に留意する必要がある．

腎瘻造設

腎瘻造設は観血的処置であり，出血傾向の強い状況などでは禁忌となる．また，一般的には腹臥位での処置となるため，姿勢保持が可能な場合に限られる．

腎瘻造設は尿管ステント留置が困難な場合に行われることが多い．適応としては，腎機能の温存目的と閉塞性尿路感染症のドレナージ目的がある．腎機能の温存を目的にする場合には，腎実質の菲薄化が進行していないほうの腎臓を選択する．

腎瘻造設は体外にカテーテルを出す必要とセルフケアの必要があるため，治療にあたっては泌尿器科医と主治医が腎瘻の必要性と腎不全の予後について話し合い，患者の希望や全身状態，生命予後を勘案して方針を決定する．

手術療法

患者の全身状態や予後，意向によっては手術療法を選択することもある．尿管皮膚瘻や回腸導管が候補として挙がるが，侵襲度が高い対処法であり慎重に検討する必要がある．

▌参考文献

1) 日本緩和医療学会緩和医療ガイドライン委員会(編)：がん患者の泌尿器症状の緩和に関するガイドライン 2016 年版．金原出版，2016．
2) 日本泌尿器科学会(編)：男性下部尿路症状・前立腺肥大症診療ガイドライン．リッチヒルメディカル，2017．
3) 日本排尿機能学会, 日本泌尿器科学会(編)：夜間頻尿診療ガイドライン 第 2 版．リッチヒルメディカル，2020．
4) 日本排尿機能学会, 日本泌尿器科学会(編)：女性下部尿路症状診療ガイドライン 第 2 版．リッチヒルメディカル，2019．
5) 日本緩和医療学会ガイドライン統括委員会(編)：がん疼痛の薬物療法に関するガイドライン 2020 年版．金原出版，2020．
6) 日本緩和医療学会緩和医療ガイドライン委員会(編)：がん疼痛の薬物療法に関するガイドライン 2014 年版．金原出版，2014．

〈三浦剛史〉

28 【身体症状の緩和】 皮膚の問題

診療のコツ

❶皮膚の問題については，がん特有の病態もあり，一般的なアプローチでは十分な改善が得られない場合も多い．
❷命に関わる問題は多くないが，適切な処置をとらなければ患者のQOLが著しく低下する場合もある．
❸適宜，皮膚科医と連携し皮膚の状態の観察をおろそかにしないこと．

＊リンパ浮腫については「浮腫」参照(➡ 190頁)．

体表に浸潤した腫瘍性病変

定義・疫学

皮膚に浸潤する原発性または転移性腫瘍は，しばしば皮膚の外側方向に進展しキノコ状に増大する(fungating malignant wounds：FMW)．FMWは一部が壊死し，崩れて空洞になった部分をもち，痛み，瘙痒感(➡ 294頁)，滲出液，悪臭，出血(➡ 230頁)などの症状によって，患者のQOLを低下させる．また，臭気やボディイメージの変化のため，精神的苦痛も伴う．特に，乳がんや頭頸部がん，肺がんの患者において問題となることが多い．

病態・治療

FMWによる悪臭・滲出液の病態は，腫瘍の局所壊死およびその部位における嫌気性菌の感染などである．(可能な範囲での)壊死組織の除去および感染コントロール，乾燥の防止が対策の要となる．不快な臭いを少しでも減らし，滲出液をコントロールし周囲の健常皮膚への影響を防ぐことも重要である．

また放射線治療や外科的治療(壊死組織のデブリドマンを含む)，ホルモン療法や化学療法などが可能かどうかについても，必ず検討

する.

悪臭・滲出液への対応

薬物療法としてはメトロニダゾール(ロゼックス® ゲル 0.75%)の局所塗布が選択肢となる.プラセボ対照の小規模な RCT では,有意差は示せていないものの,メトロニダゾールの使用が有効な傾向であった[1].

非薬物療法として,まずは出血しない範囲で十分に洗浄をすること.また臭気を吸着する活性炭により,臭気を少なくできる場合がある.市販の活性炭シートを腫瘍部のガーゼの上に置き,室内に活性炭を設置する.十分な換気や空気清浄機も有効な場合がある.香水などを使用して悪臭を抑えようとするのは逆効果になることが多い.

滲出液による周囲の皮膚の炎症を防ぐために,ワセリンなどによる保護や高吸収ポリマーが含まれるパッドにて,腫瘍をパッキングするなどのケアを行う.

モーズペースト

モーズペーストは,主成分の塩化亜鉛が潰瘍面の水分によってイオン化し,亜鉛イオンの蛋白凝集作用によって,腫瘍や腫瘍血管を硬化・壊死させる軟膏である.皮膚表面に浸潤した悪性腫瘍の悪臭や出血,滲出液のコントロール目的に使用する[2,3].

> **処方例** 院内製剤となるので作り方は各施設で相談すること.
> 塩化亜鉛 100 g+精製水 50 mL+亜鉛華デンプン 50 g+グリセリン 10 mL

1)調製例

① ビーカーに塩化亜鉛と精製水を少しずつ溶解して,塩化亜鉛飽和水溶液を作る.
② 乳鉢に亜鉛華デンプンと①の水溶液を少しずつ入れ,乳棒で混和させる(大きなダマにならないよう注意).
③ 完全に混ざったらグリセリンを少量ずつ加え,よく混ぜ合わせる.
＊亜鉛華デンプンを増やせば硬くなり,グリセリンを加えると軟ら

かくなるので，患者の病態・使用部位などで量を調整する．

2)注意点

モーズペーストは腐食性があるため，扱う際は必ず手袋を着用する．患者の健常皮膚に付着すると皮膚障害を起こすため，マニキュアやワセリンなどで周辺皮膚を保護してから処置したり，ペーストの固さを調整したりして，腫瘍外にみだりに流れないように工夫する．潰瘍部分が深い病変では，モーズペーストの使用により痛みを誘発する場合があるので，基本的に使用しない．

化学療法に伴う皮膚症状

化学療法による皮膚の副作用としては，手足症候群(hand-foot syndrome：HFS)の他，抗EGFR抗体薬による皮膚障害や爪囲炎，また免疫チェックポイント阻害薬による皮膚障害など多様かつ頻度が高い．本項ではこのうち，HFSについて概説する．

定義・疫学

HFSは薬剤によって生じる副作用のうち，手と足に限局して生じる一連の皮膚障害である．薬剤としては殺細胞性抗がん剤としてフッ化ピリミジン系薬剤(カペシタビンなど)，タキサン系薬剤(ドセタキセルなど)，リポソーマルドキソルビシン，また分子標的薬としてはキナーゼ阻害薬(レゴラフェニブ，スニチニブなど)などがある．発症頻度は薬剤や用量によって様々な報告があるが，一般に用量依存性に高頻度・重症化する．例えばカペシタビン 2,000 mg/m^2/日の用量で，HFSの発症頻度が30％との報告がある[4]．一方，分子標的薬では発症に人種間格差があることが報告されており，レゴラフェニブでは日本人で80％，非日本人では42％であった[5]．

病態

発症機序は不明であるが，殺細胞性抗がん剤では薬剤のエクリン腺への取り込み(手足はエクリン腺が多い)，代謝酵素の分布によるものなど，また分子標的薬ではその作用機序から正常な血管修復機能も妨げられ，運動負荷のかかりやすい手足における障害治癒遅延が原因の可能性などが指摘されている[6〜8]．

症状

　主な症状は，手足に限局した発赤，痛み，腫脹，過角化，水疱，びらんなどである．また前述の作用機序によるためか，殺細胞性抗がん剤と分子標的薬によるHFSの症状は異なる．殺細胞性抗がん剤によるHFSは全体的にピリピリするしびれや痛みから始まり，手掌全体が発赤・腫脹し，時に指紋が消失する．重症化すると関節部に亀裂が生じたり，水疱形成を伴ったりして，強い痛みを訴えるようになる．爪の変形や混濁も頻度が高く，重症化すると爪が脱落する場合もある．一方で，分子標的薬によるHFSでは限局性で角化傾向が強いという特徴がある．重症化すると手足全体の発赤・腫脹および皮膚の一部分に限局した水疱形成を生じる．

治療

　HFSに対して確立された治療法は存在せず，休薬および手足の安静が主となる．経験的な局所療法として，保湿薬(ヒルドイド®)を用いたケアを行い，過角化に対しては尿素含有軟膏を用いる(刺激感があるため事前に説明が必要)．発赤の増悪や皮膚亀裂を生じた場合はvery strongクラスのステロイド外用薬を併用する．それでも改善に乏しい場合は，皮膚科専門医に相談するとともに，がん治療医に対し休薬や減量を提案するべきである．

　発症の予防が第一に重要であり，刺激の除去(窮屈な靴，過度な運動，熱い風呂などを避ける)および手足の保護(手袋や靴の中敷き，厚手の靴下などの日常的な使用)，角質肥厚の除去が勧められる[9]．治療前に湿疹や白癬が認められる場合は，事前に皮膚科医に相談して治療を開始してもらう．

■参考文献

1) Bower M, et al：A double-blind study of the efficacy of metronidazole gel in the treatment of malodorous fungating tumours. Eur J Cancer 28A：888-889, 1992.(PMID：1524917)
2) 大井裕子, 他：緩和ケア領域におけるMohsペーストの有用性―出血コントロールの観点から. Palliat Care Res 4：346-350, 2009.
3) 重山昌人, 他：各種疾患に対する特殊院内製剤設計と臨床応用―手術不能例に対するchemosurgical treatmentへの参画. 医薬ジャーナル41：2289-2294, 2005.
4) Cassidy J, et al：Randomized phase Ⅲ study of capecitabine plus oxaliplatin compared

with fluorouracil/folinic acid plus oxaliplatin as first-line therapy for metastatic colorectal cancer. J Clin Oncol 26：2006-2012, 2008.(PMID：18421053)

5) Yoshino T, et al：Randomized phase Ⅲ trial of regorafenib in metastatic colorectal cancer：analysis of the CORRECT Japanese and non-Japanese subpopulations. Invest New Drugs 33：740-750, 2015.(PMID：25213161)

6) Tsuboi H, et al：A case of bleomycin-induced acral erythema(AE)with eccrine squamous syringometaplasia(ESS)and summary of reports of AE with ESS in the literature. J Dermatol 32：921-925, 2005.(PMID：16361756)

7) Milano G, et al：Candidate mechanisms for capecitabine-related hand-foot syndrome. Br J Clin Pharmacol 66：88-95, 2008.(PMID：18341672)

8) Lacouture ME, et al：Evolving strategies for the management of hand-foot skin reaction associated with the multitargeted kinase inhibitors sorafenib and sunitinib. Oncologist 13：1001-1011, 2008.(PMID：18779536)

9) McLellan B, et al：Regorafenib-associated hand-foot skin reaction：practical advice on diagnosis, prevention, and management. Ann Oncol 26：2017-2026, 2015.(PMID：26034039)

（西　智弘）

29 【身体症状の緩和】
瘙痒感

診療のコツ

1. 瘙痒感の原因は，皮膚のみではなく，全身性の原因も見逃さないようにする．
2. 十分な評価なしに，漫然と抗ヒスタミン薬投与に終始しない．
3. 薬物療法に加えて，スキンケア，身体の温めすぎなどの刺激回避，ストレス軽減などの非薬物療法も効果がある．

定義・疫学

瘙痒感とは「かきむしりたくなる衝動を引き起こす不快な感覚」と定義される．緩和ケアを受けている患者にとって，重篤な瘙痒感の罹患率はあまり高くはないものの，瘙痒感はかなりの不快感を引き起こし，患者のQOLに影響を及ぼす．

病態・評価・診断

瘙痒感の刺激は，上皮および真皮-上皮接合部を起源とし，瘙痒感に選択的なC線維を通じて，脊髄-視床-大脳皮質に投射される．この神経線維のなかには，ヒスタミン感受性神経線維もあるが，ヒスタミン以外の物質や刺激に感受性をもつ神経線維が大半であり，瘙痒に関するケミカルメディエーターにはヒスタミンの他，セロトニン(5HT)，オピオイド，プロテアーゼ，ブラジキニン，サブスタンスP，エンケファリンなどがある．

瘙痒感の原因は，皮膚病変のあるものとないものに大別される．

1) 皮膚病変のあるもの

アトピー性皮膚炎，接触皮膚炎，蕁麻疹，乾癬，疥癬，乾燥など．

2) 皮膚病変のないもの

1. 全身性疾患：尿毒症，黄疸，甲状腺機能亢進症，血液疾患(リンパ腫，真性多血症など)，HIV感染症．
2. 神経障害性：多発性硬化症，脳腫瘍，ヘルペス後神経障害．

❸心因性：強迫性障害，薬物乱用．

　瘙痒感の評価には，詳細な病歴・身体所見が重要である．特に，瘙痒部分の皮膚病変の有無の確認は重要である．その他，瘙痒感をきたす全身性疾患を示唆する所見（黄疸など）の確認や薬剤歴の確認も重要である．あわせて，全身性疾患の確認のため血液検査で腎機能・肝機能・甲状腺機能・血算などをスクリーニングする．

治療

原因治療

　瘙痒感の原因となっている病態の除去が可能であれば検討する（例：減黄処置，甲状腺機能亢進症の治療，リンパ腫への治療など）．

局所治療

①保湿・スキンケア（皮膚の乾燥を防ぐ）．
②カプサイシン軟膏，メントール（ハッカ油に含まれる）塗布．
③（炎症性の皮膚疾患がある場合）コルチコステロイド．

全身治療

1) 皮膚病変がある場合：抗ヒスタミン薬

　ヒスタミン受容体へのヒスタミンの結合を阻害することで瘙痒感を改善する．蕁麻疹など皮膚病変がある瘙痒感の場合，皮膚マスト細胞からのヒスタミン放出が関与している場合が多く，抗ヒスタミン薬は効果的である．しかし皮膚病変がない瘙痒感では，他のケミカルメディエーターの関与が大きく，抗ヒスタミン薬は有効ではない場合が多い．

> **処方例**　下記のいずれかを用いる．
> 1) クロルフェニラミン（ポララミン®）　1回2mg　1日4回　内服
> 2) オロパタジン（アレロック®）　1回5mg　1日2回　内服

2) 原発性の皮膚疾患のないもの

　瘙痒感の発生にヒスタミンが重要な役割を果たしておらず皮膚病変がないものに対しては，抗ヒスタミン薬の効果は乏しい．

❶選択的オピオイドκ受容体作動薬★★

　選択的オピオイドκ受容体作動薬であるナルフラフィンは，尿毒

症，黄疸を伴った肝疾患による瘙痒感を改善し，副作用もほとんどなかったことが示されている[1,2]．

> **処方例**
> ナルフラフィン（レミッチ®）　1回2.5〜5μg　1日1回　内服

2 セロトニン阻害作用

セロトニンは幅広く瘙痒感の発生・増強に関与している．そのため，セロトニンの効果を抑える選択的セロトニン再取り込み阻害薬（SSRI），ノルアドレナリン作動性・特異的セロトニン作動性抗うつ薬（noradrenergic and specific serotonergic antidepressant：NaSSA），セロトニン（5HT$_3$）受容体拮抗薬などが使用され，黄疸や薬剤性などの瘙痒感に効果を示す報告がある[3〜5]．

> **処方例**　下記のいずれかを用いる．
> 1) パロキセチン（パキシル®）　1回5〜10mg　1日1回　内服
> 2) ミルタザピン（リフレックス®）　1回7.5〜15mg　1日1回　眠前内服

3 ガバペンチノイド（Ca^{2+}チャネル α$_2$δリガンド）

ガバペンチンやプレガバリンは尿毒症による瘙痒感などに対する効果が報告されている[6,7]．

> **処方例**　下記のいずれかを用いる．
> 1) ガバペンチン（ガバペン®）　1回200mg　1日3回　内服
> 2) プレガバリン（リリカ®）　1回50〜75mg　1日1回　内服

その他のケア

① 身体の温めすぎや刺激を防ぐ．
② ストレスを溜めない（瘙痒感の感受性を下げる）．

▌参考文献

1) Kumagai H, et al：Effect of a novel kappa-receptor agonist, nalfurafine hydrochloride, on severe itch in 337 haemodialysis patients：a phase Ⅲ, randomized, double-blind, placebo-controlled study. Nephrol Dial Transplant 25：1251-1257, 2010.（PMID：19926718）
2) Kumada H, et al：Efficacy of nalfurafine hydrochloride in patients with chronic liver

disease with refractory pruritus：a randomized, double-blind trial. Hepatol Res 47：972-982, 2017.(PMID：27753159)

3) Zylicz Z, et al：Paroxetine in the treatment of severe non-dermatological pruritus：a randomized, controlled trial. J Pain Symptom Manage 26：1105-1112, 2003.(PMID：14654262)

4) 荒木裕登，他：終末期がん患者の掻痒感にミルタザピンが有効であった1例．Palliat Care Res 7：510-513，2012．

5) 西智弘，他：パロキセチン無効の掻痒に対しミルタザピンが著効した1例．Palliat Care Res 7：556-561，2012．

6) Nofal E, et al：Gabapentin：a promising therapy for uremic pruritus in hemodialysis patients：a randomized-controlled trial and review of literature. J Dermatolog Treat 27：515-519, 2016.(PMID：27043168)

7) Shavit L, et al：Use of pregabalin in the management of chronic uremic pruritus. J Pain Symptom Manage 45：776-781, 2013.(PMID：22819436)

8) Song J, et al：Pruritus：progress toward pathogenesis and treatment. Biomed Res Int 2018：9625936, 2018.(PMID：29850592)

9) Nowak DA, et al：Diagnosis and treatment of pruritus. Can Fam Physician 63：918-924, 2017.(PMID：29237630)

10) Yosipovitch G, et al：Clinical practice. Chronic pruritus. N Engl J Med 368：1625-1634, 2013.(PMID：23614588)

〔田中佑加子〕

30 【身体症状の緩和】 緩和的放射線療法

診療のコツ

❶放射線治療は，物理的DDS(ドラッグ・デリバリー・システム)抗がん剤である．治療効果・副作用を局所に限定できる．症状を伴う腫瘍なら，いつでも，どこでも，治療適応となる．

❷がん疼痛の緩和を目的とした単回照射(8 Gy/1 Fr)と，他の分割照射(20 Gy/5 Fr，30 Gy/10 Fr)で初期の疼痛緩和効果は変わらない．線量が多いほど効果持続期間が長くなることが期待できる．脊椎転移で脊髄圧迫を伴う場合，減圧術も検討に加える．

❸高精度放射線治療装置の発達により，治療効果を高めながらのリスク制御が可能となった．臓器ごとの線量，照射体積を参照し，リスクを評価する必要がある．

❹放射線治療施設の情報が重要である．放射線治療医との綿密な連絡体制が望まれる．

放射線治療には外照射と内照射がある．外照射には，直線加速器を使ったX線治療，粒子線治療などがある．

内照射には^{89}Sr(メタストロン®)などを用いる小線源治療があるが，メタストロン®は2019年に製造中止となり利用できなくなった．

作用機序

放射線で直接・間接的にDNA鎖切断を起こすことで，抗腫瘍効果が得られる．

炎症細胞から放出されるサイトカインの抑制などの機序で，疼痛緩和効果は，抗腫瘍効果より早期に得られると考えられている．

適応

効果発現まで数週間かかるため，予後予測が重要であり，治療に際しては全身状態(PS)を考慮する．がん患者において，呼吸困難

や痛みなどの身体症状により姿勢保持が困難な場合があり，放射線治療医とよく相談する．

治療

例として，脳・神経の耐容線量を**表1**[1]に示す．

骨転移に対する放射線治療 ★★★

根治ではなく，痛みをとることが第1目標であり，荷重骨に関しては治療後の骨硬化による骨折予防を期待する場合もある．多発転移の場合は，荷重骨への治療を優先する．放射線治療で早期に骨強度が増すわけではないため，骨折予防措置（免荷，固定術，転倒防止策）を十分に行う．骨折した場合，QOLは極端に低下することになる．

骨転移による疼痛緩和を目的とした放射線照射には，単回照射（8 Gy/1 Fr）と，分割照射（20 Gy/5 Fr，30 Gy/10 Fr）がある．疼痛緩和効果は同等であるとされているが，長期の報告によれば，単回照射では痛みが再燃しやすく再照射が必要になる場合がある．長期予後が望める場合には分割照射を行うことが望ましい[2,3]．

1）効果

外照射での1か月以内の完全疼痛緩和は1/4～1/2程度である．緩和期間の中央値は12週との報告がある[4,5]．

脊髄圧迫に対する放射線治療 ★★

脊髄圧迫のリスクが高い場合には放射線治療の適応となる．脊髄圧迫症状を伴う脊椎転移では，除圧術＋放射線治療のほうが放射線治療単独より歩行機能維持に優れていたとの報告もあり，除圧術が可能であれば検討する必要がある[6]．

脳転移に対する放射線治療 ★★★

単発の脳転移病変に対しては，定位放射線治療（stereotactic radiotherapy：SRT）や定位手術的照射（stereotactic radiosurgery：SRS）の適応となる．大きな腫瘍，あるいは高リスク部位では分割照射のSRTが選ばれることがある．

SRSでは，予後が期待できる場合に全脳照射を追加する場合もあるが，一方で晩期症状として高次脳機能障害が懸念されるため，その適応は慎重に判断する必要がある[7,8]．多発脳転移の場合には，

表1 通常分割照射における正常組織の耐容線量(脳・神経)

	体積	TD 5/5(5年間で5%に副作用を生ずる線量)			TD 50/5(5年間で50%に副作用を生ずる線量)			判定基準
		1/3	2/3	3/3	1/3	2/3	3/3	
脳		60 Gy	50 Gy	45 Gy	75 Gy	65 Gy	60 Gy	壊死,梗塞
脳幹		60 Gy	53 Gy	50 Gy	—		65 Gy	壊死,梗塞
視神経		50 Gy	体積効果なし		—		65 Gy	失明
視交叉		50 Gy	体積効果なし		65 Gy	体積効果なし		失明
脊髄		5 cm	10 cm	20 cm	5 cm	10 cm	20 cm	脊髄炎,壊死
		50 Gy		47 Gy	70 Gy		—	
馬尾神経		60 Gy	体積効果なし		75 Gy	体積効果なし		臨床的に明らかな神経損傷
腕神経叢		62 Gy	61 Gy	60 Gy	77 Gy	76 Gy	75 Gy	臨床的に明らかな神経損傷
水晶体		10 Gy	体積効果なし		—		18 Gy	手術を要する白内障
網膜		45 Gy	体積効果なし		—		65 Gy	失明

(Emami B, et al:Tolerance of normal tissue to therapeutic irradiation. Int J Radiat Oncol Biol Phys 21:109-122, 1991より.日本放射線腫瘍学会のwebサイトで日本語表記が参照できる)

予防的に全脳照射が適応となるが,症状もなく予後が見込めない場合はPSを考えて実際に照射を行うかは十分に考慮する必要がある.

全脳照射の放射線治療の標準は,30 Gy/10 Frである.症例により線量増加,あるいは短期照射を検討する.

腫瘍出血に対する放射線治療 ★

悪性腫瘍(直腸がん,胃がん,子宮がん,膀胱がん,皮膚浸潤など)では,1/2~3/4に症状の改善がみられる.

1)効果

胃がんについては,再出血までの中央値が1.5~3か月とする報告がある[9,10].

再照射についての検討 ★★

　治療効果，リスクについて十分に配慮し，放射線治療医とともによく検討する必要がある．施設によっては，定位照射，強度変調放射線治療(intensity modulated radiation therapy：IMRT)などで，リスク臓器を避けて再照射を行うこともある．再照射では単回照射も有効になりうる[11]．

副作用

　悪心・嘔吐，下痢，皮膚炎，粘膜炎，倦怠感が生じた場合，急性期は対症療法を行う．晩期症状として，脳への照射では認知機能障害を，腹部照射では放射線腸炎をそれぞれ合併することがある．

■参考文献

1) Emami B, et al：Tolerance of normal tissue to therapeutic irradiation. Int J Radiat Oncol Biol Phys 21：109-122, 1991.(PMID：2032882)
2) Lutz S, et al：Palliative radiation therapy for bone metastases：update of an ASTRO Evidence-Based Guideline. Pract Radiat Oncol 7：4-12, 2017.(PMID：27663933)
3) 日本放射線腫瘍学会(編)：放射線治療計画ガイドライン2020年度版．金原出版，2020.
4) Tong D, et al：The palliation of symptomatic osseous metastases：final results of the Study by the Radiation Therapy Oncology Group. Cancer 50：893-899, 1982.(PMID：6178497)
5) Yarnold JR：8 Gy single fraction radiotherapy for the treatment of metastatic skeletal pain：randomised comparison with a multifraction schedule over 12 months of patient follow-up. Bone Pain Trial Working Party. Radiother Oncol 52：111-121, 1999.(PMID：10577696)
6) Patchell RA, et al：Direct decompressive surgical resection in the treatment of spinal cord compression caused by metastatic cancer：a randomised trial. Lancet 366：643-648, 2005.(PMID：16112300)
7) Aoyama H, et al：Stereotactic radiosurgery plus whole-brain radiation therapy vs stereotactic radiosurgery alone for treatment of brain metastases：a randomized controlled trial. JAMA 295：2483-2491, 2006.(PMID：16757720)
8) Brown PD, et al：Effect of radiosurgery alone vs radiosurgery with whole brain radiation therapy on cognitive function in patients with 1 to 3 brain metastases：a randomized clinical trial. JAMA 316：401-409, 2016.(PMID：27458945)
9) Hashimoto K, et al：Palliative radiation therapy for hemorrhage of unresectable gastric cancer：a single institute experience. J Cancer Res Clin Oncol 135：1117-1123, 2009.(PMID：19205735)
10) Asakura H, et al：Palliative radiotherapy for bleeding from advanced gastric cancer：is a schedule of 30 Gy in 10 fractions adequate? J Cancer Res Clin Oncol 137：125-130,

2011.(PMID：20336314)
11) Chow E, et al：Single versus multiple fractions of repeat radiation for painful bone metastases：a randomised, controlled, non-inferiority trial. Lancet Oncol 15：164-171, 2014.(PMID：24369114)

（山本昌市）

31 【身体症状の緩和】
Interventional Radiology（IVR）

診療のコツ

❶ IVR は低侵襲治療で，患者の負担なく施行することができる．積極的に IVR 医に相談する．
❷「様子を見る」は往々にして「後手に回る」と同義である．IVR に限らず使える手段はすべて適応判断したうえで，タイミングを見極めて施行する．
❸ この項で扱っていない IVR がたくさんある．困った事態が起きた時は IVR 医にも声をかける．

症状緩和に interventional radiology（IVR）は非常に有用なツールであり，様々な手法があるが代表的なものを以下に紹介する．困難な状況があった際には IVR 医を巻き込んで診療を行うことをお勧めする．

経皮的椎体形成術（PVP）（図1）

経皮的椎体形成術（percutaneous vertebroplasty：PVP）は有痛性椎体転移に対する疼痛緩和治療である．病巣部に刺入した骨生検針より短時間で硬化する骨セメント製剤を注入する．

適応

胸椎，腰椎，仙椎など塊状骨の比較的限局した有痛性転移が適応となる．経験的に NRS 6 以上を適応とすることが多い．痛みが弱い場合，改善幅が小さく効果に乏しい印象である．

脊柱管内進展や著明な圧潰がある場合，適応外とすることが多い．また，骨外腫瘤を形成するものは効果が得られにくい．硬化性転移は針が刺入できず，技術的に困難である．

手技

手術時間は 30 分〜1 時間程度であるが，少なくともこの時間は腹臥位で安静を保持できる必要がある．局所麻酔下に CT や X 線透視ガイド下で椎弓を経由して椎体病巣部に骨生検針を刺入する．

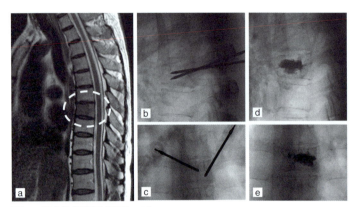

図1　経皮的椎体形成術（PVP）

a：術前 MRI（T2WI 矢状断）．第9胸椎腹側に低信号となる転移巣を認める．
b, c：穿刺時X線透視（b：側面像，c：正面像）．両側椎弓を経由して，11 G骨生検針を病巣に穿刺している．
d, e：PVP後X線透視（d：側面像，e：正面像）．椎体病巣部に一致して骨セメント製剤が注入されている．

刺入後，骨生検針から液状の骨セメント製剤を数 mL 程度注入する．骨セメント製剤は20分ほどで硬化するため，注入後，骨生検針は速やかに抜去する．

術後2時間程度の床上安静とする．

効果

手技成功率100%，有効率70%，平均効果発現時間2.4日と報告されている[★1]．経験的に，有効例では痛みがペインスケールで30～40%になる．

有害事象

椎体内から骨セメント製剤が漏れ出す，いわゆる「セメントリーク」に起因する合併症がある．脊柱管に漏出すると下肢麻痺を生じうる．骨外や静脈内への流入もみられるが，多くは無症状である．また骨粗鬆症がある場合，続発性圧迫骨折が20%にみられる．

大静脈ステント（図2）

上大静脈（SVC），下大静脈（IVC）の急性閉塞は，静脈還流障害により様々な重篤な症状を引き起こす．上大静脈症候群では，皮膚が

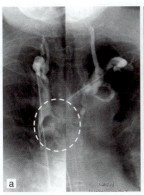
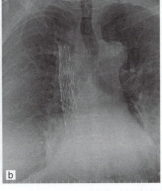

図2 大静脈ステント
a：左右腕頭静脈造影．SVC で閉塞し血流が停滞している．圧較差は 30 cmH$_2$O ほどであった．
b：ステント留置後．SVC 閉塞部に一致してステントが留置されている．ステント留置後，血流は良好で圧較差は 6 cmH$_2$O であった．

緊満し開眼できないほどの上半身の浮腫，咽頭浮腫による呼吸障害，脳浮腫による錯乱を生じうる．下大静脈症候群では，下半身の高度の浮腫，うっ血性腎機能障害・肝機能障害，腹水を生じうる．これらの症状緩和のため，閉塞部の大静脈にステント挿入を行い，血流を正常化する．

適応

SVC または IVC の狭窄・閉塞があり，高度の浮腫を伴うなど何らかの症状があるものを適応とする．急性発症の症例がよい適応である．緩徐な経過で症状が軽微な場合は，放射線治療のほうが適切かもしれない．術前には造影 CT で評価を行い，閉塞より末梢の静脈内に血栓がないことを確認する必要がある．ステント留置後に間質にうっ滞していた水が還流するため，呼吸機能，心機能，腎機能がある程度保たれている必要がある．また，無治療のリンパ腫など化学療法が著効する可能性があるがん腫には，化学療法を先行し，そのうえで適応を判断する．

手技

頸静脈もしくは大腿静脈よりカテーテルを挿入し，狭窄部を突破

してステントを留置する．閉塞部が IVC であれば頸部から，SVC であれば鼠径部からのアプローチが推奨される．手技時間は 1 時間以内で局所麻酔下に施行できるが，呼吸困難の状況により必要に応じて鎮静も考慮する．狭窄前後の圧較差が 5 cmH_2O 以下では側副血行路が高度に発達し，ステント留置による症状改善は限定的である場合が多い．急性症状をきたしている症例では圧較差は 20 cmH_2O 以上のことが多く，ステント留置後 5 cmH_2O 程度に改善させることを目標にしている．

ステント留置後の抗血栓療法の施行の是非については，データがなく議論のあるところである．筆者はステントの拡張が良好であれば使用していない．

効果

手技成功率 96.4〜100％，対照群と比較し症状スコアは有意に改善し，効果発現は 1 日で認められると報告されている★★[2]．上大静脈症候群であれば，経験的には 30 分以内に呼吸困難や顔面浮腫の改善がみられる．

有害事象

CTCAE Grade 3 以上の有害事象は 14.3％に認められ，肺血栓塞栓症，呼吸困難，消化管出血などが報告されている[2]．

経皮経食道胃管挿入術（PTEG）（図3）

終末期の患者に挿入されたチューブは，症状コントロールのために最期まで抜去できない可能性がある．これらのチューブによる苦痛は決して無視できるものではなく，経鼻胃管はその最たるものである．

経皮経食道胃管挿入術（percutaneous trans-esophageal gastro-tubing：PTEG）は，左頸部から直接食道に瘻孔を作成し胃管を挿入する方法で，顔からチューブをなくすことができる非常に優れた方法である．積極的に利用されたい．

適応

長期留置の胃管やイレウス管が必要で，左頸部に病変がなく，凝固能が保たれている患者が適応となる．経鼻胃管であっても短期での抜去が見込める症例は適応としない．胃瘻の禁忌例（腹水がある，

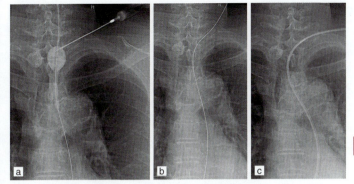

図3 経皮経食道胃管挿入術(PTEG)のX線透視画像
a：頸部食道内の非破裂型バルーンを左頸部から穿刺している．
b：左頸部から食道へのルートをガイドワイヤーで確保している．
c：左頸部から胃まで胃管を挿入後．

胃に病変があるなど)はPTEGの適応となり，胃瘻とPTEGは相補的な関係にある．

手技

専用キットが市販されており，これを用いることで技術的に容易に行うことができる．

まず，経鼻的に頸部食道に非破裂型バルーンカテーテルを挿入し，拡張させることで頸部食道の穿刺が容易になる．穿刺は超音波ガイド下に甲状腺や頸動静脈に注意しながら左頸部から行う．食道へのルートが確保できたら，ルートを拡張し胃管を挿入する．

効果

手技成功率100％，臨床的有効率91％，平均手術時間28.5分と報告されている[3]．

有害事象

頸部穿刺に伴う，甲状腺穿刺，動脈損傷・出血，気管損傷，縦隔炎などが報告されているが，重篤な有害事象はまれで，minor complicationは23.5％に認められたと報告されている[4]．

腫瘍出血に対するカテーテル的止血術(図4，5)

一口に腫瘍出血といっても，腫瘍浸潤による血管破綻もあれば，

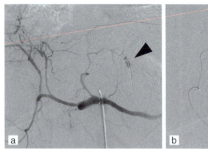
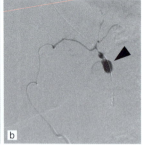

図4　血管破綻(胃がん出血例)
a：腹腔動脈造影．左胃動脈末梢に血管外漏出像(矢頭)を認める．
b：左胃動脈造影．末梢の血管外漏出(矢頭)を明瞭に認める．完全な止血が得られた．

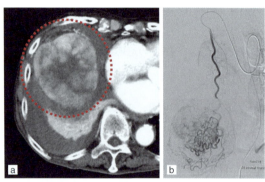

図5　腫瘍破裂(胸腔内平滑筋肉腫破裂例)
a：造影CT．巨大な腫瘤(点線円)と血性胸水を認める．
b：右内胸動脈造影．栄養動脈はこの内胸動脈1本だったため，完全に止血することができた．

腫瘍破裂による出血もあり，様々である．そして，止血方法も効果も有害事象も状況によって大きく異なる．

適応

腫瘍浸潤による動脈破綻は，出血点のみの塞栓ですむことから，比較的効果が得やすく有害事象も少なくすむことが多い．そのため積極的にIVRでの止血を検討する．

静脈性出血は，出血部位の同定が困難で，同定できても技術的に止血が困難な場合も多く，断念せざるを得ないことも少なくない．

　また，腫瘍破裂による出血は，腫瘍に分布するすべての血管の血流を遮断する必要があり，技術的に不可能であったり，周囲の正常臓器の虚血が避けられず，施行不能である場合もある．

　いずれの場合にも，患者にとっての有益性と技術的な実行可能性，有効性，見込まれる有害事象を天秤にかけて，個々に判断されるべきものと考える．

手技

　一般の血管塞栓術に準じて行う．塞栓物質も出血の状況によって様々なものが使い分けられる．血管破綻であれば金属コイルやゼラチン製剤，腫瘍破裂による出血であればゼラチン製剤や球状塞栓物質が使用されることが多い．

有害事象

　周辺臓器の虚血や機能不全，血腫による炎症や電解質異常，腫瘍壊死による腫瘍崩壊症候群などが起こりうる．また，高率に再出血がみられ，厳重な経過観察が必要である．

参考文献

1) Kobayashi T, et al：Phase Ⅰ/Ⅱ clinical study of percutaneous vertebroplasty (PVP) as palliation for painful malignant vertebral compression fractures (PMVCF)：JIVROSG-0202. Ann Oncol 20：1943-1947, 2009. (PMID：19570963)
2) Takeuchi Y, et al：Evaluation of stent placement for vena cava syndrome：phase Ⅱ trial and phase Ⅲ randomized controlled trial. Support Care Cancer 27：1081-1088, 2019. (PMID：30112721)
3) Aramaki T, et al：A randomized, controlled trial of the efficacy of percutaneous transesophageal gastro-tubing (PTEG) as palliative care for patients with malignant bowel obstruction：the JIVROSG0805 trial. Support Care Cancer 28：2563-2569, 2020. (PMID：31494734)
4) Oishi H, et al：A nonsurgical technique to create an esophagostomy for difficult cases of percutaneous endoscopic gastrostomy. Surg Endosc 17：1224-1227, 2003. (PMID：12739113)

〈荒井保典〉

32 【精神症状の緩和】不眠

診療のコツ

❶ 不眠の誘因を検索し，その改善にまず努める．これらをせずに安易な睡眠薬使用は行わない．
❷ 介入は睡眠衛生指導を基本とし，必要に応じて薬物療法を考慮する．
❸ 薬物療法の前には，せん妄のリスク，転倒のリスク，呼吸状態，代謝排泄機能（肝・腎機能など），併用薬などを評価する．
❹ 薬剤選択においては，不眠のパターンと薬剤の血中濃度半減期や効果発現時間などを考慮するが，安全性の観点から最近では，まずメラトニン受容体作動薬やオレキシン受容体拮抗薬を使用することも増えている．
❺ 睡眠薬で効果が不十分な場合やせん妄のリスクが高い場合は，抗うつ薬や抗精神病薬などの使用も考慮する．

定義・疫学

「不眠障害」は，DSM-5（Diagnostic and Statistical Manual of Mental Disorders, 5th edition）において睡眠-覚醒障害群に分類される．睡眠の量または質の不満に関する顕著な訴えがあり，①入眠困難，②頻回の覚醒，または覚醒後に再入眠できない，③早朝覚醒があり再入眠できない，といった不眠症状の1つ（あるいはそれ以上）を伴っていることに加えて，これらの症状によって，臨床的に意味のある苦痛，または社会的，職業的，教育的，学業上，行動上，または他の重要な領域における機能の障害を引き起こしていることが，頻度（週に3回以上），持続期間（3か月以上），鑑別疾患（ナルコレプシー，睡眠時無呼吸症候群，レストレスレッグス症候群など）など，その他の6項目の評価も含めて満たした場合に診断される[1]．

一方，睡眠障害国際分類（International Classification of Sleep Disorders：ICSD）では，不眠症状による日中への影響，つまり全

身倦怠感，注意力・集中力の低下，日中の眠気などが「不眠症」（DSM-5 の不眠障害とほぼ同義）の診断のなかでも特に重視され，重要項目になっている[2]．本項では，「不眠障害（DSM-5）」，「不眠症（ICSD）」を"不眠"と表現して以後扱う．

また，以前は身体疾患を有する場合の不眠は二次的なもので，治療の第一は原因の同定と除去と推奨されていたが，最近は comorbid insomnia という概念が導入されるようになってきている．つまり，身体疾患や精神疾患と不眠には相互的な因果関係があるために，原因への対応を念頭に置きつつ不眠に対しても積極的に介入すべきといったことも推奨されつつある．

身体疾患を有する患者の不眠の頻度は高く，がん患者の場合には 30～50％に不眠が認められると報告されている．

病態生理

不眠の病態生理を理解するうえで，まず睡眠のメカニズムについて知っておくことは重要である．睡眠は，恒常性維持機構と体内時計機構の 2 つによって調整されている．前者は，起きている時間の長さによって規定されるもので，日常活動にあわせて睡眠の量や質を調整している．後者は，体内時計によって概日リズムを調節する機構であり，「時刻依存性」の調整機構である．この体内時計機構は，睡眠と覚醒のみならず，体温，脈拍，血圧などのバイタルサインや自律神経系，内分泌ホルモン系，免疫・代謝系などの身体機能をも調節している．これらの 2 つのメカニズムによって制御を受け，睡眠と覚醒はシーソーのようにバランスをとっている．しかし，何らかの影響によってこのバランスが崩れてしまった場合に，睡眠の問題が生じることとなる．

患者の不眠は，様々な誘因によって引き起こされる．したがって，まずはその誘因を探ることが大切であり，身体的（physical），生理的（physiological），心理的（psychological），精神医学的（psychiatric），薬理学的（pharmacological）の「5 つの P」（**表 1**）の観点から順に評価することが有用である．緩和ケア領域では，複数の要因が絡み合っていることが多い．

また，不眠の原因としては，睡眠時無呼吸症候群やレストレス

表1 5つのP(不眠の要因)

5つのP	例
身体的 (physical)	痛み,発熱,悪心・嘔吐,瘙痒感,下痢,頻尿,消化管閉塞,咳,呼吸困難,倦怠感など
生理的 (physiological)	環境変化(入院など),昼夜逆転,同室者の騒音など
心理的 (psychological)	不安,ストレス,同室者との関係性,ライフイベントなど
精神医学的 (psychiatric)	強度の不安,恐怖,抑うつ,せん妄,アルコール依存症,精神疾患に伴う不眠など
薬理学的 (pharmacological)	ホルモン薬(ステロイド,甲状腺ホルモンなど),中枢神経刺激薬,降圧薬,循環器病薬,消化性潰瘍薬,気管支拡張薬,認知症治療薬(コリンエステラーゼ阻害薬など),抗パーキンソン薬,免疫抑制薬,抗がん剤,嗜好品(カフェイン,ニコチン,アルコールなど)など

レッグス症候群,周期性四肢運動障害などの睡眠関連疾患が関与していることもある(詳細は成書を参照).

評価・診断

まず睡眠状況について尋ね,不眠の有無を確認する.次にどのように眠れなかったのか(不眠のパターン)について尋ねていく.不眠は以下の4つに大別されている.

1 入眠困難:寝つきに時間がかかる(おおよそ30分〜1時間以上).
2 中途覚醒:寝ている途中で目が覚める(通常2回以上).
3 早朝覚醒:通常の起床時間より早く目が覚め,以後眠れない.
4 熟眠困難:ぐっすり眠れた気がしない.

これらに加えて,「どうして眠れなかったと感じているか?」と患者自身のとらえ方を尋ねることも,のちの診療に有用な情報となりうる.

介入・治療

原因への対応

確認された不眠の要因に対して可能な限り改善を行う.身体的要因では積極的な症状緩和を行い,薬理学的要因では,不眠への影響が少ない薬剤への変更や投与時間の工夫を検討する.心理的・精神医学的要因では,まず不安や抑うつに対して支持的精神療法を基本

とした非薬物療法を試みる．

非薬物療法

不眠が慢性化している場合，罹患や治療経過における様々なストレスに対するコーピングが，不適切な睡眠への認知や行動につながっていることがある．このような場合には，睡眠衛生指導をまず丁寧に行う．また近年，慢性不眠に対する認知行動療法（cognitive behavioral therapy for insomnia：CBT-I）が注目され，がん患者にみられる慢性不眠にも応用され始めている★★★[3,4]．

高照度光療法なども概日リズム障害や不眠症の治療として用いられている．日常における工夫としては，午前中に日光を浴びる（あるいは病室にとり入れる）ことが，昼夜のメリハリをつけることにつながり，睡眠によい効果をもたらすことが期待される．

薬物療法

多くの場合，不眠のパターンの情報をもとに，血中濃度半減期と効果発現時間を参考に薬剤を選択する．例えば，入眠困難には超短時間〜短時間作用型の睡眠薬，入眠は良好だが中途覚醒がみられれば中時間作用型の睡眠薬，などが考えられる．

1）主な薬剤の種類

不眠に対し最も汎用されているものが，ベンゾジアゼピン（benzodiazepine：BZP）受容体作動薬である．また，近年導入されたメラトニン（melatonin：MT）受容体作動薬や，オレキシン受容体（orexin receptor：OXR）拮抗薬は，緩和ケア領域でも注目されており，その使用頻度が高まりつつある．

❶ベンゾジアゼピン（BZP）受容体作動薬

GABA（γ-aminobutyric acid）は，脳内における主要な抑制性の神経伝達物質であるが，その受容体のうち $GABA_A$ 受容体が睡眠に大きく関わっている．$GABA_A$ 受容体は5量体の構造をもっており，GABA が結合することで塩素イオンチャネル（Cl^- チャネル）が開口し，神経細胞内に Cl^- が流入して神経細胞の興奮を抑制する．また，$GABA_A$ 受容体は GABA の他にも種々の薬物との結合部位を有しており，そのうちの1つが BZP の結合部位である BZP 受容体である．BZP 受容体はそのリガンド特異性および脳内分布により

$α_1$と$α_2$受容体に細分され、$α_1$受容体は催眠作用、$α_2$受容体は抗不安・筋弛緩作用などに関係している。この選択性の違いによって、BZP系睡眠薬($α_1$、$α_2$ともに作用)と非BZP系睡眠薬($α_1$への選択性が高い)に分けられている。

したがって、非BZP系睡眠薬では筋弛緩作用が弱く、脱力や転倒などの副作用が少ないことが特徴であるが、BZP系睡眠薬と比べると抗不安効果は弱くなるなどの特徴がある。

これらの薬剤は血中濃度半減期によって、さらに超短時間作用型、短時間作用型、中時間作用型、長時間作用型の4つに分類されている(**表2**)。

がん患者の場合、特に身体症状の影響を慎重に考慮する必要があり、中時間作用型を含めた血中濃度半減期の長い薬剤は使用されないことが多い。また、これらの薬剤については、近年、乱用(abuse)、依存症(addiction)、身体依存(dependence)、離脱反応(withdrawal reactions)の深刻なリスクに対する注意が喚起されるようになっており、米国食品医薬品局(FDA)では、2020年9月23日にすべてのBZP受容体作動薬についてブラックボックス警告*の更新を求めている。また、国内でも同様の懸念から、BZP受容体作動薬を1年以上連続して同一の成分を1日当たり同一用量で処方した場合、処方料・処方箋料に減算処置が講じられている。さらに、BZP受容体作動薬は、せん妄発症のリスク薬として、近年一層の注意喚起がなされていることから、最近では次に述べるMT受容体作動薬、OXR拮抗薬などがBZP受容体作動薬に代わってまず使われることが増えつつある。

> **処方例**
> 1) BZP受容体作動薬(非BZP系睡眠薬)の例
> エスゾピクロン(ルネスタ®) 1回1〜2mg 1日1回 眠前 内服
> 2) 内服困難時(BZP系抗不安薬)の例
> ブロマゼパム 1回3mg 1日1回 眠前 挿肛

---

* ブラックボックス警告:FDAが発する最も強い警告で、その医薬品が深刻な副作用を起こしうることが判明した際に使用される。警告文の周囲を黒枠で囲み、添付文書などで示す必要がある。

表2 不眠に用いられる主な睡眠薬,抗不安薬,抗うつ薬

薬効	作用時間	分類	一般名	代表的な商品名	臨床用量(mg)	血中濃度半減期(時間)
睡眠薬	超短時間作用型	非BZP系	ゾルピデム	マイスリー	5〜10	2
			ゾピクロン	アモバン	7.5〜10	5
			エスゾピクロン	ルネスタ	1〜3	6
		BZP系	トリアゾラム	ハルシオン	0.125〜0.25	2〜4
	短時間作用型	チエノジアゼピン系	エチゾラム	デパス	0.5〜1	6
			ブロチゾラム	レンドルミン	0.25	7
		BZP系	リルマザホン	リスミー	1〜2	10
			ロルメタゼパム	エバミール,ロラメット	1〜2	10
	中時間作用型	BZP系	フルニトラゼパム	サイレース	0.5〜2	24
			エスタゾラム	ユーロジン	1〜4	24
			ニトラゼパム	ベンザリン	5〜10	28
	長時間作用型	BZP系	クアゼパム	ドラール	15〜30	36
			フルラゼパム	ダルメート	10〜30	65
	MT受容体作動薬		ラメルテオン	ロゼレム	8	1〜2.5
	OXR拮抗薬		スボレキサント	ベルソムラ	15〜20	10
			レンボレキサント	デエビゴ	2.5〜10	47.4〜50.6
抗不安薬			ロラゼパム	ワイパックス	0.5〜1	12
			ブロマゼパム	レキソタン	2〜5	20
			ジアゼパム	セルシン,ホリゾン	2〜5	20〜70
			クロナゼパム	ランドセン,リボトリール	0.5〜1	27
抗うつ薬			トラゾドン	レスリン,デジレル	25〜50	6〜7
			ミアンセリン	テトラミド	10	18
			ミルタザピン	リフレックス,レメロン	7.5〜15	20〜40

抗不安薬,抗うつ薬については,睡眠確保を目的とした開始量の目安を記載.

❷メラトニン(MT)受容体作動薬

体内時計機能を担う視床下部視交叉上核の MT_1 および MT_2 受容体に選択的に作用する薬剤である．ヒトでは，MT_1 受容体への刺激は入眠促進や睡眠維持，MT_2 受容体への刺激は概日リズムを前進あるいは後退させる．

ラメルテオン(ロゼレム®)は，BZP受容体作動薬と比べると総合的な催眠作用は弱いが，入眠潜時(寝入りまでの時間)の短縮と総睡眠時間の延長といった効果を有する．また，BZP受容体作動薬で懸念される，反跳現象，依存，認知機能への影響や筋弛緩作用，奇異反応などは認めない．ただし，効果判定には1〜2週間必要である．内服法については通常の就寝前より早い時間に内服するほうが効果が高いともいわれている．

MT受容体作動薬では，せん妄発症予防効果が得られるというプラセボ対照比較試験が報告されている[5]．

処方例
ラメルテオン(ロゼレム®)　1回8 mg　1日1回　就寝の2時間前内服

❸オレキシン受容体(OXR)拮抗薬

オレキシン神経は，覚醒中枢とされる橋の青斑核(ノルアドレナリン神経細胞)，視床下部の結節乳頭核(ヒスタミン神経細胞)，腹側被蓋野(ドパミン神経)，縫線核(セロトニン神経細胞)などに投射しており，これらの覚醒系を活性化することで，覚醒を高め維持する作用があると考えられている．一方，睡眠時には，GABA神経がこれらの覚醒系に直接抑制的に働くうえに，オレキシン神経を抑制し，睡眠を維持すると考えられている．2014年に発売が開始されたOXR拮抗薬であるスボレキサント(ベルソムラ®)は，オレキシン1(OX_1)および2(OX_2)受容体に対する高い親和性を有し，「覚醒維持のスイッチ」をオフにすることで，入眠作用だけでなく中途覚醒への有効性が認められている．また，断薬時の反跳性不眠や離脱症状も認めにくいといわれている．スボレキサントはMT受容体作動薬での報告と同様に，プラセボ対照比較試験によるせん妄

症予防効果が報告されている[6]．また，2020年には新たにレンボレキサント（デエビゴ®）が使用可能となった．レンボレキサントは，睡眠と覚醒の調整により関与しているとされるOX$_2$受容体に強く作用する．ゾルピデムとの直接比較において，睡眠潜時，中途覚醒時間において有意に優れていた治験データを有しており，入眠困難，中途覚醒への効果が期待できる．

スボレキサント，レンボレキサントともCYP3Aにて代謝されることから，CYP3Aを強く阻害する薬剤（イトラコナゾール，クラリスロマイシン，リトナビル，ネルフィナビル，ボリコナゾール）などを投与中の患者への使用には注意が必要である．レンボレキサントでは併用は禁忌には含まれていないが，スボレキサントでは併用は禁忌となっている．一方，レンボレキサントは重度肝機能障害を有する患者への投与は禁忌となっている．また，悪夢の訴えがみられることがある．特に，がん患者のように心理的苦痛を伴っている場合には，内服開始後の夢，特に悪夢の発現がないかを含めて確認することが大切である．苦痛が強ければ，中止あるいは変薬も検討する．

> **処方例** 下記のいずれかを用いる．
> 1) スボレキサント（ベルソムラ®）　1回15〜20 mg　1日1回　眠前内服
> 2) レンボレキサント（デエビゴ®）　1回5 mg　1日1回　眠前　内服（状況により，2.5 mgへの減量，あるいは10 mgへの増量を考慮）

2) がん患者への投薬に際しての注意点

❶ せん妄のリスク評価

がん患者や心不全患者ではせん妄は高頻度で認められる．その原因の1つとして，せん妄発症のリスクが高い患者に対するBZP受容体作動薬の使用が挙げられる．したがって，せん妄のリスクが高い患者やせん妄状態にある患者の不眠には，BZP受容体作動薬の単独での使用は基本的には避けたほうがよく[7]，薬剤選択の前にせん妄発症のリスク評価を行うべきである（「せん妄」参照 ➡ **329頁**）．

❷ 呼吸への影響

BZP受容体作動薬には軽い呼吸抑制作用があることから，重篤

な呼吸障害や気道閉塞，睡眠時無呼吸症候群などの存在には注意が必要である．また，呼吸抑制をきたしうるオピオイドなどとの併用にも十分な注意が必要である．

❸代謝・排泄機能(肝機能や腎機能)の評価

過鎮静や持ち越し効果は，さらなる睡眠覚醒リズムの悪化をもたらすため注意が必要である．影響する因子としては，過量投与，肝・腎機能低下による代謝排泄機能の低下，併用薬との相互作用による予測血中濃度の変化などが挙げられる．特に高齢者では，生理的な代謝・排泄機能の低下が予測されるため，一層注意が必要である．このような場合には，規格最小量の1/3〜1/2量程度を目安に開始するほうがよい．また，増量については連日投与による蓄積効果も考慮して，数日評価を行ったうえで判断したほうがよい．

3) BZP受容体作動薬を使用しても効果が不十分な場合の対応

不眠のパターン，睡眠を妨げる要因の新たな出現や増強を含めた再評価の必要がある．また，せん妄，強い不安や抑うつの影響を受けた不眠の場合には，睡眠薬以外の向精神薬がより有効な場合がある．

❶不安を伴った症例の不眠

不安を伴った不眠や非BZP系睡眠薬による効果が乏しい場合，BZP系睡眠薬への変更あるいはBZP系抗不安薬への変更が有効な場合がある．代表的な抗不安薬として，ロラゼパム(ワイパックス®)，ジアゼパム(セルシン®)，ブロマゼパム(レキソタン®)，クロナゼパム(リボトリール®，ランドセン®)などがある．ブロマゼパム，ジアゼパムは坐薬もあり，経口投与が困難な症例にも使用できる．

❷抑うつを伴う不眠，またはBZP受容体作動薬の効果が乏しい不眠

抗うつ薬のもつ催眠鎮静効果を利用することが有用な場合がある．一部の抗うつ薬では，深い睡眠(徐波睡眠)を誘導し，患者の主観的な熟睡感が増すことも報告されている．代表的な薬剤としては，トラゾドン(デジレル®，レスリン®)，ミアンセリン(テトラミド®)，ミルタザピン(リフレックス®，レメロン®)などがある．これらの薬剤は作用時間がやや長く，持ち越し効果には注意が必要で

ある．まずは少量から開始し，内服時間を眠前から夕食後に前倒しするなどの工夫も役立つ．アミトリプチリン（トリプタノール®）などの三環系抗うつ薬も鎮静効果を有し，海外文献などでは例として挙げられているが，抗コリン作用が強く，便秘やせん妄のリスクも高まるため，日本では第1選択薬としては使用されていない．

> **処方例**
> トラゾドン（レスリン®）　1回25mg　1日1回　眠前　内服
> ＊状況によっては増量も検討．

❸せん妄状態あるいはそのリスクが高い不眠

抗精神病薬の鎮静効果を利用することが一般的である．近年ではまず非定型抗精神病薬が選択される．代表的な薬剤としては，リスペリドン（リスパダール®），クエチアピン（セロクエル®），オランザピン（ジプレキサ®）などがある．また，クエチアピン，オランザピンと同系統の薬剤でありながら，糖尿病患者への禁忌がなく舌下錠として2016年から使用可能となったアセナピン（シクレスト®）も新たな選択肢として考慮できる．抗精神病薬の使用については，リスクとベネフィットを十分考慮することも大切である（「せん妄」参照 ➡ **329頁**）．

また，抗精神病薬以外の選択肢としては，先述したMT受容体作動薬，OXR拮抗薬，トラゾドン，ミアンセリンなどが挙げられる．

❹肝・腎機能障害がみられる場合

日本のガイドラインでは，代謝が単純で，代謝産物が活性をもたないものとしてロルメタゼパム（エバミール®），ロラゼパム（ワイパックス®）などが推奨されている．

▍参考文献

1) 日本精神神経学会（日本語版用語監修），髙橋三郎，他（監訳）：DSM-5 精神疾患の診断・統計マニュアル．pp355-362, 医学書院, 2014.
2) 日本睡眠学会診断分類委員会（訳）：睡眠障害国際分類 第3版．pp1-22, ライフ・サイエンス, 2018.
3) Savard J, et al：Randomized study on the efficacy of cognitive-behavioral therapy for

insomnia secondary to breast cancer, part Ⅰ: sleep and psychological effects. J Clin Oncol 23:6083-6096, 2005.(PMID:16135475)
4) Johnson JA, et al: A systematic review and meta-analysis of randomized controlled trials of cognitive behavior therapy for insomnia(CBT-I)in cancer survivors. Sleep Med Rev 27:20-28, 2016.(PMID:26434673)
5) Hatta K, et al: Preventive effects of ramelteon on delirium: a randomized placebo-controlled trial. JAMA Psychiatry 71:397-403, 2014.(PMID:24554232)
6) Hatta K, et al: Preventive effects of suvorexant on delirium: a randomized placebo-controlled trial. J Clin Psychiatry 78:e970-e979, 2017.(PMID:28767209)
7) 日本サイコオンコロジー学会, 他(編):がん患者におけるせん妄ガイドライン 2019 年版. pp51-52, 金原出版, 2019.

（谷向　仁）

33 【精神症状の緩和】
不安

診療のコツ

1. 4つの領域（気分，身体，思考，行動）の不安の症状を理解する．
2. 不安症状に類似した医学的状態を除外する．
3. 不安の背景にある問題やニーズに対応する．
4. 全般的な支援（支持的な対応，情報提供，ニーズへの対応）と専門的な支援（薬物療法，精神療法）を使い分ける．

定義・疫学

定義

不安とは，将来の脅威に対する「漠然としたおそれ」（対象がはっきりしないおそれ）をいう（例：死への不安）．「対象がはっきりしたおそれ」は恐怖と呼ぶ（例：がん再発恐怖）が，両者は重複しており[1]，臨床上この2つはまとめて考えて問題はない．

疫学と臨床的意義

重篤な疾患において不安を感じることは正常の心理反応で，多くの患者が不安を抱えている．診断を受けた直後，新たな治療を受ける時，病気の進行・再発がわかった時，死が差し迫った時などの状況では特にそうである．歴史的に有名な研究によれば，がん患者における不安の有病率は21％であった[2]が，後述するように，不安は，正常範囲の不安から，医学的介入が必要とされるほど症状や機能障害の強いものまで幅があり，厳密な有病率の算出にあまり意味はない．

がんの診断告知などのストレス・イベントへの心理的反応は**図1**のように分類される．平均的な反応では，ストレス・イベントを体験したあと，現実を受け入れて前向きな活動を開始できるまでに，心理的動揺が過ぎるための一定の時間が必要である．そうした心理的動揺が，一般に考えられるより強かったり長かったりする場合に適応障害と診断され（10～30％），さらに症状が強い場合，大うつ

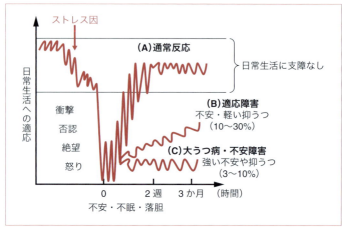

図1 ストレスへの心理反応

平均的な反応(A)では，ストレス直後は絶望的な気持ちになるものの，病状を否認したり，現実感が伴わないことも多い(第1相)．その後，より現実感を伴った不安や抑うつ気分となり，不眠，食欲不振，集中力低下，無力感などをきたす(第2相)．現実を受け入れ，問題に取り組んだり，前向きな活動を開始したりできるようになるのは，心理的動揺が過ぎたあとである(第3相)．それぞれの相に1週間程度を要するといわれるが，個人差があり，さらに長い期間を要したり，心の揺れを繰り返すこともある．このような心の揺れは，がんの診断告知，再発，遺伝子診断など，ストレス・イベントのたびに起きる．こういった心の変化が一般に考えられるよりも強く長く続く場合に適応障害(B)と診断され，さらに症状が強い場合，大うつ病や不安障害と診断されることもある(C)．

病や不安障害と診断されうる(3～10%)．このような心の変化は，診断告知，再発など，ストレス・イベントのたびに起きる．

評価・診断

不安は，気分，身体，思考，行動の症状として現れる(**図2**)．身体症状(例：動悸，呼吸困難，不眠)や医療上での行動障害(例：怒りっぽさ，頻回の病院受診，決断困難，薬物乱用)の形であらわれる不安にも注意が必要である．

評価には，つらさの寒暖計(distress thermometer)，エドモントン症状評価システム(Edmonton symptom assessment system)の不安サブスケール，generalized anxiety disorder-7(GAD-7)，hospital anxiety and depression scale(HADS)などを用いてもよいが，これ

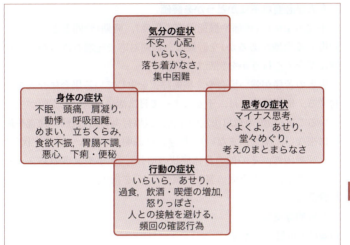

図2 不安の症状

らはあくまでスクリーニング・ツールであり，点数自体に大きな意味はない．不安症状の検出とその後の対話のきっかけ作り程度に考える．

病態の鑑別[3]

不安に併存/類似する病態の鑑別がまず重要である．意識障害や認知機能障害に伴う混乱は不安と誤診されることがある．これには，せん妄，中枢神経障害(脳転移，認知症など)，代謝性疾患(高カルシウム血症，低ナトリウム血症，高マグネシウム血症，低血糖など)などが含まれる．呼吸・循環障害も不安症状に類似する．例えば，低酸素血症，肺塞栓，胸水，不整脈などである．

内分泌異常(甲状腺，副腎皮質)やてんかん部分発作(精神症状や一過性の意識障害をきたす)，薬剤の副作用(ステロイドによる興奮・焦燥，制吐薬・抗精神病薬などによるアカシジアなど)，薬物の離脱症状(ベンゾジアゼピン，オピオイド，アルコール，ニコチンなど)，レストレスレッグス症候群などを鑑別する．大うつ病性障害も高率に不安症状を併発する．

介入が必要な不安かどうかを評価

不安の重症度(苦痛や機能障害の程度)，時期(時間とともに自然回復する余地があるか)を評価し，初期対応で経過をみるか，より進んだ介入を行うかを判断する(**図1**)．

患者の苦痛が強い場合や，機能障害を生じている場合に介入を検討する．機能障害とは，不安によって日常活動や医療に支障が生じていること〔治療の意思決定の障害，医療行為の阻害(例：検査や治療に来ない，薬を飲まない)，医学的に説明がつかない身体症状(動悸，呼吸困難，その他の身体症状の増強)，仕事や家事のパフォーマンス低下，対人交流の著しい減少など〕を指す．

介入

全般的な支援

1) 安心と保証を与える

温かく支持的に接する．患者や家族の声に耳を傾ける．非言語的な態度も含めて関心をもって受け止めていることを示す．「ご心配ですよね」「そうお感じになるのももっともと思います」など患者の気持ちを認める．不安は「多くの人が感じる正常な反応」で時間の経過とともに和らぐこと，様々な支援や薬物療法があることなどを説明する．

2) 不安の背景にある心配を特定する

不安の背景にある心配や困りごとを尋ね，関連する情報提供を行ったり，解決案を一緒に考えたりする．例えば，病気の見通しの説明，症状や副作用への対処法の提示，経済的不安に対する社会保障制度の紹介，などである．不安は，患者が「情報を十分に理解できていない」ためのこともある．病状や治療に関する理解度を確認する．必要に応じて，患者だけでなく家族などにも説明を行う．ただし，心配ごとの特定を急ぎすぎて患者に心理的負担をかけぬよう注意する．心理的動揺が強い場合には「そっとしておいてほしい」こともある．

より専門的な職種や介入につなげる

不安に関連する問題に応じてがん看護専門看護師，薬剤師，ソーシャルワーカー，理学療法士・作業療法士などと多職種連携を行

う．精神・心理の専門職としては，精神看護専門看護師(リエゾン専門看護師)，心理職，精神科医などと連携する．

治療[3]

薬物療法と非薬物療法に大別できる．薬物療法は即効性を期待する場合や比較的重症な場合に，非薬物療法は比較的軽症な事例や患者自身がじっくり取り組む意欲をもっている場合に，それぞれ適している．

薬物療法

1)不安に対する薬物療法の原則

一般精神医療においては，不安障害に対する第1選択薬は抗うつ薬である．しかし，抗うつ薬は効果発現に時間がかかるため(通常数週間)，即効性が求められる場合はベンゾジアゼピン系抗不安薬を用いる．ただし，緩和ケア領域における抗うつ薬・抗不安薬のエビデンスは十分に確立されておらず，患者の身体的特性，副作用，薬剤相互作用を考慮して薬剤を選択する．エビデンスの裏付けは乏しいが，生命予後が厳しい患者(予後1か月以内)は，忍容性低下(ベンゾジアゼピン系薬によるせん妄リスクなど)や即効性を考慮して，少量の抗精神病薬も選択される[4]．

2)ベンゾジアゼピン系抗不安薬★★

ベンゾジアゼピン系抗不安薬は急性の不安に対する有効性が実証されている[5]．注意すべき副作用には，眠気，ふらつき，倦怠感，認知機能低下，せん妄，耐性や依存，離脱症状などがある．身体的に脆弱な患者や終末期患者では特にリスクが高い．作用時間と力価から薬剤を選択する．作用時間が短い薬剤〔例：アルプラゾラム(コンスタン®，ソラナックス®)やエチゾラム(デパス®)〕は即効性が高く持ち越し効果(副作用の遷延)が少ない利点がある一方で，耐性・依存や離脱のリスクが高い．また，ベンゾジアゼピン系不安薬の長期使用(≧4週間)はプラセボとの有意差が認められていない．終末期ではミダゾラムを使用できる可能性がある[6]．

処方例

1)ロラゼパム(ワイパックス®)　1回 0.5 mg　不安時頓用　1日3回

程度まで　内服
2)【軽症例】クロチアゼパム(リーゼ®)　1回5 mg　不安時頓用　1日3回程度まで　内服

3)抗うつ薬★★★[7]

　抗うつ薬には複数の種類があるが，不安に対する第1選択は選択的セロトニン再取り込み阻害薬(SSRI)である．効果発現に2〜3週間が必要である．頻度の高い副作用は，眠気，開始当初(開始後1〜2週間)の食欲不振・悪心，急な中止時の自律神経過敏症状(中断症候群)などである．一部の薬剤は薬物相互作用にも注意が必要である．例えば，パロキセチンはCYP2D6阻害作用でタモキシフェンなどと相互作用をきたしうる．抗うつ薬のなかでは，セロトニン・ノルアドレナリン再取り込み阻害薬(SNRI)やミルタザピンも不安に有効な可能性がある．ミルタザピンは眠気，食欲増進の副作用があるが，不眠や食欲不振がある患者にはむしろ好ましい作用となる．SNRIのデュロキセチンは鎮痛補助効果がある(「抑うつ」参照 ➡ 338頁)．

> **処方例**　下記のいずれかを用いる．
> 1)エスシタロプラム(レクサプロ®)　1回5〜10 mg　1日1回　内服（1日5〜20 mg）
> 2)ミルタザピン(リフレックス®，レメロン®)　1回7.5 mg　1日1回　内服（1日7.5〜30 mg）
> 3)デュロキセチン(サインバルタ®)　1回20 mg　1日1回　内服（1日20〜40 mg）

4)その他の向精神薬★

　低用量の非定型抗精神病薬(オランザピンやクエチアピン)は不安に有効な可能性があり，即効性が期待される．特にせん妄のリスクのある患者に適している(「せん妄」参照 ➡ 329頁)．

> **処方例**　下記のいずれかを用いる．
> 1)クエチアピン(セロクエル®)　1回12.5 mg　不安時頓用　内服（1日12.5〜50 mg）

2)オランザピン(ジプレキサ®)　1回2.5 mg　1日1回　夕食後　内服(1日2.5〜10 mg)

非薬物療法 ★★★[2]

様々な精神療法(心理療法)の有効性が実証されている[8].

リラクセーション法は簡便に実施可能で，様々な病態の患者で有効である．以下に具体的な方法を示す．いずれの方法も，はじめに医療者と患者が一緒に行い，患者が少し感覚をつかめるまで指導する．その後，自宅で繰り返し練習してもらう．

> ①漸進的筋弛緩法
> 身体の緊張，筋肉のこわばりを和らげる方法．急に身体の力を抜くことは難しいため，まずは体に力を入れたあとで，ストンと力を抜く動作を繰り返すように指導する．楽な姿勢(座位または仰臥位)で，身体の一部分(手，足，肩など)に思いっきり力を込め(5秒程度)，ストンと力を抜く(5〜15秒程度)．この動作を繰り返し，また，身体の部位を変えて行う(頭部から足先まで)
>
> ②呼吸法
> 呼吸を整えることでリラックスする方法．楽な姿勢(座位または仰臥位)で，ゆっくり鼻から息を吸い，十分に吸い切って一息入れたあと，ゆっくりと口から息を吐いていく．3〜4秒吸って，6〜7秒吐くのが目安だが，苦しくない程度に自分のペースで行ってよい．吐く時は遠くのロウソクを吹き消すイメージで「リラーックス」と心のなかで唱えてもよい．最低でも2〜3分間続けることが勧められる

また，より専門的な構造化された心理療法(支持的・表出的精神療法，認知行動療法，マインドフルネス心理療法，acceptance and commitment therapy，meaning-centered psychotherapy など)の有効性も実証されており，心理職や精神科医への紹介を検討する．

自分でできる対処法の教示

不安に対して自分でできる対処法には，適切な情報の取得，代替療法を含むセルフヘルプ，医療外のサポートなどがある．それぞれの例として，信頼できる情報源(書籍，webサイト)の紹介，適切な気晴らしや活動(運動など)の勧奨，ピア・グループの紹介[9]，認知行動療法に基づいた書籍やオンラインプログラム，補完代替療法(鍼灸，ヨガ，瞑想，マッサージ，音楽療法など)[10]などが含まれる．

■参考文献

1) 日本精神神経学会(日本語版用語監修),髙橋三郎,他(監訳):DSM-5 精神疾患の診断・統計マニュアル.医学書院,2014.
2) Derogatis LR, et al:The prevalence of psychiatric disorders among cancer patients. JAMA 249:751-757, 1983.(PMID:6823028)
3) Traeger L, et al:Evidence-based treatment of anxiety in patients with cancer. J Clin Oncol 30:1197-1205, 2012.(PMID:22412135)
4) Salt S, et al:Drug therapy for symptoms associated with anxiety in adult palliative care patients. Cochrane Database Syst Rev:CD004596, 2017.(PMID:28521070)
5) Wald TG, et al:Rapid relief of anxiety in cancer patients with both alprazolam and placebo. Psychosomatics 34:324-332, 1993.(PMID:8351307)
6) Jansen K, et al:Safety and effectiveness of palliative drug treatment in the last days of life—a systematic literature review. J Pain Symptom Manage 55:508-521, 2018. (PMID:28803078)
7) Bandelow B, et al:Guidelines for the pharmacological treatment of anxiety disorders, obsessive-compulsive disorder and posttraumatic stress disorder in primary care. Int J Psychiatry Clin Pract 16:77-84, 2012.(PMID:22540422)
8) Okuyama T, et al:Psychotherapy for depression among advanced, incurable cancer patients:a systematic review and meta-analysis. Cancer Treat Rev 56:16-27, 2017. (PMID:28453966)
9) Hu J, et al:Peer support interventions for breast cancer patients:a systematic review. Breast Cancer Res Treat 174:325-341, 2019.(PMID:30600413)
10) Zeng YS, et al:Complementary and alternative medicine in hospice and palliative care: a systematic review. J Pain Symptom Manage 56:781-794, 2018.(PMID:30076965)

〔藤澤大介〕

34 【精神症状の緩和】
せん妄

診療のコツ

❶ せん妄はがんにとどまらず，高齢の入院・外来患者一般に認められる全身状態不良を示すサインである．予防とともに早期に発見し，速やかに対応することが原則である．

❷ せん妄を早期に発見するには，睡眠覚醒リズムの乱れ（不眠）と，注意障害を表す「つじつまのあわない会話」「まとまりのない行動」，時間変動〔特に気分の変動（夕方に怒りっぽくなる）が目立つ〕に注意する．

❸ せん妄の主な原因に，薬剤（ベンゾジアゼピン系薬剤，オピオイド）と脱水，感染がある．対応可能な原因を見落とさない．

❹ 治療は原因の除去・対応が原則であり，あわせて苦痛の緩和・症状の軽減目的で抗精神病薬を用いる．抗精神病薬は，内服できるならば非定型抗精神病薬を，内服が難しければハロペリドール（セレネース®）が第1選択である．

❺ 終末期のせん妄で完全な回復が困難な場合でも，調整可能な原因に対応することで症状緩和は可能である．苦痛を緩和することに努める．

定義・疫学

せん妄は，身体疾患や環境的な負荷が加わったことにより脳が機能不全に陥った病態であり，「意識障害」である．

一般に入院患者の20％がせん妄を合併し，特に70歳以上の高齢者に多い．終末期では予後1か月程度の場合には30～50％，予後数日から数時間では80％以上がせん妄を経験する．せん妄の発症は，入院期間の延長のみならず退院後の身体機能低下や施設入所頻度の上昇，再入院率の上昇，死亡率の上昇，認知症への移行頻度の上昇と関連する．このように，せん妄を一度発症すると臨床アウトカムが悪化することから，予防に重点を置く．

表1 せん妄の症状

①**注意の障害**:注意を向ける・集中・維持ができない,注意を別のものに向けることができない
②**認知機能障害**:特に知覚障害が多い(幻視(存在しないものが見える),幻聴),記憶障害,失見当識
③**活動量の変化**:動作が遅い,行動量が減る,傾眠傾向(低活動型の場合),気分が不安定・落ち着かない・そわそわしている(過活動型の場合),睡眠覚醒リズムが乱れる(夜間不眠,昼夜逆転)
④**社会的な行動(コミュニケーション)の変化**:指示に従って行動できない,引きこもり,感情・態度の変化

表2 せん妄と認知症の違い

	せん妄	認知症
発症	数時間〜数日	数か月〜数年
経過	症状の変動が大きい.一般に夜間に悪化する	数時間での変動はほとんどない.月〜年の単位で徐々に進行する
罹病期間	数時間〜数日,まれに数か月にわたり持続することがある	月〜年単位
意識	低下がある	清明
注意	低下から過覚醒まで変動する	正常かやや低下(普通の会話に集中できないほど低下するのは高度の認知症の場合のみ)
見当識	大きく悪化する.変動が大きい	高度に進行すると悪化
記憶	即時記憶・近時記憶が障害	即時記憶・近時記憶が障害
知覚	全般的な認知機能の低下により,視覚の誤認や幻視が多い	誤認

評価・診断

症状

注意障害(注意を維持することができないため,会話や行動がまとまらない)や睡眠覚醒リズムの障害(昼夜逆転)を中心に,気分の変動(怒りっぽくなる)など多様な症状が出現する(**表1**).

1)せん妄と認知症の違い(表2)

せん妄と認知症はしばしば混同されがちである.認知症は神経変性に伴う脳自体の原因で生じた認知機能障害である一方,せん妄は身体的要因により意識障害となった結果生じた認知機能障害である.したがって,せん妄か認知症か判断に迷った場合,急性期医療

においてはせん妄への対応を優先して行う．

評価

臨床では主に，①睡眠覚醒リズムの是正(夜にしっかり休めているか，日中の活動度)，②注意障害の程度(注意集中を維持することができ，会話や行動がまとまっているか)の継時的な変化で評価をする．また，重症度を評価するツールには，MDAS(memorial delirium assessment scale)やDRS-R-98(delirium rating scale-revised-98)などがある．

診断

正式な診断は，米国精神医学会の診断基準(DSM-5)などに基づき診断する．臨床では，簡易認知機能検査であるMMSE(mini-mental state examination)に加えてCAM(confusion assessment method)，CAM-ICUなどがスクリーニングに用いられる．

原因の探索

せん妄の治療や見通しを立てるために，最初にせん妄の原因を検討し，可能な限り除去することが原則である．進行がん患者のせん妄には多要因が絡む．特に薬剤性のせん妄の比率が高い．

臨床では，原因を以下の3種に分けて対応を進める．

1 準備因子：器質的な脆弱因子，すなわち，高齢(70歳以上)，認知症，神経変性疾患，アルコール多飲歴，高血圧(術後せん妄の場合)など．

2 促進因子：直接せん妄を生じはしないものの，脳に負荷をかけ，機能的な破綻を誘導する，すなわち，拘束，強制的な臥床，不適切な疼痛管理，不適切な照明など．

3 直接因子：感染，脱水，薬剤，低酸素血症など．

臨床において頻度の高い要因は，①薬剤〔特にベンゾジアゼピン系薬，オピオイド(モルヒネ，オキシコドン)，ステロイド〕，②脱水，③感染(呼吸器感染，尿路感染)である．

予防・介入・治療

せん妄への対応は，予防と治療の両面がある．せん妄は発症した時点で臨床アウトカムに影響することから，予防を前提として取り組む．

表3 せん妄の原因と対応

原因	対応
治療反応性がよい（単一の原因） - 感染症 - 脱水 - 高カルシウム血症 - 薬剤（オピオイド，ベンゾジアゼピン系薬，ステロイド，抗コリン薬）	直接因子の除去＋抗精神病薬 - 抗菌薬，ドレナージ - 補液 - ビスホスホネート - 原因薬剤の中止，オピオイドスイッチング
治療反応性に乏しい - 原因が複数 - 肺転移による低酸素血症 - 多発性脳転移・がん性髄膜炎	症状緩和（可能な範囲での原因の除去・軽減，対症療法）＋抗精神病薬（＋ベンゾジアゼピン系薬の併用）

予防

脱水の予防には，感染予防，離床を促す働きかけ，薬剤のレビュー，疼痛管理の徹底などを組み合わせた介入が有効である★★[1]．

せん妄の治療は，①直接因子への対応，②注意障害・精神症状に対する薬物療法，③促進因子の除去（環境調整）である（**表3**）．

直接因子への対応

- 原則は，せん妄の原因を検索し，全身状態不良の原因を除去することである．
- 治療方針を決めるうえで，治療反応性のよい要因と，治療反応性に乏しい要因に分けて検討する．治療反応性のよい要因には漏らさず対応する．

薬物療法

- 原因への対応と，非薬物的な介入を実施していることを前提に検討する．
- 薬物療法の目的は，幻覚・妄想などの精神症状や精神運動性興奮による苦痛の軽減，注意障害の改善である．

1）治療薬の選択

通常，薬物療法を併用する．内服が可能であれば，薬剤性パーキンソン症候群を避けるため非定型抗精神病薬が用いられることが多い．内服が難しい場合は，定型抗精神病薬のハロペリドール（セレネース®）の経静脈的投与・皮下投与が第1選択である★．代表的な薬剤を**表4**に挙げる．

表4 せん妄の治療に用いる代表的な薬剤

薬剤(商品名)	用法・用量	副作用		備考
ハロペリドール(セレネース)	注射薬 1回1~5 mg 1日1~2回	4.5 mg/日以上を連用すると錐体外路症状のリスク。QTcモニタリングを行う	半減期が24時間弱と長い。量投与になりやすい。注意しながら用い、求めるならば必要に応じてベンゾジアゼピン系薬を併用する	鎮静作用は弱いので、注射の時には過興奮が強く、鎮静作用を
クロルプロマジン(コントミン)	経口・注射薬 1回5~25 mg 1日1~2回	ハロペリドールより鎮静作用が強い。α受容体阻害作用があり血圧低下に注意	精神運動興奮が強い過活動型せん妄の改善や睡眠リズムを確保する目的で、ハロペリドールでは不十分な場合に用いる	
リスペリドン(リスパダール)	経口薬 1回0.25~1 mg 1日1~2回	1日6 mg以上でパーキンソン症状のリスク	鎮静作用は弱めのため、精神運動興奮が強い過活動型せん妄には過量投与になりやすい	
クエチアピン(セロクエル)	経口薬 1回12.5~100 mg 1日1~2回	鎮静効果が強い	錐体外路症状のリスクが最も少ない非定型抗精神病薬。レビー小体病などパーキンソン症状のリスクが高い場合の第1選択薬。半減期が短い	
オランザピン(ジプレキサ)	経口薬 1回2.5~5 mg 12~24時間ごと	鎮静作用がdose limiting factorになる	鎮静作用が強く、精神運動興奮の強い過活動型せん妄に用いられる。高齢者や認知症に合併したせん妄、低活動型せん妄では鎮静効果が拮抗し、効果が減弱する	
アリピプラゾール(エビリファイ)	経口薬 1回3~24 mg 1日1回	アカシジア	低活動型せん妄に対して過鎮静を避ける目的で用いる	
アセナピン(シクレスト)	経口薬 1回5 mg 1日1回	—	粘膜吸収型の抗精神病薬。舌下投与が必要であり、嚥下してしまうと効果は期待できない(保険適用外)	
ブロナンセリン(ロナセンテープ)	貼付薬 1回20 mg 1日1回	—	貼付型の非定型抗精神病薬。内服・注射薬の使用が困難な場合に用いる。血中濃度の立ち上がりには時間を要する。また剥がしてもすぐに血中濃度の低下は期待しにくいので注意する(保険適用外)	

1 ハロペリドール★

　治療経験が最も豊富であり，臨床効果が確立している薬剤である．ただし，非定型抗精神病薬と比べ薬剤性パーキンソン症候群を発現しやすい．1週間以上連用する場合には注意し，出現した場合にはハロペリドールは中止とし，クロルプロマジンあるいは非定型抗精神病薬に切り替える．

　本剤の主要な標的症状は，注意障害の改善と精神症状（幻覚・妄想）の緩和である．鎮静作用は弱いため，鎮静作用を目的に使用すると過量投与になるリスクがある．運動興奮が強く，鎮静作用を求めるならばベンゾジアゼピン系薬を併用する．

　注射薬は用量が5 mgと大きいことに加え，半減期が短い．追加投与を繰り返すと過量投与になり，パーキンソン症状や不整脈のリスクが高まるので注意する．臨床上20 mg以上投与しても治療の上乗せ効果はほとんどない．

2 クロルプロマジン

　定型抗精神病薬．鎮静作用が強いため，ハロペリドールで興奮が鎮まらない場合に用いる．また，糖尿病が併存し，クエチアピン，オランザピンが使用できない時の代用薬として使用する．

3 リスペリドン★

　活性代謝物があり，かつ半減期が長い．鎮静作用が弱いため，「寝かせよう」と思うとついつい投与を繰り返して過鎮静を招きがちなため注意する．なお，活性代謝物は腎排泄のため，腎機能障害がある場合には半量に減量する．

4 クエチアピン★

　パーキンソン症状を誘発するリスクが最も低い．パーキンソン病患者の場合の第1選択薬となる．特徴は，半減期が短く，持ち越し効果のリスクが少ないことと，鎮静・催眠作用が比較的強いため，せん妄のリスクの高い高齢者に対して，睡眠導入薬の代用薬として使用されることがある．また，長期投与での死亡リスクが最も低い可能性が指摘されている．なお，日本では統合失調症に対する長期内服で代謝障害が生じ，不適切な管理から死亡に至った事例があったことから，糖尿病患者には原則禁忌となっている．

5 オランザピン★

鎮静作用が強いことから,精神運動興奮の強いせん妄に用いられる.過鎮静が dose limiting factor になる.日本ではクエチアピンと同様の理由で糖尿病患者には原則禁忌となっている.

6 アリピプラゾール★

鎮静作用がほとんどない.低活動型せん妄に用いる.

7 アセナピン★

脂溶性が高い粘膜吸収型の非定型抗精神病薬である.保険適用外ではあるが,イレウスなど内服が困難な場合で経静脈的投与を避けたい場合に用いることがある.

8 ブロナンセリン貼付薬★

貼付型の非定型抗精神病薬である.保険適用外ではあるが,イレウスなど内服が困難な場合に用いる.

9 処方の実際

> **処方例** 下記のいずれかを用いる.
> 1) クエチアピン(セロクエル®) 1回 12.5 mg 1日1回 夕食後 内服
> 2) リスペリドン(リスパダール®) 1回 0.5 mg 1日1回 夕食後 内服
> 【内服困難時】
> 3) ハロペリドール(セレネース®) 0.5 アンプル(2.5 mg)を生理食塩液 50 mL に混合し,30 分かけて点滴静注

2) 抗精神病薬の副作用

パーキンソン症候群,アカシジアに注意する.アカシジアは急性に出現する不随意運動で,両下肢を中心とした不快感と,不安焦燥が出現する.落ち着かない様子がせん妄の増悪と間違われることがある.発生した場合は,原因となる抗精神病薬を中止する,あるいは錐体外路症状の出現頻度の低い薬剤に切り替える(オランザピン,クエチアピンなど).ドパミン作動薬を用いることがある.焦燥感や不随意運動に対しては,β遮断薬やベンゾジアゼピン系抗不安薬で対応する.

> **処方例** 下記のいずれかを用いる.
> 1) プロプラノロール(インデラル®) 1回10 mg 1日2回 朝・夕食後 内服
> 2) アルプラゾラム(ソラナックス®) 1回0.2 mg 1日2回 朝・夕食後 内服

促進因子の除去★

薬物療法とあわせて,促進因子の除去を行う.

1) 支持的介入

注意障害に対して見当識を強化し,わかりやすい提示を行う(相手の視野の中心に立ち,呼びかけをする,など).介護者はゆっくり,はっきりとした声かけをし,患者の理解を確認しつつ説明し,行動を促す.知覚障害がある場合には,補助具(めがねや補聴器)を用いて,その障害が最小限になるように調整する.

2) 環境調整

促進因子の除去を行い,症状の増悪を予防する.例えば,日中の覚醒を促す,照明を生理的リズムにあわせて夜間に暗くする,不快な音を消す,身体拘束を避け夜間の睡眠を妨げないよう24時間持続点滴を避ける,疼痛コントロールを的確に実施する,などが挙げられる.

家族への説明

家族は,急にコミュニケーションがとれなくなったことや,どのように対応をしてよいのかわからないことから非常に不安を感じる.せん妄とその原因,治療について説明し,家族の不安を解くとともに,家族が介護を抱え込みすぎていないか,疲弊していないか確認する.同時に,家族がそばにいるだけでも十分であることを説明する.

> **家族への説明の例**
> せん妄は,身体的な問題によって生じた脳の機能障害です.急に認知症になったり,認知症が進んだものではありません.身体の原因を取り除いたり治療をすることで,症状の回復を図ることができます.
> ご本人は周りの状況がつかみにくくなり,不安になりがちです.ご家族がそばにいるだけで安心されます.

終末期のせん妄への対応

　終末期せん妄(terminal delirium)は，一般的に死亡前24〜48時間の状態で改善の見込みのなくなったせん妄を指す．

　不可逆であったとしても包括的なアセスメントをチームで行い，患者の苦痛の緩和方法をさぐりながらできる限り対応する．医学的に取りうる方法と患者の意向(推定意思を含めて)，家族の認識のバランスをとる必要があり，多職種で確認しながら進める．家族には，徐々にコミュニケーションが困難になる可能性があることをあらかじめ伝えて，見通しを明らかにする．家族の負担に配慮し，適切なケアがなされているかどうか，多職種の視点で繰り返し評価を行う．

■参考文献

1) Hshieh TT, et al：Effectiveness of multicomponent nonpharmacological delirium interventions：a meta-analysis. JAMA Intern Med 175：512-520, 2015.(PMID：25643002)
2) National Institute for Health and Care Excellence(NICE)：Delirium：prevention, diagnosis and management. NICE, 2019.
(https://www.nice.org.uk/guidance/cg103)（最終アクセス：2022年3月）
3) Breitbart W, et al：Delirium in the terminally ill. Chochinov H, et al(eds)：Handbook of psychiatry in palliative medicine. pp81-100, Oxford University Press, 2008.
4) Burton JK, et al：Non-pharmacological interventions for preventing delirium in hospitalised non-ICU patients. Cochrane Database Syst Rev：CD013307, 2021.(PMID：34280303)
5) 日本サイコオンコロジー学会，他(編)：がん患者におけるせん妄ガイドライン2019年版．金原出版, 2019.

〈小川朝生〉

35 【精神症状の緩和】抑うつ

診療のコツ

❶ うつ病と，通常の心理反応である抑うつとの差異は，抑うつ症状の背景と抑うつの程度を医療者が了解できるかどうかがポイントになる．
❷ うつ病が原因と考えられる希死念慮，精神病症状には早期介入を要する．
❸ 抗うつ薬の投与は安全性を優先させる（抗うつ薬のエビデンスは低い）．
❹ 各抗うつ薬の特徴的な副作用を理解する．

疫学

治療介入が必要な不安・抑うつはがん患者の20〜40％といわれている[1]．また，うつ病や適応障害はそれ自体が苦痛というだけでなく，QOLの全般的な低下を招く，自殺につながる，治療意欲を奪い有効である治療が受けられなくなる，意思決定能力を低下させる，家族の精神的負担となる，入院期間の長期化につながる，などの事象をきたすおそれがある．

評価・診断

うつ病による抑うつ症状の特徴（うつ病の中核症状では，がんなどによる症状の影響との鑑別が困難となるため特に留意する点）を以下に挙げる．
①身体状態に比してケアに協力的でない．
②身体機能が低くみえる．
③楽しいことがあっても無反応．
④考え方が悲観的．
⑤表情に活気がない．

うつ病の評価を行う際は，「2質問法」などのスクリーニング・ツールを用いて介入の参考にする（**表1**）．また希死念慮については

表1 2質問法

> 以下の質問にお答えください(当てはまるほうに○をつけてください).
> ①この1か月間,気分が沈んだり,憂うつな気持ちになったりすることがよくありましたか?
>   A.はい B.いいえ
> ②この1か月間,どうしても物事に対して興味がわかない,あるいは心から楽しめない感じがよくありましたか?
>   A.はい B.いいえ

1つでも「はい」があれば,うつ病の可能性が高い.
(Whooley MA, et al:Case-finding instruments for depression. Two questions are as good as many. J Gen Intern Med 12:439-445, 1997 より)

必ず確認する(質問すること自体が自殺を助長することはない).

介入・治療

初期対応の原則(「不安」参照➡ 321頁)

1)安易に薬物を処方しない

安易に抗不安薬や抗うつ薬を処方することは避ける.うつ病に対する治療を開始するか否かは,2〜4週間で患者が自然に回復する可能性,機能障害の程度,抑うつ症状の重症度と持続時間によって決まる.

2)早期介入をすべき患者の指標

①うつ病の既往がある,②社会的支援の背景が脆弱(独身,頼れる親族や友人が少ないなど),③希死念慮の理由が理解不能である,④予後不良,⑤疾患による機能障害が大きい,⑥精神病症状(貧困妄想,被害妄想など)を有する場合は早期介入を積極的に検討する.

3)重度の大うつ病の治療

薬物療法と心理療法の併用で最大の効果をあげられることが,複数の研究によって示されている★★[2)].

4)すでに薬物療法中の患者

プライマリ・ケア医やがん治療医が抑うつ症状に対して薬物療法を開始している場合,同時に心理療法や支持的カウンセリングなどの介入が勧められる.

薬物療法(抗うつ薬の概略は「不安」参照➡ 321 頁)

1)抗うつ薬の選択(表 2)

抗うつ薬への反応性による優劣は付けにくく,副作用の出現の仕方で薬剤選択することが推奨される.

❶効果発現が早いこと

うつ状態の遷延によりがんなど原疾患の治療が滞る可能性があることや,予後が短い場合があるため,特に進行がん患者の場合は効果発現が早い薬剤を選択する必要がある.

❷悪心の副作用頻度が低いこと

消化器がんであれば,ただでさえ悪心が出やすい状態であり,オピオイドの使用に伴う悪心の副作用を増強させてしまうことがあるため,この副作用はできるだけ避けることが望ましい.

❸薬物相互作用が少ないこと

薬物相互作用が複雑な場合は,多剤内服している場合にせん妄のリスクを高め,向精神薬の濃度が上がり眠気が出現する場合があり,時に抗がん剤の治療効果を低下させることがある.

高齢者や身体疾患を併発している患者における新規抗うつ薬(SSRI,SNRI など)の効果は従来の抗うつ薬と同等である★★[3]).

副作用による中断率は新規抗うつ薬が約 11%,従来の抗うつ薬が 16% と新規抗うつ薬の忍容性は高い★★[4]).

2)抗うつ薬の投与にあたって

各抗うつ薬の投与には有効性が確立されていないため,副作用についての理解が重要である.

❶エスシタロプラム

消化器症状と消化管出血に留意する.

> **処方例**
> エスシタロプラム(レクサプロ®) 1 回 10〜20 mg 1 日 1 回 眠前内服

❷ボルチオキセチン

消化器症状は他の SSRI よりは少ない.消化管出血に留意する.認知機能の改善効果が期待できる.

表2 主な抗うつ薬の特徴

一般的な開始量(1回量)	効果発現期間	血中濃度半減期	鎮静作用	悪心	抗コリン作用	複雑な相互作用
SSRI						
エスシタロプラム(レクサプロ®)						
10 mg	週単位	14 hr	−	++	−	−
ボルチオキセチン(トリンテリックス®)						
10 mg	週単位	67 hr	−	+	−	+
セルトラリン(ジェイゾロフト®)						
25 mg	週単位	23 hr	+	++	−	+
SNRI						
ミルナシプラン(トレドミン®)						
25 mg	数日〜週	8 hr	−	++	−	−
デュロキセチン(サインバルタ®)						
20 mg	数日〜週	13 hr	−	++	−	+
ベンラファキシン(イフェクサー®)						
37.5 mg	数日〜週	15 hr	−	++	−	−
NaSSA						
ミルタザピン(リフレックス®, レメロン®)						
15 mg	数日	32 hr	++	制吐作用	−	−
ドパミン系						
スルピリド(ドグマチール®)						
30〜50 mg	数日	7 hr	−	制吐作用	−	−
四環系						
ミアンセリン(テトラミド®)						
10 mg	数日〜週	18 hr	++	−	+	+
マプロチリン(ルジオミール®)						
25 mg	数日〜週	27 hr	++	−	+	+
三環系						
アミトリプチリン(トリプタノール®)						
25 mg	数日〜週	15 hr	++	−	+++	−
クロミプラミン(アナフラニール®)						
25 mg	数日〜週	20 hr	++	−	+++	+
アモキサピン(アモキサン®)						
25 mg	数日〜週	8 hr	++	−	+++	+

> **処方例**
> ボルチオキセチン（トリンテリックス®）　1回10〜20 mg　1日1回　眠前　内服

3 セルトラリン

高頻度で悪心が出現する．CYP2D6の阻害は無視できない．消化管出血に留意する．

> **処方例**
> セルトラリン（ジェイゾロフト®）　1回25〜100 mg　1日1回　夕食後　内服

4 ミルナシプラン

悪心の頻度が高い．また尿閉が高頻度に出現する．相互作用はほぼ無視できる．

> **処方例**
> ミルナシプラン（トレドミン®）　1回25〜100 mg　1日2回　朝・夕食後　内服

5 デュロキセチン

悪心の頻度が高い．また尿閉が高頻度に出現する．CYP2D6の阻害は無視できない．

> **処方例**
> デュロキセチン（サインバルタ®）　1回20〜40 mg　1日1回　朝食後　内服

6 ベンラファキシン

抗うつ効果が高い．悪心の頻度が高い．相互作用はほぼ無視できる．

> **処方例**
> ベンラファキシン（イフェクサー®）　1回37.5〜150 mg　1日1回　夕食後　内服

7 ミルタザピン

眠気の頻度が高い．相互作用はほぼ無視できる．

> **処方例**
>
> ミルタザピン（リフレックス®，レメロン®） 1回 15～30 mg 1日1回 眠前 内服

8 スルピリド

高プロラクチン血症が必発する．1日 50 mg 程度の低用量であればパーキンソニズムを回避できる．相互作用はほぼ無視できる．

> **処方例**
>
> スルピリド（ドグマチール®） 1回 30～50 mg（細粒にて） 1日3回 毎食後 内服

9 ミアンセリン

眠気の頻度が高い．せん妄に対して有用である．相互作用はほぼ無視できる．

> **処方例**
>
> ミアンセリン（テトラミド®） 1回 10～30 mg 1日1回 眠前 内服

10 三環系抗うつ薬

抗コリン作用が強いと意識障害を惹起するリスクが高く，使用頻度は低い．

心理療法

①病状進行や再発に対する不安，終末期の孤独感などに対して，患者の思いや感情の表出を促し，悩みや不安をよく聴き，それを理解して支持する．
②よい・悪い，間違っているといった価値判断はせず，批判・解釈することなく受容する．また，安易に励ますようなこともせず，できる限り理解しようと努力しながら，患者の苦しみを最後まで支え続けるという姿勢を保つ．
③痛みなどのコントロール不十分な身体症状や，家族の問題などの

環境的な要因が存在することもあるため,常に包括的なケアの提供を心がける.

④医療者からの心理的な援助の有無が,精神的な適応を大きく左右する要因であることが示されており,医療者が患者の精神状態をよく理解し,医療チームとして患者を支えていく体制を整えることが重要である.

▌参考文献

1) Wilson KG, et al:Depression and anxiety disorders in palliative cancer care. J Pain Symptom Manage 33:118-129, 2007.(PMID:17280918)
2) Gelenberg AJ, et al:Practice guideline for the treatment of patients with major depressive disorder, 3rd ed. American Psychiatric Association, 2010.
3) Iosifescu DV, et al:Impact of medical comorbid disease on antidepressant treatment of major depressive disorder. Curr Psychiatry Rep 6:193-201, 2004.(PMID:15142472)
4) Anderson IM:Selective serotonin reuptake inhibitors versus tricyclic antidepressants:a meta-analysis of efficacy and tolerability. J Affect Disord 58:19-36, 2000.(PMID:10760555)

(上村恵一)

36 【鎮静】苦痛緩和のための鎮静

診療のコツ

❶終末期の諸症状が他の方法で緩和できない場合，鎮静が選択肢になる．

❷鎮静は投与方法によって，間欠的鎮静，持続的鎮静（調節型鎮静，持続的深い鎮静）に区別する．

❸鎮静の開始には，医療チームにおける合意形成，患者・家族への情報提供と話し合い，意思決定支援が必要である．

❹鎮静に用いる薬剤の第1選択はミダゾラムである．オピオイドを鎮静目的に使用することは推奨されない．

❺鎮静開始後は苦痛の程度，鎮静の水準，鎮静薬の副作用について，定期的に評価して調節する必要がある．

定義

苦痛緩和のための鎮静とは，治療抵抗性の苦痛を緩和することを目的として，鎮静薬を投与することである[1]．鎮静は患者を意図的に死に至らしめる安楽死とは異なり，鎮静薬を投与することで患者の苦痛緩和を図る医療行為である（**表1**）．

疫学

持続的深い鎮静の施行頻度は，6.7〜68％と報告によって大きな差があり，環境によっても異なる．

鎮静の対象となる症状として，せん妄（全身状態悪化を伴わないせん妄は除く），呼吸困難の施行頻度が高い．その他，痛み，悪心・嘔吐，倦怠感，けいれんなどに対して鎮静を行う場合があるが，不安，抑うつ，スピリチュアルペインが単独で持続的深い鎮静の対象になることはまれである．

鎮静施行期間は通常数日以下だが，まれに1週間以上の鎮静が行われる場合もある．

表1　鎮静と安楽死の違い

	鎮静	安楽死
目的	苦痛の緩和	患者の死亡
方法	苦痛の緩和のためだけに必要な鎮静薬の投与	致死性薬剤の投与
成功した場合の結果	苦痛の緩和のみ(命は縮めない)	患者の死亡(命を縮める)

治療抵抗性の耐えがたい苦痛への対応

　鎮静は，看取りが近い時期に，他に強い苦痛を緩和する方法がないと判断された場合，穏やかな最期を迎えるために行う．

　鎮静の適応を判断するためには，①耐えがたい苦痛であること，②治療抵抗性であること，を評価する．これらを評価したあとに，③患者の意思と相応性，を十分に確認したうえで鎮静の施行を判断する．

耐えがたい苦痛であることの評価

　標準的な緩和ケアの症状緩和によっても苦痛が軽減しない時，以下の場合を耐えがたい苦痛と評価する．
①患者が耐えられないと表現する．
②患者が自ら表現できない時は，患者の価値観や考えを踏まえて耐えられないと想定される．

治療抵抗性であることの評価

　①すべての治療が無効であると判断するか，②患者の希望と全身状態から考えて，予測される生命予後までに有効で合併症の危険性と侵襲を許容できる治療手段がないと考えられることから評価する．

　十分な評価や治療をせずに，他に苦痛緩和の手段がないと判断してはならない．複数の医療者で判断されることが望ましい．

　治療抵抗性であることを判断するためのチェックリストを**表2**に示す．

患者の意思と相応性の評価

　苦痛の強さ，治療抵抗性の確実さ，予測される生命予後(「予後の判定」参照➡ 13頁)，効果と安全性の見込みを評価する．

表2　治療抵抗性判断のためのチェックリスト

原因	No.	対策
せん妄	1	治療可能な原因がないか評価し，治療を検討したか 例：採血で電解質異常や高アンモニア血症，血糖値異常，感染症がないか評価
	2	原因となる薬剤の調整を検討したか 例：オピオイドスイッチング，ベンゾジアゼピン系抗不安薬の減量・中止・変更など
	3	原因となる苦痛症状は緩和されているか 例：痛み，呼吸困難などが緩和されているか
	4	抗精神病薬投与は検討したか 例：リスペリドン(リスパダール®)やハロペリドール(セレネース®)など
	5	環境調整は行ったか 例：昼夜の感覚がつきやすい部屋
呼吸困難	6	治療可能な原因がないか評価し，治療を検討したか 例：胸腹水，心囊水，肺炎，心不全，貧血，上大静脈症候群，気道狭窄など
	7	酸素投与を検討したか 例：呼吸困難改善効果があるか試す
	8	モルヒネ投与を検討したか 例：持続注射でモルヒネ投与
	9	抗不安薬投与を検討したか 例：ロラゼパム(ワイパックス®)内服薬，ブロマゼパム坐薬など
	10	不安に対するケアを検討したか 例：精神的援助，リラクセーションなど
気道分泌	11	治療可能な原因がないか評価し，治療を検討したか 例：肺炎，心不全など
	12	輸液の減量・中止を検討したか 例：1日 1,000 mL 以下にする
	13	気道分泌抑制薬の投与を検討したか 例：ブチルスコポラミン(ブスコパン®)注射薬などの抗コリン薬
	14	排痰ドレナージの施行を検討したか 例：呼吸リハビリテーション
痛み	15	治療可能な原因がないか評価し，治療を検討したか 例：骨折，膿瘍，消化性潰瘍・穿孔など
	16	オピオイドの投与を検討したか 例：持続注射でモルヒネ投与
	17	鎮痛補助薬の投与を検討したか 例：プレガバリン(リリカ®)内服薬，ケタミン(ケタラール®)やリドカイン(キシロカイン®)の注射薬

（次頁へつづく）

(前頁からつづき)

	18	神経ブロックを検討したか
	19	放射線治療を検討したか
悪心・嘔吐	20	治療可能な原因がないか評価し，治療を検討したか 例：便秘，オピオイドなどの薬剤，高カルシウム血症，脳腫瘍，消化管閉塞，消化性潰瘍など
	21	制吐薬の投与を検討したか 例：オランザピン（ジプレキサ®）など複数の受容体に作用する制吐薬など
	22	消化管閉塞や脳腫瘍に対して，コルチコステロイドの投与を検討したか 例：デキサメタゾン（デカドロン®）やベタメタゾン（リンデロン®）
	23	消化管閉塞に対して，消化管分泌抑制薬の投与を検討したか 例：オクトレオチド（サンドスタチン®）
	24	消化管閉塞に対して，胃管挿入を検討したか
倦怠感	25	治療可能な原因がないか評価し，治療を検討したか 例：高カルシウム血症や低ナトリウム血症などの電解質異常，感染症，貧血，脱水，抑うつなど
	26	倦怠感と間違われやすい，せん妄やアカシジアと鑑別したか
	27	コルチコステロイドの投与を検討したか 例：デキサメタゾン（デカドロン®）やベタメタゾン（リンデロン®）
けいれん	28	治療可能な原因がないか評価し，治療を検討したか 例：脳腫瘍に対する放射線治療など
	29	抗けいれん薬の投与を検討したか 例：フェニトイン（アレビアチン®）やレベチラセタム（イーケプラ®）など
ミオクローヌス	30	治療可能な原因がないか評価し，治療を検討したか 例：オピオイドなど薬剤性
	31	脱水を評価し，輸液を検討したか
不安・抑うつ	32	治療可能な身体的原因がないか評価し，治療を検討したか 例：緩和されていない身体的苦痛，脳腫瘍，アカシジア，せん妄など
	33	薬物療法を検討したか 例：抗不安薬，抗うつ薬など
	34	心理専門家へのコンサルテーションを検討したか
スピリチュアルペイン	35	身体的機能喪失のつらさに対して介入したか 例：リハビリテーションや代替手段の提供
	36	支えとなる関わりを行ったか 例：傾聴，感情表出の機会，家族を巻き込んで関わる
	37	ソーシャルサポートの強化を検討したか
	38	必要に応じて宗教家への相談を検討したか

コミュニケーション

鎮静の適応を検討する際には，まず医療者間で合意形成を行い，その後，患者・家族に十分な情報提供を行ったうえで，十分な話し合いを行い，患者・家族の意思決定を支援する．

医療者間のコミュニケーション

以下のような方法で医療者間のコミュニケーションを図る．
① 多職種で形成される医療チーム内で，それぞれの立場からの意見に基づいた合意形成を行う．1人の医療者の独断で決定されることがあってはならない．
② 他に苦痛緩和の手段がない，または，患者の意思決定能力，他の苦痛緩和の手段，予後予測について，判断が難しい場合は緩和ケアチームなどの専門家へのコンサルテーションを検討する．
③ 鎮静を行う根拠，患者・家族の意思決定過程，鎮静方法について診療記録に記載する．

患者・家族とのコミュニケーション

① 医療チームでの話し合いの結果をもとに，患者・家族に対し鎮静に関する情報提供を行う．注意点として，鎮静は医療者のみの独断で行わないこと．
② 患者に意思決定能力がある場合は，医療者間での合意形成をもとに，必要十分な情報を提供したうえで，鎮静の希望について明確な意思表示を受ける．
③ 意思決定能力がないとみなされた場合は，患者の価値観や以前の意思表示を尊重し，患者が鎮静を希望することが十分に推測できる場合に鎮静を施行する．

患者・家族への説明内容

鎮静を検討するにあたって，患者・家族のつらい気持ちに十分配慮したうえで，以下の情報を提供する必要がある．患者-家族間，あるいは家族内で意見の相違がみられる場合は，直接話し合える場を設けるなどして，皆が納得できる方法を見いだせるよう支援する．

1）現在の状態

今後予測される状態の変化や予後予測について情報提供を行う．

2)苦痛

緩和が困難な苦痛の存在とその苦痛が生じている理由と，苦痛に対してこれまで行ってきた治療内容および苦痛の緩和が困難であると判断した根拠を説明する．

3)鎮静の目的

苦痛の緩和を目的としていることを共有する．

4)鎮静の方法

意識を低下させる薬剤を投与し苦痛の緩和を図ること，鎮静の方法には異なる様式(持続的，または間欠的)があること，また状況に応じて鎮静を中止することも可能であること，を説明する．

5)鎮静が与える影響

鎮静による意識レベルの低下の程度や，精神活動・コミュニケーション・経口摂取が困難となりうることを説明する．そのうえで，鎮静施行前にしておきたいことがないか確認することが必要である．また，鎮静開始後に状態が急変する可能性についても説明する．

6)鎮静開始後の治療やケア

苦痛緩和のための治療やケアはこれまで同様に継続し，患者や家族の意向が反映されることを保証する．また，人工的な水分・栄養補給については，利益と害を十分考慮したうえで総合的に判断する．

7)鎮静を行わない場合に予測される状態

他の選択肢を提示し，予測される苦痛の程度や予後について情報提供を行う．

鎮静水準

modified Richmond agitation-sedation scale(RASS)は，不穏水準を＋1〜＋4，意識清明を0，鎮静水準を−1〜−5とした10ポイントスケールであり，①観察，②呼びかけ刺激への反応，③身体刺激への反応，の3ステップの手順で評価する(**表3**)[2]．

鎮静の方法

分類

①間欠的鎮静
②持続的鎮静(調節型鎮静，持続的深い鎮静)

表3 緩和ケア用 RASS

Score	用語	説明
+4	好戦的	明らかに好戦的，暴力的で，スタッフに危険が迫っている
+3	非常に興奮している	チューブやカテーテルを引っ張ったり抜く；攻撃的
+2	興奮している	頻繁に目的のない動きがある
+1	落ち着きがない	不安そうだが，動きは攻撃的でも活発でもない 完全に意識清明ではない患者で，頻繁に動き，攻撃的でない
0	意識清明で落ち着いている	
−1	傾眠	完全に意識清明ではないが，呼びかけに覚醒状態（開眼・アイコンタクト）が続く（≧10秒）
−2	浅い鎮静	呼びかけに短時間覚醒し，アイコンタクトがある（<10秒）
−3	中等度鎮静	呼びかけに動きか開眼で反応するが，アイコンタクトはない
−4	深い鎮静	呼びかけに反応はないが，身体刺激に動きか開眼がある
−5	覚醒不可能	呼びかけにも身体刺激にも反応がない

−1〜−3：呼びかけ刺激
−4〜−5：身体刺激

RASS 評価手順

1. 患者を観察する
   - 意識清明，落ち着きがない，または興奮がある　　Score 0〜+4
2. 意識清明でない場合，患者の名前を呼び，目を開けてこちらを見るように言う
   - 覚醒し，開眼・アイコンタクトが持続する　　Score −1
   - 開眼・アイコンタクトがあるが，持続しない　　Score −2
   - 呼びかけになんらかの動きがあるが，アイコンタクトはない　　Score −3
3. 呼びかけ刺激に反応がないとき，肩をゆすることで身体的に刺激する
   - 身体刺激に何らかの動きがある　　Score −4
   - どの刺激にも反応しない　　Score −5

〔今井堅吾，他：緩和ケア用 Richmond Agitation-Sedation Scale（RASS）日本語版の作成と言語的妥当性の検討．Palliat Care Res 11：331-336, 2016 より〕

間欠的鎮静

一定期間意識の低下をもたらしたあと,薬剤を中止・減量することで,意識低下のない時間を確保する鎮静方法である.例えば,夜間にしっかりと寝てつらくない時間を確保したいが,通常の睡眠薬などでは効果が不十分な時に夜間のみ用いる.朝に鎮静薬を中止・減量することで,日中はできるだけ起きていたいという希望に沿える.

間欠的鎮静を図りながら,やがて病状の進行とともに,日中に起きていることがつらくなり,朝になっても鎮静薬を中止・減量せず,持続的鎮静に移行することもある.

> **処方例** 下記のいずれかを用いる.
>
> 1) ミダゾラム(ドルミカム®) 10 mg を生理食塩液 100 mL に溶解し持続点滴静注.0.5〜1 mg/時(5〜10 mL/時)
>   * 患者の状態を観察しながら持続投与量・ボーラス投与量を調整(最大1日量の目安は 30 mg).覚醒したい時間の2時間前に投与を終了し,その後の覚醒度をみて投与終了時間を調整する.
> 2) ミダゾラム(ドルミカム®) 0.5〜1 mg/時(原液で 0.1〜0.2 mL/回)で持続皮下注.中途覚醒時は 1〜2 mg(原液で 0.2〜0.4 mL/回)のボーラス投与を追加可
>   * 患者の状態を観察しながら持続投与量・ボーラス投与量を調整(最大1日量の目安は 30 mg).覚醒したい時間の2時間前に投与を終了し,その後の覚醒度をみて投与終了時間を調整する.
> 3) フルニトラゼパム(サイレース®) 1回 0.5〜2 mg を生理食塩液 100 mL に溶解し 0.5〜1 時間かけて点滴静注.または1回 0.5〜1mg を原液のままワンショット皮下注
>   * 使用にあたっては呼吸循環動態の観察を十分に行うこと.

ミダゾラム注のほうが半減期は短く,投与終了後の覚醒がよいため,間欠的鎮静という意味では用いやすい.また保険適用外であることに留意する.一方でフルニトラゼパム注は投与方法が簡便であるため,ミダゾラム注に不慣れな場合には選択しやすいが,半減期が長いために朝の覚醒時間が遅くなる可能性がある.

持続的鎮静

1) 鎮静薬の選択

オピオイドや向精神薬などの症状緩和に必要な薬剤は原則的に継続する.そのうえで,鎮静薬を追加する.

鎮静に用いる薬剤の第1選択はミダゾラムである[★1)]．過活動なせん妄状態がある場合は鎮静効果の強い抗精神病薬であるクロルプロマジンの併用が有効である．ミダゾラムが有効でない場合や耐性が生じた（投与期間が1〜2週間以上になると，耐性が生じる場合がある）と考えられる場合には，フェノバルビタールの使用も検討する．在宅医療などミダゾラムが使用しにくい状況下では，坐薬など他の薬剤の使用も選択肢となる（**表4**）．

オピオイドは意識を低下させる作用が弱く，かつ蓄積されることで神経の過敏性（けいれん，ミオクローヌス，痛覚過敏）を生じうるため，鎮静を目的としたオピオイドの使用・増量は行わない．

> **処方例** 1)を単独で，または1)に2)か3)を組み合わせて用いる．
> 1) ミダゾラム（ドルミカム®） 0.5〜2 mg/時で開始．持続静注，持続皮下注
>   ＊効果が不十分な時は0.5〜2 mgのボーラス投与を追加可能．効果をみながら20〜50%を目安に増量する．
> 2) クロルプロマジン（コントミン®） ミダゾラムに併用する形で10〜15 mg/日で開始．持続静注，持続皮下注，眠前にワンショット皮下注
>   ＊効果が不十分な場合は15〜50 mgまで増量する．
> 3) フェノバルビタール（フェノバール®） 開始時に50〜100 mgの皮下注でボーラス投与を行い，15〜50 mg/時の持続皮下注で維持

2) 投与量の調節

1 調節型鎮静

持続的鎮静の一部であり，苦痛の強さに応じて苦痛が緩和されるように鎮静薬を少量から調節して投与すること．鎮静薬の投与量を調節する基準は，患者の鎮静水準ではなく，苦痛の強さである．したがって，結果として患者の意識が維持された状態で苦痛が緩和される場合もあれば，苦痛が強い場合には苦痛にあわせて鎮静薬を増量した結果として患者の意識が低下してはじめて苦痛が緩和される場合もある．苦痛の強さの評価はSTAS-J（**付録6，7→ 481〜484頁**）などの手法を用いるが，患者や家族の希望を踏まえて，複数の医療者で評価されるべきである．

鎮静薬は少量から開始し，苦痛が強い時はボーラス投与を優先し

表4 持続的鎮静に使用する薬剤

剤形	注射薬		坐薬		
一般名（商品名）	ミダゾラム（ドルミカム）	フェノバルビタール（フェノバール）	ブロマゼパム	ジアゼパム（ダイアップ）	フェノバルビタール（ワコビタール）
開始量	0.2〜1 mg/時．開始時 2.5 mg/回までの追加投与も可	4〜20 mg/時を持続皮下注で開始し，適切な鎮静が得られたら減量．50 mg/時まで増量可．開始時に 50〜200 mgの追加投与を行ってもよい	1回3 mg 1日2回挿肛	1回6〜10 mg 1日1〜2回挿肛	1回50〜200 mg 1日2〜3回挿肛
投与量	5〜120 mg/日				
投与経路	静脈内，皮下*	皮下	経直腸	経直腸	経直腸
半減期（持続鎮静として）	2.5時間	80〜100時間	11〜28時間	30時間	70時間
特徴	短時間作用で用量依存性→投与時間や投与量の微調整で，鎮静の程度を工夫しやすい．呼吸抑制を生じる．2週間以上の長期投与で耐性を生じるといわれており，投与量を増やしていく必要が出てくる	抗けいれん作用がある．半減期が長く，効果が蓄積してしまうため，遅発性の副作用に注意する．血中濃度の立ち上がりが遅く，効果発現までに時間を要する	在宅での間欠的な浅い鎮静に用いる	在宅での深い鎮静に用いる．持続的に効果を期待する場合は反復投与が必要	在宅での深い鎮静において，ジアゼパム坐薬やミダゾラム注射の効果が乏しい時に用いる．効果発現までに時間を要する

＊保険適用外の投与経路．

て行い，効果がなければ投与量の増量を行う．鎮静薬としてはミダゾラムが選択され，0.5〜2 mg のボーラス投与後に 0.5〜2 mg/時で持続投与を開始し，15分後に効果を判定する．苦痛の緩和が不十分であれば増量を行い，繰り返し効果判定を行う．

❷持続的深い鎮静

持続的深い鎮静は RASS≦−4 を目安に調節を行う.用いる薬剤は少量より開始し,目標とするレベルの鎮静水準が得られるまで漸増する.目標が達成されるまで,必要に応じてボーラス投与や増量を行ってよい.

鎮静開始後も定期的に苦痛の有無,鎮静水準,副作用を評価していく.同時に家族の認識や希望も評価する.例えば,家族が苦しそうととらえている場合は鎮静を深めたり,日中は少しでも起きていてほしいと願う場合には,許される範囲で昼夜で鎮静の濃淡をつけるなど,必要に応じて鎮静内容の調節を行う.

▋参考文献

1) 日本緩和医療学会ガイドライン統括委員会(編):がん患者の治療抵抗性の苦痛と鎮静に関する基本的な考え方の手引き 2018 年度版.金原出版,2018.
2) 今井堅吾,他:緩和ケア用 Richmond Agitation-Sedation Scale(RASS)日本語版の作成と言語的妥当性の検討.Palliat Care Res 11:331-336,2016.
3) 武田文和,他(監訳):トワイクロス先生の緩和ケア.医学書院,2018.

〔廣橋 猛〕

> **コラム ❹** コンサルテーション

　コンサルテーションとは専門家との協議・相談を意味する．コンサルティー（相談の依頼者）はコンサルタント（相談を受ける専門家）に助言をもらう．医療現場では，患者の情報および課題を共有して，問題を解決する方法を異なった専門性をもつ者と相談することを指す．例えば，病棟担当医や病棟スタッフ（コンサルティー）が，緩和ケアチーム（コンサルタント）に患者の疼痛の緩和方法について相談依頼することである．

●コンサルティーとして心がけること

　何らかの課題が生じ専門家に助言をもらいたい時に依頼することが一般的だが，コンサルテーションのタイミングは難しいことも多い．特に緩和ケアにおいては，告知前でも積極的治療中でも身体的苦痛・精神的苦痛・社会的苦痛・スピリチュアルな苦痛など，患者の状態に応じて早期依頼を検討する．さらに終末期の患者には残された時間が少ないため，その時間をできる限り苦痛なくその人らしく過ごせるように，早めに対応困難な苦痛を拾い上げることを心がけるとよい．また，コンサルティーは，現状の問題点を的確に説明したうえで，自分がコンサルタントに何を望んでいるのかを具体的に伝えるとよい．

●コンサルタントに求められるもの

　コンサルタントには，専門的知識・技術，コミュニケーション能力が求められる．エビデンスと経験から裏打ちされた専門性を期待されている．コンサルティーが何を必要とし，何を期待しているのかを把握し，また，患者・家族などの状態や背景を理解したうえで，コンサルタントのもつ専門的な知識・技術を的確に助言として伝える．あくまでも助言であるため，コンサルタントの意見を強要せず，時には譲歩が必要な場合もある．介入方法は，直接介入（患者を診察しアセスメントしてコンサルティーへの助言・支援を行う）と間接介入（直接診察はせず，コンサルティーへの助言・支援を行う）があり，依頼内容や患者・家族の背景に応じて使い分ける．また，薬剤の処方は提案を受けたコンサルティーが処方する場合と，コンサルタントが直接処方する場合がある．どちらにするか，あらかじめ依頼時に相談しておくのが望ましい．

　コンサルティーと良好に連携するために，コンサルテーション・エチケットにおける 10 原則がある[1]．①何が問題か明確にする，②緊急性を判断する，③自分で診察し情報収集する，④簡潔な提案をする，⑤具体的な提案をする，⑥予想される事態に備える，⑦相手の領域を尊重し求められた役割に応える，⑧気配りをしながら教育もする，⑨直接連絡し顔の見える関係を作る，⑩経過を追い自分の提案に責任をもつ．

コンサルタントとして注意しなくてはならないこととして，依頼者(担当医や病棟スタッフ)の努力してきたことを決して否定してはならない．コンサルテーションを依頼すること自体にストレスや無力感を覚えるスタッフもいるため，その気持ちを理解し，安心して相談できるよう心がける．また，担当医や病棟スタッフと患者との信頼関係を壊すような出過ぎた関わり方をしてはならない．そして，できる限り直接コンサルティーと連絡を取り合うことで誤解も生じにくくなる．

＊

　専門領域に分かれていることが多い医療現場において，医療者同士が良好な関係を築き協力することは，患者にとって安心した環境になると同時によりよい医療につながる．

■参考文献

1) Meier DE, et al：Consultation etiquette challenges palliative care to be on its best behavior. J Palliat Med 10：7-11, 2007.(PMID：17298244)

(村瀬樹太郎)

第3章

非がんの緩和ケア

1 高齢者/認知症の緩和ケア

診療のコツ

❶高齢者および認知症患者においては，数年に及ぶ機能低下ののち，半年以上の寝たきり期間を経て最期を迎えることが多く，どこからが終末期なのか判別がつきにくいことが多い．
❷ケアニーズは多側面にわたることが多く，多職種チームにおける連携が重要である．
❸はっきりとした症状がない場合でもやるべきことはあり，不快を除くケアや家族支援が重要になる．
❸家族の支援，特に延命治療選択における意思決定支援が重要である．また，高齢者や認知症患者の治療の選択には，若年者以上に患者個人の選択や QOL への配慮が必要になる．
❹現在終末期にある患者は，長期の罹患期間を経て現在の姿にあることを理解する．
❺薬物療法選択の際には，複数の慢性疾患の合併や生理機能低下に配慮する必要がある．

病態

高齢者

　若年がん患者とは異なり，年単位で緩徐に状態が悪化して終末期に至ることが多い．その間，複数の慢性疾患の合併はほぼ必発であり，病態は単純ではない．予後予測やケアニーズの評価は困難なことも多いが，詳細な観察と多職種チームでの検討を繰り返すことで可能となる．長期にわたる療養期間をどのように支えるかが問題になる一方，若年がん患者に比べると時間的猶予があり，予防や時間を味方につけた戦略がとりやすいともいえる．なお，高齢者における自律・自立の概念や価値観は，若年者で一般的と思われているものと大きく異なる可能性もあり，患者や家族の発言に真摯に耳を傾ける必要がある[1]．

認知症

認知症は,「いったん発達した知的能力が様々な原因で持続的に低下した状態をいい,慢性あるいは進行性の脳の疾患によって生じ,記憶,思考,見当識,概念,計算,学習,言語,判断など多面的な高次脳機能の障害からなる症候群」と定義される.多くの疾患を背景にもつ症候群であり,代表的な疾患は,アルツハイマー病(Alzheimer's disease:AD),脳血管性認知症,レビー小体型認知症,前頭側頭型認知症であるが,このうちADが認知症の40～60％を占める.いずれも治療不能な進行性疾患であり,年単位の経過で死に至る.

ADは近時記憶低下で発症し,中等度の時期には実行機能障害,失行,失認が進行,見当識が障害され,行動・心理症状(BPSD)*の出現が目立つようになる[1].重症になると精神機能に加え身体機能も低下しはじめ,最期の半年～2年は寝たきりとなる[2].感染症や他の合併症で重症に至らずに亡くなることも多い.

予後予測

認知症患者の終末期の判断をするポイントとして,以下が挙げられる.

①ADの診断からの平均生存期間は5年前後である.
②施設入所中の重症認知症患者(全介助,およそMMSE 5以下,家族の認識不能)の18か月生存率は55％,生存期間中央値は1.3年[3],肺炎・発熱後の6か月生存率は45％である.

予後規定因子となる疾患がはっきりしない虚弱高齢者を対象とした予後予測指標を集めたwebサイトePrognosis(www.eprognosis.org)では,対象となる患者の状態を入力することで,状態にあった予後予測指標を選択し使用することができる.他に,SPICT™(supportive and palliative care indicators tool)[4]やGSF-PIG(the gold

---

* 認知症の行動・心理症状(behavioral and psychological symptoms of dementia:BPSD):認知症の症状は,「高次脳機能の障害(=認知機能の低下)」による中核症状と,中核症状によって生じる状況にうまく適応できないために出現するBPSDの2種類に大別することができる.BPSDには易刺激性,焦燥・興奮,脱抑制,妄想,幻覚,うつなどの症状が含まれ,介護者の対応を含む環境の改善による予防または早期対応が望ましいが,対処が困難な場合には薬物療法を併用することもある.

standards framework proactive identification guidance)[5]などの指標も参考になる.

これらの情報をもとに予後予測を試みることは一定の価値があるが,高齢者・認知症患者の予後予測は非常に困難であることも事実であり,終末期と思っていたら持ち直し回復した,ということも経験する.したがって,患者の残された時間がどのくらいかという視点と,いま現在の目の前にいる患者に何ができるか(下記の「評価」を参照)という視点の両方をバランスよく持ち続けることが重要になる.

症状

終末期高齢者には,痛み(筋骨格系由来が多い),せん妄,倦怠感,悪心,排尿障害,便秘,褥瘡,呼吸困難,転倒・骨折,睡眠障害など多様な症状が出現しうる.重度認知症患者には感染症,摂食に関連する問題(体重減少,嚥下障害,脱水,摂食拒否,摂食量低下)の頻度が高く,これらの出現は予後とも関連している[3].欧米の観察研究ではそれぞれの症状の累積発症率は**図1**[3]のように示されている.

評価

症状が症状としてではなく,何らかの不快な感覚として患者に認識されることも多く,若年患者とは違うアプローチが必要になることも多い.症状や不快の有無について患者に直接尋ねることが基本だが,聴力・視力低下や認知機能低下,せん妄などの合併が症状の評価を困難にする.一般的な症状評価ツールでは適切に評価できないことも多く,その人に応じた方法を考慮する(10段階評価を3段階に変更する,短期記憶障害の合併がある患者には頻回にアセスメントする,など).

認知機能が低下した高齢者の痛みを,観察で評価するツールとしてPAINADがある(**表1**)[6].高齢者の総合的な機能評価法として包括的高齢者評価(comprehensive geriatric assessment:CGA)がある(**表2**).CGAでの評価には時間がかかるが,的確な評価のためには焦らないことが重要である.ADLを含めた患者の生活状況を,「歳だから仕方がない」ととらえられるような変化も含め,よく観察

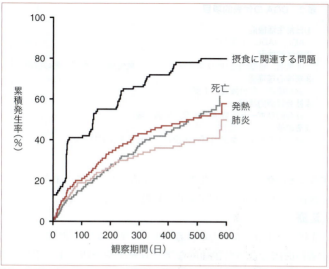

図1 認知症患者における累積死亡と肺炎，発熱，摂食障害の発症率

(Mitchell SL, et al：The clinical course of advanced dementia. N Engl J Med 361：1529-1538, 2009 より)

表1 pain assessment in advanced dementia(PAINAD)

	0	1	2
呼吸 (非発声時)	正常	随時の努力呼吸， 短期間の過換気	雑音が多い努力性呼吸， 長期の過換気， チェーン・ストークス呼吸
ネガティブ な啼鳴 (発声)	なし	随時のうめき声， ネガティブで批判的な 内容の小声での話	繰り返す周囲が困るほどの 大声， 大声でうめき苦しむ， 泣く
顔の表情	微笑んでい る，無表情	悲しい，怯えている， 不機嫌	顔をゆがめている
ボディ ランゲージ	リラックス している	緊張している，苦しむ， 行ったり来たりする， そわそわしている	剛直，握ったこぶし， 引き上げた膝，引っ張る， 押しのける，殴りかかる
慰めやすさ	慰める必要 なし	声かけや接触で気をそ らせる，安心する	慰めたり，気をそらしたり， 安心させたりできない

合計0〜10点で評価し，点数が高いほど痛みの重症度も高い．
〔Warden V, et al：Development and psychometric evaluation of the Pain Assessment in Advanced Dementia(PAINAD)scale. J Am Med Dir Assoc 4：9-15, 2003 より引用改変〕

表2 CGAの代表的項目

① **日常生活機能**
　ADL，IADL，転倒リスク
② **身体的状況**
　疾患名，投薬内容（ポリファーマシー），尿失禁，性機能，歯の状況
③ **精神心理機能**
　認知機能，気分障害，不安
④ **社会経済的状況**
　社会的サポート，経済的状況，生活環境
⑤ **その他**
　終末期の希望，ケアのゴール設定，スピリチュアリティ

することがケアニーズの把握や予後予測につながる．また，家族や介護者からの情報も有用であり，軽視しない．

治療

症状コントロールの方法は若年患者に準じるが，環境調整などの非薬物療法も含めた包括的なアプローチや予防がより重要になる[7]．薬剤を使用する際には少量から開始し，注意深く観察し調節する．ポリファーマシーは高齢者において大きな問題であり，併用薬には注意を要する．なお，抗精神病薬の使用は死亡率が上がる報告があるので注意が必要である．

また，重度認知症患者は「未来も過去もなく現在だけ」の精神世界を生きている．侵襲性のある処置や治療の意味を理解することは困難であり，苦痛の記憶だけを残すことにも留意が必要である．

発熱・誤嚥性肺炎

高齢者や認知症患者の終末期において発熱の頻度は高い．抗菌薬投与は，発熱の原因が細菌感染によると考えられる十分な証拠がある時のみ考慮すべきである．重症認知症患者の細菌感染による発熱に対し，抗菌薬を投与することで延命できるかどうかの結論は出ていない．

高齢者や認知症患者の終末期には，繰り返す誤嚥やそれに伴う誤嚥性肺炎が問題になることが多い．予防には口腔ケアや食事摂取時の体位，介助法の工夫など，包括的なアプローチが必要となる．どこまで経口摂取を許容するか，あるいは，誤嚥性肺炎と診断された場合に抗菌薬投与を行うか，悩ましいことも多い．予防や治療の介

入をどこまで行うかの判断は，適切なアドバンス・ケア・プランニングに基づいたゴール設定に従ってなされるべきである．2017年の日本の「成人肺炎診療ガイドライン」では「易反復性の誤嚥性肺炎のリスクあり，または疾患終末期や老衰の状態」では「個人の意思やQOLを考慮した治療・ケア」が推奨されている．

その他の症状

若年がんの終末期にはあまりないが，老衰や認知症の終末期に出現しやすい症状として，拘縮による痛み，褥瘡，浮腫などがある．いずれも予防が肝要であり，拘縮予防の可動域訓練，栄養状態の評価などは，いわゆる終末期になる以前から取り組んでおくべきだろう．

一度症状が出現してからの介入の方針は，誤嚥性肺炎と同様，患者の意思やQOL，ケアのゴールを考慮して決定する．拘縮による痛みや浮腫にはクッションやベッドを工夫し安楽な体位の保持を行うことが多い．褥瘡は完治を目指すのかどうかの判断が必要になることもあり，患者の苦痛が最小限となる処置やケアの工夫が必要になる．

家族・介護者のケア

罹患期間が長いため，家族や介護者の身体・社会・心理的負担も長期にわたる．家族の日常生活における実際的な負担にも配慮する．以下に代表的な例を挙げる．

①延命治療の選択のプロセスにおいて，家族に負担が生じることが多く，意思決定支援が欠かせない．

②認知症患者の家族の予期悲嘆の頻度は47〜71％，遷延性悲嘆症の頻度は約20％と報告されている[8]．施設入所に罪悪感を抱く家族が多い．

③終末期に至るまでに，徘徊や抵抗などのBPSDで苦労をしてきた家族も多い．また，近親者の認知機能が低下していく様子を見ることは苦痛を伴う．終末期の患者・家族の姿は，患者の歴史の一場面であり，これまでの患者の歴史を理解しようとすることが重要である．

穏やかな看取りのために

　老衰や認知症の終末期では，がんのような衝撃的な病名告知がなく，日常の延長に終末期がある．患者・家族の病状の受け取り方も様々であり，医療者にとっては意外な解釈をしていることも多い．終末期が差し迫る前から，現状の理解や今後の方針に影響を及ぼしそうな価値観について，患者や家族の思いに耳を傾ける機会をもつとよい．

　また，在宅での穏やかな看取りのためには，患者や家族をサポートする地域の多職種との連携が重要になる．急な生活状況や病状の変化に伴うサービス導入にも対応できるような連携を普段から構築しておくことも助けになる．

■ 参考文献

1) Gott M, et al：Older people's views of a good death in heart failure：implications for palliative care provision. Soc Sci Med 67：1113-1121, 2008.(PMID：18585838)
2) 平原佐斗司(編著)：医療と看護の質を向上させる認知症ステージアプローチ入門—早期診断，BPSDの対応から緩和ケアまで．中央法規，2013．
3) Mitchell SL, et al：The clinical course of advanced dementia. N Engl J Med 361：1529-1538, 2009.(PMID：19828530)
4) Supportive and palliative care indicators tool(SPICT™)．(https://www.spict.org.uk/)(最終アクセス：2022年3月)
5) The Gold Standards Framework Proactive Identification Guidance(PIG)．(https://www.goldstandardsframework.org.uk/cd-content/uploads/files/PIG/NEW%20PIG%20-%20%20%2020.1.17%20KT%20vs17.pdf)(最終アクセス：2022年3月)
6) Warden V, et al：Development and psychometric evaluation of the Pain Assessment in Advanced Dementia(PAINAD)scale. J Am Med Dir Assoc 4：9-15, 2003(PMID：12807591)
7) Gloth FM 3rd：Pharmacological management of persistent pain in older persons：focus on opioids and nonopioids. J Pain 12：S14-S20, 2011.(PMID：21296028)
8) Chan D, et al：Grief reactions in dementia carers：a systematic review. Int J Geriatr Psychiatry 28：1-17, 2013.(PMID：22407743)

〔大石　愛〕

2 心不全の緩和ケア

診療のコツ

① 心不全は増悪と寛解を繰り返しながら進行する.緩和ケアは,すべての症状が出現した心不全患者に対して疾病管理,運動療法とともに治療経過のなかで提供される.

② 治療から緩和ケアに移行するのではなく,経過のなかで患者の意思決定を支援しながら苦痛を評価し,治療に関わるチームと緩和ケアに関わるチームが協働し,緩和ケアを提供する.

③ ステロイド,NSAIDs,三環系抗うつ薬は心不全増悪をきたす可能性のある薬剤であり,心不全末期の症状緩和では基本的に避けるべきである.

④ 症状緩和を目的とした薬物療法や鎮静薬の使用の方法論はがんに特別なものではなく,がん診療で蓄積された経験,知識は十分に応用可能である.

WHO は,緩和ケアは「生命を脅かす,すべての疾患に対して考慮すべきもの」と提唱し,2014 年には緩和ケアを必要とする疾患のうち循環器疾患が 40% 近くを占めていると報告している.

医療の発展により,循環器疾患のなかでも高齢の心不全患者は増加の一途をたどっている.併存疾患も多岐にわたり,予後予測や治療の目的(寿命の延伸,QOL の向上など)の設定が困難な場合も多く,治療方針の決定に難渋することも多い.

そのような背景のなか,ようやく心不全患者への緩和ケアも徐々に知られるところとなった.「急性・慢性心不全診療ガイドライン(2017 年改訂版)」[1](以下,心不全ガイドライン),同ガイドラインのフォーカスアップデート版[2],「循環器疾患における緩和ケアについての提言(2021 年改訂版)」[3]など,循環器領域においてガイドラインの整備も進み,アドバンス・ケア・プランニング(ACP)の実施,治療の継続と症状緩和,多職種チームによる緩和ケアニーズ

の評価にそれぞれ推奨度も付記されている(詳細は文献を参照のこと)[1].

本項では,心不全診療における緩和ケアの位置付け,症状緩和の方法論,特殊病態への対応〔植込み型除細動器(implantable cardioverter defibrillator:ICD)の除細動機能の停止,生命維持装置の停止,植込み型補助人工心臓の停止〕について取り上げる.

心不全診療における緩和ケアの位置付け

心不全は高血圧などの心不全発症のリスクを抱える段階(ステージA)から,心拡大や心機能低下を認めるが心不全症状は出現していない段階(ステージB)を経て,症状が出現した(ステージC)のち,適切な治療を行うことで長期にわたり寛解し,その後徐々に進行する時期を経て,最終的に不応性心不全(refractory heart failure)といわれる状態(ステージD)となり,死に至る.それぞれのステージに合わせた治療が予防の段階から末期に至る段階まで提示されているが,有症候性の心不全患者(ステージC以降)においては,心機能にかかわらず,疾病管理,運動療法とともに緩和ケアを提供することが2021年の心不全ガイドライン フォーカスアップデート版で述べられている(**図1**)[2].

これは,一部の心不全患者を対象として緩和ケアが提供されるわけではなく,症状が出現した心不全患者にはすべからく緩和ケアの提供が望ましいことを示している.関わる医療者は心不全診療において,経過のなかで適切な治療が行えているか確認すること,心不全の経過を自分事としてとらえてもらえるように患者および家族とともに経過を見直し,患者の直面している苦痛に合わせて緩和ケアを提供していくことが求められる.

実際に提供する緩和ケアの内容は決して特別なものではなく,患者の意向を病状経過のなかで確認しながら,苦痛を評価し介入する.緩和ケアの提供体制は患者の置かれている状況により異なるものと考えられるが,心不全診療に携わるケアチームと緩和ケアに携わるチームの協働が望まれる[3,4].

症状緩和の方法論

症状緩和は,心不全ガイドラインでACPと同様にclass Iで推奨

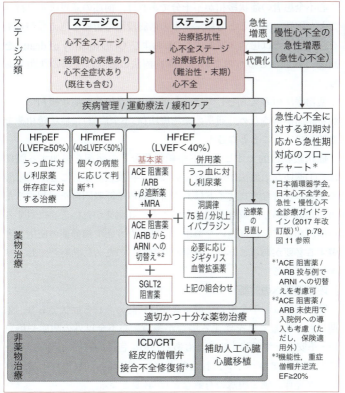

図1 心不全治療アルゴリズム

〔日本循環器学会/日本心不全学会：2021年 JCS/JHFS ガイドライン フォーカスアップデート版 急性・慢性心不全診療ガイドライン. https://www.j-circ.or.jp/cms/wp-content/uploads/2021/03/JCS2021_Tsutsui.pdf(2022年3月閲覧)より〕

HFpEF：heart failure with preserved ejection fraction. LVEF の保たれた心不全.
HFmrEF：heart failure with mid-range ejection fraction. LVEF が軽度低下した心不全.
HFrEF：heart failure with reduced ejection fraction. LVEF が低下した心不全.

されている[1]が，エビデンスレベルは低く，今後エビデンスの蓄積が待たれる領域である．さらに高齢者においては慢性腎臓病などの臓器障害が背景にあることも多く，副作用などのリスクも高くなると考えられるため，開始量を減量するなど，より慎重に対応を検討していく必要がある．

心不全患者の症状緩和が不十分であれば，前述の意思決定を行うことが困難であるとともに，人生の最終段階で苦痛を抱えながら生を終えることは患者・家族の QOL および QOD(quality of death)を高度に低下させるものであり，薬物療法の確立は喫緊の課題である．

 薬物療法の考え方としては，心不全の通常治療が症状緩和につながる側面があるため，通常の薬物療法(心不全治療)に症状緩和薬を追加していくこととなる．

 症状緩和目的でオピオイドや鎮静薬などの薬剤を追加する際には，①適切な治療法が残されていないか再度検討すること，②塩酸モルヒネを含むオピオイドはあくまで痛みや呼吸困難を緩和するための薬剤であり，鎮静薬ではないこと，③耐えがたい苦痛に対する鎮静が必要であれば適応を慎重に判断したうえで鎮静薬の使用を考慮する必要があることは，安全な薬剤投与のために共有しておくべき知識である．

呼吸困難への対処

 呼吸困難は心不全患者で最も高頻度に認められる症状であり，末期においても対処を要する場合が多い．心不全以外の病態や倦怠感・不安などで増強することもあるため，包括的評価(心理的苦痛・スピリチュアルペイン，社会的苦痛)，臨床的評価(併存疾患，パニック発作，胸・腹水の有無など)が必要となる．

 利尿薬の投与，胸水穿刺など，病態に合わせた治療を行うことが前提となるが，治療抵抗性の呼吸困難に対してはオピオイド使用が選択肢となりうる．末期心不全患者に対するオピオイド使用はエビデンスに乏しいが，がん領域においては痛みと比して少量で呼吸困難が緩和されることが知られており，心不全でも少量で使用されている現状がある．

 具体的に日本で使用可能な薬剤と投与方法は**表1**のように示されている[3]．

 難治性呼吸困難に対するエビデンスが豊富である(フェンタニルは推奨されていない)こと，心不全では保険適用はないが，激しい咳や痛みに対して保険診療上使用可能であることから塩酸モルヒネ

表1 わが国で使用可能なオピオイドと開始時の投与方法

一般名	用量	備考
コデインリン酸塩*	10 mg/回　頓用 もしくは1日3回使用	処方量によっては麻薬扱い
経口塩酸モルヒネ**	2.5 mg/回　頓用 もしくは1日4回使用	腎障害時は半量より開始
塩酸モルヒネ注**	5〜10 mg/日 持続静注/皮下注投与	腎障害時は半量より開始 高度腎障害時は1/4量も検討

＊呼吸器疾患に伴う鎮咳には保険適用があるが，心不全には適用がない．
＊＊心不全には保険適用はないが激しい咳嗽の症状に対して使用可能．わが国で使用可能な経口塩酸モルヒネは10 mg錠であり，粉末での使用を要する．
〔日本循環器学会/日本心不全学会：2021年改訂版 循環器疾患における緩和ケアについての提言．https://www.j-circ.or.jp/cms/wp-content/uploads/2021/03/JCS2021_Anzai.pdf(2022年3月閲覧)より〕

が使用される．塩酸モルヒネは腎代謝であるため，腎機能障害時は半量や1/4量で使用するなどの工夫が必要となる．症状の強さと副作用を評価しながら，適宜用量調整を行う★[3]．

痛みへの対処

心不全患者にも狭心痛や関節痛，神経障害性疼痛，カテーテル・チューブ挿入に伴うものなど様々な痛みがあり，その原因に合わせた対処を要する．

オピオイドの使用方法，副作用および対処法は，呼吸困難と基本的には同様であるが，痛みに対しては呼吸困難時よりも十分量を要し，使用が長期にわたる可能性もあり，代謝産物の蓄積にはより注意を要する．NSAIDsの心不全患者に対する投与は，腎機能障害や心不全を増悪させる可能性があり，避けることが望ましい[3]．

倦怠感への対処

心不全に伴う倦怠感は治療抵抗性の症状であり，低カリウム血症，β遮断薬使用，睡眠障害，貧血，うつ，デコンディショニングの影響など，介入可能な因子を検討し介入することとなる．K補充，利尿薬やβ遮断薬の減量・中止の検討，輸血，抗うつ薬の投与，心理療法，リハビリテーションなどが対処法として挙げられる．ステロイドの投与は溢水の増悪やせん妄を惹起する可能性があり，基本的には控えるべきである[3]．

耐えがたい苦痛に対する鎮静薬の使用

薬物療法・非薬物療法を含む様々な方法でも耐えがたい苦痛が残存する場合には，日本緩和医療学会より提供されている手引き[5]を参考に多職種で検討し，患者・家族とも十分に話し合ったうえで，鎮静薬の使用が選択肢の1つとなる．使用目的に応じて，Richmond agitation-sedation scale（RASS➡351頁）などを用い，目標とする鎮静の深さ，鎮静時間を共有し，薬剤を選択する．さらに使用開始後も必要に応じて持続的な深い鎮静への切り替えを検討し，適宜漸増・漸減する★[3]．

実臨床における末期心不全患者への鎮静薬の使用に関しては，麻薬と同様に心不全患者を対象とした報告は乏しいが，38例に対して静注による緩和的鎮静が実施された単施設からの報告[6]では，ミダゾラムが12例，デクスメデトミジンが25例に使用されており，デクスメデトミジンでは浅い鎮静レベルで，ミダゾラムでは，デクスメデトミジンと比して深い鎮静レベルで調整され，呼吸回数と酸素飽和度がデクスメデトミジンと比して有意に減少していたとされている．目的に合わせた使い分けが望ましいが，オピオイド使用と同様に報告は少なく，今後の知見の蓄積が待たれる．

特殊病態への対応

ICDの除細動機能の停止

ICD植込みをなされている心不全患者の病状が進行した際に，心室性不整脈（致死性不整脈）が頻発する状態（electrical storm）に至り，ICDの除細動機能が頻回に作動し，患者の身体的および精神的苦痛が増すことがある．致死性不整脈が頻発する状態での除細動機能停止は後述する生命維持装置の停止と同様の倫理的問題が生じるため，非常に苦慮する状況となる．そのような状態に至る前の意思決定は重要である．終末期におけるICDの除細動機能停止決定への話し合いのプロセスがガイドラインでも示されており，本人の意向を中心にケアチームを含めて話し合うプロセスが提唱されている[3]．

生命維持装置の停止検討のタイミング

人工呼吸器，心肺補助装置を含むすでに装着した生命維持装置や

投与中の薬剤の中止について，日本では2014年に「救急・集中治療における終末期医療に関するガイドライン」が示されており，そのなかで，終末期と判断される重症患者においては医療チームが慎重かつ客観的に判断を行った結果として，生命維持装置の停止も選択肢として提示されている[7]．心不全診療においても，終末期の判断に苦慮する場面が多いが，施設内で慎重に検討することにより，生命維持装置の停止も選択肢となりうると考えられる．

植込み型補助人工心臓の停止

植込み型(左室)補助人工心臓(left ventricular assist device：LVAD)は移植適応のある重症心不全患者に対してのみ移植待機期間中の循環補助を目的として使用されてきたが，2021年より心臓移植登録のできない難治性心不全患者〔がん治療後5年以内(治癒後5年が経過しなければ心臓移植適応とならない)や高齢(心臓移植登録は65歳以下)など〕に対して，移植を前提としない植込み型LVADの使用(destination therapy：DT)が日本でも保険償還された．

DTは同治療の終了がすなわち心臓死を意味するため，治療開始時に治療のエンドポイントである死を意識せざるを得ない．この治療前においてDTにおける終末期医療について患者，家族や関係者に説明を行い，終末期に至った場合に植込み型LVAD駆動停止などの延命中止の選択肢があることを伝え，延命治療に関して患者の意思を事前指示書として残すことが望ましいとされている．日本において，開始されて間もない治療であり，中止の議論も今後成熟していくことが期待される[8]．

▌参考文献

1) 日本循環器学会/日本心不全学会合同ガイドライン：急性・慢性心不全診療ガイドライン 2017年改訂版(2018年6月25日更新)．
(http://www.asas.or.jp/jhfs/pdf/topics20180507.pdf)（最終アクセス：2022年3月）

2) 日本循環器学会/日本心不全学会合同ガイドライン：急性・慢性心不全診療ガイドライン 2021年JCS/JHFSガイドライン フォーカスアップデート版(2021年9月10日更新)．
(https://www.j-circ.or.jp/cms/wp-content/uploads/2021/03/JCS2021_Tsutsui.pdf)（最終アクセス：2022年3月）

3) 日本循環器学会/日本心不全学会合同ガイドライン：循環器疾患における緩和ケアに

ついての提言 2021 年改訂版.
(https://www.j-circ.or.jp/cms/wp-content/uploads/2021/03/JCS2021_Anzai.pdf) (最終アクセス：2022 年 3 月)

4) Sobanski PZ, et al：Palliative care for people living with heart failure：European Association for Palliative Care Task Force expert position statement. Cardiovasc Res 116：12-27, 2009.(PMID：31386104)

5) 日本緩和医療学会ガイドライン統括委員会(編)：がん患者の治療抵抗性の苦痛と鎮静に関する基本的な考え方の手引き 2018 年版.
(https://www.jspm.ne.jp/guidelines/sedation/2018/index.php) (最終アクセス：2022 年 3 月)

6) Hamatani Y, et al：Survey of palliative sedation at end of life in terminally ill heart failure patients：a single-center experience of 5-year follow-up. Circ J 83：1607-1611, 2019.(PMID：31168045)

7) 日本集中治療医学会, 他：救急・集中治療における終末期医療に関するガイドライン―3 学会からの提言．2014．(https://www.jsicm.org/pdf/1guidelines1410.pdf) (最終アクセス：2022 年 3 月)

8) 日本臨床補助人工心臓研究会：DT 患者管理ガイドライン：DT 終末期医療のガイドライン．我が国における植込型補助人工心臓適応適正化の考え方―Destination Therapy について．
(https://www.jacvas.com/view-dt/) (最終アクセス：2022 年 3 月)

（大石醒悟）

3 肝不全の緩和ケア

診療のコツ

❶肝臓は代謝・合成・貯蓄・解毒という機能を司る主要臓器である.
❷肝不全に至る疾患は，肝硬変を主とした非がんの肝疾患，および肝・胆・膵の原発性悪性腫瘍，転移性肝腫瘍など多岐にわたる.
❸肝不全により多様な症状が出現する．特に腹水・浮腫，肝性脳症，黄疸，消化管出血は頻度が高く，QOL の低下につながる.

定義

　肝不全とは，高度の肝機能低下により，腹水・肝性脳症・黄疸・出血傾向などの臨床症状を示す病態を指す．進行期には肝腎症候群，肝肺症候群などを起こし，多臓器不全に至る．経過によって急性肝不全，慢性肝不全に分類されるが，本項では慢性肝不全の緩和ケアを中心に述べる．

　肝不全に至る疾患は非がんの肝疾患，悪性腫瘍ともに多岐にわたる．非がんの肝疾患においては，肝硬変から肝不全に至る例が主である．肝硬変は，肝不全症状がいずれもみられない代償性肝硬変と，いずれかの症状が1つ以上みられる非代償性肝硬変に分類される．肝硬変の成因は，ウイルス性肝炎(C型，B型)とアルコール性肝障害の頻度が高い．その他に，非アルコール性脂肪性肝炎(nonalcoholic steatohepatitis：NASH)，自己免疫性肝炎(autoimmune hepatitis：AIH)，原発性胆汁性胆管炎(primary biliary cholangitis：PBC)，原発性硬化性胆管炎(primary sclerosing cholangitis：PSC)が代表的である．近年，ウイルス性肝炎は減少傾向で，アルコール性肝硬変とNASHが増加傾向である．一方，悪性腫瘍では，肝細胞がん，胆管がん，胆嚢がん，膵がんが原発巣となる

が，頻度としては転移性肝腫瘍が多く，腫瘍の進展に伴い肝不全に至ることがある．

症状

肝硬変によって出現する重大な合併症としては，肝性脳症，消化管出血，腹水が挙げられる．肝硬変患者の3割が顕性肝性脳症を発症し，静脈瘤をもつ3割が出血をきたし，入院が必要な腹水患者の3割では特発性細菌性腹膜炎（spontaneous bacterial peritonitis：SBP）を起こすとされる．他に黄疸，瘙痒感，倦怠感，有痛性筋けいれん，食欲不振，不眠，抑うつ，不安などがQOLを低下させる要素となる．

病態

症状の発生機序から，門脈圧亢進と肝機能低下によるものに大別できる．門脈圧亢進により内臓血管が拡張し，その結果，リンパ液の生成および血管拡張因子の活性化をもたらす．これらにより循環血漿量と血管流量が減少し，レニン-アンジオテンシン-アルドステロン（RAA）系の亢進，抗利尿ホルモンの増加，交感神経系の亢進をきたす．Naと水の貯留とリンパ液の生成が浮腫・腹水・胸水となる．一方，肝機能低下からアルブミン合成が障害され，低アルブミン血症となり膠質浸透圧が低下する．膠質浸透圧の低下は，血管内から腹腔内・胸腔内など血管外に液体喪失を助長し，腹水・浮腫となる．また，門脈圧亢進により，側副血行路が発達して食道・胃・直腸などに易出血性の静脈瘤を形成し，脾腫は脾機能亢進による血球減少の原因となる．肝機能低下による窒素代謝異常と門脈圧亢進による門脈-体循環シャントで肝性脳症を引き起こす．ビリルビン代謝障害により血中の直接ビリルビンが上昇し黄疸が生じる．胆汁酸が皮膚の末端線維に沈着することや，肝細胞から放出される物質により，瘙痒感が出現するといわれている．肝不全が進行すると肝腎症候群，肝肺症候群がみられる．

肝腎症候群は，門脈圧亢進や低アルブミン血症により末梢血管が拡張し，心拍出量が増加していても，腎血管の収縮により腎血流低下から腎機能障害をきたした状態である．急性な経過をたどるⅠ型と緩徐な経過をたどるⅡ型に分類される．肝肺症候群は，肺内血管

表 1　Child-Pugh 分類

点数	1 点	2 点	3 点
総ビリルビン(mg/dL)	<2	2〜3	>3
アルブミン(g/dL)	>3.5	2.8〜3.5	<2.8
プロトロンビン時間(%) (INR)	>70 <1.7	40〜70 1.7〜2.3	<40 >2.3
腹水	なし	軽度	中等度
脳症	なし	I, II度	III, IV度

合計スコアによって A〜C に分ける．A：5〜6 点，B：7〜9 点，C：10〜15 点．
〔日本消化器学会，他（編）：肝硬変診療ガイドライン 2020 改訂版第 3 版，南江堂，2020／Biggins SW, et al：Evidence-based incorporation of serum sodium concentration into MELD. Gastroenterology 130：1652-1660, 2006 より作成〕

の拡張や門脈圧亢進による肺内動静脈シャントにより酸素化障害をきたす病態である．座位や立位で悪化し，臥位で改善する低酸素血症を認める．いずれも予後不良な病態である．

評価

　肝線維化の評価としては肝生検がスタンダードだが，侵襲性が高い．より非侵襲的な方法として，血液検査での評価，画像検査（超音波，CT，MRI）などを用いて総合的に評価を行う．肝硬変の重症度および予後予測の指標として Child-Pugh 分類（**表 1**）[1,2]，MELD（model for end-stage liver disease）-Na スコア[3] がある．

　腹水の評価としては，腹水穿刺にて血清腹水アルブミン勾配（SAAG），細胞数，細菌培養を確認する．SAAG は腹水の原因推定の指標で，1.1 g/dL 以上で漏出性，1.1 g/dL 未満で滲出性と判断され，肝性腹水の診断にも有用である．腹水中の好中球が 250/μL 以上で SBP と診断し，原因菌はグラム陰性桿菌のことが多い．

　静脈瘤の評価として上部内視鏡検査を行い，日常では黒色便の有無に注意する．肝性脳症は，見当識障害などの精神症状や羽ばたき振戦を呈する顕性肝性脳症と，臨床的にはほとんど異常を示さず神経学的テストで診断可能な不顕性肝性脳症がある．血清アンモニア値が診断の参考になるが，診断の根拠や重症度の指標とはならない．

治療

原疾患の治療

ウイルス性肝炎は治療の進歩によりコントロールができるようになってきている．B型肝炎に対してはインターフェロン治療や核酸アナログ製剤療法を行う．C型肝炎に対しては直接作用型抗ウイルス薬を用いることにより，ウイルスを排除することがほぼ可能になった．未治療のウイルス性肝硬変は非代償期であったとしても抗ウイルス薬によって改善の見込みがあるので，専門医に紹介すべきである．

アルコール性肝炎では断酒が最も重要である．また，PBCやPSCにはウルソデオキシコール酸が，AIHにはコルチコステロイドなどが用いられる．非代償性肝硬変では肝移植の適応も考慮されるが，国内での実施例は年間400例前後である．

栄養療法

肝硬変患者は，高度の栄養障害，蛋白低栄養，微量元素の欠乏が認められ，低栄養状態は生存率を低下させる．蛋白低栄養(血清アルブミン値 3.5 g/dL 以下)，Child-Pugh B または C，サルコペニアのいずれかがある場合には，栄養指導を開始する．

1)食事[4]

- **エネルギー**：35～40 kcal/kg 理想体重/日，**蛋白**：1.5 g/kg/日 ★★[4]．
- **分割食**：1日3～5回 ★★[4]．
- **就寝前軽食(late evening snack：LES)**：就寝前に約 200 kcal ★★★[5]

特に LES は夜間の飢餓状態を緩和できるため筋肉分解を抑制し，蛋白合成量を増加し，低アルブミン血症が改善する．

2)食事量低下，栄養状態の悪化，低アルブミン血症がある場合

- 分岐鎖アミノ酸(BCAA)製剤 ★★★[2]

> **処方例**
> イソロイシン・ロイシン・バリン(リーバクト®)　4.15 g(1包)
> 1日3包　内服

BCAA 製剤は，糖に変わるエネルギー源になり，筋蛋白の合成を促進し，筋の崩壊を抑制する．

3）食事量低下，栄養状態の悪化，腹水または肝性脳症がある場合

■ 肝不全用経腸栄養剤

> **処方例**
> アミノレバン® EN　50 g（1 包）　1 日 3 包　内服

腹水・浮腫

　悪性腹水と異なり門脈圧亢進・低アルブミン血症によるものであるため，治療は塩分制限と利尿薬が主体となる．少量の腹水の場合は塩分制限，中等量の腹水の場合は塩分制限に加え利尿薬を開始する．利尿薬抵抗性の腹水に対しては，アルブミン製剤投与の併用が推奨される．塩分制限と利尿薬によっても腹水が残る場合を治療抵抗性腹水といい，腹水穿刺排液などの他の治療を検討する．

1）塩分制限　5〜7 g/日★★★[2,4)]

2）利尿薬

■ スピロノラクトン±ループ利尿薬★★★[2,6)]

> **処方例**　1）のみで効果不十分な場合は 2）と併用する．
> 1）スピロノラクトン（アルダクトン® A）　1 日 25〜50 mg　内服
> 2）フロセミド（ラシックス®）　1 日 20〜40 mg　内服

　ループ利尿薬は腎機能障害を誘発しやすいので少量にとどめ，単独投与は避ける．

■ バソプレシン V_2 受容体拮抗薬★★★[7)]

> **処方例**
> トルバプタン（サムスカ®）　1 日 3.75〜7.5 mg　内服（入院で開始）

　脱水・腎機能障害・電解質異常に注意する．

3）アルブミン製剤★★★[8)]

> **処方例**
> アルブミン 25％（献血アルブミン）　1 日 100 mL　3 日間　点滴静注

　アルブミン投与は利尿薬に対する反応性を高めて腹水消失を促し，腹水の再発を予防する．大量穿刺排液時のアルブミン投与は，循環不全を予防するとともに生命予後を改善する[9)]．

4）腹水穿刺排液★★★[2,10,11)]

　治療抵抗性腹水の場合，腹水穿刺による排液は治療の第 1 選択である．一度に 4〜5 L 程度を排液する場合は安全に施行できるこ

とが報告されている．5L以上の大量穿刺排液の場合はアルブミン（8g/L）を投与する．腹水穿刺を行う時は利尿薬を中止し，循環不全や腎機能障害に注意する．腹水を濃縮濾過して再度静注する腹水濾過濃縮再静注法（CART）は蛋白喪失を補充することができる（詳しくは成書を参照）．

5）その他の方法

経頸静脈肝内門脈大循環シャント術（transjugular intrahepatic portosystemic shunt：TIPS）★★★[12]，腹腔-静脈シャントは，侵襲性が高く合併症などの可能性も高いため適応は限られる．

特発性細菌性腹膜炎（SBP）

臨床症状として，発熱，脳症，腹痛，腹部膨満感などがある．早期の抗菌薬（第3世代セフェム系）投与を検討する（詳細は感染症の成書を参照）．

肝性脳症

肝性脳症は意識障害，行動異常，性格変化，羽ばたき振戦などを特徴とする精神神経障害である．リスクファクターとして，便秘，消化管出血，蛋白過剰摂取，脱水，感染症，大量の腹水除去，利尿薬の過剰投与などがある．

1）誘因除去

便秘の治療，消化管出血の止血，感染症の治療，原因薬剤の中止など．

2）薬物治療

❶便秘対策（「便秘・下痢」参照➡ 170頁）

> **処方例** 急性期治療および予防投与として．
> ラクツロース60％　1日30～90mL　内服または微温湯と混ぜて浣腸★★★[13]

❷消化管清浄化

> **処方例** 急性期治療および予防投与として．
> リファキシミン（リフキシマ®）　1日1,200mg　内服★★★[14]

3)栄養治療

> **処方例** 急性期治療として1)を,予防投与として2)を処方する.
> 1)アミノレバン® 250〜500 mL/3時間[15] 点滴静注
> 2)アミノレバン®EN 50 g(1包) 1日3包 内服

消化管(食道・胃・直腸)からの出血

上部消化管からの出血はしばしば致死的で致死率は30〜40%とされているが,内視鏡治療の進歩により死亡率は低下してきている.食道静脈瘤出血の治療としての内視鏡的静脈瘤硬化療法(endoscopic injection sclerotherapy:EIS),内視鏡的静脈瘤結紮術(endoscopic variceal ligation:EVL)は出血予防にも有効である.出血による貧血が著明であれば適宜輸血を行うが,出血のコントロールができない場合には漫然とした輸血は行わない.肝不全の状態では内視鏡的治療の適応が限られることもある.

黄疸,瘙痒感

治療は「皮膚の問題」「瘙痒感」を参照(➡ 289,294頁).

食欲不振,倦怠感

肝機能異常,電解質異常,腹水貯留による腹部膨満感などにより,食欲不振・倦怠感の症状が出現する(「食欲不振」「倦怠感」参照➡ 148,247頁).

有痛性筋けいれん

肝硬変患者では全身の有痛性筋けいれんを起こす.原因は判明していない.電解質補正,BCAA製剤,芍薬甘草湯,カルニチンの摂取などが有効という報告がある(「神経・筋の異常」参照➡ 266頁).

予後予測

一般的に肝機能低下と門脈圧亢進による症状を呈しながら,慢性的な経過で肝不全に至るが,時に消化管出血や感染症を契機に急激な変化をきたす.原疾患により頻度が異なるが,肝細胞がんを発症することがある.肝硬変の重症度および予後予測の指標としてChild-Pugh分類,MELD-Naスコアが代表的である.1年生存率は,Child-Pugh Aでは95%,Child-Pugh Bで80%,Child-Pugh Cで45%である(**図1**)[16].肝硬変の合併症の予後不良因子として,難治性腹水,肝性脳症,静脈瘤出血,感染症,腎機能障害,低ナト

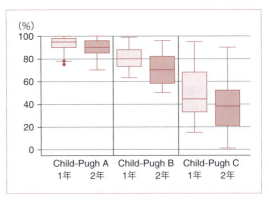

図1 Child-Pugh 分類と生存率

(D'Amico G, et al：Natural history and prognostic indicators of survival in cirrhosis：a systematic review of 118 studies. J Hepatol 44：217-231, 2006, p222, Figure 6 より)

リウム血症などが挙げられる．

患者・家族のケア

慢性肝疾患では，心疾患や呼吸器疾患と異なり肝性脳症に伴う判断力の低下も起こりやすいため，病状の理解や今後の見通し，今後の治療や療養についてあらかじめ患者・家族が医療者とともに話し合うアドバンス・ケア・プランニングを行うことが大切である．特に，肝性脳症や消化管出血は患者および家族にとって精神的負担となるため，そのリスクと対策を十分に話し，備える必要がある．同時に，輸血，アルブミン製剤の投与や侵襲的な処置を伴う治療を行うかどうかは，QOL の改善見込みを考慮したうえで状態に応じて判断し，いつまでもできる治療ではないことを事前に説明しなければならない．患者の思いを傾聴し，リハビリテーション，希望の維持や現実的な目標の設定などといったスピリチュアルケアを行うことで QOL の改善につながることがある．患者と家族の意思決定や生き方を尊重し，それに沿った支援を継続して行っていく．

■ 参考文献

1) Murray KF, et al：AASLD practice guidelines：evaluation of the patient for liver trans-

plantation. Hepatology 41：1407-1432. 2005.（PMID：15880505）

2) 日本消化器学会, 他（編）：肝硬変診療ガイドライン 2020 改訂版第 3 版. 南江堂, 2020.

3) Biggins SW, et al：Evidence-based incorporation of serum sodium concentration into MELD. Gastroenterology 130：1652-1660, 2006.（PMID：16697729）

4) Plauth M, et al：ESPEN guideline on clinical nutrition in liver disease. Clin Nutr 38：485-521, 2019.（PMID：30712783）

5) Chen CJ, et al：Significant effects of late evening snack on liver functions in patients with liver cirrhosis: a meta-analysis of randomized controlled trials. J Gastroenterol Hepatol 34：1143-1152, 2019.（PMID：30883904）

6) Moore KP, et al：Guidelines on the management of ascites in cirrhosis. Gut 55（Suppl 6）：vi1-vi12, 2006.（PMID：16966752）

7) Sakaida I, et al：Tolvaptan for improvement of hepatic edema：a phase 3, multicenter, randomized, double-blind, placebo-controlled trial. Hepatol Res 44：73-82, 2014.（PMID：23551935）

8) Romanelli RG, et al：Long-term albumin infusion improves survival in patients with cirrhosis and ascites：an unblinded randomized trial. World J Gastroenterol 12：1403-1407, 2006.（PMID：16552809）.

9) Caraceni P, et al：Long-term albumin administration in decompensated cirrhosis（ANSWER）：an open-label randomised trial. Lancet 391：2417-2429, 2018.（PMID：29861076）

10) Runyon BA：Management of adult patients with ascites due to cirrhosis：Update 2012. American Association for the Study of Liver Diseases, 2012.
（https://www.aasld.org/sites/default/files/2019-06/141020_Guideline_Ascites_4UFb_2015.pdf）（最終アクセス：2022 年 3 月）

11) European Association for the Study of the Liver：EASL Clinical Practice Guidelines for the management of patients with decompensated cirrhosis. J Hepatol 69：406-460, 2018.（PMID：29653741）

12) D'Amico G, et al：Uncovered transjugular intrahepatic portosystemic shunt for refractory ascites：a meta-analysis. Gastroenterology 129：1282-1293, 2005.（PMID：16230081）

13) Sharma BC, et al：Secondary prophylaxis of hepatic encephalopathy：an open-label randomized controlled trial of lactulose versus placebo. Gastroenterology 137：885-891, 2009.（PMID：19501587）

14) Kimer N, et al：Systematic review with meta-analysis：the effects of rifaximin in hepatic encephalopathy. Aliment Pharmacol Ther 40：123-132, 2014.（PMID：24849268）

15) Kircheis G, et al：Therapeutic efficacy of L-ornithine-L-aspartate infusions in patients with cirrhosis and hepatic encephalopathy：results of a placebo-controlled, double-blind study. Hepatology 25：1351-1360, 1997.（PMID：9185752）

16) D'Amico G, et al：Natural history and prognostic indicators of survival in cirrhosis：a systematic review of 118 studies. J Hepatol 44：217-231, 2006.（PMID：16298014）

〔村瀬樹太郎〕

4 慢性腎臓病の緩和ケア

診療のコツ

❶慢性腎臓病は末期になると，溢水や尿毒症など様々な症状を呈しうる．
❷末期腎不全の標準治療は腎代替療法であるが，近年は腎代替療法を行わない保存的腎臓療法が注目されている．
❸末期腎不全の症状緩和を目的とした薬剤選択には，腎機能を考慮する必要がある．
❹透析の見合わせ(非導入や継続中止)に際しては，学会からの提言などを参考に，多職種からなる医療チームによる共同意思決定が求められる．

定義・疫学

慢性腎臓病(chronic kidney disease：CKD)は，疾病の早期発見と対策の重要性という視点から2002年に提唱された概念である．日本のCKD患者は1,330万人ともいわれており，これは成人人口の12.9％を占める．

CKDは以下のように定義される．

①尿異常，画像診断，血液，病理で腎機能障害の存在が明らか．特に0.15 g/gCr以上の蛋白尿(30 mg/gCr以上のアルブミン尿)の存在が重要．
②GFR＜60 mL/分/1.73 m^2．
①②のいずれか，または両方が3か月以上持続する．

CKDの重症度分類は，その原因(C)，GFR(糸球体濾過値：G)，ACR(アルブミン/クレアチニン比：A)で分類するCGAで評価する(**表1**)[1]．

日本の透析患者数は年々増加傾向で，2019年末時点での透析患者は344,640人，2019年に新たに透析導入となった患者は40,885人であった．透析患者の平均年齢は69.09歳で，高齢化の傾向が長

表1 CKD の重症度分類

原疾患	蛋白尿区分		A1	A2	A3
糖尿病	尿アルブミン定量 (mg/日)		正常	微量アルブミン尿	顕性アルブミン尿
	尿アルブミン/Cr 比 (mg/gCr)		30 未満	30〜299	300 以上
高血圧, 腎炎, 多発性嚢胞腎, 移植腎, 不明, その他	尿蛋白定量 (g/日)		正常	軽度蛋白尿	高度蛋白尿
	尿蛋白/Cr 比 (g/gCr)		0.15 未満	0.15〜0.49	0.50 以上
GFR 区分 (mL/分/1.73 m^2)	G1	正常または高値	≧90		
	G2	正常または軽度低下	60〜89		
	G3a	軽度〜中等度低下	45〜59		
	G3b	中等度〜高度低下	30〜44		
	G4	高度低下	15〜29		
	G5	末期腎不全 (ESKD)	<15		

重症度は原疾患・GFR 区分・蛋白尿区分を合わせたステージにより評価する. CKD の重症度は死亡, 末期腎不全, 心血管死亡発症のリスクを ■ のステージを基準に, ■, ■, ■ の順にステージが上昇するほどリスクは上昇する. (KDIGO CKD guideline 2012 を日本人用に改変)
〔日本腎臓学会(編):CKD 診療ガイド 2012. 東京医学社, 2012 より〕

年続いている. 透析導入の原疾患は糖尿病性腎症(39.1%)が最も多く, 次いで慢性糸球体腎炎(25.7%), 腎硬化症(11.4%)と続き, 近年は生活習慣病由来の慢性腎不全が多くなっている[2]).

病態

腎臓は尿を作り, 体内の水分・酸塩基・電解質のバランスを維持したり, 尿毒素を排泄したりするだけでなく, エリスロポエチンの産生やビタミン D の活性化などの働きも有する. したがって, CKD が進行すると末期腎不全(end-stage kidney disease:ESKD)の状態となり, 体内に水分・尿毒素が溜まり, 溢水や尿毒症といった症状が出る他, 腎性貧血, 代謝性アシドーシス, 電解質異常, 骨ミ

ネラル代謝異常など様々な合併症が生じる．

症状

ESKD の代表的な症状には，尿毒症症状として消化器症状（悪心，食欲不振など）や倦怠感，瘙痒感などがあり，溢水による症状としては呼吸困難などがある．また，その他の身体症状として，痛み，レストレスレッグス症候群の頻度が高い．加えて，抑うつ・不眠・不安といった精神症状も比較的多いのが特徴である．

1）痛み

痛みは約半数の CKD 患者にみられ，その程度は重度のことが多い[3]．特に長期透析患者の場合には，透析では完全に除去しきれないアミロイドが蓄積し，透析アミロイドーシスとなり，手根管症候群による手の痛み・しびれ，椎間板に蓄積する破壊性脊椎関節症による背部痛，各種の骨・関節痛が生じうる．また原疾患が糖尿病の場合には，糖尿病性神経障害による神経障害性疼痛や，血管障害に伴う痛みもある．加えて，透析患者に特有の病態である尿毒症性細小動脈石灰化症（カルシフィラキシス）にも注意が必要である．

2）倦怠感

倦怠感は CKD 患者の 70〜97％に生ずるとされ[3]，特に腎代替療法の導入前，また腎代替療法を見合わせた場合に，その頻度が高い．保存期 CKD の場合には，尿毒症症状の可能性をまず考える．治療の進化により保存期 CKD の腎性貧血の管理は適切に行われることが増えているが，治療抵抗性の貧血もあり，貧血が高度である場合には倦怠感の一因になっている可能性を考慮する．抑うつや心機能低下による倦怠感もある．

3）瘙痒感

CKD 患者の 28〜78％の患者が瘙痒感を自覚している[4]．原因は様々であるが，尿毒症性のもの，皮膚乾燥によるもの，二次性副甲状腺機能亢進症によるものなどがある．

4）呼吸困難

CKD 患者の呼吸困難の頻度は報告により様々であるが，原因としては心機能低下による体液貯留によるもの，腎性貧血によるものなどが挙げられる．

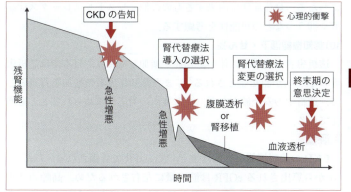

図1 CKD 患者の経過の1例と4つの心理的衝撃の場面

5) 便秘

CKD 患者には高率に便秘が合併する．基礎疾患(特に糖尿病)の自律神経障害によるものもあれば，過度の飲水制限や薬剤(特に高カリウム血症に対する陽イオン交換樹脂)などが原因として多い．

6) 悪心・嘔吐

悪心も比較的みられる症状であり，原因としては，尿毒症による症状をまず考える．その他，便秘によるものなども検討する．

7) 不安・抑うつ

CKD 患者は不安・抑うつの頻度が高く，それぞれ 12〜52％，5〜58％に生ずるという報告がある[4]．しかし，実際には悲嘆反応なども含めた様々な心理的変化があり，心理的葛藤を抱えながら腎代替療法を継続している患者も少なくない．CKD 患者が受ける主な4つの心理的衝撃の場面を図1に示す．

8) レストレスレッグス症候群(むずむず脚症候群)

CKD 患者ではレストレスレッグス症候群の発症頻度が高く，血液透析患者では約 20％にみられるという報告がある[5]．その原因として腎性貧血や鉄欠乏，尿毒症物質の蓄積，二次性副甲状腺機能亢進症，薬剤などが考えられるが，単一の原因ではないことも多い．

9) 睡眠障害

CKD 患者の睡眠障害は 20〜83％と幅があり[4]，その原因は多岐

にわたる．身体症状に由来するものの他，レストレスレッグス症候群や抑うつなどの可能性を考慮する．

10) 認知機能低下・せん妄

透析患者の高齢化に伴い認知症が増加しており，日本では透析患者の 10.8％ が認知症とされる[2]．また認知症患者の増加を背景として，透析中の安全確保など，せん妄への対応を求められることも増えている．

評価

CKD の残腎機能の評価は主として eGFR で評価される．ただし，Cr から算出される eGFR は筋肉量に左右されるため，高齢のサルコペニア患者では eGFR が過大評価される場合も少なくない．その場合には，筋肉量の影響を受けないシスタチン C を用いた eGFR での評価も検討する．

治療

原疾患に対する標準治療

一般的には GFR が 15 mL/分/1.73 m^2 未満になった状態，すなわち CKD ステージ G5 で，尿毒症あるいは溢水の症状が出現すると，腎代替療法が必要となる．腎代替療法は腎移植と透析療法に大別され，さらに腎移植は生体腎移植と献腎移植に，透析療法は血液透析と腹膜透析に分類することができる．日本では新規透析導入の 90％ 以上を血液透析が占めているが，腎代替療法それぞれにメリット・デメリットが存在するため，導入にあたっては患者の意向に基づいた shared decision making（共同意思決定）が重要である[6]．近年は CKD 患者の高齢化を背景に，腎代替療法を行わない選択も増えてきており，これは保存的腎臓療法（conservative kidney management：CKM）と呼ばれる．CKM では様々な症状に対する治療がより一層求められる．

各種症状に対する治療

1) 痛みに対する治療

CKD 患者の痛みの原因は様々であり，原因によって対応が異なる．透析アミロイドーシスの予防のためには長期的なよい透析条件が必要であるが，一定の条件を満たした場合には，β_2-ミクログロ

ブリン吸着カラムによる治療を考慮する．軽度から中等度の痛みであれば，保存期CKD患者・腹膜透析患者(自尿がある場合)にはNSAIDsの使用は避け，アセトアミノフェン主体の治療を行うが，自尿がない血液透析患者においてはNSAIDsの使用も可能である．鎮痛効果が十分ではない場合，適宜トラマドールの併用などを考慮するが，これらは腎排泄であり，CKD患者では蓄積するため，投与間隔の延長が必要である．

がん疼痛がある場合でも，フェンタニルやメサドンは腎機能障害合併時も比較的問題なく使用可能である(「オピオイド」参照➡ 68頁)．神経障害性疼痛に使用するガバペンチノイドは減量が必要で，デュロキセチンは高度腎機能障害では禁忌である．三環系抗うつ薬は使用可能だが，便秘などの副作用もあり，使用に際しては注意が必要である(「鎮痛補助薬」参照➡ 103頁)．

2) 倦怠感に対する治療

倦怠感が尿毒症症状の1つとして現れている場合，まずは腎代替療法の見直しが必須である．加えて，腎性貧血のコントロールが不良である場合は，原因の再検討を行い，別のESA(赤血球造血刺激因子)製剤への変更，HIF-PH(低酸素誘導因子プロリン水酸化酵素)阻害薬への変更などが選択肢になる．

> **処方例** 適応・用法用量は残腎機能や腎代替療法をしているか否かによって異なる．
> 1) エポエチンベータペゴル　2週に1回25 μg 皮下注から開始し，適宜漸増
> 2) ダプロデュスタット　1日1回2 mgもしくは4 mg内服から開始し，適宜漸増

3) 瘙痒感に対する治療

原疾患に対する治療が優先されるため，保存期CKDであれば，腎代替療法の開始を検討する．また透析中であっても透析不足の可能性も考慮し，透析条件の見直しなども行う．皮膚乾燥によるものであれば保湿剤によるスキンケアなどを行う．透析患者に特有の薬剤として，選択的オピオイドκ受容体作動薬であるナルフラフィンを用いることもある．また慣習的には抗ヒスタミン薬・抗アレル

ギー薬を用いることもある．いずれも，効果が乏しい場合は漫然と使用しない．

> **処方例**
> ナルフラフィン　2.5μg　1日1回　内服　夕食後もしくは眠前（ただし透析患者のみ適用）

4）悪心・嘔吐に対する治療

尿毒症症状に由来するものであれば，まずは腎代替療法の再検討・透析条件の見直しが必要である．便秘が原因と考えられれば，後述する便秘への対応をする．それでも悪心・嘔吐が持続する場合はメトクロプラミドやハロペリドールなどを用いることもあるが，治療効果に乏しいことも多い．

5）便秘に対する治療

従来は高マグネシウム血症への懸念から，CKD患者の便秘に対してマグネシウム製剤を用いることが忌避され，刺激性下剤が使われることが大半であった．しかし近年，様々な緩下薬が販売されてきたことにより，治療の選択肢が増えた．具体的にはルビプロストンやポリエチレングリコール，エロビキシバットなどを使用する．

6）レストレスレッグス症候群（むずむず脚症候群）に対する治療

鉄欠乏性貧血など，レストレスレッグス症候群の原因除去をまず優先する．そのうえで改善が乏しい場合には，プラミペキソールを減量して用いたり，クロナゼパムを用いることがある．

7）呼吸困難に対する治療

溢水による呼吸困難の場合には，腎代替療法による除水が第1選択になる．また腎性貧血の場合には，その治療を行う．呼吸困難に対する薬剤のエビデンスは乏しい．終末期には少量のオピオイドを用いたり，必要に応じてベンゾジアゼピン系抗不安薬を併用したりすることも選択肢ではあるが，慎重に少量から開始・漸増するのが通例である．

8）不安・抑うつに対する治療★★[7]

CKD患者の不安・抑うつに対する投薬のエビデンスは一部しかないが，不安や抑うつが強い場合には，ベンゾジアゼピン系抗不安

薬や抗うつ薬を用いることも考慮する．ベンゾジアゼピン系抗不安薬は，通常は常用量で使用可能であるが，ミダゾラムは腎機能障害では蓄積するため注意が必要である．抗うつ薬のなかでデュロキセチンは高度腎機能障害では禁忌であり，ミルタザピンも大幅な減量が必要である．一方でセルトラリンは腎機能による減量が不要であり，比較的使用しやすい．

9) 認知機能低下・せん妄に対する治療

アルツハイマー型認知症に対してコリンエステラーゼ阻害薬やNMDA受容体拮抗薬を用いることがあるが，メマンチンは腎機能に応じた減量が必要である．せん妄に対しては抗精神病薬を用いることもできるが，リスペリドンは活性代謝物が腎排泄であるため，使用する場合は減量して慎重に用いる．

CKD患者への薬物の使用に際する注意点

CKD患者の緩和ケアが難しい要因は，腎排泄の薬剤が使用できない，あるいは減量を要することにある．緩和ケア領域でよく使用されるモルヒネやガバペンチノイド，デュロキセチンがCKD患者で使いにくいのはよく知られているが，使用頻度が高くない薬剤が使用できるか1つひとつ覚えておくことは困難である．したがってCKD患者に投薬を考える時には，必ず成書[8,9]もしくは日本腎臓病薬物療法学会のwebサイト[10]などを活用し，確認することが必要である．

予後

CKDの予後は，ESKDとなった時点で腎代替療法を行うかどうかで大きく変化する．

腎代替療法として透析療法を選択した場合，1年生存率は90％程度であるが，5年生存率は60％ほどである．透析患者の死亡数は年間3万人を超えて推移しており，年間粗死亡率は10.1％となっている．死亡原因は多い順から心不全（22.7％），感染症（21.5％），悪性腫瘍（8.7％）となっており，心不全・脳血管障害・心筋梗塞をあわせた「心血管死」が32.3％を占める[2]．

一方で腎代替療法の差し控えの方針としたCKD患者では，1年生存率が65％で予後中央値は1.95年という報告や，eGFRが10

mL/分/1.73 m^2 となったあとの生存期間は1〜22か月で，平均は11か月との報告がある．また，透析を中止した場合，おおよそ1週間から10日前後で死に至る場合が多い．これは透析導入を見合わせた場合と比較して予後不良であり，様々な心身の苦痛を生じる[11〜15]．

透析の見合わせ（差し控えと継続の中止）

近年，特にCKD患者の高齢化，認知症の合併などにより，腎代替療法を見合わせるという選択が増えている．日本の透析施設で行った調査では，7割近い施設が透析の見合わせを経験している．日本透析医学会は2014年に「維持血液透析の開始と継続に関する意思決定プロセスについての提言」を発表し，2020年に「透析の開始と継続に関する意思決定プロセスについての提言」として改訂した[6]．この提言では，透析の開始と見合わせに関するフローチャートが示されているので，CKD患者に関わる医療者は必ず一度は確認しておきたい．

重要な点は，患者自身の意思決定が尊重されること，多職種チームによる共同意思決定プロセスを踏むこと，腎代替療法や保存的腎臓療法について十分な話し合いがなされること，透析の見合わせのあとも十分な緩和ケアを提供することなどである．

透析見合わせを検討する状態として，この提言では5つの項目を挙げている（**表2**）．実際の現場では，透析患者に様々な透析条件の変更を行うことで透析を継続すること，短期間の透析導入のトライアルを行うこと，体循環に影響が少ない腹膜透析を終末期に行う（Last PD）こと，といった様々な選択肢がある．また，いったんは腎代替療法を見合わせる選択をしていても，ESKDとなり自覚症状が出現することで，一転して腎代替療法を希望することも少なくない．これらの事態に迅速に対応できる柔軟な準備や姿勢も，医療者には求められる．CKD患者の意思決定に際しては，他疾患以上に患者・家族・腎臓内科医などと連携しながら意思決定することが望ましい．

患者のケアと家族のケア

CKDの緩和ケアでは意思決定時の共同意思決定および平時から

表2　透析の見合わせについて検討する状態

1) 透析を安全に施行することが困難であり，患者の生命を著しく損なう危険性が高い場合
   ① 生命維持が極めて困難な循環・呼吸状態等の多臓器不全や持続低血圧等，透析実施がかえって生命に危険な状態
   ② 透析実施のたびに，器具による抑制および薬物による鎮静をしなければ，安全に透析を実施できない状態
2) 患者の全身状態が極めて不良であり，かつ透析の見合わせに関して患者自身の意思が明示されている場合，または，家族等が患者の意思を推定できる場合
   ① 脳血管障害や頭部外傷の後遺症等，重篤な脳機能障害のために透析や療養生活に必要な理解が困難な状態
   ② 悪性腫瘍等の完治不能な悪性疾患を合併しており，死が確実にせまっている状態
   ③ 経口摂取が不能で，人工的水分栄養補給によって生命を維持する状態を脱することが長期的に難しい状態

(透析の開始と継続に関する意思決定プロセスについての提言作成委員会：透析の開始と継続に関する意思決定プロセスについての提言．透析会誌 53：173-217，2020 より)

のアドバンス・ケア・プランニング(ACP)が非常に重要である．特に ESKD の治療選択の意思決定の場面において，腎代替療法・保存的腎臓療法など様々な選択肢が存在するため，患者・家族だけで意思決定をすることは困難である．患者の価値観・選好を踏まえて，話し合いのなかで意思決定をする必要性がある．また，家族がこの意思決定のなかで負担を感じることも少なくない．特に透析の見合わせにおいて患者の推定意思を表明する時の代諾者となる家族の心理的負担には，十分な配慮が必要である．ACP を行うことで，代諾者の不安や抑うつ・PTSD が少ないという報告もある[16]．

医療者へのケア

CKD 患者の緩和ケアのなかで，医療者のケアは非常に重要な地位を占める．日本の ESKD 患者の9割以上が施設で血液透析を受けており，週に3回程度，医療者と出会うという非常に特殊な環境下で治療を継続している．医療者-患者関係がケアのアウトカムに非常に大きな影響を及ぼすことから，医療者側のこころのケアも非常に重要であり，サイコネフロロジーの領域でも，この点は非常に強調されている．

■ 参考文献

1) 日本腎臓学会(編)：CKD診療ガイド2012．東京医学社，2012．
2) 日本透析医学会統計調査委員会：わが国の慢性透析療法の現況(2019年12月31日現在)．透析会誌53：579-632，2020．
3) Murtagh FE, et al：Symptoms in advanced renal disease：a cross-sectional survey of symptom prevalence in stage 5 chronic kidney disease managed without dialysis. J Palliat Med 10：1266-1276, 2007.(PMID：18095805)
4) Murtagh FE, et al：The prevalence of symptoms in end-stage renal disease：a systematic review. Adv Chronic Kidney Dis 14：82-99, 2007.(PMID：17200048)
5) Lin Z, et al：Prevalence of restless legs syndrome in chronic kidney disease：a systematic review and meta-analysis of observational studies. Ren Fail 38：1335-1346, 2016.(PMID：27765002)
6) 透析の開始と継続に関する意思決定プロセスについての提言作成委員会：透析の開始と継続に関する意思決定プロセスについての提言．透析会誌53：173-217，2020．
7) Nagler EV, et al：Antidepressants for depression in stage 3-5 chronic kidney disease：a systematic review of pharmacokinetics, efficacy and safety with recommendations by European Renal Best Practice(ERBP). Nephrol Dial Transplant 27：3736-3745, 2012.(PMID：22859791)
8) 田中哲洋，他(編)：腎機能低下時の薬剤ポケットマニュアル 第4版．中外医学社，2019．
9) 日本腎臓病薬物療法学会腎機能別薬剤投与方法一覧作成委員会(編)：腎機能別薬剤投与量POCKETBOOK 第3版．じほう，2020．
10) 日本腎臓病薬物療法学会：CKD関連情報：腎機能低下時に最も注意が必要な薬剤投与量一覧．(https://www.jsnp.org/ckd/yakuzaitoyoryo.php)（最終アクセス：2022年3月）
11) Burns A, et al：Maximum conservative management：a worthwhile treatment for elderly patients with renal failure who choose not to undergo dialysis. J Palliat Med 10：1245-1247, 2007.(PMID：18095799)
12) Cohen LM, et al：Dialysis discontinuation and palliative care. Am J Kidney Dis 36：140-144, 2000.(PMID：10873883)
13) Chater S, et al：Withdrawal from dialysis：a palliative care perspective. Clin Nephrol 66：364-372, 2006.(PMID：17140166)
14) Murtagh FE, et al：Symptoms in the month before death for stage 5 chronic kidney disease patients managed without dialysis. J Pain Symptom Manage 40：342-352, 2010.(PMID：20580200)
15) Chen JC, et al：End of life, withdrawal, and palliative care utilization among patients receiving maintenance hemodialysis therapy. Clin J Am Soc Nephrol 13：1172-1179, 2018.(PMID：30026285)
16) Song MK, et al：Advance care planning and end-of-life decision making in dialysis：a randomized controlled trial targeting patients and their surrogates. Am J Kidney Dis 66：813-822, 2015.(PMID：26141307)

（大武陽一）

コラム ❺ 漢方

　症状緩和を図る時に，西洋医学だけでは満足のいく介入が成し得ない場面があるが，東洋医学的アプローチが有用なことも大いにある．主に漢方薬と鍼灸に分かれるが，ここでは漢方薬に関して述べる．昨今は特定の漢方薬に一定のエビデンスが創出され，ガイドラインにも記載されるようになりつつある．

　漢方治療には西洋医学治療にはない「補う」という方法論がある．漢方薬は元気を取り戻すための「治療」として患者に積極的に受け入れられ，患者の希望を支えながら QOL 向上に貢献できることはよくある．

　補気剤は元気がない時に使用する．補中益気湯は手足がだるい時やエネルギーが落ち込んでいる時によく，六君子湯は食が進まない時によい．人参湯は冷えを伴う時によい．

　気血双補剤の十全大補湯や人参養栄湯などは，全体に弱っている時，物質的損失を伴っている時，冷えている時によい．

　温裏剤は内臓を温めて生体機能を高めるが，大建中湯は特に消化管を温めることで消化吸収機能を回復し，便通や腹部膨満を改善する．

　また，補うのとは逆に，体内に病的に存在，停滞するものを「瀉す」「巡らす」という方法論がある．邪魔なものが除かれることで本来の生体反応が活性化するイメージである．

　利水剤は，体液貯留を含めた水の偏在を整えたい時に使用する．特にむくみで困る時は五苓散がよい．なお無効や冷えが強い場合は真武湯を考える．めまいにも効くことがある．

　がん患者ではオピオイドの影響も含めて便通調整が課題となりやすいが，麻子仁丸は蠕動刺激，緩下の両作用を併せ持つので便秘で幅広く使用可能である．ただし，開始時は1日1包程度から反応をみることが望ましい．

　患者の状態に応じて，内服量や時間，飲み方は工夫を要する．特に，医療用漢方製剤はエキス剤が主であり，細粒の量が多く，末期患者では内服負担が無視できない．保険適用上は食前・食間内服が原則だが，少量内服や食後内服でも効果は得られることが多い．湯で撹拌すると，比較的溶けるので飲みやすくなる．用法用量は個別性が高い．

　副作用として，甘草含有量が多い方剤では偽アルドステロン症（浮腫，低カリウム血症，血圧上昇）に注意する．

（大前隆仁）

5 神経難病の緩和ケア

診療のコツ

❶ 神経難病ケアとは,治癒しないと診断した時から始まる緩和医療である.治らない疾患の診療はすべてが緩和ケアであり,本来,がんと非がんの緩和ケアに考え方の差はない.
❷ 疾患,病期,患者に合った症状コントロールを絶えず工夫する.
❸「疾患が治って退院」ではなく,その時々の「患者報告アウトカム(PRO)」を診療の指標とする.患者自身が「うまくいっている」と感じることが目標である.
❹ 神経難病ケアは医師1人でなく多職種チーム(心理職,リハビリテーションスタッフ,看護師,薬剤師,栄養士,ソーシャルワーカー,介護職,支援者)で対応する.
❺ 患者の「死にたい」「そこまでして生きたくない」は治療や生命の放棄を意味しない.発言の背景と意味を理解して対応する.

　患者だけでなくすべての人は死亡率100%の生を全うする存在と考えて行うことすべてが緩和ケアであり[1,2],特別なオピオイドの投与や悲嘆ケアだけを意味するのではない.PRO(patient reported outcome, 患者報告アウトカム)[3]を指標として行うことすべてが「がん/非がんに共通の緩和ケア」である.

　進行が速く,次から次に重要な意思決定が迫られる筋萎縮性側索硬化症(ALS)において適切なケア体制を整えることができるなら,他の神経難病には余裕をもって対処できる.それぞれの疾患の特徴,患者の状況に合わせた症状コントロールを工夫すればよい.

　目標は治癒や退院ではなく,PROすなわち患者の主観的評価の改善,うまくいっていると感じることであり,患者のナラティブの聞き取りと最適な療養環境を構築する支援が重要となる.PRO評

価法には，患者QOL評価としての「個人の生活の質評価法(schedule for the evaluation of individual quality of life-direct weighting：SEIQoL-DW)」[4,5]と，医療内容の決定の期待損失感の評価尺度である「日本語版DRS(decision regret scale)」[6](https://decisionaid.ohri.ca/eval_regret.html)があり，臨床現場でも計量心理学的手法として科学的に評価可能である．

QOLの改善を目的とした，心理的ケア，リハビリテーションアプローチ，呼吸リハビリテーション，栄養療法，機器と支援体制の導入は，多職種チーム(multidisciplinary team)で行う★[7]．人工呼吸器などは，特殊な延命のための機械ではなく，衣服や眼鏡と同様，生まれながら人にプログラムされている「人間の本質」としての「道具の使用」[8]であり，人として自然であると理解できるとよい．

神経難病患者が時に訴える「死にたい」「そこまでして生きたくない」は，「死にたい」くらい「つらい」と意味を理解する．ALSの場合，人工呼吸器導入や経皮内視鏡的胃瘻造設術(PEG)後の生活が想像できないので「そこまでして生きたくない」ほど「不安」があると理解し対処する．患者の「つらい」という訴えを肯定し，原因を解決して支え，「不安」を解消するための支援体制の構築を試みる．患者は医師による傾聴と共感をとおして自身の尊重を求めており，共感的肯定から開始する．心理サポート[9]も習得すべき技術である．

対応困難な場合は，早めに対応可能なチームにコンサルトすべきである．

病態

神経難病はALSを代表的疾患として，アルツハイマー病，レビー小体型認知症(dementia with Lewy bodies：DLB)，前頭側頭型認知症などの認知症，パーキンソン病とその関連疾患(パーキンソン病，DLB，進行性核上性麻痺，大脳皮質基底核変性症)，免疫性神経疾患〔多発性硬化症(multiple sclerosis：MS)および視神経脊髄炎スペクトラム障害(neuromyelitis optica spectrum disorders：NMOSD)〕，筋ジストロフィー(デュシェンヌ/ベッカー型筋ジストロフィー，福山型筋ジストロフィー，筋強直性ジストロフィー，肢帯型筋ジストロフィーなど)がある．本項では便宜的にこのように

症状・評価・治療
ALS
1)症状

呼吸筋麻痺と栄養障害(後述)はALSの症状管理の重要なポイントである[10]. ALSの病変波及(propagation)は症例ごとに異なり, 球麻痺や呼吸筋麻痺の出現は, ALSの病理学的終末期を意味しないため, どのような病期でも, PEGや人工呼吸器はQOL向上のための緩和ケアとして使うことができる[11].

非侵襲的陽圧換気(NPPV)によって, 呼吸機能の悪化スピードを抑制し低酸素血症による身体的負担が軽減[11,12]することで, 生命予後とQOLを改善できる★★★[13]. 努力性肺活量や夜間SpO_2などが低下してきたら, PEGやNPPVの導入を検討する. NPPVは呼吸困難が出る前にはじめ, 使用可能時間を徐々に延ばしていく. 外来でのNPPV導入は自己中断が多く, 十分な訪問看護の支援がない限り推奨しない. 最適なマスク装着(日中は鼻マスク, 夜間はフルフェイスマスクなど, 2種類以上のマスクにより皮膚障害を予防)と機器の操作を患者と家族が習得する必要がある.

> **設定例**
> ①トリロジー Evo(Philips 社)を使い, BiPAP(biphasic positive airway pressure), S/Tモード, EPAP(expiratory positive airway pressure) 4 hPa, IPAP(inspiratory positive airway pressure) 8 hPa, 呼吸回数12回/分で導入する.
> ②IPAPを2 hPaずつ増加し, IPAP 16 hPaを超えたら, AVAPS(average volume assured pressure support)を開始する.
> ③最低の1回換気量を設定(例:380 mL以下に低下時, IPAP 20 hPaまで自動増加など)し, 最小IPAP 16 hPa, 最大IPAP 20 hPaとする. 装置内の記録から, 実際の呼吸回数を参考に呼吸回数を設定する.

2)リハビリテーション

ALSに伴う障害が進むたびに, 集中的リハビリテーションと検査でADLを調整する短期入院を繰り返すと, 落ち着いて在宅療養を継続できる. 理学療法(PT), 作業療法(OT), 言語聴覚療法(ST)

は初期から導入する．HAL®(Hybrid Assistive Limb. Cyberdyne 社製)の医療用下肢タイプは 2016 年に保険適用となり，ALS など 8 疾患(脊髄性筋萎縮症，球脊髄性筋萎縮症，シャルコー・マリー・トゥース病，封入体筋炎，遠位型ミオパチー，筋ジストロフィー，先天性ミオパチー)に承認済みである★★[14]．このような入院を年 2 回以上行い，杖，歩行器，車椅子を検討し，球麻痺も評価する．OT では意思伝達装置の練習，ST では発声と誤嚥を評価する．呼吸リハビリテーションでは咳のピークフロー値を目安にし，カフアシスト(例：±40〜60 cmH$_2$O 1 日 1 回以上)を導入し，機械的に排痰する．呼吸器感染症を合併した場合は使用回数を増やす★[11]．NPPV や気管切開下陽圧換気(tracheostomy positive pressure ventilation：TPPV)にかかわらず，カフアシストの継続は必要である．

3) 栄養

栄養障害では転帰が悪化するため★[15]，嚥下障害の有無にかかわらず体重を目安に摂取カロリーを栄養士と調整する．血清総蛋白やアルブミン定量，間接熱量計によるエネルギー代謝測定も目安になるが，体重は前値比較が簡便で容易である．経口流動食はフレーバーだけでなく，シャーベットやゼリーなど形態も工夫する．NPPV を行う場合は呼吸不全の悪化前に PEG を導入する★[10,16,17]．「限界が来たら PEG 導入」では，るい瘦や褥瘡，誤嚥性肺炎などにより導入困難となる．経口摂取と併用することを説明し，早期に導入することが望ましい．TPPV 後は肥満に注意し，摂取カロリーを再調整する．

4) 意思決定と環境整備

初期から訪問看護を導入し，再調整のために専門病院でリハビリテーションおよび検査入院を繰り返す．家族介護に依存しない在宅療養成功例も紹介し，重度訪問介護など諸制度の導入を工夫する．「ALS/MND サポートセンター さくら会(http://sakura-kai.net/pon/)」[18]や「障害者一人暮らし支援会(https://hitorigurashi.jp)」からの情報も参考にしてもらう．在宅療養にこだわらなければ，TPPV に限らず NPPV や PEG などの使用を含め一定の障害度であれば，国立病院機構などで運用している療養介護サービス契約(障害者総

合福祉法)がセーフティネット医療として利用できる．

NPPV，TPPV の治療選択の意思決定にかかわらず，患者の PRO を指標にして，ケアを工夫し継続する．NPPV，PEG の導入は通常の説明と同意プロセスで行う．NPPV を行わない場合は，CO_2 ナルコーシスのリスクがあっても，低酸素血症に対しては必要な酸素投与を行う．

患者が TPPV 導入を迷っている場合も，行わない決定している場合も，医師からの説明と同意プロセスによって事前指示書(advance directive)やリビング・ウィルなどを作成して専門病院に来院する患者は皆無で，ほとんどは不十分な情報や思い込みで作成したり，決めたあともどうすればよかったのか不安であったりする場合が多い．方針を決めたと言っている患者も，日々「希望と絶望」，「生と死」の両極端を常に行き来する精神状態になりやすいことを理解し，そのような場合でも，再度，緊急時の気管挿管や TPPV 導入をアドバンス・ケア・プランニング(ACP)の話題とするとよい．ACP でケア内容の理解を深めながら，第 1 にケアによる PRO 向上と医療の信頼回復を目標にする．ACP の会話例として重要なポイントは「意思疎通ができない病状になっても(家族または知人の)○○さんと相談し最善のケアを行います．その時，本日希望された方向性と異なる選択になってもあなたは容認できますか」というような「裁量や解釈の余地(leeway)」を残すと，具体的な場面で過去の意向と目の前の現実が乖離せず，その時にその人にとって必要で妥当な医療が可能になる[2]．

TPPV 導入後もリハビリテーションプログラムは継続し，車椅子での外出支援，人工呼吸器のウイニング時間の延長，各種スイッチ，視線入力デバイス，生体現象方式の意思伝達装置(Cyin®．Cyberdyne 社製)などを使った意思伝達を促進させる．肺炎予防のためカフアシストなどを含む呼吸ケアの継続，唾液の気管内流入に対し気管カニューレをコーケンネオブレスダブルサクションチューブ(高研)に変更する，アモレ SU1(トクソー技研)で持続吸引し喀痰吸引の負担をなくす，などの工夫も有用である★[16,19]．高度の声帯麻痺では経口摂取促進と肺炎予防に，気管食道分離術も検討する．

在宅療養に必要な医療機器の利用手技は，プログラムを組めば家族は2週間程度で習得できる場合が多い．

5) 患者・家族の心理サポート

患者・家族の心理サポート[9]は，心理的問題が起こる前に始める．診断目的の初回入院から心理職が同席し，心理サポートや助言を開始する．初期の心理サポートが成功すれば，症状が進行し様々な症状コントロールが必要となる終末期でも，患者の満足度は保てる．PEGやTPPVを使用していたり，全介助であったりしても，PRO評価で「生活の満足度」が保たれている患者は多い．早期の心理サポートと症状コントロールに成功すると，オピオイドはその後も開始不要となる．ALSの呼吸困難や苦悩に対するオピオイド療法の有効性，安全性に関するRCTがない[2]ことに留意すべきである．

人工呼吸器などの機器の導入を望まず「そこまでして生きたくない」という患者の意向は，家族負担への配慮，ケア内容への不満や説明と理解の不足，機能低下による自己肯定感の喪失が原因である[2]．導入したあとの生活が想像できず「そこまでして生きたくない」という不安であり，患者の意思決定は常に変動する[18]．人工呼吸器の使用は，機械と接続されて非人間的になるのではなく，「人間の本質」としての「道具の使用」[8]であるという理解が重要である．

認知機能障害

神経疾患で認知機能障害がある場合は，初診時より家族の同伴が必要である．病歴聴取，検査，結果説明時のすべてに同伴してもらい，患者・家族と一緒に面談し相互の反応を観察する．別々に面談を行う必要がある場合，患者が不安にならない配慮(身体計測，血圧測定を理由にするなど)を行う．患者と家族の会話内容から関係性を推測し，困っている症状を聞き，神経学的所見とあわせて，中核症状(遅延再生障害，発話/言語理解の障害，幻覚，助言を聞き入れない症状，パーキンソニズムなど)を初診時に判断する．初診時に，中核症状は治す対象ではなく，サポートすべき対象であることを家族に理解してもらう．次の受診までに，臨床検査や画像検査を計画して治療可能な認知症を鑑別診断し，介護保険の手続きもはじめる．

代表的な疾患であるアルツハイマー病では,コリンエステラーゼ阻害薬やNMDA受容体拮抗薬などの薬物療法[20]以上に,適切な介護により患者の中核症状を補うことが重要である.介護者には,①いつも笑顔で,②患者を常に安心させ,③記憶力障害など中核症状を補うサポートが大切であることを説明する.中核症状を補う際は,つくり笑いでもよいので笑顔を絶やさず,「一緒にいれば大丈夫」「何があっても心配ないよ」などの声かけで肯定的な関係を通して人格を尊重する.これができないと,心理的反応としての行動・心理症状(BPSD)が増加し,家族が振り回され,ケアを頑張るほど患者に敵視される悪循環に陥る.デイケアやショートステイを活用して家族の負担を減らし,他人介護を増やすため,ケアマネジャーと相談する.それでもBPSDが増加し,自らのケアチームで対応困難なら,小規模多機能型居宅介護を併設する精神科病院へ紹介する.

パーキンソン病関連疾患

神経学的所見でパーキンソン症状を疑った場合は,脳MRI画像検査の他に,ダットスキャン(メジフィジックス社製),MIBGによる心臓交感神経イメージング,脳血流SPECT検査などを使い,鑑別診断を進める[21].疾患ごとの症状コントロールのため,専門医に依頼し遺伝子検索も含め診断確定を進める.パーキンソン病ではCDS(continuous dopaminergic stimulation)に基づき標準治療を行うが,進行期は運動症状の変動が強くなる.on時間に活動や食事動作を行い,off時間に休息する.off時を「怠け者」などと誤解しないように家族に説明する.

パーキンソン病においても,るい痩予防の栄養指導が重要である.さらに運動療法の習慣化のため,訪問リハビリテーション,介護保険リハビリテーション,集団外来リハビリテーション(H006難病患者リハビリテーション料),短期リハビリテーション入院プログラムなどを活用する.病的賭博,異常性欲については,初期より家族が言い出しやすい関係性を構築する.幻覚は否定せず,例えば「蛇がいても,それは幻視,本当はいないよ」ではなく,「蛇がいても,悪さしない蛇だから大丈夫」と肯定的に接する[2].

幻覚などの精神症状がない慢性期では，運動症状の悪化に対し使用している薬剤（レボドパやドパミン作動薬）を少量増量する．

> **処方例** 慢性期の増量例を示す．
> 1) レボドパ・カルビドパ（メネシット®） 50 mg 寡動時に追加 1日3回まで 内服
> 2) ロピニロール（レキップ®） 2 mg 使用中の量に追加 1日1回 内服
> 3) ロチゴチン（ニュープロ®パッチ） 4.5 mg/枚 使用中の量に追加 1日1回 貼布

免疫性神経疾患

MS，NMOSD の患者は若年者が多く，発症や再発により人生が左右されるため，薬物療法のみならず，十分なリハビリテーションによって増悪前の状態に近づける[22]．MS はインターフェロンβ，フマル酸ジメチル，フィンゴリモド，ナタリズマブなどで再発予防を行い，副作用を制御し二次進行型 MS にならないこと，NMOSD はエクリズマブ，ナタリズマブなどの導入により，失明や完全な横断性脊髄炎を免れ ADL を保つことが長期の治療目標であり，神経内科医と連携する．免疫性神経疾患では，ステロイドをはじめ様々な免疫抑制薬が使われるため，副作用に注意して継続し，症状コントロール（麻痺，感覚障害，高次脳機能障害，膀胱直腸障害，褥瘡，失明など）と適切な支援を行う．指定難病申請と障害に合わせた障害者手帳の申請が重要である．免疫性神経疾患では，介護保険を65歳まで使えないことが問題となる．抑うつ症状などへの対応だけでなく，学業や就労などについても患者・家族に多面的できめ細かな心理サポートを行い，病態認識のずれに注意しながら多職種チームで取り組む[2]．

筋ジストロフィー

デュシェンヌ型筋ジストロフィー（Duchenne muscular dystrophy：DMD）などの筋ジストロフィーは，福山型も含め多くは小児発症である．小児科で診断確定後，加療を開始し中学後半〜高校前後で脳神経内科に引き継がれ，NPPV と PEG の導入後，TPPV が必要となる[23]．年齢に合わせ，在宅でも小児神経内科，脳神経内

科と連携する．知的障害や自閉傾向がみられることがあるため，心理職を含めた多職種チームで特別支援教育，発達，就労支援に対応する．遺伝子診断や患者登録システム(registry of muscular dystrophy：Remudy)への登録の有無も確認する．Remudyへの登録は治療薬(ビルトラルセン静注など)の使用につながるため，以前遺伝子検査ができなかった場合でも，その後に遺伝子診断が可能になっていないかも含め検討する．DMDだけでなく，福山型筋ジストロフィーなどではPEGを導入する際に，発達や理解力に合わせ，好きなキャラクターの紙芝居，動画，ぬいぐるみを患者に見立てる，内視鏡室や手術室の見学などのプレパレーションプログラムを検討し，患者が無理なく導入を受け入れるアセントを行う．NPPV導入の際は，マスク，アンビューバッグ，カフアシストに遊びながら慣れる工夫をする．

心機能保護も重要であり，早期より心臓超音波検査での心拍出量低下，ホルター心電図の平均心拍数110〜75回/分以上，心室期外収縮100回/日以上を目安に，24時間血圧測定で収縮期血圧≧90 mmHgを保てる範囲でカルベジロールとエナラプリルを少量から開始し，15〜20 mg/日を目標に徐々に増量する★[23]．筋萎縮に合わせ，小児用マンシェットを用いて正確に24時間血圧測定を行う．

理解力の低下がみられる筋強直性ジストロフィー患者の場合は様々な合併症(糖尿病，高血圧，高脂血症，悪性腫瘍など)があり，定期検査のためにも良好な関係を最初から築きたい．症状が軽いうちからマンガやDVDなどの楽しみを併用し，数日の体験的入院から始め，必要日数まで入院できるか繰り返し試していく．在宅療養中の筋ジストロフィー患者が入院する場合も，同様に時間をかけて工夫と配慮をする．

緩徐に進行する肢帯型筋ジストロフィーなどでは，骨粗鬆症や転倒骨折に特に注意してリハビリテーションや装具を導入していく．

神経難病の予後予測と終末期ケアの考え方

神経難病の予後は，患者や家族から必ず聞かれる．しかし，症状の差と治療法の選択，ケアの提供体制により予後は多様である．DMDの心不全の進行，ALSの病変波及も症例により大きく異なる

ため,文献やガイドラインなどの平均的な年数は参考程度にしかならない.失われていく機能から予後予測しケアを構築しようとするのではなく,その時にある機能を使い,患者が笑顔になるようにサポートすることを約束しながらケアを構築していく.

神経難病は病状が進むにつれ,綱渡り状態となり,バランスをわずかにでも崩せば命に関わる状況になることもあるが,発熱や体調不良がありながらも,2年,3年,そして5年と生活できる患者も多く,「どんな時も,患者さんの主観的評価を指標に多職種チームでサポートしていきます」と説明を繰り返す.人に与えられた生きられる時間はそれぞれ異なるが,そのような医療者の支援があれば,患者も家族も充実した時間を満足感とともに過ごすことができる.

■参考文献

1) D・オリバー,他(編),中島孝(監訳):非悪性腫瘍の緩和ケアハンドブック―ALS(筋萎縮性側索硬化症)を中心に.西村書店,2017.
2) 中島孝:非がん疾患に対する緩和ケア.内科 127:239-244, 2021.
3) 大生定義,他:個人の生活の質 QOL と PRO 評価とは何か? 総合診療 25:222-226, 2015.
4) 大生定義,他(監):SEIQoL-DW 日本語版.SEIQoL-DW 事務局,2007.(https://seiqol.jp)(最終アクセス:2022 年 3 月)
5) 中島孝:神経難病患者の生活の質評価.OT ジャーナル 49:14-19, 2015.
6) Tanno K, et al:Validation of a Japanese version of the Decision Regret Scale. J Nurs Meas 24:E44-E54, 2016.(PMID:27103244)
7) Van den Berg JP, et al:Multidisciplinary ALS care improves quality of life in patients with ALS. Neurology 65:1264-1267, 2005.(PMID:16247055)
8) アンディ・クラーク(著),呉羽真,他(訳):生まれながらのサイボーグ―心・テクノロジー・知能の未来(現代哲学への招待 Great Works).春秋社,2015.
9) 後藤清恵,他:心理的支援.西澤正豊,他(編):すべてがわかる神経難病医療(アクチュアル 脳・神経疾患の臨床).pp76-82, 中山書店,2015.
10) 日本神経学会(監):筋萎縮性側索硬化症診療ガイドライン 2013.南江堂,2013.
11) 中島孝:ALS における非侵襲/侵襲的陽圧換気療法の利用と支えるさまざまな緩和.人工呼吸 37:158-166, 2020.
12) Carratù P, et al:Early treatment with noninvasive positive pressure ventilation prolongs survival in amyotrophic lateral sclerosis patients with nocturnal respiratory insufficiency. Orphanet J Rare Dis 4:10, 2009.(PMID:19284546)
13) Radunovic A, et al:Mechanical ventilation for amyotrophic lateral sclerosis/motor

neuron disease. Cochrane Database Syst Rev：CD004427, 2017.（PMID：28982219）
14) Nakajima, T, et al：Cybernic treatment with wearable cyborg Hybrid Assistive Limb (HAL) improves ambulatory function in patients with slowly progressive rare neuromuscular diseases：a multicentre, randomised, controlled crossover trial for efficacy and safety (NCY-3001). Orphanet J Rare Dis 16：304, 2021.（PMID：34233722）
15) Shimizu T, et al：Reduction rate of body mass index predicts prognosis for survival in amyotrophic lateral sclerosis：a multicenter study in Japan. Amyotroph Lateral Scler 13：363-366, 2012.（PMID：22632442）
16) 中島孝, 他：ALSの在宅NPPVケア. 日在宅医会誌 12：158-168, 2011.
17) 会田泉, 他：症状コントロールの進歩 PEGの最新の進歩. 総合診療 25：233-236, 2015.
18) 川口有美子：逝かない身体—ALS的日常を生きる（シリーズ ケアをひらく）. pp100-103, 医学書院, 2009.
19) 山本真：たん自動持続吸引システムの開発. 脳21(15)：74-78, 2012.
20) 日本神経学会(監)：認知症疾患診療ガイドライン 2017. 医学書院, 2017.
21) 日本神経学会(監)：パーキンソン病診療ガイドライン 2018. 医学書院, 2018.
22) 日本神経学会(監)：多発性硬化症・視神経脊髄炎診療ガイドライン 2017. 医学書院, 2017.
23) 日本神経学会, 他(監)：デュシェンヌ型筋ジストロフィー診療ガイドライン 2014. 南江堂, 2014.

（池田哲彦・中島　孝）

6 慢性呼吸器疾患の緩和ケア

診療のコツ

❶呼吸困難に対する他の治療が無効な進行患者にはモルヒネを慎重に使用する．

❷重症Ⅱ型呼吸不全へのベンゾジアゼピン系薬の使用は CO_2 ナルコーシスに注意する．

❸慢性呼吸器疾患患者は慢性の経過のなかで，急激な病状悪化をきたすため予後予測が難しい．

❹人工呼吸器の使用は患者・家族・医療者でしっかり話し合うことが必要である．

代表的な疾患

代表的な慢性呼吸器疾患として，COPD，間質性肺炎が挙げられる．

COPDは主にたばこ煙の長期間の吸入によって起こる肺の炎症性疾患である．40歳以上の日本人のCOPD有病率は8.6％と頻度が高い[1]．呼吸機能検査では気流閉塞をきたし，通常は進行性である．病状が進行するにつれ，労作時呼吸困難，咳嗽，痰を呈することが多い．

間質性肺炎は間質と呼ばれる肺胞壁が炎症や線維化の主要な場である疾患の総称である．その原因は多岐にわたり，薬剤，粉塵吸入，膠原病，サルコイドーシスなどが知られているが，原因が特定できないものを特発性間質性肺炎と呼ぶ．疾患によって異なるが通常は進行性であり，拘束性肺障害をきたす．臨床症状としては咳嗽，進行性の労作時呼吸困難が特徴的である．一部の間質性肺炎では急性増悪を起こすことがあり，その場合は予後不良である．また，代表的疾患である特発性肺線維症では生存期間中央値がおよそ2〜3年であり，多くのがんより予後不良である．

症状・治療
呼吸困難

COPD 患者では死亡前 3〜6 か月に最も多くみられる症状であり,約 2/3 の症例に認められる[2].間質性肺炎では診断時に 90％以上の症例で呼吸困難を認める[3].

1)酸素療法★★★[4〜6]

重症の安静時低酸素血症を有する COPD 患者では予後を改善する[7]ことから,呼吸困難の有無にかかわらず使用することが望ましい.安静時低酸素血症のない患者を対象に酸素療法と空気を比較した RCT では呼吸困難の改善効果に両群間で有意差を認めなかったが,両群とも介入前後で呼吸困難が改善した[4].また,安静時低酸素血症のない COPD 患者や間質性肺疾患患者では,運動時に酸素投与を行うことで労作時呼吸困難の改善がみられたことが報告されている[5,6].実臨床で空気投与は現実的ではないことから,労作時のみ低酸素血症を認める症例であっても,酸素療法の使用は妥当であろう.一方で,酸素使用に伴う拘束感,周囲の目が気になること,病状進行の否認などから酸素導入をためらう患者もいる.その気持ちに共感したうえで,その必要性について説明を行う.

2)NPPV★★[8]＊1

高二酸化炭素血症が認められる COPD 患者では,長期酸素療法と組み合わせることで生存率を高め,呼吸困難を改善する[8].導入期には,患者の努力を賞賛し,励ましながら,徐々に慣れてもらうことが重要である.

3)呼吸リハビリテーション★★★[9]

呼吸器疾患患者では身体活動の低下から身体機能低下を招き,社会的孤立,抑うつなどを背景に呼吸困難が増悪するという悪循環を生じる.呼吸リハビリテーションは呼吸困難,運動耐容能,QOL,ADL を改善させる[9].

＊1 非侵襲的陽圧換気(non-invasive positive pressure ventilation:NPPV):マスクを用いた換気補助療法.

4) モルヒネ★★[10~12]

慢性呼吸器疾患患者の呼吸困難に対するオピオイドの有効性については試験結果が一致していない[10~12]．したがって，原病への治療，他の対症療法を行ってもコントロール不十分な呼吸困難に対してモルヒネを使用する．また，開始後の効果を確認して効果がなければ速やかに中止する．重症COPD患者においても30 mg/日以下の用量であれば，死亡率，入院率の上昇と関連しないことが報告されている[13]．国内において非がん患者の呼吸困難に対するモルヒネの使用は，十分なコンセンサスが得られていないこと，医療用麻薬に対する誤解を考慮し，患者・家族に丁寧な説明をしたうえで使用する．特に重症呼吸不全の終末期に使用する場合には，自然経過による呼吸状態の悪化がモルヒネ投与後に重なりうるため，事前に原疾患の自然経過を説明しておく必要がある．

■ 精神症状

呼吸器疾患患者は身体機能の低下，呼吸困難による生活制限，社会的孤立感などから，不安・抑うつを合併することが多い．

1) ベンゾジアゼピン系薬

重症COPD患者において高用量のベンゾジアゼピン系薬の使用は死亡率の上昇との関連が報告されている[12]．また，重症Ⅱ型呼吸不全患者の不安，不眠に対してベンゾジアゼピン系の抗不安薬，睡眠薬を使用する際にはCO_2ナルコーシスをきたす可能性があり，注意が必要である．

2) 抗うつ薬★[14]

COPD患者に合併したうつ病に対する抗うつ薬のエビデンスは乏しいが，通常SSRI，SNRIが使用されることが多い．呼吸困難を伴う抑うつの場合には，ミルタザピンを使用することもある[14]．

3) 心理療法★★★[15,16]

認知行動療法はCOPD患者の抑うつや不安を軽減する[15,16]．

■ 痛み

COPD患者の66％に痛みがあるという報告があり，留意しておく必要がある[17]．

表1 BODE インデックス

スコア	0	1	2	3
BMI	>21	≦21	—	—
Obstruction % $FEV_{1.0}$ (%)	≧65	50〜64	36〜49	≦35
Dyspnea 修正MRCスケール	0〜1	2	3	4
Exercise 6分間歩行試験(m)	≧350	250〜349	150〜249	≦149

合計スコアによって以下の4群に分ける.
quartile 1:0〜2点,52か月の生存率 約80%.
quartile 2:3〜4点,52か月の生存率 約70%.
quartile 3:5〜6点,52か月の生存率 約60%.
quartile 4:7〜10点,52か月の生存率 約20%.

End of Life ケア

予後予測

がん患者と比較し,寛解・増悪を繰り返すため,患者も家族も終末期であるという認識が乏しい可能性がある.また,非がん性呼吸器疾患では慢性の経過をたどりながらも,感染,COPDの増悪,間質性肺炎の急性増悪といった急激な病状悪化をきたすこともある.さらにそれらを救命した際の改善の可能性を予測することが難しいこともあり,一般的に予後予測は困難である.COPDの年単位の長期の予後予測評価法には,代表的なものとしてBODEインデックス[18]などがあるが(表1),短期の予後予測に有用なスコアはない.

人工呼吸器の開始と中止

特に呼吸状態の悪化が予想される場合には,患者・家族と人工呼吸器の使用について検討しておく.その際は高流量鼻カニュラ酸素療法,NPPV,IPPV[*2]それぞれのメリット,デメリット,予想される経過を情報提供し,患者・家族と話し合うようにする.気管内

---

*2 侵襲的陽圧換気(invasive positive pressure ventilation:IPPV):気管内挿管下に行う換気補助療法.

挿管による人工呼吸管理の中止については,「救急・集中治療における終末期医療に関するガイドライン」[19]が公表されているが,中止の可否を判断するための適切な体制がすべての施設で整備されているわけではない.このため,病状悪化による入院時,在宅酸素療養導入時などの機会に,繰り返しアドバンス・ケア・プランニングを行うことが重要である.

参考文献

1) Fukuchi Y, et al：COPD in Japan：The Nippon COPD Epidemiology study. Respirology 9：458-465, 2004.(PMID：15612956)
2) Lynn J, et al：Living and dying with chronic obstructive pulmonary disease. J Am Geriatr Soc 48：S91-S100, 2000.(PMID：10809462)
3) Collard HR, et al：Dyspnea in interstitial lung disease. Curr Opin Support Palliat Care 2：100-104, 2008.(PMID：18685404)
4) Abernethy AP, et al：Effect of palliative oxygen versus room air in relief of breathlessness in patients with refractory dyspnoea：a double-blind, randomised controlled trial. Lancet 376：784-793, 2010.(PMID：20816546)
5) Ameer F, et al：Ambulatory oxygen for people with chronic obstructive pulmonary disease who are not hypoxaemic at rest. Cochrane Database Syst Rev：CD000238, 2014.(PMID：24957353)
6) Visca D, et al：Effect of ambulatory oxygen on quality of life for patients with fibrotic lung disease(AmbOx)：a prospective, open-label, mixed-method, crossover randomised controlled trial. Lancet Respir Med 6：759-770, 2018.(PMID：30170904)
7) Stoller JK, et al：Oxygen therapy for patients with COPD：current evidence and the long-term oxygen treatment trial. Chest 138：179-187, 2010.(PMID：20605816)
8) McEvoy RD, et al：Nocturnal non-invasive nasal ventilation in stable hypercapnic COPD：a randomised controlled trial. Thorax 64：561-566, 2009.(PMID：19213769)
9) Holland A, et al：Physical training for interstitial lung disease. Cochrane Database Syst Rev：CD006322, 2008.(PMID：18843713)
10) Verberkt CA, et al：Effect of sustained-release morphine for refractory breathlessness in chronic obstructive pulmonary disease on health status：a randomized clinical trial. JAMA Intern Med 180：1306-1314, 2020.(PMID：32804188)
11) Kronborg-White S, et al：Palliation of chronic breathlessness with morphine in patients with fibrotic interstitial lung disease—a randomised placebo-controlled trial. Respir Res 21：195, 2020.(PMID：32703194)
12) Ekström M, et al：Effects of opioids on breathlessness and exercise capacity in chronic obstructive pulmonary disease. A systematic review. Ann Am Thorac Soc 12：1079-1092, 2015.(PMID：25803110)
13) Ekström MP, et al：Safety of benzodiazepines and opioids in very severe respiratory disease：national prospective study. BMJ 348：g445, 2014.(PMID：24482539)

14) Higginson IJ, et al：Randomised, double-blind, multicentre, mixed-methods, dose-escalation feasibility trial of mirtazapine for better treatment of severe breathlessness in advanced lung disease(BETTER-B feasibility). Thorax 75：176-179, 2020.(PMID：31915308)

15) Ma RC, et al：Effectiveness of cognitive behavioural therapy for chronic obstructive pulmonary disease patients：a systematic review and meta-analysis. Complement Ther Clin Pract 38：101071, 2020.(PMID：31743870)

16) Zhang X, et al：Effects of cognitive behavioral therapy on anxiety and depression in patients with chronic obstructive pulmonary disease：a meta-analysis and systematic review. Clin Respir J 14：891-900, 2020.(PMID：32510764)

17) Lee AL, et al：Pain and its clinical associations in individuals with COPD：a systematic review. Chest 147：1246-1258, 2015.(PMID：25654647)

18) Celli BR, et al：The body-mass index, airflow obstruction, dyspnea, and exercise capacity index in chronic obstructive pulmonary disease. N Engl J Med 350：1005-1012, 2004.(PMID：14999112)

19) 日本集中治療医学会, 他：救急・集中治療における終末期医療に関するガイドライン―3 学会からの提言. 2014.
(https://www.jsicm.org/pdf/1guidelines1410.pdf)（最終アクセス：2022 年 3 月）

（松田能宣）

コラム ❻ 在宅医療

在宅医療は，患者と家族が安心して自律した生活を送れるように支える医療である．よりよい在宅医療を提供するためには，患者の意向や価値観，そして，入院前の生活を十分に理解したうえで，在宅退院を視野に入れて話し合い，医療・ケアの工夫を行い，退院のタイミングを逃さないことが重要である．円滑な在宅移行を進めるうえで，大切なポイントとして「在宅の視点のある病棟医師尺度」の項目が参考になる（**表 1**）[1]．また，この尺度に含まれている「多職種と積極的に協働する」ためには，森田らが提唱する「顔の見える関係」を作る必要がある（**図 1**）[2]．

2017 年に行われた「人生の最終段階における医療に関する意識調査」では，がん疾患で 1 年以内に亡くなるとわかっている場合に，一般国民の 47.4％が自宅で医療・療養を受けることを希望し，75.7％が自宅で最期を迎えることを希望している．そして，自宅で最期を迎えることを選んだ理由は，「住み慣れた場所で最期を迎えたいから」「最期まで自分らしく好きなように過ごしたいから」「家族らとの時間を多くしたいから」という回答が多かった．一方で，自宅以外で医療・療養を受けること，

表1 在宅移行のためのチェックポイント

1) 退院後の生活をイメージする
- 介護を行える家族の有無を評価している
- リハビリテーションの目標設定では，退院後の患者の生活を考慮している
- 治療方針の決定では，退院後の患者の生活を考慮している
- 自宅で過ごすことについて，患者がどう思っているのかを把握している
- 患者が自宅で過ごすことについて，家族がどう思っているのかを把握している

2) 医療をシンプルにする
- 退院後も継続できることを意図して，処置の簡素化を心がけている
- 退院後も継続できることを意図して，使用薬剤数を極力減らしている
- 医療費の患者の負担について考えている

3) 今後の病状変化を予測した対応をする
- 今後起こりうる病態とその対処法について，退院前に患者や家族に話している
- 再入院が必要となった場合の対処法について，患者や家族と話し合っている
- 症状や苦痛を軽減するなどの緩和的なケアを必要に応じて早期から行っている

4) 多職種と積極的に協働する
- 看護師・薬剤師・社会福祉士(MSW)など他職種との意見交換を自ら進んで行っている
- 地域連携室に積極的に相談している
- 退院後に新たな医療処置が必要な場合には，早期に地域連携室に相談している

5) 在宅医に役立つ情報を提供する
- 診療情報提供書に，患者への病状の説明内容やそれに対する反応・理解の程度を記載している
- 診療情報提供書に，経験した薬剤の副作用や薬剤を変更した理由を記載している
- 診療情報提供書に，今後起こりうる病態とその対処法を記載している

6) 介護保険などを適切に活用する
- 介護保険で要介護と認定される見込みがあるのかを評価している
- 介護保険の主治医意見書には，医学的見地から介護の必要性を記載している
- 身体障害者に該当する見込みがあるかを評価している

〔山岸暁美：在宅ケア．宮下光令(編)：緩和ケア・がん看護 臨床評価ツール大全，p323, 青海社，2020 より一部改変〕

または最期を迎えることを希望した理由は，「介護してくれる家族らに負担がかかるから」「症状が急に悪くなった時の対応に自分も家族らも不安だから」という回答が多かった[3]．

国際的な研究では，自宅での看取りを希望する割合は国・地域によっ

```
　　　　　顔がわかる関係　顔の向こう側が見え　顔を通り越えて
　　　　　　　　　　　　　る関係（人となりが　信頼できる関係
　　　　　　　　　　　　　わかる関係）

【話す機会がある】
グループワーク・日常的な会話・患者を一
緒に見ることを通じて，性格，長所と短所，
仕事のやり方，理念，人となりがわかる
```

「顔がわかるから安心して連絡しやすい」
「役割を果たせるキーパーソンがわかる」
「相手に合わせて自分の対応を変える
　ようになる」　　　　　　　　　　　　 連携しやすくなる
「同じことを繰り返して信頼を得ることで
　効率がよくなる」
「親近感がわく」
「責任のある対応をする」

図1 顔の見える関係

顔がわかる関係：あったこともない人たちの顔がとりあえずわかるようになること．
顔の向こう側が見える関係：どういう考え方をする人で，どのような人となりがわかるようになること．
顔を通り越えて信頼できる関係：信頼感をもって一緒に仕事ができるようになること．
〔森田達也，他：地域緩和ケアにおける「顔の見える関係」とは何か？ Palliat Care Res 7：323-333, 2012 より〕

て異なる（38〜92％）が，英国では全死亡者の約1/4しか自宅で最期を迎えることができていない[4,5]．また，国際的には，患者の約80％は病状が変化しても希望する療養の場所は変わらないといわれている[4]．

　また，在宅緩和ケア（非がん疾患を含む）の有効性を検証した系統的レビューでは，在宅緩和ケアを提供することで，自宅での看取りが増えること，患者の苦痛は減らすことができるが，介護者の悲嘆，苦悩についての効果は明らかになっていないことが報告されている[6]．

　そして，日本で行われた在宅緩和ケアに関する多施設共同観察研究では，自宅で最期を迎えた患者と病院で最期を迎えた患者の生存期間には，ほとんど違いがないか，自宅のほうがやや長い傾向であること，そして，自宅で亡くなった患者は，亡くなる3日前以内に行った点滴や抗菌薬投与といった医療行為は有意に少ないことが報告されている[7]．また，亡

くなる3日前の過活動型せん妄の発症率は，緩和ケア病棟と在宅において有意な違いがないことも報告されており，在宅においても適切な症状緩和が必要と考えられる[8]．

■参考文献

1) 宮下光令(編)：緩和ケア・がん看護 臨床評価ツール大全．青海社，2020．
2) 森田達也，他：地域緩和ケアにおける「顔の見える関係」とは何か？ Palliat Care Res 7：323-333, 2012.
3) 人生の最終段階における医療の普及・啓発の在り方に関する検討会：人生の最終段階における医療に関する意識調査報告書．厚生労働省，2018．(https://www.mhlw.go.jp/toukei/list/dl/saisyuiryo_a_h29.pdf)(最終アクセス：2022年3月)
4) Gomes B, et al：Heterogeneity and changes in preferences for dying at home：a systematic review. BMC Palliat Care 12：7, 2013.(PMID：23414145)
5) Gao W, et al：Changing patterns in place of cancer death in England：a population-based study. PLoS Med 10：e1001410, 2013.(PMID：23555201)
6) Gomes B, et al：Effectiveness and cost-effectiveness of home palliative care services for adults with advanced illness and their caregivers. Cochrane Database Syst Rev：CD007760, 2013.(PMID：23744578)
7) Hamano J, et al：Multicenter cohort study on the survival time of cancer patients dying at home or in a hospital：Does place matter? Cancer 122：1453-1460, 2016.(PMID：27018875)
8) Hamano J, et al：Comparison of the prevalence and associated factors of hyperactive delirium in advanced cancer patients between inpatient palliative care and palliative home care. Cancer Med 10：1166-1179, 2021.(PMID：33314743)

〈浜野　淳〉

コラム ❼ 代替療法についての考え方

　補完代替療法（complementary and alternative medicine：CAM）とは，日本補完代替医療学会の定義では，「現代西洋医学領域において，科学的未検証および臨床未応用の医学・医療体系の総称」とされている．

　端的に言えば，CAM について「こう答えるべき」という明確な答え，というものはない．CAM が，生存の延長や QOL 向上について明確なエビデンスがないばかりか，それに伴い抗がん治療を拒否することで予後が短縮する可能性が高いことは事実である．しかし医師としての正しさを追求しても，患者や家族の心に説明が響かないのでは，意味がないだけでなく信頼関係すら壊しかねない．ただ一方で，患者や家族の希望に迎合し，CAM のなかでも明らかに有害と思われる治療法までも「自己責任」や「最後の希望」などの名のもとに見放すべきではない．

　われわれは，下記のような学会ガイドラインなどの資料を参考に正しい知識を身に付けたうえで，医師として，そして人として，患者・家族に向き合い，互いに「納得」できる道を探っていく作業が，1 人ひとりに必要なのだと思う．

　具体的には，①医学的見地からの説明はする，②しかし頭ごなしにすべてを拒絶しない，③そのうえで常に気にかける（見放さない/医療者は味方である，と伝え続ける），といった姿勢で対応することが求められる．

　また，評価のポイントとして CAM による肝障害などの副作用や薬物相互作用の有無に加え，経済毒性（financial toxicity）についても気にかけておく必要がある．CAM への傾倒が過度となり，それによる経済毒性によって患者のみならず家族まで影響を受ける兆しがみえた場合には，「何を目標としているのか」について改めて検討する機会を設けるべきである．

■ 参考文献
1) 日本緩和医療学会：がんの補完代替療法クリニカル・エビデンス 2016 年版．〈https://www.jspm.ne.jp/guidelines/cam/2016/index.php〉（最終アクセス：2022 年 3 月）

〔西　智弘〕

第4章

様々な状況での緩和ケア

1 小児の緩和ケア

診療のコツ

❶小児の緩和ケアも基本的な要素は成人の緩和ケアと同じである.
❷子どもに関わる際は年齢に応じた発達段階を理解して関わるとよい.
❸遊びや学びは子どもたちの社会そのものである.
❹症状緩和の際はまずは症状評価の方法について検討する.

小児の緩和ケアの対象者

小児の緩和ケアの対象者は, 生命を脅かされている子どもたちである. もともとは成人を迎える前に亡くなる可能性が高い子どもたちが対象とされていたが, 医療の進歩に伴い現代では, 親より早く亡くなる可能性があるという意味で, 概ね40歳までに亡くなる可能性が高い子どもたちと考えられている.

生命を脅かされている子どもたちは, その病気の軌跡(illness trajectory)から以下の4つの疾患に分けて考えられている[1](**図1**).

①根治につながる治療が功を奏することもあるが, うまくいかない場合もあるような生命を脅かす病気. 治癒が不成功な場合には緩和ケアを要するかもしれない. 代表疾患:小児がん, 心不全.
②早期の死は避けられないが, 治療によって予後の延長が期待できる病気. 代表疾患:神経筋疾患(筋ジストロフィーなど).
③進行性の病態で, 治療は概ね症状の緩和に限られる病気. 代表疾患:代謝性疾患(Gaucher病など).
④不可逆的な重度の障害を伴う非進行性の病態で, 合併症によって死に至ることがある病気. 代表疾患:重度脳性まひ.

成人の緩和ケアとの違い

症状への基本的な対応方法や家族も一緒にケアをするなど, 小児の緩和ケアは成人の緩和ケアと多くの重なりがある. 一方, 小児の

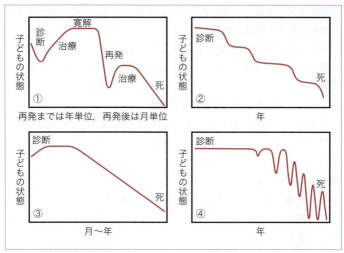

図1 生命を脅かされている子どもの病気の軌跡
①治療が功を奏することもあるが，生命を脅かす病気．
②早期の死は避けられないが治療で予後が延長できる可能性のある病気．
③進行性の病気．
④重度の障害を伴う非進行性の病気．

緩和ケアの特徴として以下が挙げられる[2]．

■1 小児の死亡は成人と比べて圧倒的に少ない

例えば小児がん患者の年間死亡者数は日本では400人程度で，成人と比較すると圧倒的に少ない．

■2 小児期特有のまれな疾患が多く，症状の個別性が高い

小児領域の疾患は小児期特有の疾患が多い．また同じ疾患であっても症状や重症度に幅があるため，共通性，法則性をもって対応することは難しく，緩和ケアニーズについても疾患によるというよりもその子と家族の状況を踏まえて評価する必要がある．

■3 家族性の疾患も多く，家族内に同一疾患が複数みられる場合がある

遺伝性疾患などは家族内に同一疾患の患者が複数みられる場合があり，保護者自身も当事者もしくは保因者であるなど対応を要する場合がある．

4 親がケアや介護に大きな責任を有しており,きょうだい児への支援が届きにくい場合がある

子どものケアの主体は親であることがほとんどであり,家族支援も重要な要素である.また,きょうだい児への支援も重要な要素である.

5 代理意思決定を必要とする場面が多い

意思決定の場面において,子ども自身が自分の意向を表明できない場合が少なくない.その場合,代理意思決定が必要となり,子どもの最善の利益を皆で考えることが重要になる.

6 発達の視点が重要である

子どもの特徴は,生理学的にも感情的にも認知的にも発達していくことである.年齢に応じた薬の生理学的な影響を考慮する必要がある.また,子どものコミュニケーションレベルを把握し,病気・治療・予後について理解する能力を把握し対応する必要がある.

7 遊び,学びがとても大切である

子どもにとって遊び,学びは社会性を豊かにするために重要であり,それは病気をもつ子どもにとっても同じである.

小児の終末期医療の特徴

小児患者は最期まで積極的治療が行われやすいという特徴がある.日本の小児がん患者の83%が病院で亡くなっているが,病院で亡くなった患者のうち亡くなる前2週間以内に静注化学療法を受けていた患者の割合は約30%であり[3],これは成人の3倍以上である.進行性疾患の子どもをもつ親の多くは,自分の子どもの生存の可能性が低いことを認識しながらも,最期まで治癒を望むことが多い[4].最期まで治療医が主治医であることが多い小児領域では,治療チームも本人の遺された時間が少ないことを伝えることにためらいをもつ場合も少なくない.子どもを失うということは,家族にとっても医療チームにとっても峻烈な体験であり,それ故に生じる特有の緊張感がそこに存在する.

小児領域におけるACP

小児領域においては,疾患の予後がはっきりしないことや,終末期を意識した話を切り出すと子どもや家族が希望を失ってしまうの

ではないかという医療者自身の不安などが障壁となり，医療者からアドバンス・ケア・プランニング(ACP)を切り出すことにためらいを感じることが多いという現状がある[5]．

　ACPを行ううえで大切なことは，病状認識を共有することにある．患者の病状認識と医療者の病状認識はずれていることが多い．特に小児領域では病状が差し迫って来るほど，患者・家族は医療者と暗黙的なコミュニケーションを望み，医師の楽観的な言葉だけを解釈する傾向にあるとの報告もある[6]．事実や見通しを伝えることは患者・家族に大きな衝撃を与えることになるが，特に終末期においては事実の共有がないと本当に希望する目標設定ができなくなってしまうため，見通しの共有は重要である．見通しには，時間的な見通しと機能的な見通し(ADLの変化の予測)が含まれる．また急な病状の悪化がありうるという不確実性を伝えることも重要である[7]．

　病状認識が共有できれば，これからのことについての話を進めていく．その際，相手の準備状況を確認することはとても大切である．先に述べたように進行性疾患をもつ子どもの親の多くは，子どもの生存の可能性が低いことを認識しつつも，最期まで治癒を希望している．親が治癒や奇跡への希望を表明している場合は，医療者はその希望を共有しつつ，それが叶わなかった場合の希望や目標，気がかりについて探索していく必要がある．「私たちもあなたと同じように奇跡が起こることを願っています．ただもし，それが叶わなくなった場合のことを考えたことがありますか？」．このように問いかけると，相手がこのような話し合いをするのに十分準備できていなかった場合は「考えたことがありません」と話を打ち切ることができるので，「叶わなくなったらどうしますか？」と問いかけるよりも相手への侵襲が少ない形で話し合いを切り出すことができる．相手に話し合いの準備ができていない場合は，無理に話を進めないほうが望ましい．

　相手に話を進めていく準備がある場合は，希望を尋ねていく．その際，背景にある理由を尋ねるとよい．どうしてそれを望んでいるのか，それをすることで何を叶えたいのかを聴いていくことで，本

当に大切にしたいことにたどり着くことができるかもしれないからである.

子どもとのコミュニケーション[8]

子どもは発達段階に応じて、乳幼児期(0〜5歳)、学童期(6〜12歳)、思春期・青年期(13〜22歳)に分けられる. それぞれの時期特有のストレス要因, 支援のポイントについて**表1**にまとめた.

乳幼児期は親の存在がとても重要である. 子どもが安心できる大人とのスキンシップの時間をとることや、処置の時でも一緒にいられる環境の設定などを意識するとよい.

学童期は同年代の子どもとの関わりが特に大切である. 学びの機会や遊びの機会をできるだけ保証するように意識する.

思春期・青年期は親から独立し、自分の価値観を自分で模索する時期である. 同年代の子どもとの関わりも重要だが1人の時間も大切に考えておく必要があり、プライバシーに十分に配慮することが重要である. また遊びや何気ない会話のなかで自分の想いを語ることも少なくない. 課題にフォーカスした会話だけでなく、日々のやり取りや非言語的な関わりのなかで普段から関係性を作ることが大切である.

発達段階によって死についての概念(→ 431 頁の**表1**参照)も異なる. 時に大人がドキッとするような発言がみられることもあるが、自傷など危険な行為がなければ、ただ見守り、その背景にある思いを支えることで安心感をもてることが多い.

症状への対応

痛み

1) 症状評価

痛みの評価は「患者自身の報告が、痛みの存在、程度を評価する最も信頼性のある手段である」とされており、小児においてもその原則は同様である.

概ね3〜4歳以上になれば自分の身体の痛みについて答えられるようになるとされているが、子どもの場合は痛み以外の気分を反映する可能性があることが指摘されており、痛みの程度についてスケールを用いて評価できるのは8歳以上と考えておくとよい. 以

表1　発達段階別の支援のポイント

発達段階	入院・検査や処置に伴うストレス要因	支援のポイント
乳幼児期 (0〜5歳)	・入院により，養育者や慣れた場所から切り離される ・自分の思うようにできない ・大人からの命令・制限の多さ ・遊びの時間や環境の制限	・養育者，または子どもが安心できる大人とのスキンシップや一緒にいる環境の提供 ・年齢相応の遊びができる場所や物の提供 ・子どもなりにできたことへの称賛 ・したいこと，できることを提案 ・プリパレーション（処置前や処置中に，認知発達段階に応じて子どもに説明を行うこと）が効果的である
学童期 (6〜12歳)	・他の子どもと同じ活動ができない，他の子どもと違う ・学校生活，仲間集団から切り離される ・自己コントロール感の欠如，または欠如することへの不安 ・身体的な機能障害や部分的喪失へのおそれ ・病気そのものや死へのおそれ	・学習や運動の機会を最大限に確保する ・学校と情報共有し，仲間とのつながりを支える ・選択肢を用意し，子どもの意思を最大限尊重する ・身体の仕組みや病気，治療について，本人が理解できるように十分説明する ・気持ちを傾聴し，受け止める
思春期・青年期 (13〜22歳)	・友人からの分離 ・プライバシーの欠如 ・病気そのもの，死への恐怖 ・親に依存せざるをえない状況，独立性や自立性の喪失 ・理想像や期待感とのギャップ ・ボディイメージの変化	・同年代の子ども同士の交流を促す ・プライバシーに十分に配慮する ・同性スタッフがケアに入る ・病気や治療について，本人が理解できるように十分に説明する ・選択肢を用意し自己決定を尊重する ・子どもの気持ちを確認してから，親の同席や参加の有無を決める

〔日本緩和医療学会：緩和ケアチームの活動の手引き（追補版）—成人患者を主に診療している緩和ケアチームが小児患者にかかわるためのハンドブック．2021より一部抜粋〕

下に代表的な評価ツールと概ね使用可能な年齢を記す（**付録5→480頁**）．

- face pain scale（FPS）（4〜12歳）
- VAS（8歳以上）
- NRS（0〜10の11段階は11歳以上）

一方で，発達段階や病状の経過による認知機能の問題などから，自己評価が十分にできない場合も少なくない．その場合，子どもが痛みを体験した際に起こす行動変化や生理的反応に着目し評価を行う．FLACC（→ 40 頁）は 5 つの評価項目（表情，足の動き，活動性，泣き声，あやしやすさ）からなる評価スケールの 1 つで，特に術後痛などの急性痛において十分に確立された評価スケールとされている．R-FLACC は FLACC の項目をその子ども特有の症状に置き換えて使用する評価スケールである．慢性痛など長く評価が必要な場合には，関わる多職種で子どもが痛い時に示す行動や生理的反応を観察し共有すると，統一した評価がしやすくなる．

2）薬物療法

薬物療法の基本的な考え方は成人と同様である．成人で使われる弱オピオイドについては小児では使用が推奨されていない．厚生労働省も，コデイン，トラマドールの 18 歳未満の小児患者への使用を禁忌と定めている．これは，コデイン，トラマドールともに CYP2D6 により活性代謝物へと転換されて鎮痛作用を示すが，小児においては CYP2D6 の活性が低かったり，遺伝的に過度に高いケースがあったりするため，効果が不安定になることが理由とされている．

■1 アセトアミノフェン

小児領域で最もよく使われる鎮痛薬の 1 つである．坐薬や静注製剤があるため内服が難しい小児患者においても使用できる．1 歳未満の患者の術後痛に対する RCT においても，アセトアミノフェン投与群は非投与群と比較し術後モルヒネの使用量を 30％以上減弱させると報告[9]されており，新生児期から効果が期待できる．75～150 mg/kg/日以上になると副作用の発生リスクが高くなることが示されているので，注意が必要である．

> **処方例**
> アセトアミノフェン　1 回 10～15 mg/kg　内服　4～6 時間あけて追加使用可（最大量 60 mg/kg/日）

❷NSAIDs

炎症を伴う痛みに有効性が高い．小児においてはReye症候群との関連性が示唆されているため，ウイルス性疾患（水痘，インフルエンザなど）罹患中の投与は慎重を要する．また，アスピリンが喘息を誘発する可能性が指摘されており，喘息の既往がある患者に対する投与も慎重な検討が必要である．

> **処方例** 下記のいずれかを用いる．
> 1) イブプロフェン　1回5〜10 mg/kg　6〜8時間おき　内服（最大量30 mg/kg/日）
> 2) ナプロキセン　1回5〜7.5 mg/kg　1日2回　内服（最大量600 mg/日）若年性特発性関節炎に対しては5歳以上から適応あり（米国）

❸オピオイド

オピオイドは成人同様，小児においてもがん疼痛のキードラッグである．小児患者のオピオイドへの反応は，遺伝的な背景や代謝の違いがあり患者ごとに差がある．したがって，特に初回投与時は少量から開始し，効果や副作用をみて増量していくことが望ましい．副作用は便秘，悪心，嘔吐など成人と同様ではあるが，小児患者では尿閉，瘙痒感が多い．

【注射薬】PCA（patient controlled analgesia）ポンプを用いて持続静注もしくは持続皮下注にて投与を行うことが多い．レスキュー量については1時間量を目安に適宜調整する．以下に投与開始量の例を示す．

> **処方例** 下記のいずれかを用いる．
> 1) モルヒネ注　10 μg/kg/時
> 2) オキシコドン注　10 μg/kg/時
> 3) フェンタニル注　0.2 μg/kg/時

【内服薬】年少児は錠剤の内服が難しいため散剤を使用する．その際，単シロップを用いると内服しやすい．持続的な痛みがある場合の投与開始量を以下に挙げる．レスキュー量については1日の投与量の1/6を目安に検討するが，症状によって調整が必要である．

> **処方例** 下記のいずれかを用いる．
> 1) モルヒネ塩酸塩(散)　1回100 μg/kg　1日4回
> 2) モルヒネ硫酸塩徐放製剤　1回200 μg/kg　1日2回　12時間おき

呼吸困難

呼吸困難は子どもにとって最も苦痛な症状の1つである．終末期が近づくと症状が出現しやすく，小児がん患者の80%が最期の1か月で呼吸困難の症状を呈するとされている[10]．

1) 症状評価

呼吸困難の評価のゴールドスタンダードが患者の主観的な評価であることは成人と同様である．主観的な症状を評価するツールとしては，痛みの評価と同様にFPSやNRSを用いるとよい(**付録5→480頁**)．

自ら症状を訴えられない子どもの評価に際しては，痛みと同様に子どもが不快症状を体験した際に起こす行動変化や生理的反応に着目し評価する．親を含む介護者から不快症状に関連するその子の過去の行動パターンの情報を得ながら，呼吸数，SpO_2，血液ガス所見とあわせて評価を行っていく．痛みの評価に用いられるFLACCなどを利用することができる．

2) 薬物療法

薬物療法としてはオピオイド(モルヒネが第1選択)が選択肢となる．

オピオイドナイーブの小児患者に対しては，痛みで使用する投与量の1/4から開始するとよい．筋疾患などで低緊張のある子どもに対しては，より少量から(1/8程度)の開始が望ましい．

疼痛コントロールとしてオピオイドを使用している場合は，投与量を25%程度増量する．ベンゾジアゼピン系の抗不安薬については，不安を伴っている場合に使用を検討してもよい．

■ 参考文献

1) Goldman A, et al (eds)：Oxford textbook of palliative care for children, 2nd ed. pp14-16, Oxford University Press, 2012.

2) Goldman A (ed)：A guide to children's palliative care, 4th ed. Together for short lives, 2018.
3) Yotani N, et al：Current status of intensive end-of-life care in children with hematologic malignancy：a population-based study. BMC Palliat Care 20：82, 2021.（PMID：34098925）
4) Haines ER, et al：Barrier to accessing palliative care for pediatric patients with cancer：a review of the literature. Cancer 124：2278-2288, 2018.（PMID：29451689）
5) Yotani N, et al：Differences between pediatricians and internists in advance care planning for adolescents with cancer. J Pediatr 182：356-362, 2017.（PMID：28040231）
6) Sisk BA, et al：How parents of children with cancer learn about their children's prognosis. Pediatrics 141：e20172241, 2018.（PMID：29208726）
7) Paladino J, et al：Communication strategies for sharing prognostic information with patients：beyond survival statistics. JAMA 322：1345-1346, 2019.（PMID：31415085）
8) 日本緩和医療学会：緩和ケアチームの活動の手引き（追補版）―成人患者を主に診療している緩和ケアチームが小児患者にかかわるためのハンドブック．2021．
9) Ceelie I, et al：Effect of intravenous paracetamol on postoperative morphine requirements in neonates and infants undergoing major noncardiac surgery：a randomized controlled trial. JAMA 309：149-154, 2013.（PMID：23299606）
10) Wolfe J, et al：Symptoms and suffering at the end of life in children with cancer. N Engl J Med 342：326-333, 2000.（PMID：10655532）

（余谷暢之）

コラム ❽　AYA世代のがん患者

　AYA(adolescent and young adult)世代は15〜39歳の思春期〜青年期を指す．この世代が罹患するがん腫は造血器腫瘍，肉腫など多様で希少がんが多い．希少がんは治療に関する情報が少なく，治療できる医療機関も限られる．特に10代の患者は小児科(小児病院)，腫瘍科(がん専門病院)の境界領域となり，診療体制が定まりにくい．居住地から離れた専門施設に通わなければ治療を受けられないこともある．そのうえ，骨髄移植のように侵襲の強い治療，肉腫の手術のように四肢の切断を伴う治療，抗がん剤治療による不妊が懸念される治療など，情報が少ないなかで困難な治療決断を迫られることがしばしばある．

　また，AYA世代は進学，就職，恋愛，結婚，出産など様々なライフイベントを経験し，患者をとりまく家族関係や心理社会状況は大きく変化する．したがってAYA世代のがん患者は就労・就学や育児など治療以外にも個別性が高い支援を必要とするが，支援者は親，きょうだい，配偶者，パートナー，友人と多様であり，居住形態や経済状況も様々である．診療の際には患者と家族の両方に関わり，治療経過を家族とも共有し，家族ダイナミクスの変化に注意を払う．子育て中の患者は，子どもへの説明や関わり方で悩み，また子どもは自分の親の病気について不安を感じていることがあるため留意する．

　経済的な問題，セクシュアリティ，虐待など人に言いづらいことが療養に影響を与えることもある．それぞれ話しやすい医療者が異なる場合は，問題点を診療チーム内で情報共有する．患者が人に言いづらい悩みを話し合うきっかけとして，様々な問題点をまとめた共通のスクリーニングツールを利用し，定期的に実施するのはよい方法である．

　年齢が近い患者に強く共感した結果，AYA世代の患者を担当した医療者がバーンアウトしてしまうことがある．診療に関与する医療者の様子にも目を向け，必要に応じて多職種カンファレンスを行って情報共有や振り返りを行う．

〈石木寛人〉

2 がんの親をもつ子どものサポート

サポートのコツ

❶子どもは病気や死について親とのオープンなコミュニケーションを大切にしており，それが死別の際に助けになる．

❷親の死が近いことを教えてもらわないままでの突然の親の死や，家族のなかで自分だけが教えてもらっていなかった状況は子どもにとってつらいため，極力避ける．

❸親のつらさ・気持ちを受け止めたあとに，親と共同して子どもに関わっていく．

❹何もできない時も，子どもに関心を向けてそばにいる，不安な時に気晴らしの相手をするだけでも意味はある．

背景

がんの親をもつ子どもについて最初にフォーカスが当てられたのは 1989 年，『Handbook of psychooncology』に「がんに圧倒されている親には子どもが抱えている問題は過小評価され，医療者にとってもほとんど会うことがないために気付かれないハイリスクグループが，がんの親をもつ子どもである」[1]と書かれている．

日本では 2015 年に国立がん研究センターの調査[2]で推定値が初算出され，18 歳未満の子どもをもつがん患者は年間 56,143 人，その子どもは 87,017 人，がんの種類では乳がんが 40% と最も多いことが報告された．子どもがいる患者の割合が高い乳がん診療に携わる医療者を対象とした「がんの親をもつ子どもへの介入の現状調査」[3]（2011 年）では，介入に肯定的な意見が 7 割を占めたが，9 割近くで介入できておらず，介入できない理由として体制の不備や支援方法の確立がなされていないことが挙げられた．

こうした状況を変えるべく，専門職で構成される特定非営利活動法人 Hope Tree[4]（2008 年設立）はがんの親をもつ子どものサポートグループとして CLIMB プログラム*の定期開催，研修，患者家族

への情報発信に努めてきた．以降，各医療機関での取り組みも増え，子どもへのサポートの広がりがみられている．

死別前の子どものサポート

子どもを理解する

1) 子ども自身と話すことの大切さ

「死が差し迫り，避けられないことを事前に知らされていた子どもは，そうでない子どもよりも不安度が低い」「子どもと親に関する不安について話し合うことは，不安を高めるのではなく疎外感を軽減する」[5]「子ども(思春期含む)は，病気や死について両親とのオープンなコミュニケーションを大切にしており，それが死別の際に助けになる」[6]という研究結果がある．

2) 発達段階に応じた対応

子どもの発達段階による死の理解とその対応を**表1**に示す．子どもに会う前などに参考にしてほしい．

大人を理解する[7]

1) 終末期の患者・家族にみられる心理的防衛機制

①否認：現実を受け入れるのを拒否する．認めない．

②合理化：自分にとって都合の悪い現実を，事実と異なる理由を用いて正当化する．

③知性化：出来事を理解するために，感情を抑え，思考優位に理解する．

これらは受け入れがたい状況による不安を軽減しようとする無意識的な心理的メカニズムであることを理解する．

2) 対応

①この状況にある患者・家族に，なぜ話さないのか真正面から尋ねても，心理的な壁はさらに高くなってしまう．防衛を軽減するには，思いを積極的に聞く必要がある．子どものことを尋ねる前に信頼関係を築く．

＊ Children's lives include moments of bravery(子どもはいざという時，勇気を示します)を意味する．がんの親をもつ子どものための構造化されたサポートグループのプログラム．

表 1 子どもの発達段階による死の理解とその対応

	死の概念・理解/子どもの反応	対応
0〜2歳	・死を認識しない ・親がいなくなった不安 ・世話をする人の不安を感じとる	・安定した養育環境を整える ・世話をする人をできるだけ2〜3人に固定する
2〜3歳	・死を寝ていることと誤解し不安になる ・パパ(ママ)はどこに行ったのか繰り返し聞く	・保護者が穏やかに安心させるように答える.「この間お話ししたこと覚えてる? お父さんは死んでしまったのよ. だからもう帰ってこないの」 ・スキンシップを多くとる
3〜6歳	・自分の考えや行動が死の原因になったと考える ・死は一時的で, 死んでも再びもとの生きている状態に戻れると思っている ・「死んでママに会える天国に行きたい」と, 天国と行き来できると思って言う	・死の原因を説明する(死んだのは病気のため) ・「○ちゃんがママと一緒にいたいのはわかるよ. でもいまはここでパパと一緒にいようね」と安心させる
6〜12歳	・死んだ人の体に何が起こるのかなど, 死の詳細について好奇心をもつ ・10歳頃までは死の普遍性(死は誰にでも訪れる)を理解するのは困難 ・11歳頃には死の普遍性, 最終性(亡くなった人は戻ってこない)を理解する ・12歳くらいになると, 死に関わる質問は残された家族に痛みをもたらすことを理解し, 聞くべきではないと考えて, 保護者を守ろうとする	・質問できる機会を作るのが重要 ・思い出箱, 庭の植物など, 子どもが親を身近に感じたいと思った時にそこに行って時間を過ごせる物や場所が大切な存在になる ・子どもたちにはできる限り心を開き, 亡くなった人やその人がいなくなってしまったことに対してどう感じるか, 話せる機会を作ることが大切
12歳〜	・大人と同じように死を理解する ・残されたほうの親や保護者に自分の気持ちを打ち明けたがらない(思春期の特徴)	・感情やおそれ, 親の死に対する避けがたい怒りについて, 信頼できる大人と安心できる会話をすることが子どもが癒され, これからの人生を歩んでいくために大切

(Hope Tree webサイト「子どもの悲嘆の表現」より作成)

②その後,子どもについて(名前,好きなこと,いままでどのように話をしているか,話した時の子どもの反応),子どもへの思いを受け止めながら聞いていく.
③患者家族への心理教育を行う.
例:「子どもは,親の見かけが変わったり,日課が変わったり,大人同士の会話が聞こえて不安に思っているかもしれません.親が教えてくれないと,自分からは聞けないというお子さんもいました」
　親の死が近いことを伝えられないままの死は,子どもにとっては突然死となり衝撃が大きい.自分は信頼されていなかったと感じ,他の家族が経験していることから疎外されているのを感じる.親を守るために,子ども自身が悲嘆を隠してしまう場合もある.子どもに親の死が近いことを話すことで,親への信頼は高まり,残された時間の過ごし方を考えることもできる.

死について説明する

以下の死についての説明は,子どもの反応をみながら行う.
①大人でさえわからないことが多い.
②心臓が止まり,呼吸をしなくなる.体が冷たくなる.
③痛みを感じない.
④生き物はすべて死ぬ.生の延長であり,生の一部.いつ,誰に起こるかわからない.
⑤死の原因を説明する(子どものせいではないこと).

1) 患者・家族の依頼で,医療者が子どもに伝える場合の例[8]
①時間の設定は余裕をもつ.年齢の違う子どもに別々に会うより,きょうだいが一緒に最初の情報を聞くほうが,年上の子どもに負担がかからない.
②子どもに自分の役割(何が起きているかを話すために来たこと)を伝える.
③いま何が起きているか,どう感じているかをシェアするように働きかけるが,無理強いはしない.伝えることは,がんの勢いを止める治療が効いていないこと,でも痛みや苦しさは取っていくこと,そして死が近いこと.死ぬとはどういうことかを一緒に確認していく(前述参照).

④ここでアクティビティ（手形をとるなど）を活用することで緊張がとけるメリットがある．

患者が亡くなる時

子どもに，親に会いたいかを尋ねる．親がどのような外見か，多くの場合は反応がないこと，もしつらかったら病室を出ていいことを伝える．どんな反応も受け止める．

患者，家族，子どもに関わる機会をもてなかった場合

『子どもとがんについて話してみませんか』[9]，『がんになった親が子どもにしてあげられること』[10]，亡くなったあとであれば『えがおをわすれたジェーン』[11]などの冊子を紹介する．

当事者からのメッセージ

親ががんであること，そして亡くなることを知らされなかった子ども（現在大学生）からのメッセージを紹介する．

私は中3の時に母を乳がんで亡くした．小3の時，普段と違う両親の様子に違和感を覚え，夜中にリビングのドアに耳をつけて会話を盗み聞きし，母の乳がんと，自分に隠そうとしていることを知った．最愛の母ががんであることと自分に隠そうとしていることにショックを受け，布団の中で声を殺しながら泣き続けた．そしてある日突然，「ママ，脱毛症だから」とだけ言われ，入退院，手術，治療と副作用が続いた．何度も助けを求めることを考えたが，結局誰にも相談できず，気付いていない演技をするのがつらかった．

がんがわかってから母は厳しく豹変してしまい，成績も100点以外だと怒鳴られ，家事を手伝うのは毎日のことだった．小6の時にそろそろ話してくれるのではと思い，本当に脱毛症なのか尋ねたが，再び嘘をつかれた．私のことを思ってだと思うようにしたが，やがて両親への信頼を失った．中3の夏，急に面会に行くことを禁じられ，1週間後にようやく面会を許され病室に行くと母の意識はすでになく，数時間後に亡くなった．6年間誰にも相談せず，1人で抱え込んだ不安．母が息を引き取った瞬間，悲しみよりも安堵が勝った．同時に，意識があるうちに私を呼んでくれなかった両親への怒りもこみ上げた．私は母に感謝を伝え

られなかった後悔を抱えて生きている．

　母の意識がないことに唖然としている私に「耳は聞こえているから大丈夫だよ」と他人事のように言った医師には，何言ってんだ？　と思い，涙も出なかった．母の通院に付いて行った時に強い口調で医師から診察室を出るように言われるなど，病院で傷ついた経験も多かった．

　子どもが病院に来た時は，見えていないような態度をせず，積極的に話しかけてほしい．大切な人が亡くなったあと，後悔や自責の念を抱えて生きていく子どもたちを増やさないために，子どもにもがんを伝える必要性を伝えていきたい．

学童期に親をがんで亡くした体験者の苦悩

　子どもの時に親をがんで亡くした成人12名に対する質的研究では，臨終期「親から離された疎外感」，臨終直後「異常な状況へのおそれと驚き」「生前の親との関わりについての後悔」が抽出された[13]．また，体験者が考える望ましい支援体制として，臨終前には，「親の状態の共有」「お別れの準備の配慮」「医療者からの声かけ」「親の存在の証の作成」の項目が抽出された[13]．

＊

　死別前のがんの親をもつ子どものサポートは残された時間も限られ，周りの大人の余裕のなさからも介入が難しいことが多い．院内の多職種，院外の資源(学校，行政，グリーフサポートの団体)と連携しながら取り組むことで，1人でつらい思いをする子どもが減ることを願っている．

■参考文献

1) Holland JC, et al：Handbook of psychooncology. Oxford University Press, 1989.
2) Inoue I, et al：A national profile of the impact of parental cancer on their children in Japan. Cancer Epidemiol 39：838-841, 2015.(PMID：26651443)
3) 真部淳, 他：厚生労働科学研究費補助金　がん臨床研究事業　働き盛りや子育て世代のがん患者やがん経験者，小児がんの患者を持つ家族の支援の在り方についての研究．平成22年度総括研究報告書．p5, 2011.
4) Hope Tree webサイト．(https://hope-tree.jp/)（最終アクセス：2022年3月）
5) Beale EA, et al：Parents dying of cancer and their children. Palliat Support Care 2：387-393, 2004.(PMID：16594401)

6) Christ GH, et al：Current approaches to helping children cope with a parent's terminal illness. CA Cancer J Clin 56：197-212, 2006.(PMID：16870996)
7) Heiney SP：Training for anticipatory grief care specialist. Hope Tree, 2016.
8) Aschenbrenner M：Hope Tree Workshop. Helping children when a parent is dying. 2016.
9) Hope Tree：子どもとがんについて話してみませんか 第2版．2019．
 (https://hope-tree.jp/information/kids02/)（最終アクセス：2022年3月）
10) 大沢かおり：がんになった親が子どもにしてあげられること．ポプラ社，2018．
11) ジュリー・カプロー，他／亀岡智美(訳)：子どものトラウマ治療のための絵本シリーズ：えがおをわすれたジェーン．誠信書房，2019．
12) Otani H, et al：The death of patients with terminal cancer：the distress experienced by their children and medical professionals who provide the children with support care. BMJ Support Palliat Care 9：183-188, 2019.(PMID：26847034)
13) 大谷弘行：癌患者の子どもへのチャイルドサポート介入調査．厚生労働科学研究費補助金 がん臨床研究「がん診療におけるチャイルドサポート」平成25年度分担研究報告書．p25，2014．

（大沢かおり）

3 リハビリテーション

リハビリテーション依頼のコツ

❶ 廃用症候群になる前に,早めにリハビリテーション科にコンサルトを行う.
❷ 依頼時に医療チームでリハビリテーションの目的を検討し,明らかにしておくとより効果的である.
❸ リハビリテーションをうまく利用することで,終末期にADLが下がってもQOLを維持できる可能性がある.

緩和ケアにおけるリハビリテーションの対象

緩和ケアにおけるリハビリテーションの対象となる主な進行性疾患,症候群は,①がん,②慢性心不全,③慢性呼吸不全,④神経難病,⑤老年症候群である.以下,これらへのリハビリテーションについて述べる.

進行性疾患に対するリハビリテーションの病期別の目的[1,2]

予防的(preventive)リハビリテーション

疾患が診断されたあと,早期や治療期に開始されるリハビリテーションで,機能障害はまだないが,その予防を目的とする.

回復的(restorative)リハビリテーション

疾患に伴い,機能障害,能力低下は存在しているが全身状態は安定している患者に対して,治療に並行して最大限の機能回復を図る.

維持的(supportive)リハビリテーション

疾患が進行し,機能障害,能力低下が進行しつつある患者に対して,すばやく効果的な手段(例えば,補助具やセルフケアやコツの指導など)により,セルフケアの能力や移動能力を向上させる.拘縮,筋萎縮,筋力低下,褥瘡のような廃用症候群を予防することも含まれる.環境調整や家族への指導も重要である.

緩和的(palliative)リハビリテーション

患者に対し，その要望を尊重しながら身体的，精神的，社会的にQOLの高い生活が送れるようにする．温熱療法，低周波治療，ポジショニング，呼吸介助，リラクセーション，補装具の使用などにより，痛み，呼吸困難，浮腫などの症状緩和や拘縮，褥瘡の予防などを図る．ADL向上につながるリハビリテーションは積極的には実施できない時もある．

がんに対する回復的〜維持的リハビリテーション

予防的リハビリテーションおよびリハビリテーションの具体的な手技に関しては，本書では省略する．

リハビリテーションの実際 ★★3,4)

がん自体による局所・全身への影響，治療の副作用，長期臥床や悪液質に伴う身体障害に対し，生命予後の観点から患者のニーズに合ったプログラムを立てる．また，痛みなどがある場合には，まずその症状の改善を図るのが望ましい(レスキュー薬使用など)．

化学療法・放射線治療中もしくは治療後の患者に対し，リハビリテーションを行うことは，身体機能，QOL，倦怠感，精神機能(抑うつ，不安など)を改善させ，有害事象を軽減させる．在宅療養を行う進行がん・末期がん患者の運動機能低下に対して運動療法を行うと，身体機能，筋力，倦怠感を改善する．呼吸困難に対する呼吸法指導は，呼吸困難，身体活動性，倦怠感を改善する．痛み，倦怠感に対する物理療法やマッサージは，疼痛緩和・リラクセーションの効果がある．

術後障害に対するリハビリテーション ★★3)

頭頸部がん術後の嚥下障害に対し，摂食・嚥下訓練を行うと，行わない場合に比べ，経口摂取が可能となる時期が早くなる．また術後もしくは放射線治療後に生じる嚥下障害に対し，嚥下造影検査や嚥下内視鏡検査による評価を行うことは有用である．

下咽頭・喉頭がんで喉頭全摘出術後の患者は，電気式人工喉頭，食道発声，シャント発声の代用訓練を行えば音声の再獲得が可能である．

乳がん術後の患者に対し生活指導および肩関節可動域訓練などの

リハビリテーションを行うと，患側肩関節可動域の改善，上肢機能の改善がみられ，リンパ浮腫の発症リスクを低減させる．乳がん，婦人科がんの術後リンパ浮腫は早期発見，早期治療が重要である（「浮腫」参照➡ 190 頁）．

リスク管理[4]

1）骨髄抑制

一般的に，血小板数が 3 万/μL 以上であれば特に運動の制限は必要ないが，1 万〜2 万/μL では，皮下出血や関節内出血のリスクが高まるとされているため，有酸素運動を主体にしてレジスタンストレーニングは行わないようにする．血小板数 1 万/μL 以下の場合には，脳出血や消化管出血のリスクが高くなるため積極的なリハビリテーションは行うべきではない．

一方，ヘモグロビン値が 10 g/dL 未満の場合には運動前後の脈拍数や動悸，息切れに注意する．好中球数が 500/μL 以下の場合は標準的感染予防を行い，リハビリテーションは継続してよい．

2）骨転移

骨転移は脊椎，骨盤や大腿骨，上腕骨近位部に好発し，初発症状として罹患部位の痛みを生じるので，がん患者が四肢体幹の痛みを訴えた場合には，常に骨転移を念頭に置いて検査を行い，評価する．骨折リスクが高い場合には，予後を考慮し，放射線治療や手術といった骨折予防のための介入を検討する．患者・家族に十分にリスクを説明し同意を得たうえで，病的骨折を避けるための基本動作・歩行訓練・ADL 訓練を行う．必要に応じて，頸椎装具やコルセットを使用するが，QOL にも配慮のうえ最善の方法を考える（「骨転移・病的骨折・脊髄圧迫」参照➡ 254 頁）．

3）血栓・塞栓症

進行がん患者や長期臥床，術後の患者では，下肢の深部静脈血栓症（DVT）が発生するリスクが高く，肺血栓塞栓症をきたすおそれがある．DVT が発見されれば，抗凝固療法の適応を検討し，肺塞栓予防のため安静を要する．下肢マッサージも禁忌となる．

4）胸水・腹水

がん性胸膜炎により胸水が貯留している患者では，動作によりす

ぐに動脈血酸素飽和度(SpO_2)が下がってしまうことがある.このような場合にはできるだけ少ないエネルギーで動作を遂行できるよう指導したり,ベッド上の体位を工夫したり,環境を整えることが有用である.四肢に浮腫がみられる患者では,圧迫やドレナージにより胸水や腹水が増悪することがあり,注意が必要である.

非がん進行性疾患に対する維持的リハビリテーション

慢性心不全のリハビリテーション[5]

安定期にある慢性心不全に対する運動療法の効果は多く報告されており,運動耐容能を改善し,健康関連QOL,倦怠感や呼吸困難を改善し,長期予後を改善するとされる.一方,ステージDの末期心不全患者においては,下肢筋力強化が有用であると報告されているもののエビデンスは乏しい★[5].ADL維持もしくは拘縮予防目的のリハビリテーションは,患者のQOLを改善する可能性があり,自覚症状(呼吸困難,胸痛,浮腫),バイタルサイン(血圧,脈拍数,SpO_2)に注意しながら関節可動域訓練,リラクセーションなどを行う.この時期の運動療法は,少量頻回(低強度,短時間,休憩をしながら)で行うのが原則である.また,負担にならない移乗動作の習得指導,環境調整も有用である.

慢性呼吸不全のリハビリテーション[6]

呼吸リハビリテーションは生涯にわたり継続して実施されるべき治療介入であり,終末期までシームレスに継続される.呼吸リハビリテーションは運動療法,コンディショニング〔安楽な体位,口すぼめ呼吸,呼吸介助手技,排痰法,リラクセーション(呼吸補助筋のストレッチ)〕,ADLトレーニング,セルフマネジメント教育,栄養療法などから構成され,呼吸困難やADL,QOLを改善する★[6].重症例では,自覚症状(修正Borgスケール,修正MRC息切れスケール),SpO_2,呼吸数,脈拍数をモニタリングしながら,ベッド上での低強度のトレーニング,ADL指導,コンディショニングが行われる.また栄養障害も合併しやすいため,食事摂取カロリーと栄養組成の評価といった栄養管理も重要である.

神経難病のリハビリテーション[7~9]

運動ニューロン疾患〔筋萎縮性側索硬化症(ALS)など〕は痙縮や

筋力低下を生じる．それに伴い四肢・体幹・頸部，呼吸，嚥下，発声にみられる廃用や過用症候群に対し，理学療法や福祉用具の導入により身体機能や ADL の維持を図る[7]．脊髄小脳変性症(spinocerebellar degeneration：SCD)は病型により失調やパーキンソニズムを生じるが，小脳性運動失調に対する短期集中リハビリテーションは失調や歩行機能を改善する[8]．パーキンソン病による無動・固縮・すくみ足・小刻み歩行・姿勢反射障害に対する運動療法は身体機能，健康関連 QOL などを改善する★★[9]．死の直前まで生活機能が維持されるがんの終末期[10]と異なり，神経難病の終末期は日常生活に重度の障害を生じ，意思伝達に困難が生じたり，医療処置を必要としたりすることが多い[2]．

老年症候群のリハビリテーション[11]

高齢者は組織・臓器の加齢を背景として身体的フレイル〔運動機能の低下や筋量低下(サルコペニア)〕や精神的フレイル(認知症，うつなど)を呈し，転倒・骨折などをきたし要介護状態となりやすい．虚弱高齢者に対するレジスタンストレーニングは，骨格筋量，筋力，歩行速度を改善する．また，レジスタンストレーニングと蛋白質・アミノ酸の摂取の併用により 3 か月で筋力の改善にある程度の効果が得られる．しかしながら，長期的なアウトカム改善効果は明らかではない★★[11]．

緩和的リハビリテーション

痛み

全身状態の悪化により臥床傾向となる時期には，ポジショニングの工夫，物理療法の活用(マッサージ，温熱，冷却，レーザーなど)，更衣・排泄ケアに支障の生じない可動域を維持するための関節可動域訓練が，軟部組織の血流不全や関節拘縮による体性痛に有効である．

呼吸困難

気道分泌物が末梢気道に貯留している場合，huffing(吸気後声門を開いたままハッハッと短く呼出する)や，体位ドレナージが有効である．体動時の呼吸困難には呼吸と動作の同調・動作スピードの調整や動作の分割，環境調整を指導する．安静時にも症状がある場

合，頸部や肩甲帯などの呼吸補助筋群が過度に緊張していることも多いため，これらの部位のマッサージやストレッチを行う[4]．また，口すぼめ呼吸や腹式呼吸の指導も有効である★★[12]．

■ 嚥下障害

薬剤や全身症状により嚥下機能は日々変化する可能性があり，嚥下障害が疑われたらすぐにベッドサイドで評価し，なるべくリスクを低減する食事手段の検討が必要である．ベッドサイドでの嚥下評価としては，反復唾液嚥下テスト(repetitive saliva swallowing test：RSST)，改訂水飲みテスト(modified water swallowing test：MWST)がある．また口腔ケアは肺炎の予防★[13]や口渇にも有効である．

■ 体動困難

痛みや筋力低下をカバーするために，電動リクライニングベッドの高さを上げることで楽に立ち上がる指導や環境調整〔例：補高便座(トイレの座面を少し上げるだけでトイレでの排泄が可能になることがある)，手すり設置位置の評価(腹水がある人は，大転子の位置よりやや高めの手すりのほうが使いやすいことがある)〕，介護指導(例：車椅子の移乗指導)を検討すべきである．体力，持久力に乏しい患者では，短時間で低負荷の訓練を頻回に行う．

■ 精神的苦痛

治療中から関わっているスタッフによる訪室は"治療がまだ続けられている"という精神的な援助となる．またアクティビティ(絵を描いたり，物を作ったりする)による気分転換，小さな成功体験も効果が期待できる．

■ 参考文献

1) Dietz JH：Rehabilitation oncology. John Wiley & Sons, 1981.
2) 東京都医学総合研究所(編)：神経難病看護 知の体系化 専門的学習のためのテキスト概要版．2012．(https://nambyocare.jp/product#1-2)(最終アクセス：2022 年 3 月)．
3) 日本リハビリテーション医学会(編)：がんのリハビリテーション診療ガイドライン 第 2 版．金原出版，2019．
4) 辻哲也(編)：がんのリハビリテーションマニュアル―周術期から緩和ケアまで 第 2 版．医学書院，2021．
5) 日本循環器学会，他(編)：心血管疾患におけるリハビリテーションに関するガイドライン 2021 年改訂版．p118, 2021．

(https://www.j-circ.or.jp/cms/wp-content/uploads/2021/03/JCS2021_Makita.pdf).（最終アクセス：2022年3月）.
6) 日本呼吸器学会, 他（編）：非がん性呼吸器疾患緩和ケア指針2021. pp70-88, メディカルレビュー社, 2021.
7) Lewis M, et al：The role of physical therapy and occupational therapy in the treatment of amyotrophic lateral sclerosis. NeuroRehabilitation 22：451-461, 2007.（PMID：18198431）
8) Miyai I, et al：Cerebellar ataxia rehabilitation trial in degenerative cerebellar diseases. Neurorehabil Neural Repair 26：515-522, 2012.（PMID：22140200）
9) Goodwin VA, et al：The effectiveness of exercise interventions for people with Parkinson's disease：a systematic review and meta-analysis. Mov Disord 23：631-640, 2008.（PMID：18181210）
10) Lynn J：Perspectives on care at the close of life. Serving patients who may die soon and their families：the role of hospice and other services. JAMA 285：925-932, 2001.（PMID：11180736）
11) サルコペニア診療ガイドライン作成委員会（編）：サルコペニア診療ガイドライン2017年版一部改訂. p2, pp46-54, ライフサイエンス出版, 2020.
12) 日本がんリハビリテーション研究会（編）：がんのリハビリテーション診療ベストプラクティス 第2版. pp254-266, 金原出版, 2020.
13) Yoneyama T, et al：Oral care reduces pneumoniae in older patients in nursing homes. J Am Geriatr Soc 50：430-433, 2002.（PMID：11943036）

（佐藤恭子）

4 スピリチュアルケア

診療のコツ

❶ スピリチュアルペインは，死や病いなど大きな困難や喪失に出会い，これまで人生を支えていた生きる意味や目的，価値観などが崩れていく時に表出される．

❷ 医療者の役割はスピリチュアルペインへの解答を提供することではなく，援助的コミュニケーションを大切にし，多職種で患者のケアに努め，問題から逃げないことである．

❸ 持続可能な緩和ケアを提供するために，医療者自身のケアを行うことも大切である．

　身体の痛みではないスピリチュアルペインのケアに困難さを感じる医療者は少なくないだろう．The National Consensus Project for Quality Palliative Care と National Quality Forum にて，スピリチュアリティは患者の健康にとって重要な要素であることが宣言され[1]，患者は医療者にスピリチュアルな悩みを扱ってほしいと希望していることもわかっている．本項では，終末期のスピリチュアルケアにおいて医療者が具体的に実践できること，そしてスピリチュアルケアの専門職について説明する．

スピリチュアリティについて

　スピリチュアルペインは，人間にもともと備わっているスピリチュアリティという資質が脅かされた時に生じる．スピリチュアリティは人生の目的，苦難の意味，死後のいのち，罪の意識からの解放などを指す[2]．人間は成長の過程で「生きる意味」「存在の土台」「自己の存在を位置付ける枠組み」を形作って人生を営んでいる．しかし，重篤な病気や死などに直面すると，既存の「生きる意味」「存在の土台」「自己の存在を位置付ける枠組み」が意味を喪失し，代替するものを求めてスピリチュアリティが覚醒し，活発に機能する．このように危機によって自己の存在の根底が揺らぎ，「自分を超え

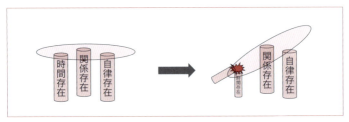

図1 スピリチュアルペインの村田理論

(Murata H, et al：Conceptualization of psycho-existential suffering by the Japanese Task Force：the first step of a nationwide project. Palliat Support Care 4：279-285, 2006 より)

る大きな存在」や「内的自己」へと向かわせる[2].

スピリチュアルペインの理論

スピリチュアルペインをより深く理解するために，2つの理論を紹介する．

村田理論

人間のスピリチュアリティは自律存在，時間存在，関係存在の3点で支えられていると考える理論である(**図1**)[3]．例えば，疾病によって「残された時間が少ない」と知ると，時間存在の柱が折れ，スピリチュアリティという平面を3点で支えることができなくなり，苦しみが生じるという理論である．本理論は，スピリチュアルペインを抱えた患者の原因をアセスメントする際に有用ではあるが，死生観や宗教性には言及されていないため，この理論だけでスピリチュアリティについて語るには十分ではないこともある．

窪寺理論

村田理論との大きな違いは，自律性・時間性・関係性の3点以外にも，死生観や罪悪感が人生の理不尽に直面した際に増幅されるという点である．一方でこの理論では，スピリチュアルペインを簡潔に説明できない点が，人間の魂の深淵から起こるスピリチュアルペインの難解さを表している．

スピリチュアルペインと精神的疼痛の違い

スピリチュアルペインと精神的疼痛の違いについて質問を受けることが多い．端的に表すのであれば，薬物療法が有効な場合は精神

的疼痛，薬物療法が無効な場合はスピリチュアルペインと区別することができる．例えば，不眠により抑うつ状態になることは知られている．薬物療法で不眠を解決し，日内リズムを整えることで抑うつ状態が少しでも改善するのであれば精神的疼痛と分類される．しかし，薬物療法にかかわらず，生きる意味の喪失が続く状態や答えのみえない苦しみのなかにあり続ける場合はスピリチュアルペインとなる．

宗教的ケアとスピリチュアルケアの違い

　宗教的ケアは，悩みを抱えた人が宗教家から教義を学び，修行を経ることで，その教義を自ら追求し，受容するというプロセスである．自ら追求する意思が前提となり，またゴールも明確であり，ケア提供者を自ら選択することができる．心そのものに触れることができなくても，間接的に触れることができるようにと発展してきたのが宗教である．宗教という「手段」を使ってケアをするという点が，宗教的ケアとスピリチュアルケアの最大の相違点である．

　スピリチュアルケアは，スピリチュアルペインを抱えた患者にとっては何が苦悩であるかさえ不明確なことがあり，それを自ら追求する意思も，ゴールも不明確であるとされる．さらに，患者が適切な話し相手を選択することさえ難しいことがある．この場合，特定の宗教が必要なのではなく，スピリチュアルケアとして患者に寄り添うことによって，患者の死生観があらわになり，それが患者にとって安心できるものであれば，ケア提供者はその死生観を肯定し，強化することになる[4,5]（**図2**）．

スピリチュアルケアの専門職

　チャプレン，臨床宗教師，スピリチュアルケア師はスピリチュアルケアの専門職である．もとは米軍でPTSDを改善するために従軍していた宗教者をチャプレンと呼んでいたが，徐々に医療にも拡大された．チャプレンになるには，大学を卒業後に大学院を修了し，一定期間の医療機関での実習を経る必要がある．現代では必ずしも特定の宗教に限られることはなく，「宗教的ではないがスピリチュアル」という立場のチャプレンも存在する．日本には米国で鍛錬したチャプレンは非常に少ないが，チャプレンと同様の働きを期

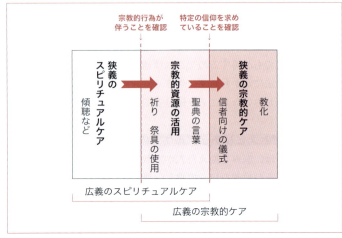

図2 宗教的ケアとスピリチュアルケアの違い
〔谷山洋三:スピリチュアルケアの担い手としての宗教家―ビハーラ僧と臨床宗教師.鎌田東二(編):講座スピリチュアル学第1巻 スピリチュアルケア.p137,ビイング・ネット・プレス,2014より改変〕

待して「臨床宗教師」「スピリチュアルケア師」の養成が開始されている.

臨床宗教師

臨床宗教師は,被災地や医療機関,福祉施設などの公共空間で心のケアを提供する宗教者で,欧米のチャプレンに相当するものである.布教・伝道を目的とせずに,相手の価値観,人生観,信仰を尊重しながら,宗教者としての経験を活かして,苦悩や悲嘆を抱える人々に寄り添う.様々な専門職とチームを組み,ケア対象者の宗教性を尊重し,「スピリチュアルケア」と「宗教的ケア」を行う[6].

スピリチュアルケア師

スピリチュアルケア師には非宗教者も含まれる.スピリチュアルケア師は,臨床宗教師と同様の修練を経て,それぞれ試験などにより認定される.

チャプレン,臨床宗教師,スピリチュアルケア師には,患者へのスピリチュアルケアの提供だけではなく,医療者へのケアも期待さ

れている．今後，これらの職種が各医療施設に拡充される場合には，彼らに相談することでより専門性の高いスピリチュアルケアが行えるようになるだろう．

しかし，すべての医療施設にこれらの専門家が常駐するにはまだ時間がかかると考えられるため，次に，医療者が実践可能なスピリチュアルケアについて述べる．

医師の役割

スピリチュアルケアは，医師以外の医療者も行うことができるが，医師ならではの難しさや役割もある．

医師にとってのスピリチュアルケアの困難さを理解する

医師は疾病を治療し問題を解決することを生業とし，そのための学習と研修を積み重ねている職種である．しかし，スピリチュアルペインの多くは，解決が非常に難しい．患者の内的な葛藤がスピリチュアルペインであり，医師などの外的な働きかけで解決するものではないからである．医師は，患者からのスピリチュアルな問いかけの重要性と難しさを理解するべきで，この難しさを十分に理解したうえで，決してその難しさから逃げないことが大切である．解決できない問題であるためか，多くの医師はスピリチュアリティや宗教について患者に切り出すには十分な専門性をもっていないと感じ，苦手意識をもっている．医師の役割はスピリチュアルクライシスのなかにある患者に答えを提供することではなく，敬意溢れる理解によって，苦しみの重要性を承認し尊重することである．

医療者の役割

医療者が行う具体的なスピリチュアルケア方法を理解する

1) 逃げない

薬物療法や手技介入で解決できない問題だからといって，答えにくい質問を無視したり，その患者のもとへ行くことをやめたりしないこと．苦しくても患者のそばにいることが「決して見捨てない」と伝えることになる．

2) 医療者自身の価値観を理解し，それを押し付けない

Loらによって，終末期におけるスピリチュアルケアで宗教的な問題について語り合う時の一般的な失敗について語られている[7]．

「なぜ私がこのような重い病気になったのか」というような，患者にとって理不尽で予測不可能で苦しい状況について，自分の価値観で答えたいという誘惑に抗う必要がある．医療者は自身の信念を押し付けるべきではなく，患者から溢れる悩みの声を聞き，受け止めるスピリチュアルケアを行っていく．自分自身の価値観を理解し，患者と一線を画することも必要である．「あと数週間の予後なのにどうしてこんなことを言うのか？ 受容できるようにしよう」と思うのは医療者側の価値観の押し付けである．受容は難しくて当然であり，すべてを受け入れる必要はない．

　がん患者を対象にスピリチュアルケアを検討した日本の研究で，援助的コミュニケーション[8]が重要であることが示唆されている．具体的には，相手のサインをメッセージとして受け取り，受け取ったメッセージを言語化して相手に反復し，相手が話さない時には沈黙を用いるという方法である．

3) 希望を作り出さない

　終末期の希望は多様である．関係性を修復したい，愛する人の重荷になりたくない，記念日や特別な日に生きて一緒に過ごしたいなどの願いがあるが，スピリチュアルな面を知るほど，医療者は患者にとって現実的な希望を巧妙に作り出そうとしてしまうことがある[9]．

4) 何を話すか，どう振る舞うかを計算しない

　「何を話そうか？」「何を聞こうか？」「どう振る舞ったらいいのか？」と考えている時，つまり，自分のことばかり考えていると，相手は心を開いてくれない．価値判断なしに相手の話を「あるがままに聴く」能力，または無知の姿勢が必要である．医療者が身体・精神疾患の治療のために，患者の話を引き出すのとは違って，患者が話したい時に話を聴き，話し相手になり，出てきたものを拾い上げる程度にすることが，多くの医学とは異なる点である．この関わり方が，結果的にスピリチュアルケアになる．相手の思いに任せる，こちらは操作しないという態度が重要である．

5) 患者の成長を信じる

　患者は最期まで成長する可能性をもっており，非力な存在ではな

く，この苦しみに立ち向かえる強さをもっていると信じて一緒に立ち向かう姿勢のことである．これは福祉の観点では「ストレングスモデル」とも通じる考え方である．ストレングスとは，個人のなかに無限に存在するものであり，そのストレングスがあるからこそ，どのような環境でも苦難を乗り越え，新たなストレングスを獲得できるはずだという考え方である[10]．

4つの苦痛をアセスメントし多職種と共有する

スピリチュアルペインは緩和ケアにおける4つの苦痛（「痛みの診断と評価」参照➡34頁）の1つであるが，4つの苦しみは互いに複雑に影響しあっている．苦しみを解きほぐし，それぞれの苦痛特有のケアを提供するために，アセスメントすることが重要である．緩和ケアは多職種協働することが重要であり，アセスメントした苦しみのケアをそれぞれの職種に振り分けていくことは，医師の役割の1つである．

医療者向けのスピリチュアルケアのアセスメントツールを知る

医療者がそのような経緯を聴取するのに助けとなる方法として，SpiPas（spiritual pain assessment sheet）[11]，FICA（F：faith, I：importance and influence, C：community, A：address）[12]があり，SpiPasは日本での活用が進められている．FICAは日本での適応については未だ議論されていないが，SpiPasには含まれていない宗教的観点が含まれており，参考にすることができるだろう．

医療者自身のセルフケア

スピリチュアルケアを提供する人は，自分自身が相手の器になることにより，苦しみを感じることも多いが，自身の心身を保つことでバーンアウトを防ぎ，医療者としての人生にわたって持続可能なケアを患者に提供できる．自身のセルフケアを行うことが，患者のためにもなることを心にとめておいてほしい．以下に，いくつかのセルフケアの方法を記す．

自己分析

①患者の葛藤と自分の葛藤を分ける．
②患者の葛藤を，解決できることとできないことに分ける．
③自分の葛藤を，解決できることとできないことに分ける．

④患者からの話を抱え込まずにチームで共有する．

スピリチュアルな方法を活用

①マインドフルネス．
②趣味に没頭する．
③笑う，泣く．

オンオフの切り替えにルーティンという儀式を活用

❶白衣をコスチュームと意識して着替える

例：「いま白衣に着替えたので私は患者の悩みを受け止める係を演じるが，今日の夕方に白衣を脱げばその役割は終了する」と自分に言い聞かせる．

❷好きなグッズを白衣や名札に付ける

例：好きな芸能人やキャラクターグッズなどを名札や白衣の裏に付けておく．帰宅の際に「私はいまから帰るから，あとはよろしく」と呟いて，名札や白衣を病院に置いていき，あとを任せる気持ちになる．

不用意に患者のパンドラの箱を開けない

　最も難しく，そしてプロフェッショナルとして最も求められる姿勢である．スピリチュアルケアを提供するなかで，患者から絶大な信頼を寄せられ，「墓場までもっていこうと思っていた」といった秘密を聞かされることもあるかもしれない．患者の心の奥底の秘密を一生背負っていくだけの器が自分自身にあるか，よく問うべきである．「患者のためになりたい」という強い思いが，しばしば共依存関係に陥らせることがある．できることとできないことの線引きを明確に行うことも，持続可能な働き方をするプロフェッショナルとして必要である．

■ 参考文献

1) Borneman T, et al：Evaluation of the FICA tool for spiritual assessment. J Pain Symptom Manage 40：163-173, 2010.（PMID：20619602）
2) 窪寺俊之：スピリチュアルケア学概説．p16, p35, p39, 三輪書店，2008．
3) Murata H, et al：Conceptualization of psycho-existential suffering by the Japanese Task Force：the first step of a nationwide project. Palliat Support Care 4：279-285, 2006.（PMID：17066969）

4) 谷山洋三：仏教における死生観．臨床看護 33：1954-1959，2007．
5) 谷山洋三：スピリチュアルケアの担い手としての宗教家―ビハーラ僧と臨床宗教師．鎌田東二(編)：講座スピリチュアル学第 1 巻 スピリチュアルケア．p137，ビイング・ネット・プレス，2014．
6) 日本臨床宗教師会：設立趣意書，2016．（sicj.or.jp/uploads/2017/10/shui.pdf）（最終アクセス：2022 年 3 月）
7) Lo B, et al：Discussing religious and spiritual issues at the end of life：a practical guide for physicians. JAMA 287：749-754, 2002.(PMID：11851542)
8) 森田達也，他：がん患者が望む「スピリチュアルケア」―89 名のインタビュー調査．精神医学 52：1057-1072, 2010．
9) Feudtner C：The breadth of hopes. N Engl J Med 361：2306-2307, 2009.(PMID：20007559)
10) 岩本真紀，他：ストレングスの概念分析：がんサバイバーへの活用．高知女子大学看護学会誌 38：12-21，2013．
11) 田村恵子，他(編)：看護に活かすスピリチュアルケアの手引き．青海社，2012．
12) Puchalski CM, et al：Spirituality, religion, and healing in palliative care. Clin Geriatr Med 20：689-714, 2004.(PMID：15541620)

（松本衣里）

5 看取り

看取りのコツ

❶終末期の症状の出現を予測して身体的苦痛を緩和するよう努める.

❷ADL, 意識レベル, 機能低下による精神的苦痛やスピリチュアルペインを理解するよう努める.

❸終末期に予測される変化について, 家族の心理状態や緊張状態に応じて伝える.

❹医療者の患者への敬意を示す接し方や態度, 丁寧な声かけが家族のケアにつながる. 尊厳ある安らかな最期を迎えられるように支援する.

❺緊張している家族が休めているか, ケアに参加できているか(または見守れているか)に注意し,「患者へのケアの仕方をコーチする」「家族が十分悲嘆できる時間を確保する」「医療者の思慮のない会話を避ける」ことを心がけて対応していく.

■医師に求められること

❶看護師, 薬剤師, 栄養士, リハビリテーションスタッフなどの多職種が関わるため, 患者や家族の意向, 希望, 価値観を把握できるよう, カンファレンスによる情報共有に努め, チームで方針を決定していく.

❷病状の進行や死に不安を抱く患者・家族は緊張感があるため, コミュニケーションは丁寧に行い, 病状説明時には看護師らの同席を配慮する.

定義・疫学

終末期ケアの定義は様々であるが, ELNEC-J*では「病いや老いなどにより, 人が人生を終える時期に必要とされるケア」を指す[1]. 本項では終末期を「予後1か月(週単位)から亡くなるまでの時期」とし, その時期におけるケアについてまとめる.

病態

終末期のがん患者は死亡2～3か月前までは,ある程度問題なく日常生活を送ることができる.死亡1～2か月前になると急激に体力が低下し,臥床し,ベッド上で過ごすことが多くなる.その頃から急に倦怠感や食欲不振,眠気など,全体的に調子が悪くなっていく[2].さらに,死亡2週間前になると経口摂取量が減少し,眠気が強くなるため1日中入眠していることが多くなる.全体的に調子がよいと感じる患者は少ない一方で,痛みや抑うつ,不安,悪心などの症状には,大きな変化がみられない[3].

評価・診断・予後予測

終末期のがん患者には複数の苦痛がある

終末期にあるがん患者は,死が近づくとともに,複数の苦痛症状を体験する.死亡1～2か月前から多くみられる苦痛症状に伴い,移動や排泄,食事などの生活行動やADLが低下し,自力で行うことが困難になる.

予後予測をケアにつなげる

PSの低下,意識レベルの低下,水分の嚥下困難の3つは死亡7日前頃から出現し,最期の半日ほどにはほとんどのがん患者にみられる(**図1**)[3,4].

終末期におけるがん患者の全身状態の変化や特徴(**表1**)を知ると同時に,予後予測を患者の苦痛緩和や日常生活援助,家族ケアに活用していく(「予後の判定」参照➡**13頁**).非がん(心不全や神経難病など)の場合は,疾患の特性から予後予測が難しい.

治療やケア

患者や家族の価値観や意向を確認してカンファレンスで共有し,病棟やチームにて治療やケア方針を検討する.個人では決定しない.

この時期は患者や家族の緊張感が高まっている.そのため,医療

---

* ELNEC-J:米国看護大学協会などが設立したELNEC(The End-of-Life Nursing Education Consortium)が,緩和ケアを提供する看護師のために開発した教育プログラムの日本語版.日本緩和医療学会で指導者養成を行っている.

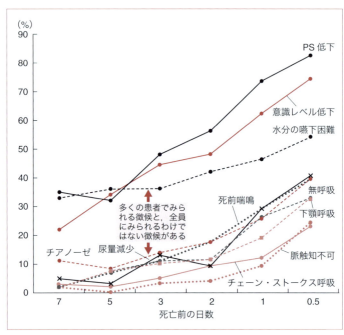

図1 死亡前のがん患者に出現した徴候

(Hui D, et al：Clinical signs of impending death in cancer patients. Oncologist 19：681-687, 2014 より)

者の言動を冷静に見聞きしていた様子に見えても，緊張感で受け止めるのが難しく，医療者の対応が聞いていた方針と異なるように感じることがある．不安や不信感を抱く可能性もあるため，説明への配慮が必要である．例えば，医師と看護師，また看護師Aと看護師Bで，面会人数，面会時間，外出や外泊の考え方，経口摂取の考え方，吸引の回数などのケア方針の説明が異なるように感じることもある．

症状緩和・治療内容の見直し

症状の緩和は第2章を参照のこと．治療内容の見直しでは，以下の4点を確認する．
①薬剤整理，症状を増悪させうる輸液の減量・中止．

表1 死亡7日前頃のがん患者にみられる徴候

死が近づいていることを示す徴候
- ほぼ寝たきりの状態，または起き上がることが非常に困難
- 非常に衰弱している
- 食べたり飲んだりできなくなる
- 嚥下が難しくなる
- 眠っていることが多くなる

数日～数時間以内に亡くなる可能性を示す徴候
- 末梢から皮膚が冷たくなる
- 皮膚が冷たくじっとりしている
- 四肢末梢の皮膚や口唇にチアノーゼが出現する
- 尿量が減る
- 意識レベルが低下していく
- 喘鳴が聞こえる
- 顔色が青白くなる
- 呼吸のパターンが不規則になる(チェーン・ストークス呼吸など)
- 顔面の筋肉が弛緩し，鼻がより際立つようになる

②投与経路の見直し(経口から経静脈・経皮下・経直腸へ)．
③苦痛の緩和を目的とした対処法や指示の開始・変更．
④療養の場(最期を迎える場)の確認．

ADL低下・日常生活支援のケア

1)安楽の保持・体位変換

　患者は痛みや呼吸困難などにより楽な体位をみつけにくいため，看護師から安楽ポジションを提案し，患者にとって安楽な体位を相談しながら工夫する．体力や筋力の低下に伴い，ギャッチアップをする際に体が左右に傾きやすいため，大きめのクッションを活用し良肢位が保持できるよう努める．医療用ベッドにはギャッチアップした際に両端が内側に折りたためるもの(フランスベッド社「マルチフィットシリーズ」)もある．

　患者の快適性を考慮しながら，苦痛にならない範囲で体位変換を行い，体圧分散用具の使用を検討し，骨突出部やその周囲の皮膚の観察を行う．

　清潔ケアの際は，患者にとって苦痛の少ない体位を考え，疲労を最小限にするために必ず2名以上で実施する．

2)清潔援助

　身体的苦痛に応じて患者の負担を考慮し，全身清拭や洗髪，手

浴，足浴を行う．身体の清潔感は，家族が尊厳あるケアと感じることもあるため，できるだけ実施を検討する．機械浴がある施設では，入浴によって皮膚の乾燥や清潔感が得られるため，できる範囲で無理なく検討する[5〜8]．

3）バイタルサインの測定間隔

死亡が近づくと，血圧，酸素飽和度，意識レベルが低下してくるため，一般病棟では自動血圧計やパルスオキシメーター，心電図モニターなどの使用が増えるが，体力低下やるい瘦が進み，可動域が制限されるなどの拘束感も強いため，患者の負担を考慮する．

看取りの場では，バイタルサインを自動測定するモニタリングに頼らず，医療者の視診・触診など五感による観察で評価することが望ましい．

4）食事の変更

死亡が近づくと，眠気や食欲不振もあり，病院での定時の配食時間では食べることに負担が生じる．食事を持ち込み，患者の食べたい時に好きなものを食べることも検討する．

5）口腔ケア

定期的に口腔ケアを行い，保湿剤の塗布や氷・シャーベットなどの摂取を行い，爽快感や口渇の緩和が得られるように援助する．

患者は氷片やシャーベット，かき氷を好むことが多い．保冷効果の高い魔法瓶などに氷片を用意したり，ベッドサイドの冷蔵庫に吸い飲みの水を用意したりして，必要時にすぐに冷たいものを口にできるよう対応する．嚥下困難な場合はスポンジを使用し，口渇に対応する．

6）便処置

便秘にもなりやすいため，排便の状態を確認し，対応する（「便秘・下痢」参照➡ **170 頁**）．

7）褥瘡処置

ルーティンの体位変換から快適性の目的のみでの体位変換とし，褥瘡予防のマットレスの導入を検討する．

8）吸引

気道分泌過多と死前喘鳴について家族に説明を行い，吸引による

負担を検討し,吸引のタイミングや回数を相談する.

9)快刺激となるケアの工夫

長時間のベッド上生活による疲労感や,離床が減ることによる苦痛も生じるため,マッサージやタッチング,洗髪,手浴,足浴,入浴,気分転換などのケアも考慮する.口渇の緩和が得られるよう援助する.

10)コミュニケーション

体力低下により,元気な時と異なり会話の速度が遅くなるため,ゆっくり会話を進め,患者の返答に時間がかかる場合も「沈黙を待ち」,指示的ではなく「支持的・肯定的」に関わる.コミュニケーション技法として,ミラーリング,ペーシングを意識する.患者が1人ではできなくなった清潔ケア,身の回りの整理・整頓,排泄などの実際の援助については,患者の喪失感や負担感が最小限になるように,態度や言葉かけには十分に注意を払う.

医療者に迷惑をかけまいと1人でトイレに行こうとして転倒する,無意識に失禁する,筋力の低下や眠気によりコップを落として中身をこぼすなどの出来事に遭遇した際,患者の落胆する気持ちやケア提供者への自責の念が生じやすいため,気持ちに配慮し責めないようにする★9).

11)安全確保

患者の尊厳を守るために事故のリスク管理が必須となる.例えば「1人で個室のトイレに行きたい」というセルフケアの希望を叶えるためには,筋力の低下,ふらつき,浮腫による下肢の感覚異常などによる転倒のリスクを念頭に,環境を整える必要がある.同様に「好きなものを自分の口から食べたい」という希望は誤嚥のリスクを高める.患者や家族,チームで方針を検討して対応していく.

12)倫理的課題や葛藤

最期まで歩きたい,おむつを使用したくない,管を入れたくない,誤嚥しても食べたい,眠りたいなど,患者の価値観を大切にしてチームで方針を検討する.

患者・家族の意向や価値観に留意する症状や事象として,①食事(人工栄養),②せん妄,③鎮静,④吸引,⑤DNAR,がある.

患者の意向があったとしても意識が確認できない状況で,家族が意思決定する場合も多く,家族の負担が大きい.また,病気が治癒する場合の医療行為と異なり,治療の差し控えを受け止めることへの心理的苦悩が大きいことを認識する.

家族ケア

家族に配慮しながら看取るように意識する.特に,死亡前後の患者へのケアでは,下記の点を意識し,苦痛の緩和,患者や家族とのコミュニケーションに配慮する.

①家族を看取ることのつらさに配慮する.
②医療者の患者に対する敬意を示す接し方や態度,丁寧な声かけが,家族のケアにつながる.
③家族が患者と十分に別れを悲しむ時間や環境について配慮する.
④医療者は,患者に対する最期のケアとなることを認識する.
⑤死亡時のケアは,患者から遺体に変化する場面であり,家族が過敏に感じることを認識する.

また,患者や家族には下記の点をあらかじめ説明しておく必要がある.

①病状.
②今後起こること.
③鎮静の必要性とその方法.
④家族への連絡方法の確認.
⑤家族の付き添い希望の確認と準備.
⑥死後の着衣の準備.

パンフレットを活用した看取りの説明 ★10)

パンフレットを使用して説明することは有用である.家族の心理状況に応じて,パンフレットの内容を丁寧に説明したり,パンフレットを活用したりしながら気持ちを支援することを心がけ,十分なコミュニケーションをとることが重要である.

死が近づいた時のケアのパンフレット『これからの過ごし方について』[11)]が参考になる.

看取りの療養環境

患者の死が近づき,悲嘆のなかにいる家族への配慮を十分に行

表2 緩和ケア病棟において患者が死亡前後に受けたケア

患者が心地よく過ごせるように努める
- 患者の安楽な体位を整えてくれた（96%）
- 患者の心地よい環境を維持してくれた（94%）
- 患者の外観を整えてくれた（93%）
- 患者が痛みを感じていないか観察してくれた（91%）

患者に意識がある時と同じように接してくれた（91%）

患者への接し方をコーチする
- 家族の存在が患者の支えになっていることを説明してくれた（90%）
- 患者にどうふるまったらよいか教えてくれた（85%）
- 最期に立ち会いたい家族について相談できた（79%）
- 思い出を語る機会を設けてくれた（75%）

(Shinjo T, et al：Care for imminently dying cancer patients：family members' experiences and recommendations. J Clin Oncol 28：142-148, 2010 より)

う．大切な人を喪失する家族のつらさへのケアは，遺族となったあとの回想や悲嘆にも影響することを意識して対応する．医療者として，予期悲嘆で苦しむ家族へのケアを計画する[12]．患者が死亡前後に受けたケアに対する家族の反応を**表2**に示す．

例えば，患者が女性の場合，習慣にしていた化粧水やクリームでのナイトケアなどを，意識レベルが低下しセルフケアができない時期になっても医療者が継続したり，膀胱留置カテーテルを拒否していた患者に対して，元気な時と同様に意向を継続したりするなどがある．

家族の様子をみながら，時には患者の前ではなく別室で，家族の気持ちや家の事情を尋ねる．お別れが近づいている状況において，家族は常に緊張状態にあるため，食事，睡眠，体調など家族の健康状態を確認することも大切である．緊張している状況では混乱も予測され，冷静な判断ができなかったり，医療者の話の内容を難しく感じたりすることもあるため，家族の気持ちを聞ける環境や時間を工夫していく[13]．

患者が心地よく過ごせる環境として，落ち着く環境，安楽な体位，以前と同じように話しかける，保清などのケアへの参加などに配慮することが，遺族になったあとにもよい影響を与える[12,14]．

1) 看取りの環境[12]

プライバシーが守られる個室などを提供し，患者と過ごせる環境

を整える.

① 個室への移動：身体症状やケア内容の変化に応じて，予後が週単位もしくは日単位と予測される時期に患者の意思，病棟や家族の状況を配慮したうえで検討する.

② 簡易ベッドの貸し出し：家族が個室で付き添いたいと申し出た場合に利用する.

③ 面会時間の配慮：状況に配慮して時間外の面会を許可する.

④ モニターを外す：心拍数や酸素飽和度を確認するモニターのアラーム音や数値に気をとられてしまうことが多い．また医療機器があることによって，ゆっくり座る場所がないだけではなく，患者に近寄りにくくなる．患者自身の些細な表情の変化，開眼，声を出した，手を握るなどの反応に気づけると，遺族になった時に看取った場面の回想をする際の悲嘆が和らぐ．

2) 家族へのケアや声かけ

① 時間外の面会を許可し，家族が患者の傍らにいることを可能な限り許容する.

② 希望があれば家族ができるケア（マッサージなど）を勧め，負担のない程度でケアへの参加を促す.

③ 家族への心理的ケアを行う.

- 家族をねぎらう言葉をかける.
- 家族の思いを表出できるように支え，家族の思いを受けとめる.
- 介護する家族の疲労が蓄積しないよう，休息がとれるよう配慮する.

患者の死亡前後に家族が医療者から受けた説明を**表3**に示す．「耳は聞こえていると言われた」は76%が経験しており，看取りの場面での声かけでも多いケアである★12).

がん終末期の患者は口渇で苦しむため，口腔内を潤すためのケア方法，氷片，保湿スプレーなど，家族が直接ケアできることを伝えることで，患者をケアできたという達成感につながる．家族は，患者の役に立ちたい，患者に何らかの行為を行いたい思いがある．健康な時に食べていた食事をもって来ることなどがあるが，家族の気持ちに配慮しながら，患者への負担を伝える★13,15,16).

表3　患者の死亡前後に家族が受けた説明

予測される経過について
- 予測される状態は個人によって違うことを聞いた(88%)
- 予後予測を聞いた(87%)
- 急変の可能性があることを聞いた(87%)

耳は聞こえていると言われた(76%)

いつどうなるかわからないと言われた(36%)

患者は苦痛を感じていないことを保障する
- 痛みのために下顎呼吸になっているわけではないと言われた(36%)
- 痛みのために目が開いているわけではないと言われた(30%)
- 痛みのために喘鳴があるわけではないと言われた(30%)

(Shinjo T, et al：Care for imminently dying cancer patients：family members' experiences and recommendations. J Clin Oncol 28：142-148, 2010 より)

死亡時のケア[15]

1)死亡前後のケア

①死亡の瞬間にできる限り家族が間に合うよう，状態の変化に注意し，早めに連絡するように配慮する．

②患者には，最期まで人格のある人として接する．

③死亡の際，平日日勤帯は主治医・担当医などに知らせ，関わったスタッフで看取れるよう配慮する．

④エンゼルケアへの家族の参加や希望(衣装など)を確認する．

⑤霊安室の使い方，病棟や外来への連絡方法を伝える．

⑥すべての行為において家族の心情を汲み取り，節度ある態度を心がける．

患者の死亡前後の環境についての調査結果を**表4**に示す．「家族全員がそろってから死亡を確認した」が70%，「家族が十分に悲しむ時間があった」が83%であり，家族がそろって十分に悲しむ時間を確保できるよう配慮する．

看取り時の「医療者の思慮のない会話」について，患者が旅立つ前あるいは旅立ったあとに，医療者の笑い声や雑談が聞こえると，家族のつらさが3.9倍高くなるという調査がある[12]．家族にとって，愛する家族を大切に思ってもらえていないと感じ，悲嘆が強まり，医療者への不信感が募ることにもなる★．

表 4　患者の死亡前後の環境

遺体のケアに十分に配慮があった
▪ 生前と同じような化粧・服装(88%)
▪ 死後処置の時に遺体に敬意をもって扱う(84%)
家族が十分に悲しむ時間があった(83%)
ねぎらいの言葉があった(78%)
家族全員がそろってから死亡を確認した(70%)
希望の宗教儀式が行われた(28%)
患者が家族の近くに寄れるように配慮があった
▪ 医療機器で座る場所がなく患者の近くに寄れなかった(6.5%)
▪ 医療者が患者のそばにいたため家族が近くに寄れなかった(3.5%)
患者が亡くなる時,室外から医療者の話し声が聞こえてきた(3.9%)

(Shinjo T, et al：Care for imminently dying cancer patients：family members' experiences and recommendations. J Clin Oncol 28：142-148, 2010 より)

2) 死亡時の立ち会い

最期の場面に立ち会ったことで,患者に寂しい思いをさせなくてよかったと家族は思っている.約20%の家族が患者の死亡時に複数人で立ち会っており,日本では親族らとの看取りを重んじる傾向がある[17,18].

90%以上の家族に臨終に立ち会いたいとの希望がある.実際に立ち会えなかった場合の家族の抑うつや複雑性悲嘆には有意な相関がないが,「患者が大切な人に伝えたいことを伝える」ことは相関を示しており,重要である★[18].

3) 家族が考える望ましい死の要因[19]

主治医による死亡確認や臨終の立ち会いが,家族の心理に及ぼす影響が少ないことを示す調査研究が報告されている.必ずしも主治医が立ち会わなくてもよいが,家族とのコミュニケーションに十分に配慮する必要がある★[12,15,20].

死後処置・エンゼルケア[15]

- 遺体の腐敗予防のための体幹の冷却,医療機器や管類の抜去時の注意点を厳守する.
- 家族の満足感につながる遺体へのケアは「患者の穏やかな表情」と「生前と同様の配慮や扱いを受けること」である.
- ケアに際して家族が戸惑わないように,遺体の傷や腫瘍,治療の跡,陰部が露出しない配慮が必要である.

- 清拭・着替え・メイクなどで生前の面影に近づけ，身体の変化を最小限に抑えるケアを行う．
- エンゼルメイクはエンゼルケアのなかの1つで，「生前の面影を取り戻すこと」「血色と眠っているような顔を取り戻すこと」「安らかに眠る顔が家族の心も穏やかにすること」が目的である★14)．

参考文献

1) 日本緩和医療学会：ELNEC-J コアカリキュラム．(https://www.jspm.ne.jp/elnec/elnec_about.html)（最終アクセス：2022年3月）．
2) Seow H, et al：Trajectory of performance status and symptom scores for patients with cancer during the last six months of life. J Clin Oncol 29：1151-1158, 2011.(PMID：21300920)
3) 森田達也，他：死亡直前と看取りのエビデンス．医学書院，2015．
4) Hui D, et al：Clinical signs of impending death in cancer patients. Oncologist 19：681-687, 2014.(PMID：24760709)
5) 佐藤郁美，他：緩和ケア病棟に入院中の終末期がん患者における機械浴の意味．日がん看会誌 23：131, 2009．
6) Fujimoto S, et al：Effects and safety of mechanical bathing as a complementary therapy for terminal stage cancer patients from the physiological and psychological perspective：a pilot study. Jpn J Clin Oncol 47：1066-1072, 2017.(PMID：28973425)
7) 林ゑり子：日本の終末期がん患者の「湯船につかる入浴」の意義．日本ホスピス・緩和ケア研究振興財団，他（編）：遺族によるホスピス・緩和ケアの質の評価に関する研究4(J-HOPE4)．pp202-210, 2020．
8) Hayashi E, et al：Effects of bathing in a tub on physical and psychological symptoms of end-of-life cancer patients：an observational, controlled study. J Hosp Palliat Nurs 24：30-39, 2022．(PMID：34550913)
9) Lunney JR, et al：Patterns of functional decline at the end of life. JAMA 289：2387-2392, 2003.(PMID：12746362)
10) 山本亮，他：看取りの時期が近づいた患者の家族への説明に用いる『看取りのパンフレット』の有用性：多施設研究．Palliat Care Res 7：192-201, 2012．
11) 厚生労働科学研究がん対策のための戦略研究「緩和ケア普及のための地域プロジェクト」：看取りのパンフレット「これからの過ごし方について」．(http://gankanwa.umin.jp/pamph.html)（最終アクセス：2022年3月）．
12) Shinjo T, et al：Care for imminently dying cancer patients：family members' experiences and recommendations. J Clin Oncol 28：142-148, 2010.(PMID：19901113)
13) Yamagishi A, et al：The care strategy for families of terminally ill cancer patients who become unable to take nourishment orally：recommendations from a nationwide survey of bereaved family members' experiences. J Pain Symptom Manage 40：671-683, 2010.(PMID：20800425)
14) 山脇道晴，他：ホスピス・緩和ケア病棟におけるご遺体へのケアに関する遺族の評

価と評価に関する要因. Palliat Care Res 10:101-107, 2015.
15) 宮下光令, 林ゑり子(編):看取りケア プラクティス×エビデンス―今日から活かせる72のエッセンス. 南江堂, 2018.
16) Cerchietti L, et al:Hypodermoclysis for control of dehydration in terminal-stage cancer. Int J Palliat Nurs 6:370-374, 2000.(PMID:12411847)
17) Ferrand E, et al:Circumstances of death in hospitalized patients and nurses'perceptions: French multicenter Mort-a-l'Hôpital survey. Arch Intern Med 168:867-875, 2008.(PMID:18443263)
18) 大谷弘行, 他:遺族の声を臨床に生かす―J-HOPE 3研究(多施設遺族調査)からの学び7:臨終期の課題 付帯12 家族の臨終に間に合うことの意義や負担に関する研究/付帯20 終末期がん患者にみられる「故人やあの世をみた体験」に関する研究. がん看護 23:515-520, 2018.
19) Witkamp FE, et al:Dying in the hospital:what happens and what matters, according to bereaved relatives. J Pain Symptom Manage 49:203-213, 2015.(PMID:25131893)
20) Hadders H, et al:Relatives' participation at the time of death:standardisation in pre and post-mortem care in a palliative medical unit. Eur J Oncol Nurs 18:159-166, 2014.(PMID:24365720)

(林　ゑり子)

6 ビリーブメント（死別）

診療のコツ
❶死別による通常の悲嘆反応は，乗り越えたり克服したりするべきものではない．
❷遷延性悲嘆症は精神科医などの専門家にコンサルトする．
❸遺族の様々なニーズに対応できるよう，多職種と連携できる体制を作る．
❹ビリーブメントケアは患者との死別前から開始する．

悲嘆

死別

死別（bereavement）とは，「死によって重要な人を亡くすという経験をした個人の客観的状況」を指す[1]．WHO の定義では緩和ケアの対象には家族も含まれており，「患者の病いの間も死別後も，家族が対処していけるように支援する体制を提供する」ことが示されている．さらに，死別を経験するのは家族だけではなく，患者を大切に思う人であれば恋人や友人，患者仲間，援助者も含まれる[2]．そのため，後述するビリーブメントケアを必要とする対象者は広範囲に及ぶ．

グリーフ（悲嘆）

グリーフ（grief）とは，「喪失に対する様々な心理的・身体的症状を含む，情動的反応」を指し[1]，「悲嘆」と訳される．悲嘆反応は人の喪失だけではなく，所有物や環境，身体の一部分などの喪失によっても起こる．死別によって経験される悲嘆反応は，誰もが経験する正常な反応であり，「通常の悲嘆（normal grief）」と呼ばれる[2]．

1）悲嘆反応

悲嘆反応としては，以下がみられる．
①感情的反応（悲しみ，罪悪感，怒り，無快感，孤独感など）．
②認知的反応（故人の現存感，否認，自尊心の低下，無力感，集中

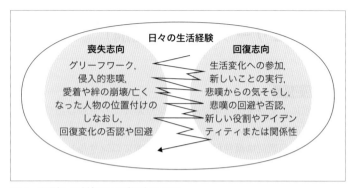

図1 死別への対処の二重過程モデル
〔Neimeyer RA, et al. 2001/富田拓郎, 他(監訳):喪失と悲嘆の心理療法―構成主義からみた意味の探究. 金剛出版, 2007 より〕

力の低下など).
③行動的反応(緊張, 疲労, 過活動, 流涙, 社会的引きこもりなど).
④生理的・身体的反応(食欲不振, 睡眠障害, 身体愁訴など).

2)死別への対処過程

死別経験は乗り越えたり克服したりするものではなく, 悲嘆反応も直線的に回復していくものではない. 遺族は故人を想ったり, 何故亡くなったのかという死の意味を考えたりしながらも, 故人のいない生活に向き合ったり, 故人の担っていた役割を引き受けたりして生活に適応していく(**図1**)[3]. 遺族の悲嘆は, 悲しんだり, 日常生活を送ったりを繰り返しながら, 前者から後者へと重心が移っていくものであり, 変動を伴うのが通常である. 故人の死を受け入れているようにみえていた遺族が, 記念日反応(anniversary reaction:誕生日や結婚記念日などに気分の落ち込みなどの症状や反応が再現されること)によって悲嘆反応を強く示すのは自然なことである[4].

遷延性悲嘆症

死別を経験した人が悲嘆反応を示すことは正常な反応であるが, 長期化した悲嘆は「複雑性悲嘆(complicated grief)」と呼ばれ, 心身の健康や QOL の低下に影響すると報告されてきた. 日本ではがん

患者遺族の14％が中等度以上の抑うつ，10％が複雑性悲嘆を有していると報告されている[5]．

この概念は，ICD-11においてprolonged grief disorderとして精神障害に位置付けられた．公式な日本語訳は決まっていないが，本項では「遷延性悲嘆症」[6]を用いる．遷延性悲嘆症の診断要件は，以下のとおりである[6,7]．

①パートナーや親，子ども，その他の親しい人を喪ったあとに表れる障害である．
②故人への嘆き求めと持続的な故人へのとらわれを中心とした，持続的で広範な悲嘆反応を示す．
③悲嘆反応は，強い情動的苦痛（例えば，悲しみ，罪悪感，怒り，否認，非難，死を受け入れることの困難，自分の一部が失われたような感覚，肯定的感情の体験ができない，情動麻痺，社会やその他の活動に参加することの困難）を伴う．
④症状は，死別から最低6か月持続している．
⑤症状の持続期間や反応，症状は明らかにその人の所属する社会や文化，宗教的背景において正常とみなされる状態より過剰である．
⑥この症状の存在によって，その人の個人，家族，社会，学業，就労，その他の重要な側面で重篤な機能障害が引き起こされている．

遷延性悲嘆症は医療的介入が必要となる．治療としては遷延性悲嘆症に特化した精神療法の有効性が報告されているため，精神科医や心理職などの専門家へ相談し，つなげる必要性がある．

予期悲嘆

予期悲嘆（anticipatory grief）とは，実際の喪失前に生じる悲嘆を指す[8]．患者との死別前に悲嘆を先取って経験すれば，死別後の悲嘆が軽減されるというわけではない．しかし，家族が患者との死別前から強い悲嘆反応を示している場合は，専門家へのコンサルトが必要となる．眠れないなどの睡眠障害，抑うつが強い場合は精神科医，患者とのコミュニケーションや患者亡きあとの生活への不安がある場合は心理職，経済的不安がある場合はソーシャルワーカーへ

つなげることが望ましい．患者との接し方で困っている場合は看護師に相談し，一緒に患者へのケアにあたってもらうなど，家族ができることを増やすことも大事な視点となる．

ビリーブメントケア

定義

ビリーブメントケア（bereavement care）とは，「死別による悲嘆に直面している人々への援助や支援」を指す[2]．日本においてはビリーブメントケアよりも「グリーフケア（grief care）」の用語を用いられることが多く，ほぼ同義として扱われているが，グリーフケアは死別を含む喪失全般に対するケアを指し，死別による喪失のみに限定されない[5]．

1）予防医学的観点

ビリーブメントケアは，遷延性悲嘆症，精神疾患や身体疾患，自殺，死亡につながるリスクの低減を図り，正常な心身機能を回復させることを目標とした予防医学的視点が必要となる[2]．遷延性悲嘆症や他の精神疾患のリスクが高いと思われる家族には，早期に精神科医や心理職にコンサルトを行う．

2）死別後の生活や人生への適応

遺族は心身だけに不調をきたすのではなく，患者亡きあとの生活や人生をどのように過ごしていくのかという問題も生じる．遺族に何が必要なのかをアセスメントし，必要に応じた生活上の困難に対する問題解決的支援も必要となる[2]．経済面や生活面の支援が必要となる家族には，ソーシャルワーカーにコンサルトを行う．

死別前のビリーブメントケア

ビリーブメントケアは患者生存時からはじまっており，死後からはじまるものではない．海外に比べると，日本におけるビリーブメントケアは普及しているとはいえず，患者と関わっていた病院や施設は患者の死後，遺族との連絡がとりにくくなるため，ケアが行き届いているとは言いにくいのが現状である．そのため，患者に関わっているうちから，家族との信頼関係を築き，ともに患者のケアにあたりながら，患者の死後，家族にとって何が困難となり，何が必要となるかをアセスメントすることが重要となってくる．そし

て，患者との死別後，遺族が医療者に支援を求めることができるような関係性を築き，医療者も遺族が必要としている支援を提供できる場につなげられることが求められる．

ここで大切なのは，患者の死後，家族に悲嘆反応が出ないように躍起にならないことである．悲嘆反応は正常な反応であり，むしろ悲嘆反応が正常に出せるように支援することが，死別前のケアとして重要な視点となる．

1）患者へのケアと家族ケアを並行する

遺族の抑うつに関連する要因として，「入院中の患者の倦怠感」「終末期せん妄」「死別への心の準備」「最期1週間に家族が付き添った日数」「患者が大切な人に伝えたいことを言えたか」がある[5]．

まずは患者の身体的・精神的ケアが十分に行われていることが必要となる．家族は，患者がつらそうにしているのを見ていることに苦痛を感じるうえに，死別後も「あの時もっとこうしていれば」という後悔の念につながりやすい．さらに終末期せん妄は，患者自身がつらいだけでなく，それを見ている家族もつらい思いをする．患者が安らかでいることが，家族ケアにもつながる．

また，適宜医療者から家族へ病状説明を行うことは，家族にとって患者が突然亡くなったという体験を避けるために必要なことである．急変はどの病気においても起こりうることであり，家族が患者の予後を長く見積もっていることもあるが，医療者が誠実に説明しようとしていた姿は，患者の死後も家族のなかに残るものとなる．ただし，家族が望んでいない場合，無理に現実を理解してもらおうとして病状説明を行うのは侵襲的であるため避ける．

そして，家族が患者に付き添える場合は，患者と家族の思いの橋渡しをしたり，家族ができる患者へのケアをともに行ったりすることで，のちに家族は「あの時○○の話をした」「患者の願いを叶えられた」「看護師と一緒にケアができた」など，悲嘆に対処するうえで大切な資源となりうる経験ができる．

上記のことを行うためには，身体科医師，精神科医，看護師，薬剤師，ソーシャルワーカー，リハビリテーションのセラピスト，管理栄養士，心理職，宗教家，ボランティアなど，患者と家族に関わ

る多職種で相談し,多角的な視点から患者と家族のニーズをとらえていくことが重要である.

2) ソーシャルサポート[5]

患者の死後,家族は家族役割や収入の変化などが起こり,患者がいない生活に適応しなければならないが,その支援のためにはソーシャルサポートが有用となる.日本では患者の死後に単身世帯となる遺族の約30%は社会的孤立リスクが高く,社会的孤立は抑うつ,悲嘆のリスク因子となる.死別後の日常生活について医療者と相談できるサポートや,必要時に利用可能な相談窓口,サービスなどの紹介を行うことは,死別関連の二次的ストレッサーを低下させる.ソーシャルワーカーと連携し,必要なサービスを紹介,提供することが求められる.

死別後のビリーブメントケア

死別時のビリーブメントケアについては「看取り」の項を参照されたい(➡ 452 頁).

1) ビリーブメントケアの種類[4]

❶ 情緒的サポート

遺族の感情的悲嘆反応には,耳を傾けることが必要である.遺族は悲しみだけでなく,自責の念や罪悪感,怒りを強く感じている場合もあるが,それを否定したり訂正したりすることは望ましくない.否定されてしまうと遺族は自身の思いを語りたくなくなってしまう.聴いている医療者がつらくなることもあるが,遺族の思いを正そうとする必要はない.悲嘆反応は正常反応であるため,患者との死別を乗り越えさせるように支援するのではなく,遺族が話したいことを話し,安心して悲嘆を表出できるように,丁寧に耳を傾けることが大切である.また,話したくない遺族には話さなくてよいことを保証する.

❷ 道具的サポート

遺族はただ悲しみに暮れているだけではない.悲しみを抱えながらも行事や事務処理にとりかかり,日常生活に適応していかなくてはならない.患者が一家の経済的役割を担っていた場合,遺族は仕事を探さなければならなくなる.また,家事を主役割にしていた場

合，遺族は家事を覚えなくてはならない．そのため就職支援や家事代行サービスが必要となる家庭もある．小さい子どもがいる場合は育児サポートが必要となるし，要介護者がいる場合は介護サービスの導入を検討する必要がある．

③情報的サポート

遺族は自分だけがこのような悲しみを感じているのではないか，いつこのつらさから抜けられるのか，他の人はどのように立ち直っているのかなどについて疑問を抱いていることがある．死別経験をしている人同士が話す場所(セルフヘルプ・グループやわかちあいの会など)や書籍，パンフレットなどの情報提供が有効となることがある．

また，遺族は死別を経験したことにより，深い悲しみを感じていたり，気力がわいてこなかったりするなかで，問題解決を行うための情報を得ることが難しいことがある．その場合，遺族が直面している問題解決のために，行政による支援制度，法律相談，時には料理教室などの情報提供が助けとなることがある．必要な情報は多岐にわたるため，できるだけ多くの職種に相談できるようにしておく．

④治療的介入

遷延性悲嘆症や気分障害(うつ病など)，不安障害など精神疾患を有している場合は精神科的治療が必要となる．この場合は速やかに精神科医などの専門家に相談することが必要である．また，必要となってから相談先を探すのではなく，あらかじめ相談できる専門家と連携をとっておくことで，必要時，スムーズに対応することが可能となる．

2)医療者の行うビリーブメントケアの重要性と限界

悲嘆は「愛情の裏返しであり，愛の形が様々であるのと同様に，悲しみ方も人によって異なる」[2]ために，求められるビリーブメントケア，必要なビリーブメントケアは遺族によって異なる．日本において，ビリーブメントケアの標準化された指針はまだなく，実際に行う方法や内容は各施設の裁量に任されているのが現状である[2]．また，遺族が経験する悲嘆は個別性が高いため，サポートニーズも異なり，すべての遺族が専門家の介入を必要としているわ

けではない[9]．患者を看取った病院・施設の医療者だからこそできることと，できないことがある．医療者と関係性がよく，患者のことを知っているからこそ話したいと思う遺族もいれば，患者とのことを思い出すから余計につらいと患者を看取った医療者のいる施設には行けない遺族もいる．遺族が訪ねてきても対応できるよう医療者が準備をしておくことも大切であるが，ビリーブメントケアを行っている外部機関との連携，紹介ができる準備をしておく必要がある．

3) 医療者の行うビリーブメントケア

緩和ケア病棟が提供している遺族ケアサービスとして，70％以上の施設が「手紙送付」と「追悼会」を行っており[10]，遺族の88〜94％は，「病棟スタッフからの手紙やカード」「病院スタッフと病院で会うこと」「故人を偲ぶ追悼会」「病院スタッフからの電話」「死別体験者同士が体験をわかちあう会」「病院スタッフによる葬儀や通夜への参列」「悲しみからの回復に役立つ本やパンフレット」を肯定的に評価している[11]．

4) 手紙・カードの送付

手紙やカードには「入院中の介護へのねぎらいの言葉を記載する」こと，「退院後の家族の生活への気遣いが込められている」こと，「患者の人柄を理解してくれていたような内容」を，死別後1〜6か月に送付することが望ましい[5]．

5) 追悼会(遺族会・家族会)

「会いたい，話したい医師・看護師などがいた」遺族は追悼会に参加するが，「特別な催しや支援がなくても乗り越えられる」と考えている遺族は追悼会には参加しない[5]．

6) 外部機関との連携

うつ症状が重篤で不適応的な遺族は，心理カウンセリングによる支援や，心療内科・精神科への受診のニーズが高く，市民団体が実施している死別体験者の会や電話相談，インターネットを活用した取り組みへのニーズもある[11]．

現在は，遺族外来やグリーフケア外来，宗教家や葬儀社のグリーフケアの取り組みなど多岐にわたるサポートがある．前述したよう

に，悲嘆反応は乗り越えるものではなく，悲しみと新しい生活に揺らぎながらも，日常生活に適応していくなかで，変動のあるものである．そのため，患者を担当した病院や施設だけで解決しようとするのではなく，わかちあいの会(地域のピアサポート)，心理カウンセリング，精神科・心療内科など，遺族が困った時に頼れる資源を作っておくことが大切となる．そのためには普段から医療者が，多くの医療・社会資源を知っておく必要がある．どのケア・サポートが必要かわからない場合には，1人で抱え込まず，できるだけ多くの職種に相談することが，遺族のビリーブメントケアにおいて必要となる．

■参考文献

1) Stroebe W, et al：Bereavement and health. p7, Cambridge University Press, 1987.
2) 坂口幸弘：緩和ケアにおけるビリーブメントの理解．緩和ケア 27：77-80，2017.
3) Stroebe MS, et al. 2001/富田拓郎，他(監訳)：喪失と悲嘆の心理療法―構成主義からみた意味の探究．金剛出版，2007.
4) 坂口幸弘：悲嘆学入門―死別の悲しみを学ぶ．p118，昭和堂，2010.
5) 日本ホスピス・緩和ケア振興財団，他(編)：遺族によるホスピス・緩和ケアの質の評価に関する研究 4(J-HOPE4)．pp27-31，131-136，191-201，291-293，2020.
6) 中島聡美：遷延性悲嘆症の概念および治療の近年の動向．武蔵野大学認知行動療法研究誌 2：10-20，2021.
7) World Health Organization：ICD-11 for Mortality and Morbidity Statistics. 2019.
8) Lindemann E：Symptomatology and management of acute grief. 1944. Am J Psychiatry 151：155-160, 1994.(PMID：8192191)
9) 廣岡佳代：ビリーブメントリスクのアセスメント．緩和ケア 27：85-88，2017.
10) 坂口幸弘：わが国のホスピス・緩和ケア病棟における遺族ケアサービスの実施状況と今後の課題―2002 年調査と 2012 年調査の比較．Palliat Care Res 11：137-145, 2016.
11) 坂口幸弘，他：ホスピス・緩和ケア病棟で死別した患者の遺族における遺族ケアサービスの評価とニーズ．Palliat Care Res 8：217-222, 2013.

(福島沙紀)

付録

付録1　palliative performance scale(PPS)

%	起居	活動と症状	ADL	経口摂取	意識レベル
100	100％起居している	正常の活動・仕事が可能．症状なし	自立	正常	清明
90					
80		何らかの症状はあるが，正常の活動が可能		正常もしくは減少	
70	ほとんど起居している	明らかな症状があり，通常の仕事や業務が困難			
60		明らかな症状があり，趣味や家事を行うことが困難	時に介助		清明もしくは混乱
50	ほとんど座位もしくは臥床	著明な症状があり，どんな仕事もすることが困難	しばしば介助		
40	ほとんど臥床	著明な症状があり，ほとんどの行動が制限される	ほとんど介助		清明もしくは混乱±傾眠
30	常に臥床	著明な症状があり，いかなる活動も行うことができない	全介助		
20				数口以下	
10				マウスケアのみ	傾眠もしくは昏睡

レベルの決め方：項目は左側（起居）から右側へ重要度が高い順番に並べられており，順番にその患者に最も適切と考えられるレベルを決め，最終的にそれぞれを考慮して決定する．

〔Anderson F, et al：Palliative Performance Scale(PPS)：a new tool. J Palliat Care 12：5-11, 1996(PMID：8857241)より〕

付録 2　palliative prognostic index(PPI)

		点数
palliative performance scale(付録 1)	10〜20% 30〜50% ≧60%	4.0 2.5 0
経口摂取量*1	著明に減少(数口以下) 中程度減少(減少しているが数口よりは多い) 正常	2.5 1.0 0
浮腫	あり なし	1.0 0
安静時呼吸困難	あり なし	3.5 0
せん妄	あり*2 なし	4.0 0

合計得点が 6 より大きい場合(>6)，患者が 3 週間以内に死亡する確率の感度，特異度は 83%および 85%である．
*1：消化管閉塞のため高カロリー輸液を施行している場合は 0 点とする．
*2：原因が薬物単独で，臓器障害を伴わないものは含めない．
〔Morita T, et al：The Palliative Prognostic Index：a scoring system for survival prediction of terminally ill cancer patients. Support Care Cancer 7：128-133, 1999(PMID：10335930)より〕

付録3 Karnofsky performance status

%	症状，介護の要・不要		予後
100	普通の生活が可能で特に介護する必要がない	症状の訴えなし，特別なケアなし	50〜90日
90		通常作業は可能．症状・徴候は軽微	
80		何とか通常の生活が可能	
70	労働はできないが家庭での療養は可能．日常の行動の大部分において介助が必要	仕事や通常の生活は不可能．日常生活は自分でできる	
60		生活の援助が必要．身の回りのことは自分でできる	
50		日常生活の援助と頻回な介護が必要	
40	自分自身のことをすることが不可能で入院療養が必要．疾患が急速に進行していく時期	動けず，適切な医療・介護が必要	8〜50日
30		全く動けず入院が必要	
20		入院が必要で重症．精力的な治療が必要	7〜16日
10		死期が切迫している状態	

Karnofsky performance status は医学的ケアの必要度を基準にした指標であるが，50％以下となった時には予後と相関することが報告されている．
〔Maltoni M, et al：Clinical prediction of survival is more accurate than the Karnofsky performance status in estimating life span of terminally ill cancer patients. Eur J Cancer 30 A：764-766, 1994（PMID：7917534）より〕

付録4 palliative prognostic score(PaP score)

臨床的な予後の予測(CPS)	1〜2 週	8.5	呼吸困難	あり	1.0
	3〜4 週	6.0		なし	0
	5〜6 週	4.5	白血球数(/μL)	>11,000	1.5
	7〜10 週	2.5		8,501〜11,000	0.5
	11〜12 週	2.0		≦8,500	0
	>12 週	0			
食欲不振	あり	1.5	リンパ球(%)	0〜11.9	2.5
	なし	0		12〜19.9	1.0
Karnofsky performance status(付録3)	10〜20	2.5		≧20	0
	≧30	0			

30 日生存確率は合計 0〜5.5 点:70%超, 5.6〜11.0 点:30〜70%, 11.1〜17.5 点:30%未満.

〔Maltoni M, et al: Successful validation of the palliative prognostic score in terminally ill cancer patients. Italian Multicenter Study Group on Palliative Care. J Pain Symptom Manage 17: 240-247, 1999(PMID: 10203876)より〕

付録5 痛みの強さの評価スケール

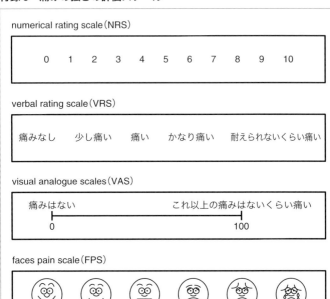

付録6　STAS-J

患者氏名：_____
記載者氏名：_____　　記入日：　　年　　月　　日
★当てはまる番号に○をつけてください．

1. 痛みのコントロール：痛みが患者に及ぼす影響

0 ＝なし
1 ＝時折の，または断続的な単一の痛みで，患者が今以上の治療を必要としない痛みである．
2 ＝中程度の痛み．時に調子の悪い日もある．痛みのため，病状からみると可能なはずの日常生活動作に支障をきたす．
3 ＝しばしばひどい痛みがある．痛みによって日常生活動作や物事への集中力に著しく支障をきたす．
4 ＝持続的な耐えられない激しい痛み．他のことを考えることができない．

2. 痛み以外の症状コントロール：痛み以外の症状が患者に及ぼす影響

症状名
(　　　　　　　　　　　　　　　)

0 ＝なし
1 ＝時折の，または断続的な単一または複数の症状があるが，日常生活を普通に送っており，患者が今以上の治療を必要としない症状である．
2 ＝中等度の症状．時に調子の悪い日もある．病状からみると，可能なはずの日常生活動作に支障をきたすことがある．
3 ＝たびたび強い症状がある．症状によって日常生活動作や物事への集中力に著しく支障をきたす．
4 ＝持続的な耐えられない激しい症状．他のことを考えることができない．

3. 患者の不安：不安が患者に及ぼす影響

0 ＝なし
1 ＝変化を気にしている．身体面や行動面に不安の徴候はみられない．集中力に影響はない．
2 ＝今後の変化や問題に対して張り詰めた気持ちで過ごしている．時々，身体面や行動面に不安の徴候がみられる．
3 ＝しばしば不安に襲われる．身体面や行動面にその徴候がみられる．物事への集中力に著しく支障をきたす．
4 ＝持続的に不安や心配に強くとらわれている．他のことを考えることができない．

4. 家族の不安:不安が家族に及ぼす影響

注1:家族は患者に最も近い介護者とします.その方々は,両親であるのか,親戚,配偶者,友人であるのかコメント欄に明記してください.
注2:家族は時間の経過により変化する可能性があります.変化があった場合,コメント欄に記入してください.

コメント(　　　　　　　　　　)

0＝なし
1＝変化を気にしている.身体面や行動面に不安の徴候はみられない.集中力に影響はない.
2＝今後の変化や問題に対して張り詰めた気持ちで過ごしている.時々,身体面や行動面に不安の徴候がみられる.
3＝しばしば不安に襲われる.身体面や行動面にその徴候がみられる.物事への集中力に著しく支障をきたす.
4＝持続的に不安や心配に強くとらわれている.他のことを考えることができない.

5. 患者の病状認識:患者自身の予後に対する理解

0＝予後について十分に認識している.
1＝予後を2倍まで長く,または短く見積もっている.例えば,2〜3か月であろう予後を6か月と考えている.
2＝回復すること,または長生きすることに自信がもてない.例えば「この病気で死ぬ人もいるので,私も近々そうなるかもしれない」と思っている.
3＝非現実的に思っている.例えば,予後が3か月しかない時に,1年後には普通の生活や仕事に復帰できると期待している.
4＝完全に回復すると期待している.

6. 家族の病状認識:家族の予後に対する理解

0＝予後について十分に理解している.
1＝予後を2倍まで長く,または短く見積もっている.例えば,2〜3か月であろう予後を6か月と考えている.
2＝回復すること,または長生きすることに自信が持てない.例えば「この病気で死ぬ人もいるので,本人も近々そうなるかも知れない」と思っている.
3＝非現実的に思っている.例えば,予後が3か月しかない時に,1年後には普通の生活や仕事に復帰できると期待している.
4＝患者が完全に回復することを期待している.

7. 患者と家族とのコミュニケーション:患者と家族とのコミュニケーションの深さと率直さ

0＝率直かつ誠実なコミュニケーションが,言語的・非言語的になされている.

1＝時々，または家族の誰かと率直なコミュニケーションがなされている．
2＝状況を認識してはいるが，そのことについて話し合いがなされていない．患者も家族も現状に満足していない．あるいは，パートナーとは話し合っても，他の家族とは話し合っていない．
3＝状況認識が一致せずコミュニケーションがうまくいかないため，気を使いながら会話が行われている．
4＝うわべだけのコミュニケーションがなされている．

8．職種間のコミュニケーション：患者と家族の困難な問題についての，スタッフ間での情報交換の早さ，正確さ，充実度

関わっている人（職種）を明記してください
（　　　　　　　　　　　　　　　　　）
0＝詳細かつ正確な情報が関係スタッフ全員にその日のうちに伝えられる．
1＝主要スタッフ間では正確な情報伝達が行われる．その他のスタッフ間では，不正確な情報伝達や遅れが生じることがある．
2＝管理上の小さな変更は，伝達されない．重要な変更は，主要スタッフ間でも1日以上遅れて伝達される．
3＝重要な変更が数日から1週間遅れで伝達される．
　例）退院時の病棟から在宅担当医への申し送りなど．
4＝情報伝達がさらに遅れるか，全くない．他のどのようなスタッフがいつ訪ねているのかわからない．

9．患者・家族に対する医療スタッフのコミュニケーション：患者や家族が求めた時に医療スタッフが提供する情報の充実度

0＝すべての情報が提供されている．患者や家族は気兼ねなく尋ねることができる．
1＝情報は提供されているが，十分理解されてはいない．
2＝要求に応じて事実は伝えられるが，患者や家族はそれより多くの情報を望んでいる可能性がある．
3＝言い逃れをしたり，実際の状況や質問を避けたりする．
4＝質問への回答を避けたり，訪問を断る．正確な情報が与えられず，患者や家族を悩ませる．

【特記事項】
☆評価できない項目は，理由に応じて以下の番号を書いてください．
　7：入院直後や家族はいるが面会に来ないなど，情報が少ないため評価できない場合（入院直後や家族はいるが面会に来ないなど）
　8：家族がいないため，家族に関する項目を評価できない場合
　9：認知機能の低下や深い鎮静により評価できない場合

2005年4月改訂

〔STASワーキング・グループ（編）：STAS-J（STAS日本語版）スコアリングマニュアル，第3版．pp24-25，日本ホスピス・緩和ケア研究振興財団，2007より〕

付録7 STAS-J 症状版

症状が患者に及ぼす影響

0=なし
1=時折,断続的.患者は今以上の治療を必要としない(現在の治療に満足している,介入不要).
2=中等度.時に悪い日もあり,日常生活動作に支障をきたすことがある(薬の調節や何らかの処置が必要だがひどい症状ではない).
3=しばしばひどい症状があり,日常生活動作や集中力に著しく支障をきたす(重度,しばしば).
4=ひどい症状が持続的にある(重度,持続的)
＊=評価不能(認知機能の低下,鎮静,緩和ケアチームが訪室できなかった場合など)

疼痛	0	1	2	3	4	＊
しびれ	0	1	2	3	4	＊
全身倦怠感	0	1	2	3	4	＊
呼吸困難	0	1	2	3	4	＊
せき	0	1	2	3	4	＊
たん	0	1	2	3	4	＊
嘔気	0	1	2	3	4	＊
嘔吐	0	1	2	3	4	＊
腹満	0	1	2	3	4	＊
口渇	0	1	2	3	4	＊
食欲不振	0	1	2	3	4	＊
便秘	0	1	2	3	4	＊
下痢	0	1	2	3	4	＊
尿閉	0	1	2	3	4	＊
失禁	0	1	2	3	4	＊
発熱	0	1	2	3	4	＊
ねむけ	0	1	2	3	4	＊
不眠	0	1	2	3	4	＊
抑うつ	0	1	2	3	4	＊
せん妄	0	1	2	3	4	＊
不安	0	1	2	3	4	＊
浮腫	0	1	2	3	4	＊
その他(　　　)	0	1	2	3	4	＊

〔STAS ワーキング・グループ(編):STAS-J(STAS 日本語版)スコアリングマニュアル,第3版,p28,日本ホスピス・緩和ケア研究振興財団,2007 より〕

付録 8　IPOS 患者用 3 日間版

この回答は，あなたと他の患者さんのケアの向上のために役立てられます．ご協力ありがとうございます．

Q1. この3日間，主に大変だったことや気がかりは何でしたか？

1. ....

2. ....

3. ....

Q2. 以下はあなたが経験したかもしれない症状のリストです．それぞれの症状について，この3日間，どれくらい生活に支障があったか最もよく表しているものに1つだけチェックしてください．

	全く支障はなかった	少しあった (気にならなかった)	中くらいあった (いくらか支障が出た)	とてもあった (大きな支障が出た)	耐えられないくらいあった (他のことを考えられなかった)
痛み	0 □	1 □	2 □	3 □	4 □
息切れ(息苦しさ)	0 □	1 □	2 □	3 □	4 □
力や元気が出ない感じ (だるさ)	0 □	1 □	2 □	3 □	4 □
吐き気(吐きそうだった)	0 □	1 □	2 □	3 □	4 □
嘔吐(実際に吐いた)	0 □	1 □	2 □	3 □	4 □
食欲不振	0 □ (通常の食欲)	1 □	2 □	3 □	4 □ (食欲が全くない)
便秘	0 □	1 □	2 □	3 □	4 □
口の痛みや渇き	0 □	1 □	2 □	3 □	4 □
眠気	0 □	1 □	2 □	3 □	4 □
動きにくさ	0 □	1 □	2 □	3 □	4 □

上記以外の症状があれば記入し，この3日間，どれくらい生活に支障があったか1つだけチェックしてください．

1. _____	0 □	1 □	2 □	3 □	4 □
2. _____	0 □	1 □	2 □	3 □	4 □
3. _____	0 □	1 □	2 □	3 □	4 □

この3日間についてお聞きします

	全くなし	たまに	時々	たいてい	いつも
Q3. 病気や治療のことで不安や心配を感じていましたか？	0 □	1 □	2 □	3 □	4 □
Q4. 家族や友人は，あなたのことで不安や心配を感じていた様子でしたか？	0 □	1 □	2 □	3 □	4 □
Q5. 気分が落ち込むことはありましたか？	0 □	1 □	2 □	3 □	4 □

	いつも	たいてい	時々	たまに	全くなし
Q6. 気持ちは穏やかでいられましたか？	0 □	1 □	2 □	3 □	4 □
Q7. あなたの気持ちを家族や友人に十分にわかってもらえましたか？	0 □	1 □	2 □	3 □	4 □
Q8. 治療や病気について，十分に説明がされましたか？	0 □	1 □	2 □	3 □	4 □

	すべて対応されている/問題がない	大部分対応されている	一部対応されている	ほとんど対応されていない	全く対応されていない
Q9. 病気のために生じた，気がかりなことに対応してもらえましたか？（経済的なことや個人的なことなど）	0 □	1 □	2 □	3 □	4 □

	自分で	友人や家族に手伝ってもらって	スタッフに手伝ってもらって
Q10. どのようにしてこの質問票に答えましたか？	□	□	□

この質問票について心配なことがあれば，医師や看護師に伝えてください．

IPOSには患者自身が評価する「患者版」と医療スタッフが評価する「スタッフ版」があり，ともに「3日間版」「7日間版」がある．

〔Schildmann EK, et al：Discovering the hidden benefits of cognitive interviewing in two languages: The first phase of a validation study of the Integrated Palliative care Outcome Scale. Palliat Med 30：599-610, 2016（PMID：26415735）/Sakurai H, et al：Validation of the integrated palliative care outcome scale（IPOS）-Japanese Version. Jpn J Clin Oncol 49：257-262, 2019（PMID：30668720）より〕

付録9　エドモントン症状評価システム改訂版日本語版(ESAS-r-J)

Edmonton Symptom Assessment System revised, (Japanese version)(ESAS-r-J)

あなたは，今，どのように感じていますか．最もよく当てはまる数字に○を付けてください．

痛み	0 (なし)	1	2	3	4	5	6	7	8	9	10 (最もひどい)
だるさ (元気が出ないこと)	0 (なし)	1	2	3	4	5	6	7	8	9	10 (最もひどい)
眠気 (うとうとする感じ)	0 (なし)	1	2	3	4	5	6	7	8	9	10 (最もひどい)
吐き気	0 (なし)	1	2	3	4	5	6	7	8	9	10 (最もひどい)
食欲不振	0 (なし)	1	2	3	4	5	6	7	8	9	10 (最もひどい)
息苦しさ	0 (なし)	1	2	3	4	5	6	7	8	9	10 (最もひどい)
気分の落ち込み (悲しい気持ち)	0 (なし)	1	2	3	4	5	6	7	8	9	10 (最もひどい)
不安 (心配で落ち着かない)	0 (なし)	1	2	3	4	5	6	7	8	9	10 (最もひどい)
[　　　] 他の症状(例：便秘など)	0 (なし)	1	2	3	4	5	6	7	8	9	10 (最もひどい)
全体的な調子 (全体的にどう感じるか)	0 (最もよい)	1	2	3	4	5	6	7	8	9	10 (最も悪い)

患者名＿＿＿＿＿＿＿＿＿＿＿＿＿
日付＿＿＿＿＿＿　時間＿＿＿＿＿＿

記入した人(チェックを1つ入れて下さい)
□患者さんご自身が記入
□ご家族
□医療従事者
□ご家族・医療従事者が手伝い，患者さんが記入

次頁にからだの図があります．

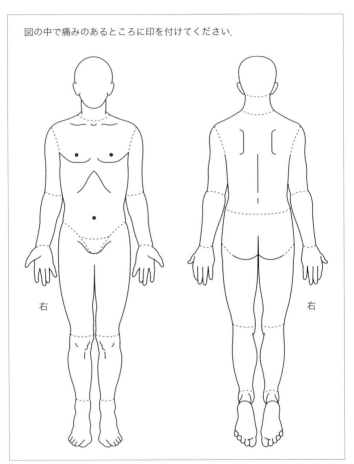

〔Yokomichi N, et al:Validation of the Japanese version of the Edmonton Symptom Assessment System-Revised. J Pain Symptom Manage 50:718-723, 2015(PMID:26169339)より〕

付録10 代表的なオピオイドとその特徴

投与経路 (保険適用内)	投与間隔	放出機構	製剤としてのTmax(時間)	製剤としての半減期(時間)
モルヒネ硫酸塩				
MSコンチン®	錠:10 mg, 30 mg, 60 mg			
経口	12時間ごと	徐放性	2.7±0.8	2.6±0.9
MSツワイスロン®	カプセル:10 mg, 30 mg, 60 mg			
経口	12時間ごと	徐放性	1.9±1.3	ND
モルペス®	細粒:2%(10 mg/0.5 g/包), 6%(30 mg/0.5 g/包)			
経口	12時間ごと	徐放性	2.4〜2.8	6.9〜8.7
モルヒネ塩酸塩(経口薬・坐薬)				
モルヒネ塩酸塩	末, 錠:10 mg			
経口	4時間ごと(定期投与), 1時間ごと(レスキュー薬)	速放性	0.5〜1.3	2.0〜3.0
オプソ®	内服液:5 mg/2.5 mL/包, 10 mg/5 mL/包			
経口	4時間ごと(定期投与), 1時間ごと(レスキュー薬)	速放性	0.5±0.2	2.9±1.1
パシーフ®	カプセル:30 mg, 60 mg, 120 mg			
経口	24時間ごと	徐放性	速放部:0.7〜0.9 徐放部:8.4〜9.8	11.3〜13.5
アンペック®	坐薬:10 mg, 20 mg, 30 mg			
直腸内	6〜12時間ごと(定期投与), 2時間ごと(レスキュー薬)	—	1.3〜1.5	4.2〜6.0
モルヒネ塩酸塩(注射薬)				
モルヒネ塩酸塩,アンペック®	注:10 mg/1 mL/A(1%), 50 mg/5 mL/A(1%), 200 mg/5 mL/A(4%)			
皮下, 静脈内, 硬膜外, くも膜下	単回・持続	—	静脈内:<0.5	静脈内:2.0
オキシコドン(経口薬)				
オキシコンチン®	錠:5 mg, 10 mg, 20 mg, 40 mg			
経口	12時間ごと	徐放性	4.0±2.5	9.2±2.6
オキノーム®	散:2.5 mg/0.5 g/包(0.5%), 5 mg/1 g/包(0.5%), 10 mg/1 g/包(1%), 20 mg/1 g/包(2%)			
経口	6時間ごと(定期投与), 1時間ごと(レスキュー薬)	速放性	1.7〜1.9	4.5〜6.0

(つづく)

(つづき)

投与経路 (保険適用内)	投与間隔	放出機構	製剤としてのTmax(時間)	製剤としての半減期(時間)
オキシコドン(注射薬)				
オキファスト®	注：10 mg/1 mL/A，50 mg/5 mL/A			
皮下，静脈内	単回・持続	—	急速単回静脈内：0.083	持続静脈内：4.1±0.7
フェンタニル(経皮・経口腔粘膜吸収型製剤)				
デュロテップ®MTパッチ	貼付薬：2.1 mg(12.5 μg/時)，4.2 mg(25 μg/時)，8.4 mg(50 μg/時)，12.6 mg(75 μg/時)，16.8 mg(100 μg/時)			
経皮	72時間ごと	徐放性	30〜36	21〜23
フェントス®テープ	貼付薬：1 mg(12.5 μg/時)，2 mg(25 μg/時)，4 mg(50 μg/時)，6 mg(75 μg/時)，8 mg(100 μg/時)			
経皮	24時間ごと	徐放性	20±6.1	26〜31
ワンデュロ®パッチ	貼付薬：0.84 mg(12.5 μg/時)，1.7 mg(25 μg/時)，3.4 mg(50 μg/時)，5 mg(75 μg/時)，6.7 mg(100 μg/時)			
経皮	24時間ごと	徐放性	18〜26	20〜22
イーフェン®バッカル	口腔粘膜吸収型製剤(バッカル錠)：50 μg，100 μg，200 μg，400 μg，600 μg，800 μg			
経口腔粘膜	1回の突出痛に対して30分以上あけて1回のみ追加可．4時間以上あけて，1日4回以下にとどめる	速放性	0.6〜0.7	3.4〜10
アブストラル®	口腔粘膜吸収型製剤(舌下錠)：100 μg，200 μg，400 μg			
経口腔粘膜	1回の突出痛に対して30分以上あけて1回のみ追加可．2時間以上あけて，1日4回以下にとどめる	速放性	0.5〜1.0	5.0〜14
フェンタニル(注射薬)				
フェンタニル	注：0.1 mg/2 mL/A，0.25 mg/5 mL/A，0.5 mg/10 mL/A			
静脈内，硬膜外，くも膜下(皮下は保険適用外)	静脈内・硬膜外：持続 くも膜下：単回	—	静脈内：投与直後 硬膜外：<0.2〜0.5	静脈内：3.7±0.2
ヒドロモルフォン(内服薬)				
ナルサス®	錠：2 mg，6 mg，12 mg，24 mg			
経口	24時間ごと	徐放性	3〜5	8〜18

(つづく)

(つづき)

投与経路 (保険適用内)	投与間隔	放出機構	製剤としてのTmax(時間)	製剤としての半減期(時間)
ナルラピド®	錠：1 mg, 2 mg, 4 mg			
経口	6時間ごと(定期投与), 1時間ごと(レスキュー薬)	速放性	0.5〜1	5〜18*
ヒドロモルフォン(注射薬)				
ナルベイン®	注：2 mg/1 mL/A, 20 mg/2 mL/A			
静脈内, 皮下	静脈内・皮下：持続	—	皮下：0.26 (中央値： 単回投与)	皮下：5.1 ±3.5 (単回投与)
タペンタドール				
タペンタ®	錠：25 mg, 50 mg, 100 mg			
経口	12時間ごと	徐放性	5.0 (中央値)	6.1±1.7
メサドン				
メサペイン®	錠：5 mg, 10 mg			
経口	8時間ごと	速放性	4.9±2.1	37±4.6 (個体差大)
コデイン				
コデインリン酸塩	末, 散：10 mg/g(1%), 100 mg/g(10%) 錠：5 mg, 20 mg			
経口	4〜6時間ごと(定期投与), 1時間ごと(レスキュー薬)	速放性	0.8±0.2	2.2±0.2
ジヒドロコデイン				
ジヒドロコデインリン酸塩	末, 散：10 mg/g(1%), 100 mg/g(10%)			
経口	4〜6時間ごと(定期投与), 1時間ごと(レスキュー薬)	速放性	1.6〜1.8	3.3〜3.7
トラマドール				
トラマール®	OD錠：25 mg, 50 mg			
経口	4〜6時間ごと	速放性	1.8±0.8	6.1±1.6
ワントラム®	錠：100 mg			
経口	1回1錠　1日1回	徐放性	9〜12	15〜20
ツートラム®	錠：50 mg, 100 mg, 150 mg			
経口	1回1錠　1日1回	徐放性	1.04±0.54	8.60±1.1

＊：用量が増えると血中半減期が延長する可能性がある．

(つづく)

(つづき)

投与経路 (保険適用内)	投与間隔	放出機構	製剤としてのTmax(時間)	製剤としての半減期(時間)
トラムセット®	配合錠(トラマドール 37.5 mg・アセトアミノフェン 325 mg/錠)			
経口	1回1錠 1日4回(投与間隔は4時間以上あける)	速放性	1.5	5〜6
トラマール®	注:100 mg/2 mL/A			
筋肉内(皮下・静脈内は保険適用外)	4〜5時間ごと	—	投与直後	5〜6
ブプレノルフィン				
レペタン®	坐薬:0.2 mg, 0.4 mg			
直腸内	8〜12時間ごと	—	1.0〜2.0	ND
レペタン®	注:0.2 mg/1 mL/A, 0.3 mg/1.5 mL/A			
筋肉内	6〜8時間ごと	—	<0.08	2〜3
ノルスパン®テープ	貼付薬:5 mg, 10 mg, 20 mg			
経皮	7日ごと	徐放性	120	15〜30
ペンタゾシン				
ソセゴン®	錠:25 mg			
経口	3〜5時間ごと	速放性	2.0	1.6〜3.2
ソセゴン®	注:15 mg/1 mL/A, 30 mg/1 mL/A			
皮下, 筋肉内	3〜4時間ごと	—	筋肉内:0.2〜0.5	筋肉内:1.3〜2.0

本表は未変化体の薬物動態を示している.

〔日本緩和医療学会(編):がん疼痛の薬物療法に関するガイドライン 2020年版, pp54-56, 金原出版, 2020/緩和医療薬学会(編):緩和医療薬学, 南江堂, 2013 の各オピオイドの該当箇所を参考に作成〕

付録11 コルチコステロイドの比較

一般名(商品名)	糖質コルチコイド作用*	鉱質コルチコイド作用*	経口投与時の生体内利用率	血中濃度半減期	効果持続時間	作用時間
ヒドロコルチゾン(ソル・コーテフ)	1	1	96%	1.5時間	8〜12時間	短時間型
プレドニゾロン(プレドニン)	4	0.25	75〜85%	3.5時間	12〜36時間	中時間型
デキサメタゾン(デカドロン)	25〜30	<0.01	78%	4.5時間	36〜54時間	長時間型
ベタメタゾン(リンデロン)	25〜30	<0.01	98%	6.5時間	24〜48時間	長時間型

＊ヒドロコルチゾンを1とした時の力価．

索引

和文

あ

アカシジア　151, 272, 323, 335
アキネジア　272
アスピリン　425
アスピリン喘息　63
アズレン　185
アセトアミノフェン
　　　　52, 60, **65**, 389, 424
アセナピン　319, 335
アトロピン　228
アドバンス・ケア・プランニング
　（ACP）　13, **22**, 400, 420
アドレナリン　188, 231
アナモレリン　151, 157
アフリベルセプト　204
アマンタジン　110
アミトリプチリン　107, 319, 341
アムホテリシン B　187
アモキサピン　107, 341
アリピプラゾール　131, 335
アルコール多飲（常用）　66, 331
アルコール依存症　48, 97, 312
アルコール性肝障害　375
アルツハイマー病　268, 361, 397
アルブミン製剤　379
アルプラゾラム　211, 325, 336
アロディニア　37, 109
アロマテラピー　55
アンブロキソール　219
亜鉛華デンプン　290
悪液質　148, 151, **155**, 437
　——の診断基準　156
悪臭　289
悪性会陰部痛　39
悪性胸水　222
悪性黒色腫　194
悪性消化管閉塞　112, 142

悪性症候群　129
悪性腸腰筋症候群　37, 43, 111
悪性腹水　199
悪性リンパ腫　126, 222
悪夢　110, 317
圧迫療法　197
安静時呼吸困難　477
安楽死　345
安楽ポジション　455

い

イソソルビド　267
イソロイシン・ロイシン・バリン
　　　　378
イトラコナゾール　187, 317
イフェンプロジル　110
イブプロフェン　425
イミダフェナシン　282
イミプラミン　107, 283
イレウス　43, 335
インターフェロンβ　403
インタクト PTH　239
インフォームド・コンセント　31
インフリキシマブ　179
医療倫理の 4 原則　102
胃がん　142, 155, 157, 300
胃・十二指腸潰瘍　263
胃食道逆流　165
胃腸感染症　182
胃腸障害　62
胃瘻　306
異常感覚　110
意思決定　372
意思決定支援　22, 365
意思決定能力　22, 102, 338, 349
意識障害
　　　　111, 125, 238, 266, 323, 329, 343
意識レベルの低下　350, 453
維持的リハビリテーション　436

維持輸液 161
遺伝性疾患 419
痛み 347, 362, 371, 386, 409, 422, 440
── の緩和 4, 34, 50, 60, 68, 103, 116
── の診断 34
── の治療 50
── の評価 34
一次的倦怠感 248
一酸化窒素供与薬 283
溢水 371, 385
溢流性下痢 143, 170, 177, **182**
咽頭のしびれ 220
咽頭浮腫 305
陰嚢陰茎がん 194

う

ウイルス性肝炎 375
ウラピジル 283
ウルソデオキシコール酸 378
うつ 165, 371
うつ病 250, 338, 409
うっ血性肝機能障害 305
うっ血性心不全 275
うっ血性腎機能障害 305
うっ血乳頭 266
植込み型除細動器 368
植込み型補助人工心臓 373
運動療法 158, 284, 368, 402, 439

え

エクリズマブ 403
エスシタロプラム 326, 340
エスゾピクロン 314
エスタゾラム 315
エチゾラム 315, 325
エドキサバン 194
エドモントン症状評価システム
200, 322
エドモントン症状評価システム改訂版
日本語版 487
エナラプリル 404
エネルギー温存・活動療法 252

エポエチンベータペゴル 389
エリスロマイシン 174
エルカトニン 241
エロビキシバット 175, 390
エンゼルケア 462
栄養障害
155, 177, 190, 276, 378, 399, 439
栄養療法 378
援助的コミュニケーション 448
遠隔転移 16
塩化亜鉛 290
塩分制限 379
嚥下困難 16, 453
嚥下障害 4, 70, 362, 399, 437, 441

お

オキシコドン 表紙裏, 73, **81**, 92, 129,
211, 331, 425, 489, 490
オキシブチニン 282
オクトレオチド 145, 179
オステオトーム 43
オピオイド 35, 52, 62, **68**, 104, 129, 133,
142, 146, 217, 249, 271, 285, 323, 331,
353, 370, 390, 401, 425, 489
── スイッチング 92
── ナイーブ 82, 426
── の換算比 表紙裏
── 誘発性便秘症 176
オランザピン 131, 138, 319, 326, 335
オレキシン受容体拮抗薬 316
オロパタジン 295
オンコロジー・エマージェンシー
35, 50
悪心 78, 108, 110, 127, **133**, 143, 146, 170,
174, 199, 238, 242, 266, 301, 326, 340,
342, 345, 348, 362, 387, 425
黄疸 294, 375, 381
嘔吐 78, 127, **133**, 143, 146, 165, 170, 199,
238, 242, 266, 301, 345, 348, 387, 425
横紋筋融解症 131
温罨法 55

か

カテーテル的止血術　307
カフアシスト　399
カプサイシン軟膏　295
カペシタビン　291
カルシトニン　240
カルシフィラキシス　386
カルニチン　381
カルバマゼピン　109, 131
カルビドパ　403
カルベジロール　404
カルボシステイン　219
カンジダ症　263
ガバペンチノイド　105, 219, 296, 389
ガバペンチン　106, 219, 296
ガバペンチンエナカルビル　275
がん
　── に伴う倦怠感　247
　── の親をもつ子ども　429
　── の軌跡　3
　── の診断告知　321
がん悪液質　155
がん細胞　254
がん性胸膜炎　112, 438
がん性髄膜炎　125, 136, 266, 268, 272
がん性腹膜炎　39, 109, 135
がん性リンパ管症　212
がん疼痛　34, 50
がん末期の症状　4
下咽頭がん　437
下肢麻痺　304
下大静脈症候群　305
下部消化管狭窄　182
下部消化管閉塞　143
下部尿路症状　278
化学療法後神経障害性疼痛　35
化学療法に伴う皮膚症状　291
化膿性骨髄炎　255
家族(の)ケア　365, 382, 392, 458
家族の心理サポート　401
家族への説明　31, 74, 112, 336, 349
過活動型せん妄　415

過鎮静　139, 318, 334
過用症候群　440
噛み出し　143
介護者のケア　365
介護保険　401, 403
回復的リハビリテーション　436
疥癬　294
開胸術後疼痛症候群　35
外照射　298
咳嗽　215, 407
顔の見える関係　412
喀痰　127
学童期　422, 434
顎骨壊死　186, 258
喀血　233
肝がん　254
肝機能障害　72, 82, 111, 252, 317, 319
肝硬変　191, 272, 375
肝細胞がん　199, 244, 375, 381
肝疾患　3, 296
肝腎症候群　375
肝性脳症　43, 375, 380
肝転移　16
肝肺症候群　375
肝被膜伸展　135
肝被膜伸展痛　39
肝不全　155, 268, 271, **375**
肝不全用経腸栄養剤　379
乾性咳嗽　215
患者報告アウトカム　396
間欠的鎮静　352
間質性肺炎　407
間質性肺疾患　211, 215
漢方(薬)　175, 180, 395
関節リウマチ　148
緩和的放射線療法　298
緩和的リハビリテーション　437
顔面浮腫　42, 191

き

キナーゼ阻害薬　291
きょうだい児　420

気管支拡張薬 210
気管支喘息 210, 215
気管食道瘻 215
気管切開下陽圧換気 399
気道分泌 347
―― 過多 456
気道閉塞 212
気分の変動 330
希死念慮 338
記念日反応 466
起立性低血圧 283
期間を定めた治療 102
偽アルドステロン症 152, 395
吃逆 165
吸引 229, 456
急性尿細管壊死 258
急性白血病 126
球麻痺 399
去痰薬 219
共同意思決定 31, 388
胸腔穿刺 223
胸腔留置カテーテル 224
胸水 160, 323, 438
胸膜腫瘍 208
胸膜癒着術 208, 224
強オピオイド 68
強度変調放射線治療 301
強迫性障害 295
局所壊死 289
局所性浮腫 190
筋萎縮 48, 404, 436
筋萎縮性側索硬化症（ALS） 396, 439
筋強直性ジストロフィー 404
筋緊張亢進 125
筋ジストロフィー 397, 403, 418
筋弛緩作用 167
筋肉痛 283
筋の異常 266
筋力低下 112, 262, 276, 436

く

クアゼパム 315

クエチアピン 131, 319, 326, 334
クライオセラピー 184
クラリスロマイシン 317
クロチアゼパム 326
クロナゼパム 110, 271, 276, 318, 390
クロペラスチン 218
クロミプラミン 341
クロモグリク酸 218
クロルフェニラミン 146, 295
クロルプロマジン
 131, 146, 167, 334, 353
グラニセトロン 139
グリーフ 465
グリーフケア 468
グリセリン 267, 290
グリセリン浣腸 176
グルカゴン 245
くも膜下出血 125
くも膜下鎮痛法 122
くも膜下ブロック 121
苦痛緩和のための鎮静 345
苦痛の客観的評価法 6

け

ケタミン 110
ケミカルコーピング，オピオイドの
 96
けいれん
 109, 111, 238, 242, 244, 266, 345, 348
けいれん重積 125
下剤 177, 182
下痢 170, **177**, 182, 301
外科的治療 289
経口摂取量
 15, 160, 165, 184, 362, 453, 477
経済毒性 416
経静脈輸液 161
経皮経食道胃管挿入術 144, 306
経皮的椎体形成術 260, 303
経皮内視鏡的胃瘻造設術 144, 397
傾眠 108, 238, 242
血圧上昇 110, 395

血圧低下　109, 167, 201
血液（悪性）腫瘍　230, 244
血管内感染　127
血管破綻　307
血小板数　16, 438
血小板輸血　235
血清 Ca 値　237
血清腹水アルブミン勾配　200, 377
血栓症　151, 438
血尿　233
決定木モデル　18
結核　127, 263
見当識障害　107, 377
倦怠感　16, 165, 199, 238, **247**, 301, 325, 345, 362, 371, 381, 386, 453
嫌気性菌　289
顕性肝性脳症　377
幻覚　79, 111, 220, 332, 402
原発性硬化性胆管炎　375
原発性骨腫瘍　255
原発性胆汁性胆管炎　375
原発性副甲状腺機能亢進症　239

こ

コデイン　88, 217, 371, 424, 491
コデインリン酸塩　表紙裏
コミュニケーション　164, 349, 457
　── , 医療者間の　349
　── , 患者・家族との　349
　── , 子どもとの　422
コミュニケーション・スキル　9
　── トレーニング　10
コリンエステラーゼ阻害薬　391, 402
コリン作動薬　284
コルチコステロイド　145, 150, 179, 241, 245, 250, 295, 378, 493
コレスチラミン　179
コンサルテーション　356
コンディショニング　439
こむら返り　271
子ども　418, 429
　── , がんの親をもつ　429
　── の発達段階　430
呼吸器感染　331
呼吸困難　4, 15, 127, **207**, 306, 322, 345, 362, 370, 386, 408, 426, 440, 479
　── の客観的評価法　6
呼吸不全　207
呼吸法　327
呼吸抑制　79, 111, 266
呼吸リハビリテーション　408, 439
五苓散　180, 395
誤嚥　215, 457
誤嚥性肺炎　131, 364
口渇　107, 162, 179, 186, 282, 441, 456
口腔カンジダ症　136, 187
口腔乾燥　186
口腔ケア　**183**, 220, 364, 441, 456
口腔内合併症　183
口腔内出血　188
口腔粘膜炎　184
口唇のしびれ　109
甲状腺がん　254
甲状腺機能亢進症　294
甲状腺機能低下症　191, 275
交感神経ブロック　116
好中球（数）　16, 377, 438
行動障害　322
抗 RANKL 抗体　186, 240, 257
抗うつ薬　107, 129, 131, 271, 283, 315, 326, 340, 371, 391, 409
抗がん剤　108, 183, 186, 249
抗凝固薬　234
抗菌薬　128, 186, 364, 380, 414
抗けいれん薬　271
抗血小板薬　234
抗コリン作用　107, 186, 343
抗コリン薬　131, 139, 142, 228, 274, 282
抗精神病薬　146, 249, 273, 319, 364
　── の副作用　335
抗てんかん薬　269, 275
抗ヒスタミン薬　146, 274, 295
抗不安薬　138, 315

抗利尿ホルモン不適合分泌症候群
　　　　　　　　　　　　241, 268
拘縮　365, 436
後天性免疫不全症候群
　　　13, 148, 155, 170, 177, 252
高アンモニア血症　111
高カルシウム血症
　　　136, 237, 249, 257, 280, 323
高カロリー輸液　161
高血圧　80, 129, 279, 331, 404
高脂血症　404
高次脳機能障害　299
高周波熱凝固　119
高照度光療法　313
高浸透圧利尿薬　267
高体温　124
高張食塩液輸液　243
高二酸化炭素血症　408
高プロラクチン血症　343
高マグネシウム血症　172, 323, 390
高用量オピオイド　116, 210
高流量鼻カニュラ酸素療法　209
喉頭がん　437
硬膜外脊髄圧迫スケール　263
硬膜外鎮痛法　122
硬膜外転移　35
硬膜外ブロック　121
膠原病　407
興奮　109, 111
黒色便　231, 377
骨シンチグラフィ　46, 239, 255
骨髄抑制　438
骨セメント　303
骨セメント治療　260
骨折　35, 362, 404
骨折予防措置　299
骨折リスク　256, 438
骨粗鬆症　255, 304, 404
骨転移　16, 52, 254, 299, 438
骨転移痛　112
昏睡　242, 244
混乱　242, 244, 323

さ

サイトカイン　60, 124, 155, 200, 248
サドルフェノールブロック　121
サルコイドーシス　407
サルコペニア　5, 378, 388, 440
再照射　301
在宅医療　412
在宅移行のためのチェックポイント
　　　　　　　　　　　　　　413
在宅緩和ケア　414
錯乱　111
殺細胞性抗がん剤　291
三環系抗うつ薬　107, 129, 343, 367, 389
三叉神経ブロック　118
酸素療法　209
残尿量測定　281

し

シアトル心不全モデル　19
シプロフロキサシン　129
シプロヘプタジン　130, 179
シロドシン　283
ジアゼパム　111, 269, 272, 318, 354
ジクロフェナク　64, 65
ジスキネジア　151, 272
ジスチグミン　284
ジストニア　273
ジヒドロコデイン　491
ジフェンヒドラミン　138
ジプロフィリン　138
ジメモルファン　218
しびれ　36, 112
子宮がん　194, 300
子宮頸がん　233
子宮内膜がん　233
止血　188, 231
死後処置　462
死前喘鳴　226, 456
死の理解　430
死別　465
刺激性下剤　173
刺激伝導抑制　109

肢帯型筋ジストロフィー 404
思春期 422, 428, 430
脂肪性下痢 178
視神経脊髄炎スペクトラム障害
　　　　　　　　　　397, 403

嗜癖 46
自己調節鎮痛法 76
自己免疫性肝炎 375
自発痛 37
自律神経失調 125
事前指示 23
持続性吃逆 165
持続痛 37
持続的鎮静 352
持続的深い鎮静 345, 355
湿性咳嗽 215
射精障害 283
芍薬甘草湯 272, 381
弱オピオイド 68
手根管症候群 386
手術 144, 258, 264, 288
主観的包括的アセスメント 156
腫瘍出血 307
腫瘍浸潤 285, 307
腫瘍随伴症候群 237, 268, 271, 276
腫瘍性病変 289
腫瘍熱 63, 124, 126
　── の診断基準案 126
腫瘍破裂 308
腫瘍崩壊症候群 309
周期性四肢運動障害 312
宗教的ケア 445
修正 MRC スケール 208
終末期 452
　── の疾患の軌跡 3
終末期がん患者 127, 453
終末期せん妄 337, 469
十全大補湯 395
重度脳性まひ 418
重篤な心障害 109
宿便 177, 182
縮瞳 42

熟眠困難 312
出血 35, 230, 289
出血性膀胱炎 230
出血リスク 230
術後障害 437
潤腸湯 175
徐放性製剤 73
徐脈 109, 117
除圧固定術 264
除圧術 299
小児がん 418
消化管運動促進薬 137, 146
消化管腫瘍 231
消化管出血 231, 306, 340, 376, 381
消化管ステント 144
消化管ドレナージ 144
消化管閉塞 35, 136, 142
消化器（系）がん 142, 199, 222, 340
消化器症状 111, 340
消化性潰瘍 231
消化不良 283
症候性てんかん 268
硝酸薬 283
障害者手帳 403
上下腹神経叢ブロック 286
上大静脈症候群 193, 212, 304
上部消化管閉塞 143
上部尿路感染 287
上部尿路閉塞 286
静脈閉塞 190
静脈瘤 376
静脈瘤破裂 231
食道がん 155
食欲増進 326
食欲不振 16, 108, **148**, 170, 199, 326, 381, 453, 479
褥瘡 177, 362, 436, 456
心筋梗塞 391
心疾患 170, 177
心不全 13, 148, 191, 215, 280, 317, **367**, 391, 418
心不全治療アルゴリズム 369

心理社会的苦痛　46
心理的衝撃　387
心理的防衛機制　430
心理療法　327, 343, 409
身体依存，オピオイドの　94
身体症状の緩和　124, 133, 142, 148, 155, 160, 165, 170, 183, 190, 199, 207, 215, 222, 226, 230, 237, 247, 254, 266, 278, 289, 294, 298, 303
侵害受容性疼痛　35
侵襲的陽圧換気　410
神経筋疾患　276, 418
神経根ブロック　119
神経疾患　3, 13
神経障害性疼痛　36, 46, 52, 104, 386
神経叢浸潤　112
神経内分泌腫瘍　244
神経難病　396, 439
神経の異常　266
神経ブロック　39, 116
神経変性疾患　268, 271
振戦　109, 220, 244
浸透圧性下剤　172
真性多血症　294
真武湯　180, 395
深部静脈血栓症（DVT）　193, 438
進行悪性疾患　237
進行がん　133
　── における浮腫　191
　── における便秘　171
進行性疾患　420, 436
滲出液　289
人工栄養　152, 158
人工呼吸器　397, 410
腎移植　388
腎盂尿管移行部狭窄　286
腎がん　254
腎機能障害　62, 72, 82, 86, 89, 111, 167, 172, 201, 240, 258, 319, 334, 371, 381, **384**
腎機能低下　80, 83, 106
腎硬化症　385

腎細胞がん　126
腎疾患　170, 177
腎腫瘍　233
腎性尿崩症　239
腎性貧血　386
腎代替療法　388
腎不全　3, 131, 148, 155, 191, 268, 272
腎瘻造設　287
蕁麻疹　294

す

スキンケア　197, 295
スコポラミン　139, 228
ステロイド　111, 139, 204, 212, 249, 250, 262, 267, 323, 331, 371
　── 外用薬　292
　── の副作用　251
ストレス　321
スニチニブ　291
スピリチュアルケア　443
スピリチュアルケア師　446
スピリチュアルペイン　348, 443
スピロノラクトン　201, 379
スボレキサント　316
スリンダク　64
スルピリド　343
頭痛　110, 242, 266, 283
水腎症　281, 284, 286
水頭症　266
睡眠覚醒リズムの障害　330
睡眠時無呼吸症候群　280, 311
睡眠障害　165, 250, 275, 279, 362, 371, 387
睡眠（導入）薬　315, 334
膵がん　155, 157, 375
錐体外路症状　272, 273
髄膜炎　266, 268
髄膜転移　35

せ

セフトリアキソン　129
セメントリーク　304

セルトラリン　131, 342, 391
セルフケア　436, 449, 457
セレコキシブ　64, 65
セロトニン作動薬　125
セロトニン受容体拮抗薬　139, 296
セロトニン症候群　86, 108, 129
セロトニン・ノルアドレナリン再取り
　込み阻害薬(SNRI)
　　　　　　　108, 129, 326, 340, 409
センノシド　173
せん妄　15, 46, 79, 107, 110, 127, 131, 150,
　167, 170, 228, 250, 272, 282, 314, 316,
　317, 319, 325, 326, **329**, 340, 345, 347,
　353, 362, 371, 388, 477
正中後腹膜症候群　39
生命維持装置　372
成長ホルモン　245
制吐薬　136, 146, 273
青年期　422, 428
精神依存, オピオイドの　93
精神刺激薬　251
精神症状　110, 409
　── の緩和　310, 321, 329, 338
精神的苦痛　441
精神的疼痛　444
精神病状　339
脆弱性骨折　255
脊髄圧迫　112, 261, 276, 299
脊髄圧迫症候群　35
脊髄円錐症候群　261
脊髄小脳変性症　440
脊髄鎮痛法　119, 121
脊髄変性症　272
脊柱管狭窄症　35
脊椎圧迫骨折　256
切迫骨折　35, 256
赤血球輸血　235
接触皮膚炎　294
摂食嚥下の5期　5
摂食拒否　362
穿孔　35
遷延性悲嘆症　365, 466

線維肉腫　244
選択的オピオイドκ受容体作動薬
　　　　　　　　　　　　　　　295
選択的セロトニン再取り込み阻害薬
　（SSRI）　129, 296, 326, 340, 409
全身性浮腫　190
全脳照射　299
全般発作, てんかんの　268
前悪液質　156
前頭側頭型認知症　361
前立腺がん　194, 254, 261
前立腺肥大症　279, 283
喘息　425
漸減法, ステロイドの　112, 150, 251
漸進的筋弛緩法　327
漸増法, ステロイドの　112, 150, 251

そ

ゾピクロン　315
ゾルピデム　315
ゾレドロン酸　240, 257
双極性障害　111
爪囲炎　291
早朝覚醒　312
瘙痒感　289, **294**, 381, 386, 425
造影 MRI　262
造血器腫瘍　428
造骨性転移　254
速放性製剤　72
塞栓症　438
続発性圧迫骨折　304
即効性オピオイド　76

た

タキサン系薬剤　35, 194, 291
タダラフィル　284
タペンタドール　表紙裏, 86, 108, 491
タモキシフェン　326
タルク　224
タンニン酸アルブミン　179
ダプロデュスタット　389
ダントロレン　131

たこつぼ型心筋症 131
多飲 238, 280
多臓器不全 131
多尿 238, 279
多発肝転移 199
多発性硬化症 268, 294, 397, 403
多発性骨髄腫 254, 261
代謝の異常 237
体位変換 455
体液貯留 160
体温上昇 124
体重減少 16, 362
体性痛 35, 52
体動困難 441
耐えがたい苦痛 346, 372
耐容線量 299
帯状疱疹 35
帯状疱疹後神経痛 104
大うつ病 321, 339
大黄甘草湯 175
大黄牡丹皮湯 175
大建中湯 395
大静脈ステント 304
大腸がん 142, 157
代替療法 416
代理意思決定 23, 420
脱水
　　177, 186, 250, 272, 276, 284, 331, 362
単回照射 299
炭酸水素ナトリウム 175
胆管がん 375
胆汁性下痢 179
胆道出血 231
胆嚢がん 375
短時間作用型オピオイド 76
短時間作用型睡眠薬 314
痰 407
弾性ストッキング 194, 284

ち
チペピジン 218
チャプレン 445

治療抵抗性 346
知覚神経ブロック 116
蓄尿障害 279, 281
中核症状, 認知機能障害の 401
中時間作用型睡眠薬 314
中枢神経疾患 273
中枢神経障害 323
中枢熱 125
中断症候群 326
中途覚醒 312
中毒 271
注意障害 330
昼夜逆転 330
長期臥床 276
長時間作用型睡眠薬 314
超短時間作用型睡眠薬 314
腸蠕動音 43
調節型鎮静 353
直腸がん 300
直腸潰瘍 230
直腸診 182
鎮咳薬 129, 217
鎮静 236, 306, 345
鎮静薬 345, 370, 372
鎮痛耐性, オピオイドの 96
鎮痛補助薬 35, 52, **103**, 249, 257
鎮痛薬 146, 257
鎮痛薬使用の原則 53, 69

つ・て
痛覚過敏 37
デキサメタゾン 111, 139, 145, 150, 212,
　　250, 262, 267, 493
デキストロメトルファン 129, 218
デクスメデトミジン 372
デノスマブ 186, 240, 257
デュシェンヌ型筋ジストロフィー
　　　　　　　　　　　　　　　403
デュロキセチン 107, 326, 342, 389, 391
デルマトーム 43
てんかん 271
てんかん部分発作 323

索引

手足症候群 291
低アルブミン血症 378
低栄養 184, 230, 378
低カリウム血症 276, 371, 395
低カルシウム血症 258
低活動型せん妄 335
低血糖(症) 244, 268, 271, 323
低酸素血症 209, 323, 400, 408
低酸素脳症 268
低ナトリウム血症 241, 249, 323, 381
定位手術的照射 299
定位放射線治療 299
適応障害 321, 338
鉄欠乏 275
天井効果 90
転移性肝腫瘍 376
転移性腫瘍 289
転倒 362, 457
電解質異常
　　　　160, 177, 201, 249, 268, 272, 276

と

トラゾドン 318
トラネキサム酸 234
トラマドール
　　　表紙裏, 73, 89, 108, 129, 389, 424, 491
トリアゾラム 315
トリガーポイントブロック 122
トリヘキシフェニジル 274
トルバプタン 243, 379
ドセタキセル 291
ドパミン作動薬 275
ドパミン(受容体)拮抗薬 125, 137
ドレナージ 208, 223
桃核承気湯 175
透析アミロイドーシス 386
透析の見合わせ 392
透析療法 388
等張液 163
糖質補充 245
糖尿病 139, 276, 280, 334, 404
糖尿病性神経障害 386

糖尿病性腎症 385
糖尿病性末梢神経障害 104
頭蓋内圧亢進 136
頭蓋内出血 266
頭頸部がん 289, 437
頭頸部放射線治療 183
同意書，オピオイド使用の 98
動悸 244, 322
瞳孔不同 42, 266
特発性間質性肺炎 407
特発性細菌性腹膜炎 376, 380
特発性肺線維症 407
徳橋スコア 259
突出痛 37, 46, 74, 99

な

ナタリズマブ 403
ナプロキセン 63, 65, 127, 425
ナルデメジン 176
ナルフラフィン 295, 389
ナロキソン 80
内照射 298
内臓神経ブロック 120
内臓痛 35, 39, 52
内分泌異常 237, 323
難治性吃逆 165
難治性疼痛 46
難治性腹水 381

に

ニコチン 323
ニトラゼパム 315
ニトログリセリン 283
ニューモシスチス肺炎 127
二次性副甲状腺機能亢進症 386
二次的倦怠感 248
肉腫 428
入眠困難 312
乳がん 194, 203, 222, 261, 289, 429, 437
乳腺がん 254
乳び腹水 199
乳幼児期 422

尿管腫瘍 233
尿管ステント 287
尿管閉塞 39
尿素含有軟膏 292
尿テネスムス 285
尿毒症 294, 385
尿毒症性細小動脈石灰化症 386
尿閉 108, 170, 342, 425
尿崩症 280
尿路感染(症) 127, 279, 331
尿路結石(症) 279, 286
人参湯 180, 395
人参養栄湯 395
妊娠 275
認知機能障害 323, 330, 401
認知機能低下 282, 325, 388
認知機能の改善効果 340
認知行動療法 55, 313, 327, 409
認知症 3, 323, 330, **360**, 388, 397
　―― の行動・心理症状 361

ね

ネフローゼ症候群 191
ネルフィナビル 317
眠気 78, 106, 107, 109, 110, 167, 325, 340, 343, 453
粘膜炎 301

の

ノルアドレナリン作動性・特異的セロトニン作動性抗うつ薬 296
ノルトリプチリン 107
脳圧亢進 110
脳圧亢進症状 266
脳炎 266, 268, 271, 273
脳外傷 268
脳幹梗塞 125
脳幹出血 125
脳血管障害 3, 268, 271, 391
脳血管性認知症 361
脳梗塞 266, 276, 284
脳室出血 125

脳腫瘍 112, 125, 266, 268, 276, 294
脳出血 276
脳転移 35, 299, 323
脳浮腫 305

は

ハロペリドール 131, 137, 146, 332, 390
バクロフェン 111, 167, 272, 274
バソプレシン受容体拮抗薬 379
バリン 378
バルプロ酸 111, 270
バンコマイシン 179
パーキンソニズム 343
パーキンソン症候群 284, 335
パーキンソン症状 402
パーキンソン病 273, 275, 397, 440
パーキンソン病関連疾患 402
パロキセチン 131, 296, 326
パンクレアチン 178
羽ばたき振戦 377
破壊性脊椎関節症 386
破骨細胞 254
肺炎 127, 441
肺がん 155, 208, 215, 222, 254, 261, 289
肺血栓塞栓症 306, 438
肺塞栓 193, 323
肺転移 208
排出障害 281
排尿困難 107, 167
排尿障害 179, 281, 362
排尿日誌 280
廃用症候群 35, 252, 436
白質脳症 268
白血球数 16, 479
発汗 48, 86, 95, 129, 242
発達 420
発達段階，子どもの 422
発熱 124, 204, 364
半夏瀉心湯 180

ひ

ヒスタミン受容体拮抗薬 138, 146, 178

ヒドロキシジン 138
ヒドロコルチゾン 493
ヒドロモルフォン 表紙裏, 73, 84, 490
ビサコジル 175
ビスホスホネート 52, 186, 239, 257
ビタミンB欠乏 275
ビタミンK 234
ビベグロン 283
ビペリデン 274
ビリーブメント 465
ビリーブメントケア 468
ビルトラルセン 404
ビンカアルカロイド 35
ピコスルファート 174
皮下輸液 161
皮膚炎 301
皮膚障害 291
皮膚浸潤 300
皮膚軟部組織感染 127
皮膚の問題 289
否認 322, 430, 465
泌尿器科的症状 278
非アルコール性脂肪性肝炎 375
非オピオイド鎮痛薬 35, 146, 285
非がん疾患の軌跡 3
非がん疾患末期の症状 4
非がん性呼吸器疾患 3
非がん性慢性疼痛 47, 52, 58, 97
非虚血性心疾患 3
非けいれん性てんかん重積状態 268
非小細胞肺がん 157
非侵襲的陽圧換気 209, 398, 408
非膵島細胞腫瘍性低血糖症 244
非定型抗精神病薬
　　　　　129, 131, 319, 326, 332
非薬物療法 50, 55, 57, 150, 158, 168,
　212, 220, 252, 272, 284, 290, 313, 327
被膜伸展痛 109
悲嘆 458, 465
悲嘆反応 387, 465
鼻唇溝の低下 18
鼻閉 283

表面麻酔薬 184
病気の軌跡 418
病的骨折 254
貧血 249, 276, 371, 386
頻脈 179

ふ

ファモチジン 146
フィンゴリモド 403
フェソテロジン 282
フェニトイン 269
フェノールグリセリン 121
フェノバルビタール 269, 353
フェンタニル 表紙裏, 73, 82, 92, 122,
　129, 370, 389, 425, 490
フェンタニル経口腔粘膜吸収型製剤
　　　　　　　　　　　　　　85
フッ化ピリミジン系薬剤 291
フマル酸ジメチル 403
フルコナゾール 129
フルニトラゼパム 315, 352
フルボキサミン 107
フルラゼパム 315
フルルビプロフェンアキセチル 64
フレイル 440
フロセミド 201, 241, 379
ブチルスコポラミン 145, 179, 228
ブプレノルフィン 表紙裏, 73, 90, 492
ブラックボックス警告 314
ブロチゾラム 315
ブロナンセリン 335
ブロマゼパム 269, 314, 354
ブロムヘキシン 219
プラチナ製剤 35, 108
プラミペキソール 275, 390
プレガバリン 105, 219, 276, 296
プレドニゾロン 493
プレパレーションプログラム 404
プロクロルペラジン 146
プロゲステロン 151
プロスタグランジン 60, 124, 142
プロトンポンプ阻害薬 146, 178

プロプラノロール 336
ふらつき 106, 110, 167, 325
不安 109, 136, 165, 318, **321**, 338, 348, 387, 409
不安障害 322
不応性悪液質 156, 162
不完全腸閉塞 177
不顕性肝性脳症 377
不整脈 87, 220, 323, 334
不妊 428
不眠 250, **310**, 322, 409
浮腫 15, 106, 160, **190**, 279, 305, 365, 379, 395, 439, 477
婦人科がん 142, 222, 438
部分発作, てんかんの 267
副作用 62, 66, 77, 104, 150, 167, 174, 179, 186, 201, 220, 224, 228, 243, 251, 257, 283, 291, 301, 323, 340, 389, 395, 425
副腎皮質機能不全 251
福山型筋ジストロフィー 403
腹腔静脈シャント 203
腹腔神経叢ブロック 120
腹腔穿刺 202
腹水 136, 160, 305, 375, 379, 438
腹水穿刺 379
腹水濾過濃縮再静注法 203, 380
腹痛 170, 199
腹部膨満 43, 173, 199
腹部膨満感 143, 170
腹膜炎 112
腹膜播種 199
複雑性悲嘆 462, 466
物理療法 440
分割照射 299
分岐鎖アミノ酸製剤 378
分子標的薬 291

へ

ヘパリン 194
ヘモグロビン値 235, 438
ヘルペス後神経障害 294
ベタネコール 284
ベタメタゾン 111, 139, 145, 150, 212, 251, 267, 493
ベンゾジアゼピン 130, 131, 211, 323
ベンゾジアゼピン系(抗不安)薬 249, 271, 274, 276, 325, 331, 390, 409, 426
ベンゾジアゼピン受容体作動薬 313
ベンラファキシン 342
ペモリン 252
ペンタゾシン 91, 492
ペントキシベリン 218
閉塞隅角緑内障 282
閉塞性尿路感染症 287
便秘 78, 107, 136, 143, **170**, 182, 238, 282, 362, 380, 387, 395, 425, 456

ほ

ホスフェニトイン 269
ホスホジエステラーゼ5阻害薬 283
ホルモン産生腫瘍 179
ホルモン療法 289
ボツリヌス毒素 274
ボリコナゾール 317
ボルチオキセチン 340
ポジショニング 55
ポリエチレングリコール 173, 390
ポリファーマシー 364
保湿 295
保湿薬 292
保存的腎臓療法 388
補液 130, 178, 250
補完代替療法 327, 416
補充輸液 161
補中益気湯 395
包括的高齢者評価 362
放射線照射 142, 186, 233, 260, 264
放射線照射後疼痛症候群 35
放射線治療 52, 190, 208, 286, 289, 298, 437
放射線腸炎 301
蜂窩織炎 195
膀胱がん 300
膀胱結石 285

膀胱腫瘍　233
膀胱浸潤　233
膀胱直腸障害　112, 261
膀胱部痛　285
膀胱留置カテーテル　284

ま

マグネシウム製剤　172
マッサージ　55, 437, 457
マプロチリン　341
麻子仁丸　175, 395
末期腎不全　385
末梢神経障害　272, 275
末梢神経障害性疼痛　106
末梢神経病変　276
末梢挿入型中心静脈カテーテル　163
慢性肝不全　375
慢性呼吸器疾患　407
慢性呼吸不全　275, 439
慢性糸球体腎炎　385
慢性疾患　3
慢性心不全　155, 439
慢性腎臓病　384
慢性腎不全　275

み・む

ミアンセリン　318, 343
ミオクローヌス　271, 348
ミコナゾール　187
ミダゾラム　211, 269, 352, 372, 391
ミラベグロン　283
ミルタザピン
　　129, 296, 318, 326, 343, 391, 409
ミルナシプラン　342
ミロガバリン　106
味覚障害　156, 188
看取り　452
脈拍　16
むずむず脚症候群　274, 311, 323, 387

め

メキシレチン　104

メサドン　表紙裏, 87, 92, 129, 389, 491
メチルフェニデート　251
メトクロプラミド
　　131, 137, 146, 151, 166, 390
メトロニダゾール　179, 290
メドロキシプロゲステロン　151
メナテトレノン　234
メマンチン　110, 391
メラトニン受容体作動薬　316
メロキシカム　64
メントール　295
めまい　106, 108, 109, 110, 395
免疫性神経疾患　403
免疫チェックポイント阻害薬
　　179, 291

も

モーズペースト　290
モザバプタン　243
モルヒネ　表紙裏, 73, 80, 88, 92, 122,
　　210, 217, 331, 370, 391, 409, 425, 489
持ち越し効果　318, 325, 334
妄想　332

や

夜間多尿　279, 284
夜間多尿指数　280
夜間頻尿　162, 279
薬剤性パーキンソン症候群　332
薬物乱用　295, 322

ゆ

輸液　146, 204, 227, 239, 280
輸液療法　160
輸血　208, 235
癒着　142
有痛性筋けいれん　271, 381
有痛性椎体転移　303

よ

予期性嘔吐　136
予期悲嘆　365, 467

予後の判定 13
予後予測
　　　3, **13**, 298, 361, 381, 404, 410, 453
予防的リハビリテーション 436
用手的ドレナージ 197
溶骨性転移 254
抑うつ
　　　250, 276, 318, **338**, 348, 387, 409, 462
――, 遺族の 467

ら

ラクツロース 173, 380
ラコサミド 270
ラメルテオン 316
卵巣がん 142, 194, 199, 203

り

リスペリドン 129, 131, 319, 334, 391
リチウム 131
リトナビル 317
リドカイン 109, 185, 220
　―― 中毒症状 109
リナクロチド 174
リネゾリド 129
リハビリテーション 398, 436
リビング・ウィル 23
リファキシミン 380
リポソーマルドキソルビシン 291
リラクセーション 55, 327, 439
リルマザホン 315
リンパ管閉塞 190
リンパ球 16, 479
リンパ腫 199, 294, 305
リンパ静脈性うっ滞 190
リンパ節転移 286
リンパドレナージ 197
リンパ浮腫 194, 438
　―― の病期分類 196
リンパ浮腫指導管理料 197
利尿薬 192, 201, 371, 379
離脱症状 80, 111, 323
六君子湯 152, 395

両側側腹部膨満 43
良性腫瘍 255
臨終期 434
臨終の立ち会い 462
臨床宗教師 446
臨床的な予後予測 479

る

ループ利尿薬 379
ルビプロストン 174, 390

れ

レゴラフェニブ 291
レジスタンストレーニング 440
レスキュー薬 35, 52, 75, 99, 437
レストレスレッグス症候群
　　　274, 311, 323, 387
レビー小体型認知症 361, 397
レベチラセタム 269, 270
レボドパ 274
レボドパ・カルビドパ 403
レボメプロマジン 131, 138
レンボレキサント 317

ろ

ロイシン 378
ロキソプロフェン 63
ロチゴチン 275, 403
ロピニロール 403
ロペラミド 179
ロラゼパム 138, 211, 318, 325
ロルメタゼパム 319
老年症候群 440
労作時呼吸困難 407
瘻孔 279

わ

ワセリン 290
ワルファリン 194
悪い知らせ 8
腕神経叢浸潤 109

欧文

数字

Ⅱ型呼吸不全　209, 409
2質問法　338
3段階鎮痛ラダー　54, 71
5つのP(不眠の要因)　312

A

α_1遮断薬　283
ADL低下　127
advance care planning(ACP)
　　13, **22**, 400, 420
advance directive　23
ALS　396, 439
autoimmune hepatitis(AIH)　375
AYA世代　428

B

β遮断薬　274, 371
β_3刺激薬　282
B型肝炎　378
Backの死前喘鳴評価ツール　227
bad news breaking　8
behavioral and psychological symptoms of dementia(BPSD)　361
BODEインデックス　410

C

C型肝炎　378
*C. difficile*感染症　179
CAGE　48
cancer-related fatigue(CRF)　247
cancer fatigue scale(CFS)　248
cell-free and concentrated ascites reinfusion therapy(CART)　203, 380
Child-Pugh分類　377, 382
chronic kidney disease(CKD)　384
CKDの重症度分類　384
CLIMBプログラム　429
clinical prediction of survival(CPS)
　　14
CLSS　280
CO_2ナルコーシス　209, 211, 400, 409
complementary and alternative medicine(CAM)　416
comprehensive geriatric assessment (CGA)　362
conservative kidney management (CKM)　388
COPD　3, 13, 148, 155, 170, 210, 215, 407
COX-2選択的阻害薬　62
CPS　479
CTミエログラフィ　262
Cushing徴候　266

D

delirium-palliative prognostic score (D-PaP score)　16
DIC　131
do not attempt resuscitation(DNAR)
　　25

E

ELNEC-J　452
end-stage kidney disease(ESKD)　385
ePrognosis　361
ESA製剤　389
ESAS-r-J　56, 487

F

faces pain scale(FPS)　39, 423, 480
FLACC scale　40, 424
fractional polynomials model　17
fungating malignant wounds(FMW)
　　289

G

GABA受容体作動薬　110
Gaucher病　418
GFR　384

H

hand-foot syndrome(HFS)　291

HIF-PH 阻害薬 389
HIV 感染症 294
Hope Tree 429
huffing 440

I

indwelling pleural catheter (IPC) 224
intensity modulated radiation therapy (IMRT) 301
interventional radiology (IVR) 233, 303
invasive positive pressure ventilation (IPPV) 410
IPOS 56
―― 患者用 3 日間版 485
IPSS 280
irAE 179

K・L

Karnofsky performance status (KPS) 16, 478
left ventricular assist device (LVAD) 373

M

mini-mental state examination (MMSE) 331
Mirels スコア 256
modified Richmond agitation-sedation scale (RASS) 350
multiple sclerosis (MS) 397

N・O

Na⁺チャネルブロッカー 108
NaSSA 341
neuromyelitis optica spectrum disorders (NMOSD) 397
NMDA 受容体拮抗薬 109, 391, 402
non-invasive positive pressure ventilation (NPPV) 209, 398, 408
nonalcoholic steatohepatitis (NASH) 375
NSAIDs 52, **60**, 126, 234, 285, 371, 389, 425
NSAIDs 潰瘍 230
numerical rating scale (NRS) **38**, 72, 148, 248, 423, **480**
OABSS 280

P

pain assessment in advanced dementia (PAINAD) 362
palliative performance scale (PPS) 15, 476
palliative prognostic index (PPI) 15, 259, 477
palliative prognostic score (PaP score) 16, 258, 479
patient controlled analgesia (PCA) 76, 425
patient reported outcome (PRO) 396
PEG 144, 397
percutaneous vertebroplasty (PVP) 303
performance status (PS) 16
―― の低下 453
peripherally inserted central venous catheter (PICC) 163
peritoneovenous shunt (PVS) 203
primary biliary cholangitis (PBC) 375
primary sclerosing cholangitis (PSC) 375
prognosis in palliative care study predictor models (PiPS models) 16
PTEG 144, 306
PTHrP 239

R

RASS 372
Reye 症候群 425

S

SAAG 200, 377

SHARE(悪い知らせを伝えるコミュニケーション) 10
shared decision making(SDM) 31, 388
SIADH 241, 268
simplified PPI 15
skeletal-related event(SRE) 257
SNRI 108, 129, 326, 340, 409
SPIKES 10
spine instability neoplastic score(SINS) 259
spontaneous bacterial peritonitis(SBP) 376
SSRI 129, 296, 326, 340, 409
STAS-J 56, 353, 481
—— 症状版 484
stereotactic radiosurgery(SRS) 299
stereotactic radiotherapy(SRT) 299
subjective global assessment(SGA) 156

T

time-limited trial 102
tracheostomy positive pressure ventilation(TPPV) 399

V・W

V_2 受容体拮抗薬 243
verbal rating scale(VRS) 39, 480
visual analogue scale(VAS) 148, 423, 480
WHO 方式がん疼痛治療法 52